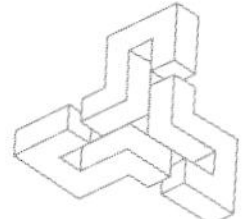
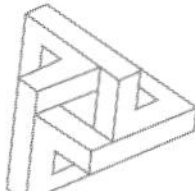

중학수학 3-1

SHERPA

셀파

해법수학

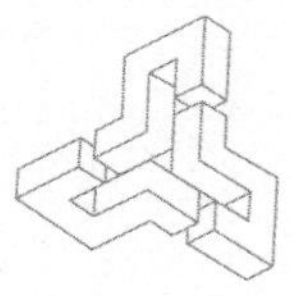

자기주도 학습 sherpa

책머리에

수학은 누구나 잘 할 수 있습니다.

셀파 해법수학과 함께하는 여러분은 목표를 꼭 이룰 것입니다.

'어떻게 하면 지긋지긋한 수학을 쉽고 재미있게 공부할 수 있을까?'
하고 고민해 본 경험은 누구에게나 한 번쯤은 있을 것입니다.
수학은 모든 학문의 바탕이 되는 과목입니다.
또한 대학입시에서도 매우 중요한 역할을 합니다.
그러나 안타깝게도 많은 학생들이 수학을 포기하는 것이 우리 현실입니다.

수학을 잘 하기 위해서는 무엇보다 수학과 친해져야 합니다.
그러기 위해서는 쉬운 문제부터 시작하여
기본 원리를 확실하게 터득해야 합니다.

이에 여러분 모두가 수학을 잘 할 수 있기를 바라는 마음으로
셀파 해법수학을 만들었습니다.
수학을 쉽게 익힐 수 있는 셀파 해법수학 개념 기본서는
여러분의 수학 실력을 한 단계 더 높이는 데 도움을 줄 것입니다.

수학을 공부하다 보면
도대체 이 문제를 어떻게 푸는 걸까?
하며 힘들어 할 때가 생길 것입니다.
이렇게 도움이 필요한 순간마다 셀파 해법수학을 펼쳐 보십시오.
셀파 해법수학은 여러분의 수학 공부 도우미가 될 것입니다.

셀파 해법수학과 함께하는 여러분의 성공을 기원합니다.

崔容準

Structure 구성과 특징

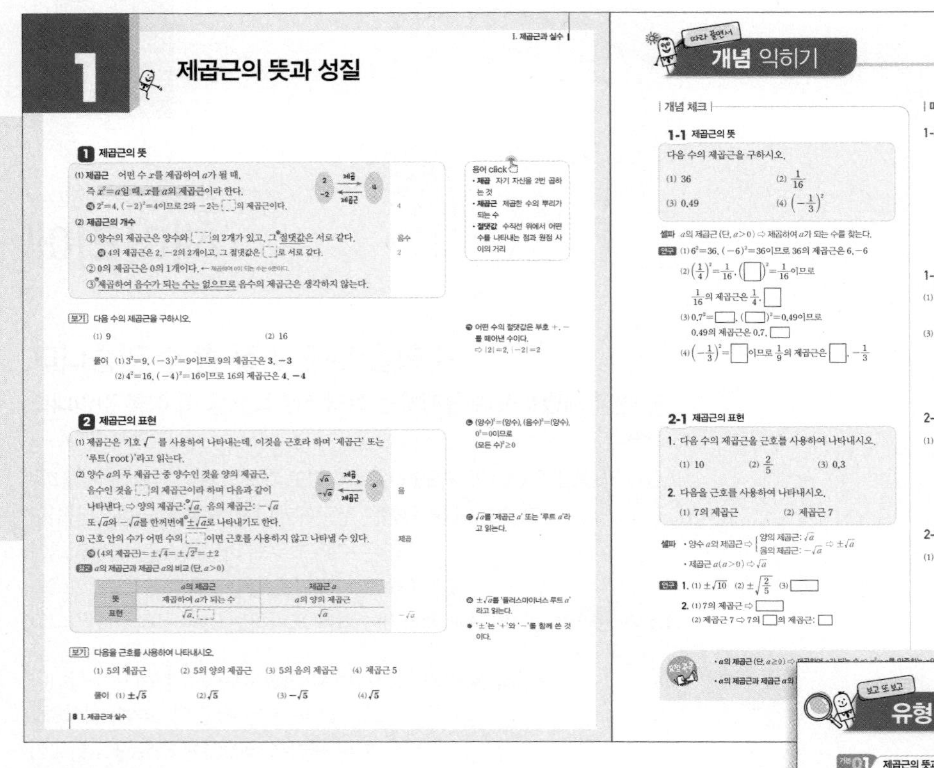

개념 익히기

그 단원에서 다루는 개념을 완벽하게 이해할 수 있도록 꼼꼼하고 상세하게 개념을 정리하였습니다.
개념 설명과 함께 보기를 제시해서 개념이 문제 해결 과정에서 어떻게 이용되는지 알 수 있도록 하였습니다. 빈칸 채우기를 통해 핵심 개념을 더욱 확실히 알 수 있도록 하였습니다.

따라 풀면서 개념 익히기

새로 배우는 개념을 좀 더 편리하게 학습할 수 있도록 다양한 형식의 가장 쉬운 문제를 제시하였습니다. 이 부분의 문제만 풀더라도 개념 형성이 가능하도록 하였습니다.
따라 풀기를 통해 같은 개념의 다른 문제를 한 번 더 풀어봄으로써 기초를 확실히 다질 수 있도록 하였습니다.

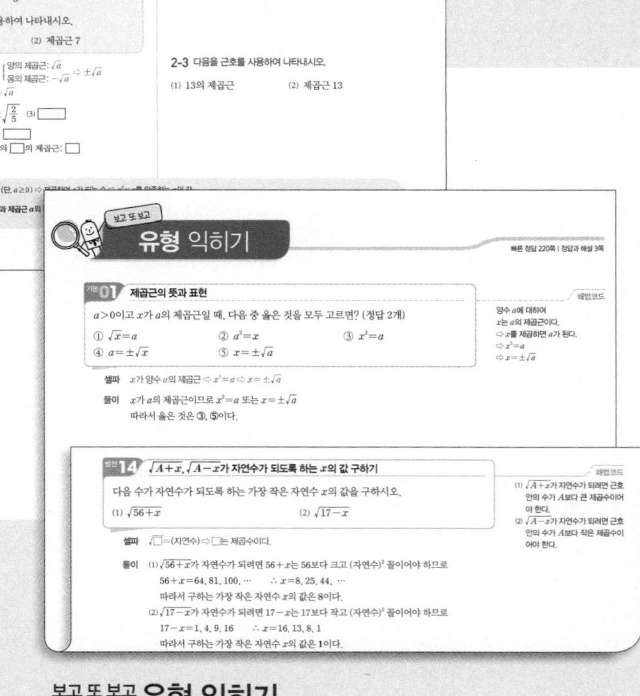

보고 또 보고 유형 익히기

기본 문제 / 발전 문제 꼭 알아야 하는 유형의 기본 문제와 기본 문제를 응용한 발전 문제를 통해 다양한 유형을 학습할 수 있도록 하였습니다. 확인 문제에서 처음 다루는 내용이나 문제 해결에 필요한 내용은 마이 셀파에서 도움말을 제공하여 큰 어려움 없이 문제를 풀 수 있도록 하였습니다.

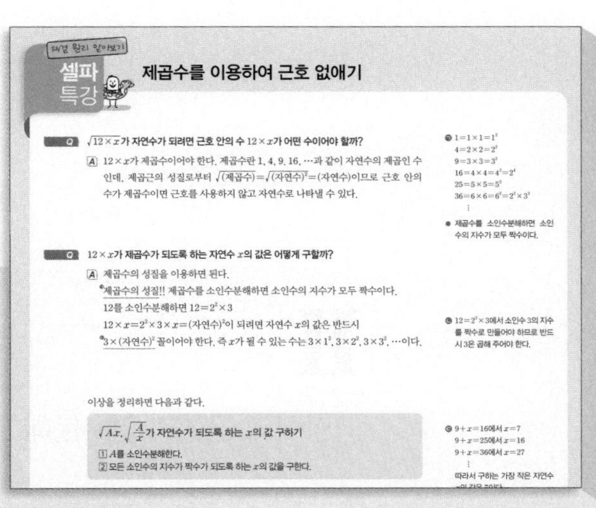

개념 원리 알아보기

셀파 특강

제곱수를 이용하여 근호 없애기

Q $\sqrt{12\times x}$가 자연수가 되려면 근호 안의 수 $12\times x$가 어떤 수이어야 할까?

A $12\times x$가 제곱수이어야 한다. 제곱수란 1, 4, 9, 16, …과 같이 자연수의 제곱인 수인데, 제곱근의 성질로부터 $\sqrt{(\text{제곱수})}=\sqrt{(\text{자연수})^2}=(\text{자연수})$이므로 근호 안의 수가 제곱수이면 근호를 사용하지 않고 자연수로 나타낼 수 있다.

$1=1\times1=1^2$
$4=2\times2=2^2$
$9=3\times3=3^2$
$16=4\times4=4^2=2^4$
$25=5\times5=5^2$
$36=6\times6=6^2=2^2\times3^2$
⋮

제곱수를 소인수분해하면 소인수의 지수가 모두 짝수이다.

Q $12\times x$가 제곱수가 되도록 하는 자연수 x의 값은 어떻게 구할까?

A 제곱수의 성질을 이용하면 된다.
제곱수의 성질!! 제곱수를 소인수분해하면 소인수의 지수가 모두 짝수이다.
12를 소인수분해하면 $12=2^2\times3$
$12\times x=2^2\times3\times x=(\text{자연수})^2$이 되려면 자연수 x의 값은 반드시 $3\times(\text{자연수})^2$ 꼴이어야 한다. 즉 x가 될 수 있는 수는 $3\times1^2, 3\times2^2, 3\times3^2, \cdots$이다.

$12=2^2\times3$에서 소인수 3의 지수를 짝수로 만들어야 하므로 반드시 3을 곱해 주어야 한다.

이상을 정리하면 다음과 같다.

$\sqrt{Ax}$, $\sqrt{\frac{A}{x}}$가 자연수가 되도록 하는 x의 값 구하기
1 A를 소인수분해한다.
2 모든 소인수의 지수가 짝수가 되도록 하는 x의 값을 구한다.

$9+x=16$에서 $x=7$
$9+x=25$에서 $x=16$
$9+x=36$에서 $x=27$
⋮
따라서 구하는 가장 작은 자연수

셀파 특강

중학교 수학에서 꼭 알아야 하지만
본문의 개념 정리에서 조금 부족하게 다룬 내용은
셀파 특강을 통해 충분히 학습할 수 있도록 하였습니다.

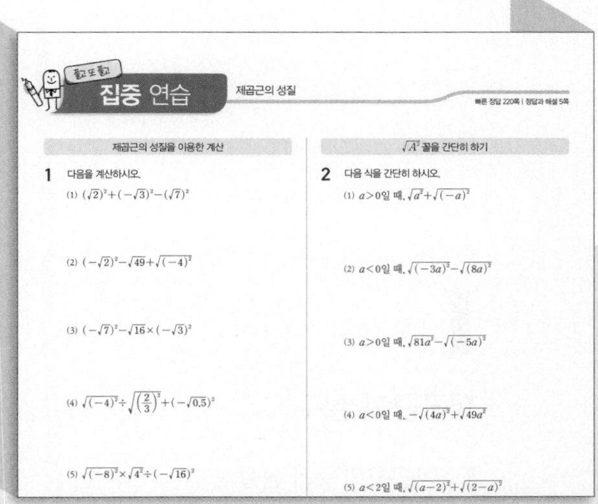

풀고 또 풀고

집중 연습 제곱근의 성질

빠른 정답 220쪽 | 정답과 해설 5쪽

제곱근의 성질을 이용한 계산

1 다음을 계산하시오.
(1) $(\sqrt{2})^2+(-\sqrt{3})^2-(\sqrt{7})^2$
(2) $(-\sqrt{2})^2-\sqrt{49}+\sqrt{(-4)^2}$
(3) $(-\sqrt{7})^2-\sqrt{16}\times(-\sqrt{3})^2$
(4) $\sqrt{(-4)^2}\div\sqrt{\left(\frac{2}{3}\right)^2}+(-\sqrt{0.5})^2$
(5) $\sqrt{(-8)^2}\times\sqrt{4^2}\div(-\sqrt{16})^2$

$\sqrt{A^2}$ 꼴을 간단히 하기

2 다음 식을 간단히 하시오.
(1) $a>0$일 때, $\sqrt{a^2}+\sqrt{(-a)^2}$
(2) $a<0$일 때, $\sqrt{(-3a)^2}-\sqrt{(8a)^2}$
(3) $a>0$일 때, $\sqrt{81a^2}-\sqrt{(-5a)^2}$
(4) $a<0$일 때, $-\sqrt{(4a)^2}+\sqrt{49a^2}$
(5) $a<2$일 때, $\sqrt{(a-2)^2}+\sqrt{(2-a)^2}$

집중 연습

새로 배우는 개념을 확실하게 익힐 수 있도록
집중 연습 문제를 제시하였습니다.

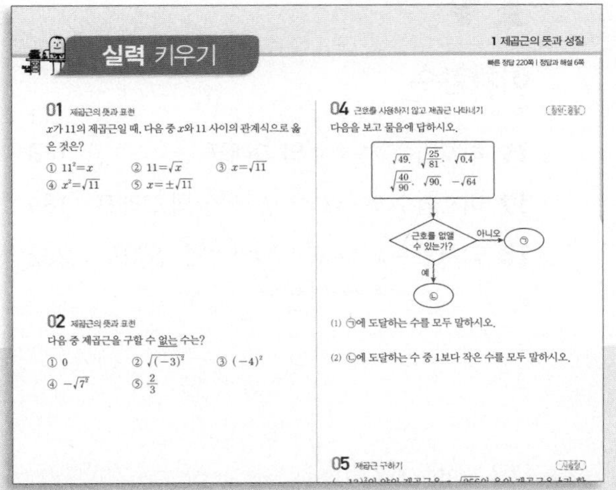

실력 키우기

1 제곱근의 뜻과 성질

빠른 정답 220쪽 | 정답과 해설 6쪽

01 제곱근의 뜻과 표현
x가 11의 제곱근일 때, 다음 중 x와 11 사이의 관계식으로 옳은 것은?
① $11^2=x$ ② $11=\sqrt{x}$ ③ $x=\sqrt{11}$
④ $x^2=\sqrt{11}$ ⑤ $x=\pm\sqrt{11}$

02 제곱근의 뜻과 표현
다음 중 제곱근을 구할 수 없는 수는?
① 0 ② $\sqrt{(-3)^2}$ ③ $(-4)^2$
④ $-\sqrt{7^2}$ ⑤ $\frac{2}{3}$

04 근호를 사용하지 않고 제곱근 나타내기 (창의·융합)
다음을 보고 물음에 답하시오.

$\sqrt{49}$, $\sqrt{\frac{25}{81}}$, $\sqrt{0.4}$, $\sqrt{\frac{40}{90}}$, $\sqrt{90}$, $-\sqrt{64}$

근호를 없앨 수 있는가? — 아니오 → ㉠, 예 → ㉡

(1) ㉠에 도달하는 수를 모두 말하시오.
(2) ㉡에 도달하는 수 중 1보다 작은 수를 모두 말하시오.

05 제곱근 구하기 (서술형)

실력 키우기

실력 키우기에서 제시하는 문제는 앞에서 다룬 내용을 바탕으로 하고 있습니다. 기본을 강화하는 데 도움이 되는 내용과 학교 시험에서 자주 나오는 내용뿐 아니라 실력을 한 단계 높일 수 있는 문제로 알차게 구성하였습니다. 창의력 문제, 여러 개념의 통합형 문제, 서술형 문제를 통해 실력을 한층 높일 수 있도록 하였습니다.

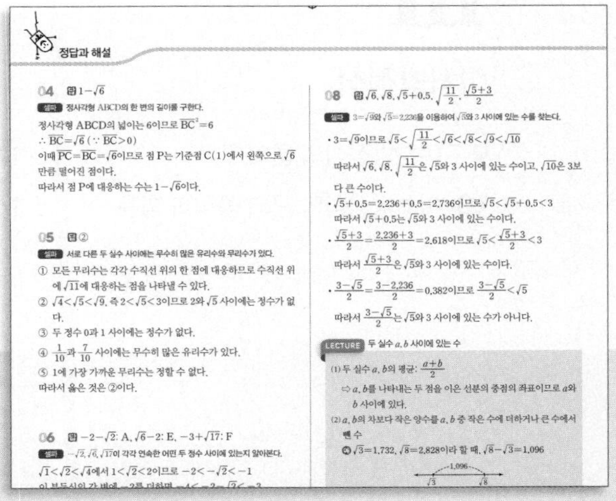

정답과 해설

04 답 $1-\sqrt{6}$
셀파 정사각형 ABCD의 한 변의 길이를 구한다.
정사각형 ABCD의 넓이는 6이므로 $\overline{BC}^2=6$
$\therefore \overline{BC}=\sqrt{6}$ ($\because \overline{BC}>0$)
이때 $\overline{PC}=\overline{BC}=\sqrt{6}$이므로 점 P는 기준점 C(1)에서 왼쪽으로 $\sqrt{6}$만큼 떨어진 점이다.
따라서 점 P에 대응하는 수는 $1-\sqrt{6}$이다.

05 답 ②
셀파 서로 다른 두 실수 사이에는 무수히 많은 유리수와 무리수가 있다.
① 모든 무리수는 각각 수직선 위의 한 점에 대응하므로 수직선 위에 $\sqrt{11}$에 대응하는 점을 나타낼 수 있다.
② $\sqrt{4}<\sqrt{5}<\sqrt{9}$, 즉 $2<\sqrt{5}<3$이므로 2와 $\sqrt{5}$ 사이에는 정수가 없다.
③ 두 정수 0과 1 사이에는 정수가 없다.
④ $\frac{1}{10}$과 $\frac{7}{10}$ 사이에는 무수히 많은 유리수가 있다.
⑤ 1에 가장 가까운 무리수는 정할 수 없다.
따라서 옳은 것은 ②이다.

06 답 $-2-\sqrt{2}$: A, $\sqrt{6}-2$: E, $-3+\sqrt{17}$: F
셀파 $-\sqrt{2}$, $\sqrt{6}$, $\sqrt{17}$이 각각 연속한 어떤 두 정수 사이에 있는지 알아본다.
$\sqrt{1}<\sqrt{2}<\sqrt{4}$에서 $1<\sqrt{2}<2$이므로 $-2<-\sqrt{2}<-1$

08 답 $\sqrt{6}$, $\sqrt{8}$, $\sqrt{5}+0.5$, $\sqrt{\frac{11}{2}}$, $\frac{\sqrt{5}+3}{2}$
셀파 $3=\sqrt{9}$와 $\sqrt{5}=2.236$을 이용하여 $\sqrt{5}$와 3 사이에 있는 수를 찾는다.
• $3=\sqrt{9}$이므로 $\sqrt{5}<\sqrt{\frac{11}{2}}<\sqrt{6}<\sqrt{8}<\sqrt{9}<\sqrt{10}$
따라서 $\sqrt{6}$, $\sqrt{8}$, $\sqrt{\frac{11}{2}}$은 $\sqrt{5}$와 3 사이에 있는 수이고, $\sqrt{10}$은 3보다 큰 수이다.
• $\sqrt{5}+0.5=2.236+0.5=2.736$이므로 $\sqrt{5}<\sqrt{5}+0.5<3$
따라서 $\sqrt{5}+0.5$는 $\sqrt{5}$와 3 사이에 있는 수이다.
• $\frac{\sqrt{5}+3}{2}=\frac{2.236+3}{2}=2.618$이므로 $\sqrt{5}<\frac{\sqrt{5}+3}{2}<3$
따라서 $\frac{\sqrt{5}+3}{2}$은 $\sqrt{5}$와 3 사이에 있는 수이다.
• $\frac{3-\sqrt{5}}{2}=\frac{3-2.236}{2}=0.382$이므로 $\frac{3-\sqrt{5}}{2}<\sqrt{5}$
따라서 $\frac{3-\sqrt{5}}{2}$는 $\sqrt{5}$와 3 사이에 있는 수가 아니다.

LECTURE 두 실수 a, b 사이에 있는 수
(1) 두 실수 a, b의 평균: $\frac{a+b}{2}$
⇨ a, b를 나타내는 두 점을 이은 선분의 중점의 좌표이므로 a와 b 사이에 있다.
(2) a, b의 차보다 작은 양수를 a, b 중 작은 수에 더하거나 큰 수에서 뺀 수
예 $\sqrt{3}=1.732$, $\sqrt{8}=2.828$이라 할 때, $\sqrt{8}-\sqrt{3}=1.096$

정답과 해설

이해하기 쉽도록 과정을 자세하게 설명하였습니다. 서술형 문제에서는 설명과 채점 기준을 제시해서 풀이의 핵심을 알 수 있도록 하였고, 개념 다시 보기, 다른 풀이, 오답 피하기 등을 통해 문제를 완벽하게 해결할 수 있도록 하였습니다. 자기주도 학습에 도움이 되도록 깊이 있는 설명이 필요한 부분에 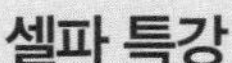를 제시하였습니다.

Contents 이 책의 차례

I 제곱근과 실수

II 다항식의 곱셈과 인수분해

III 이차방정식

IV 이차함수

셀파 특강 · 집중 연습 차례

I 제곱근과 실수

II 다항식의 곱셈과 인수분해

III 이차방정식

IV 이차함수

아유. 귀여운 쌍둥이들.
몇 살이야?
형의 나이의 제곱근이
우리 나이예요.

얘들이 지금 뭔 소리를
하는 거야?

우리 둘의 나이를 곱하면
형의 나이가 된다고요.

내 나이가 16세이고
쌍둥이는 나이가
같으니까…….
16=×
16=²

네 살
정답입니다!
4는 16의 제곱근
이지요.

정답을 맞힌 선물은
36의 제곱근만큼
사탕입니다.
36의
제곱근?

흐흐흐
6×6=36이니까
6개 줘.

36의 제곱근에는 -6도
있으니까, 형이 우리한테
6개 줘야 해요.
이건 또
뭔 소리야?

I | 제곱근과 실수

제곱근의 뜻과 성질

| 개념 1 | 제곱근의 뜻
| 개념 2 | 제곱근의 표현
| 개념 3 | 제곱근의 성질
| 개념 4 | 제곱근의 대소 관계

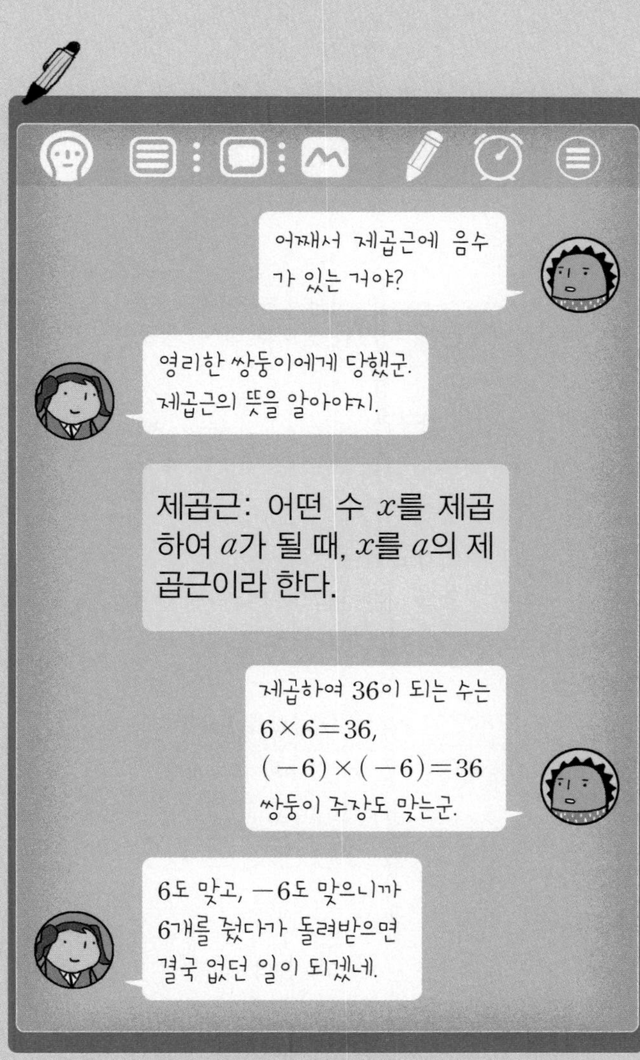

1 제곱근의 뜻과 성질

1 제곱근의 뜻

(1) **제곱근** 어떤 수 x를 제곱하여 a가 될 때,
즉 $x^2=a$일 때, x를 a의 제곱근이라 한다.

2, −2 → 제곱 → 4, 4 → 제곱근 → 2, −2

예 $2^2=4$, $(-2)^2=4$이므로 2와 -2는 ☐의 제곱근이다. 4

(2) **제곱근의 개수**

① 양수의 제곱근은 양수와 ☐의 2개가 있고, 그 ㉠절댓값은 서로 같다. 음수

예 4의 제곱근은 2, -2의 2개이고, 그 절댓값은 ☐로 서로 같다. 2

② 0의 제곱근은 0의 1개이다. ← 제곱하여 0이 되는 수는 0뿐이다.

③ ㉡제곱하여 음수가 되는 수는 없으므로 음수의 제곱근은 생각하지 않는다.

용어 click
- **제곱** 자기 자신을 2번 곱하는 것
- **제곱근** 제곱한 수의 뿌리가 되는 수
- **절댓값** 수직선 위에서 어떤 수를 나타내는 점과 원점 사이의 거리

㉠ 어떤 수의 절댓값은 부호 $+$, $-$를 떼어낸 수이다.
⇨ $|2|=2$, $|-2|=2$

보기 다음 수의 제곱근을 구하시오.

(1) 9 (2) 16

풀이 (1) $3^2=9$, $(-3)^2=9$이므로 9의 제곱근은 **3, −3**
(2) $4^2=16$, $(-4)^2=16$이므로 16의 제곱근은 **4, −4**

2 제곱근의 표현

㉡ (양수)^2=(양수), (음수)^2=(양수), $0^2=0$이므로 (모든 수)$^2\geq 0$

(1) 제곱근은 기호 $\sqrt{\ }$ 를 사용하여 나타내는데, 이것을 근호라 하며 '제곱근' 또는 '루트(root)'라고 읽는다.

(2) 양수 a의 두 제곱근 중 양수인 것을 양의 제곱근,
음수인 것을 ☐의 제곱근이라 하며 다음과 같이 나타낸다. ⇨ 양의 제곱근: ㉢$\sqrt{a}$, 음의 제곱근: $-\sqrt{a}$
또 $\sqrt{a}$와 $-\sqrt{a}$를 한꺼번에 ㉣$\pm\sqrt{a}$로 나타내기도 한다. 음

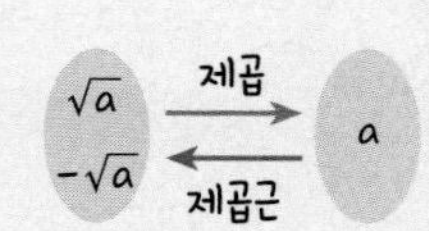

(3) 근호 안의 수가 어떤 수의 ☐이면 근호를 사용하지 않고 나타낼 수 있다. 제곱

예 (4의 제곱근)$=\pm\sqrt{4}=\pm\sqrt{2^2}=\pm2$

참고 a의 제곱근과 제곱근 a의 비교 (단, $a>0$)

	a의 제곱근	제곱근 a
뜻	제곱하여 a가 되는 수	a의 양의 제곱근
표현	$\sqrt{a}$, ☐	$\sqrt{a}$

$-\sqrt{a}$

㉢ $\sqrt{a}$를 '제곱근 a' 또는 '루트 a'라고 읽는다.

㉣ $\pm\sqrt{a}$를 '플러스마이너스 루트 a'라고 읽는다.

● '±'는 '+'와 '−'를 함께 쓴 것이다.

보기 다음을 근호를 사용하여 나타내시오.

(1) 5의 제곱근 (2) 5의 양의 제곱근 (3) 5의 음의 제곱근 (4) 제곱근 5

풀이 (1) $\pm\sqrt{5}$ (2) $\sqrt{5}$ (3) $-\sqrt{5}$ (4) $\sqrt{5}$

빠른 정답 220쪽 | 정답과 해설 2쪽

| 개념 체크 |

1-1 제곱근의 뜻

다음 수의 제곱근을 구하시오.

(1) 36　　(2) $\frac{1}{16}$

(3) 0.49　　(4) $\left(-\frac{1}{3}\right)^2$

셀파 a의 제곱근 (단, $a>0$) ⇨ 제곱하여 a가 되는 수를 찾는다.

연구 (1) $6^2=36$, $(-6)^2=36$이므로 36의 제곱근은 6, −6

(2) $\left(\frac{1}{4}\right)^2=\frac{1}{16}$, $(\square)^2=\frac{1}{16}$이므로

$\frac{1}{16}$의 제곱근은 $\frac{1}{4}$, $\square$

(3) $0.7^2=\square$, $(\square)^2=0.49$이므로

0.49의 제곱근은 0.7, $\square$

(4) $\left(-\frac{1}{3}\right)^2=\square$이므로 $\frac{1}{9}$의 제곱근은 $\square$, $-\frac{1}{3}$

| 따라 풀기 |

1-2 다음 □ 안에 알맞은 수를 써넣으시오.

25의 제곱근 ⇨ 제곱하여 $\square$가 되는 수
⇨ $x^2=\square$를 만족하는 x의 값
⇨ 5, $\square$

1-3 다음 수의 제곱근을 구하시오.

(1) 81　　(2) $\frac{1}{4}$

(3) 0.01　　(4) $(-8)^2$

2-1 제곱근의 표현

1. 다음 수의 제곱근을 근호를 사용하여 나타내시오.

(1) 10　　(2) $\frac{2}{5}$　　(3) 0.3

2. 다음을 근호를 사용하여 나타내시오.

(1) 7의 제곱근　　(2) 제곱근 7

셀파 • 양수 a의 제곱근 ⇨ $\begin{cases}\text{양의 제곱근: } \sqrt{a} \\ \text{음의 제곱근: } -\sqrt{a}\end{cases}$ ⇨ $\pm\sqrt{a}$

• 제곱근 $a(a>0)$ ⇨ $\sqrt{a}$

연구 **1.** (1) $\pm\sqrt{10}$　(2) $\pm\sqrt{\frac{2}{5}}$　(3) $\square$

2. (1) 7의 제곱근 ⇨ $\square$

(2) 제곱근 7 ⇨ 7의 $\square$의 제곱근: $\square$

2-2 다음 수의 제곱근을 근호를 사용하여 나타내시오.

(1) 8　　(2) $\frac{3}{2}$　　(3) 0.5

2-3 다음을 근호를 사용하여 나타내시오.

(1) 13의 제곱근　　(2) 제곱근 13

• **a의 제곱근** (단, $a\geq0$) ⇨ 제곱하여 a가 되는 수 ⇨ $x^2=a$를 만족하는 x의 값

• **a의 제곱근과 제곱근 a의 비교** (단, $a>0$) ⇨ $\begin{cases}a\text{의 제곱근: } \sqrt{a}, -\sqrt{a} ⇨ \pm\sqrt{a} \\ \text{제곱근 } a\text{: } \sqrt{a}\end{cases}$

1 제곱근의 뜻과 성질

3 제곱근의 성질

(1) 제곱근의 성질 $a>0$일 때

❶ a의 제곱근을 제곱하면 ☐가 된다. ⇨ⓖ $(\sqrt{a})^2=a$, $(-\sqrt{a})^2=a$ — a

예 $(\sqrt{2})^2=2$, $(-\sqrt{2})^2=2$

❷ 근호 안의 수가 어떤 수의 ☐이면 근호를 사용하지 않고 나타낼 수 있다. — 제곱

⇨ⓛ $\sqrt{a^2}=a$, $\sqrt{(-a)^2}=a$

예 $\sqrt{2^2}=2$, $\sqrt{(-2)^2}=2$

(2) $\sqrt{a^2}$의 성질

❶ $a\geq 0$이면 $\sqrt{a^2}=a$

❷ⓒ $a<0$이면 $\sqrt{a^2}=$ ☐ — $-a$

예ⓡ $\sqrt{3^2}=3$, $\sqrt{(-3)^2}=-(-3)=3$

$\sqrt{(\text{양수})^2}=(\text{양수})$
$\sqrt{(\text{음수})^2}=-(\text{음수})=(\text{양수})$

ⓖ 양수 a의 제곱근이 $\sqrt{a}$, $-\sqrt{a}$이므로 $(\sqrt{a})^2=a$, $(-\sqrt{a})^2=a$가 성립한다.

ⓛ $\sqrt{a^2}$, $\sqrt{(-a)^2}$은 양의 제곱근이므로 양수이다.

ⓒ $a<0$이면 $\sqrt{a}$를 생각하지 않는다. 그러나 $a<0$일 때 $a^2>0$이므로 $\sqrt{a^2}$은 생각할 수 있다.

보기 다음 수를 근호를 사용하지 않고 나타내시오.

(1) $(\sqrt{5})^2$ (2) $(-\sqrt{5})^2$ (3) $\sqrt{5^2}$ (4) $\sqrt{(-5)^2}$

풀이 (1) $\sqrt{5}$는 5의 양의 제곱근이므로 $(\sqrt{5})^2=\mathbf{5}$

(2) $-\sqrt{5}$는 5의 음의 제곱근이므로 $(-\sqrt{5})^2=\mathbf{5}$

(3) $5^2=25$이고 25의 양의 제곱근은 $\sqrt{5^2}=\sqrt{25}=\mathbf{5}$

(4) $(-5)^2=25$이고 25의 양의 제곱근은 $\sqrt{(-5)^2}=\sqrt{25}=\mathbf{5}$

ⓡ $\sqrt{3^2}=3$, $|3|=3$
$\sqrt{(-3)^2}=-(-3)=3$,
$|-3|=-(-3)=3$
이와 같이 $\sqrt{a^2}$과 $|a|$는 나타내는 뜻은 다르지만 결과가 같다. 따라서 $\sqrt{a^2}=|a|$로 생각하여 $\sqrt{a^2}$을 간단히 해도 된다.
⇨ $\sqrt{a^2}=|a|$이고, $|a|\geq 0$이므로 $\sqrt{a^2}$의 계산 결과는 음이 아닌 수임에 주의한다.

4 제곱근의 대소 관계

$a>0$, $b>0$일 때

❶ $a<b$이면 $\sqrt{a}$ ☐ $\sqrt{b}$ ⓜ — $<$

❷ $\sqrt{a}<\sqrt{b}$이면 $a<b$ ⓜ

❸ $\sqrt{a}<\sqrt{b}$이면ⓑ $-\sqrt{a}>-\sqrt{b}$

예 $2<3$이므로 $\sqrt{2}<\sqrt{3}$, $-\sqrt{2}$ ☐ $-\sqrt{3}$ — $>$

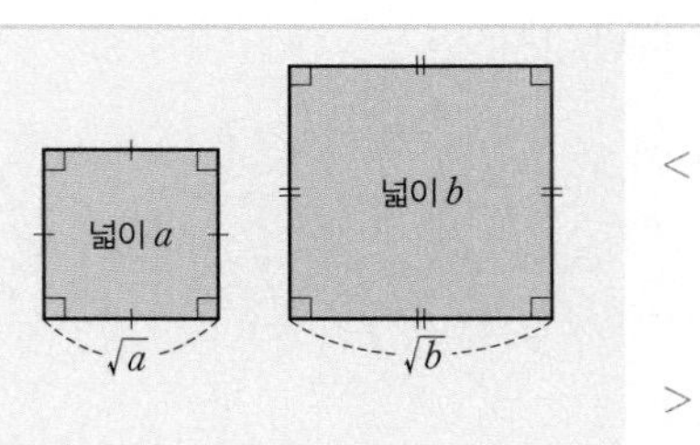

참고 a와 $\sqrt{b}$의 대소 비교 (단, $a>0$, $b>0$)

[방법 1] 근호가 없는 수를 근호가 있는 수로 바꾸어 비교한다.

⇨ $\sqrt{a^2}$과 $\sqrt{b}$의 대소를 비교한다.

예 2와 $\sqrt{3}$의 대소를 비교하면 $2=$ ☐이고 $4>3$이므로 $\sqrt{4}>\sqrt{3}$ $\therefore 2>\sqrt{3}$ — $\sqrt{4}$

[방법 2] 각 수를 제곱하여 비교한다. ⇨ a^2과 b의 대소를 비교한다.

예 2와 $\sqrt{3}$의 대소를 비교하면 $2^2=4$, $(\sqrt{3})^2=$ ☐이고 $4>3$이므로 $2>\sqrt{3}$ — 3

ⓜ ❶ 정사각형의 넓이가 넓을수록 한 변의 길이도 길다.
⇨ $a<b$이면 $\sqrt{a}<\sqrt{b}$
❷ 정사각형의 한 변의 길이가 길수록 넓이도 넓다.
⇨ $\sqrt{a}<\sqrt{b}$이면 $a<b$

ⓑ 양의 제곱근끼리는 $\sqrt{\ }$ 안의 수가 클수록 크고, 음의 제곱근끼리는 $\sqrt{\ }$ 안의 수가 작을수록 크다.

보기 다음 두 수의 대소를 비교하시오.

(1) $\sqrt{5}$, $\sqrt{6}$ (2) $\sqrt{17}$, 4

풀이 (1) $5<6$이므로 $\mathbf{\sqrt{5}<\sqrt{6}}$

(2) $4=\sqrt{16}$이고 $17>16$이므로 $\sqrt{17}>\sqrt{16}$ $\therefore \mathbf{\sqrt{17}>4}$

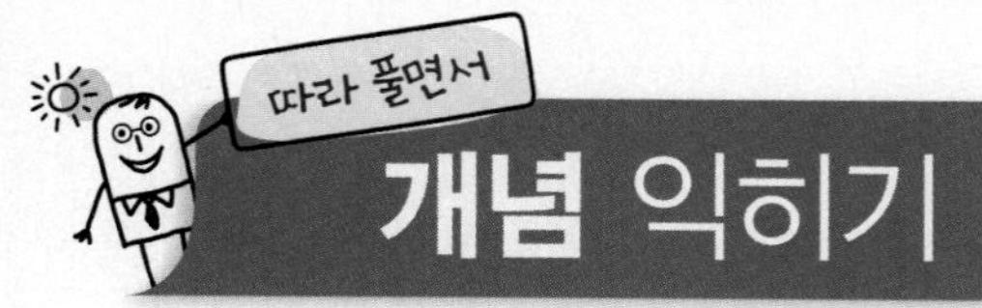

빠른 정답 220쪽 | 정답과 해설 2쪽

| 개념 체크 |

3-1 제곱근의 성질

1. 다음 값을 구하시오.

(1) $(\sqrt{6})^2$　　(2) $\left(-\sqrt{\frac{1}{4}}\right)^2$

(3) $\sqrt{0.2^2}$　　(4) $\sqrt{(-8)^2}$

2. $a>0$일 때, 다음 식을 간단히 하시오.

(1) $\sqrt{(2a)^2}$　　(2) $\sqrt{(-2a)^2}$

셀파 $a>0$일 때, $(\sqrt{a})^2=(-\sqrt{a})^2=a$이고
$\sqrt{a^2}$의 값은 a의 부호에 상관없이 $\sqrt{a^2}=|a|$이다.

연구 **1.** (1) $(\sqrt{6})^2=6$　　(2) $\left(-\sqrt{\frac{1}{4}}\right)^2=\square$

(3) $\sqrt{0.2^2}=0.2$　　(4) $\sqrt{(-8)^2}=\square$

2. (1) $a>0$일 때, $2a>0$이므로 $\sqrt{(2a)^2}=\square$

(2) $a>0$일 때, $-2a<0$이므로 $\sqrt{(-2a)^2}=\square$

| 따라 풀기 |

3-2 다음 값을 구하시오.

(1) $(\sqrt{7})^2$　　(2) $\left(-\sqrt{\frac{2}{5}}\right)^2$

(3) $\sqrt{0.4^2}$　　(4) $\sqrt{(-13)^2}$

3-3 $a<0$일 때, ◯ 안에는 >, < 중 알맞은 부등호를, □ 안에는 알맞은 식을 써넣으시오.

(1) $\sqrt{(2a)^2}$에서 $2a$ ◯ 0이므로 $\sqrt{(2a)^2}=\square$

(2) $\sqrt{(-2a)^2}$에서 $-2a$ ◯ 0이므로 $\sqrt{(-2a)^2}=\square$

4-1 제곱근의 대소 관계

다음 ◯ 안에 >, < 중 알맞은 부등호를 써넣으시오.

(1) $\sqrt{5}$ ◯ $\sqrt{10}$　　(2) $\sqrt{\frac{1}{2}}$ ◯ $\sqrt{\frac{2}{3}}$

(3) 3 ◯ $\sqrt{8}$　　(4) $-\sqrt{15}$ ◯ -4

셀파 $a>0, b>0$일 때, $a<b$이면 $\sqrt{a}<\sqrt{b}$, $-\sqrt{a}>-\sqrt{b}$

연구 (1) $5<10$이므로 $\sqrt{5}\,\square\,\sqrt{10}$

(2) $\frac{1}{2}=\frac{3}{6}$, $\frac{2}{3}=\frac{4}{6}$이고 $\frac{3}{6}<\frac{4}{6}$이므로 $\sqrt{\frac{1}{2}}\,\square\,\sqrt{\frac{2}{3}}$

(3) $3=\sqrt{9}$이고 $\sqrt{9}>\sqrt{8}$이므로 $3\,\square\,\sqrt{8}$

(4) $4=\sqrt{16}$이고 $\sqrt{15}\,\square\,\sqrt{16}$이므로 $-\sqrt{15}\,\square\,-4$

4-2 다음 ◯ 안에 >, < 중 알맞은 부등호를 써넣으시오.

(1) $\sqrt{7}$ ◯ $\sqrt{14}$　　(2) $\sqrt{\frac{1}{4}}$ ◯ $\sqrt{\frac{1}{5}}$

(3) $-\sqrt{13}$ ◯ $-\sqrt{17}$　　(4) $-\sqrt{\frac{3}{5}}$ ◯ $-\sqrt{\frac{2}{3}}$

(5) $\sqrt{35}$ ◯ 6　　(6) -5 ◯ $-\sqrt{24}$

- **제곱근의 성질**　$a>0$일 때 ❶ $(\sqrt{a})^2=a$, $(-\sqrt{a})^2=a$　❷ $\sqrt{a^2}=a$, $\sqrt{(-a)^2}=a$
- **제곱근의 대소 관계**　$a>0, b>0$일 때, $a<b$이면 $\sqrt{a}<\sqrt{b}$, $-\sqrt{a}>-\sqrt{b}$
  이때 $\sqrt{\ }$ 가 없는 수는 $\sqrt{\ }$ 가 있는 수로 바꾸어 대소를 비교한다.

유형 익히기

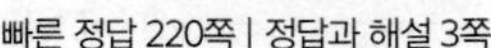

빠른 정답 220쪽 | 정답과 해설 3쪽

기본 01 제곱근의 뜻과 표현

$a>0$이고 x가 a의 제곱근일 때, 다음 중 옳은 것을 모두 고르면? (정답 2개)

① $\sqrt{x}=a$　② $a^2=x$　③ $x^2=a$
④ $a=\pm\sqrt{x}$　⑤ $x=\pm\sqrt{a}$

해법코드
양수 a에 대하여
x는 a의 제곱근이다.
⇨ x를 제곱하면 a가 된다.
⇨ $x^2=a$
⇨ $x=\pm\sqrt{a}$

셀파 x가 양수 a의 제곱근 ⇨ $x^2=a$ ⇨ $x=\pm\sqrt{a}$

풀이 x가 a의 제곱근이므로 $x^2=a$ 또는 $x=\pm\sqrt{a}$
따라서 옳은 것은 ③, ⑤이다.

확인 01 11의 제곱근을 a, 9의 제곱근을 b라 할 때, a^2+b^2의 값을 구하시오.

» My 셀파
x가 a의 제곱근이면 $x^2=a$를 만족한다.

기본 02 제곱근의 이해

다음 중 옳은 것을 모두 고르면? (정답 2개)

① 0의 제곱근은 0뿐이다.　② -4의 제곱근은 1개뿐이다.
③ 제곱근 64는 ±8이다.　④ 0.4의 제곱근은 2개이다.
⑤ 0.09의 제곱근은 0.3이다.

해법코드
$a>0$일 때
• (a의 제곱근)
=(제곱하여 a가 되는 수)
$=\pm\sqrt{a}$
• (제곱근 a)
=(a의 양의 제곱근)
$=\sqrt{a}$

셀파 $a\geq0$일 때, (a의 제곱근)=(제곱하여 a가 되는 수)

풀이 ① 제곱하여 0이 되는 수는 0뿐이다.
② 제곱하여 음수가 되는 수는 없으므로 -4의 제곱근은 없다.
③ (제곱근 64)=(64의 양의 제곱근)$=\sqrt{64}=\sqrt{8^2}=8$
④ 0.4의 제곱근은 $\sqrt{0.4}$와 $-\sqrt{0.4}$로 2개이다.
⑤ $0.3^2=0.09$, $(-0.3)^2=0.09$이므로 0.09의 제곱근은 0.3과 -0.3이다.
따라서 옳은 것은 ①, ④이다.

확인 02 다음 중 옳은 것은?

① 7은 $\sqrt{49}$의 양의 제곱근이다.　② -3은 -9의 음의 제곱근이다.
③ $(-7)^2$의 음의 제곱근은 $-\sqrt{7}$이다.　④ $\sqrt{81}$의 제곱근은 ±9이다.
⑤ 제곱근 25는 5이다.

» My 셀파
제곱근을 구하려는 수를 먼저 간단히 한다.

기본 03 제곱근 구하기

$\sqrt{625}$의 양의 제곱근을 a, 9의 음의 제곱근을 b라 할 때, $a-b$의 값을 구하시오.

해법코드

어떤 수의 제곱으로 표현된 수 또는 근호를 포함한 수의 제곱근을 구할 때는 먼저 주어진 수를 간단히 한 후 다음을 이용한다.

$a>0$일 때
- a의 양의 제곱근 ⇨ $\sqrt{a}$
- a의 음의 제곱근 ⇨ $-\sqrt{a}$
- a의 제곱근 ⇨ $\pm\sqrt{a}$
- 제곱근 a ⇨ $\sqrt{a}$

셀파 $\sqrt{(\text{어떤 수의 제곱})}$의 제곱근 ⇨ 근호를 없앤 후 제곱근을 구한다.

풀이 $\sqrt{625}=\sqrt{25^2}=25$의 양의 제곱근은 $\sqrt{25}=5$이므로 $a=5$
9의 음의 제곱근은 $-\sqrt{9}=-3$이므로 $b=-3$
$\therefore a-b=5-(-3)=\mathbf{8}$

확인 03 다음 물음에 답하시오.

(1) $(-6)^2$의 양의 제곱근을 a, $\sqrt{\frac{16}{81}}$의 음의 제곱근을 b라 할 때, ab의 값을 구하시오.

(2) $\sqrt{256}$의 양의 제곱근을 a, $(-8)^2$의 음의 제곱근을 b, 제곱근 4를 c라 할 때, $a+b+c$의 값을 구하시오.

» My 셀파

(1) $(-6)^2$과 $\sqrt{\frac{16}{81}}$을 간단히 한 후 제곱근을 구한다.

(2) $\sqrt{256}$과 $(-8)^2$을 간단히 한 후 제곱근을 구한다.

기본 04 제곱근과 도형

다음 도형에서 x의 값을 구하시오.

(1)

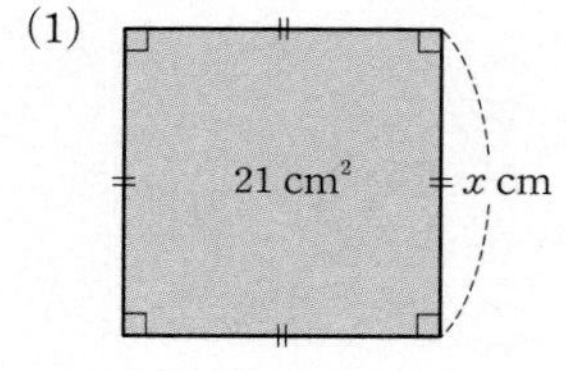

(2)

A
6 cm
x cm
B
C
5 cm

해법코드

(1) 넓이가 S인 정사각형의 한 변의 길이 x
⇨ $x^2=S$에서
$x=\sqrt{S}$ ($\because x>0$)

(2) 직각삼각형에서 변의 길이

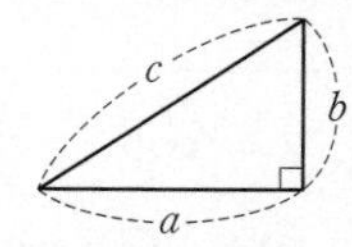

⇨ $c^2=a^2+b^2$에서
① $c=\sqrt{a^2+b^2}$
② $a=\sqrt{c^2-b^2}$
③ $b=\sqrt{c^2-a^2}$

셀파 직각삼각형에서 두 변의 길이를 알면 피타고라스 정리와 제곱근을 이용하여 나머지 한 변의 길이를 구할 수 있다.

풀이 (1) $x^2=21$이고 $x>0$이므로 x의 값은 21의 양의 제곱근이다.
$\therefore x=\mathbf{\sqrt{21}}$

(2) 피타고라스 정리에 의하여 $6^2=5^2+x^2$이므로 $x^2=6^2-5^2=11$
이때 $x>0$이므로 x의 값은 11의 양의 제곱근이다.
$\therefore x=\mathbf{\sqrt{11}}$

확인 04 오른쪽 그림과 같이 넓이가 각각 4 cm^2, 9 cm^2인 두 정사각형 ABCD, GCEF를 세 점 B, C, E가 한 직선 위에 있도록 이어 붙였을 때, $\overline{BF}$의 길이를 근호를 사용하여 나타내시오.

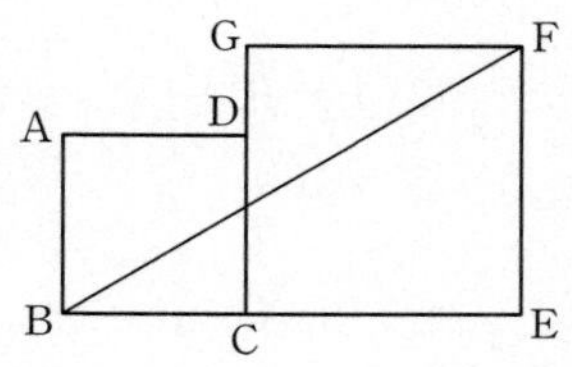

» My 셀파

주어진 두 정사각형의 넓이를 이용하여 각 정사각형의 한 변의 길이를 구한다. 이때
$\overline{BF}^2=\overline{BE}^2+\overline{FE}^2$

기본 05 근호를 사용하지 않고 제곱근 나타내기

해법코드

다음 수를 근호를 사용하지 않고 나타내시오.

(1) $\sqrt{169}$　(2) $-\sqrt{0.16}$　(3) $\sqrt{\frac{169}{64}}$　(4) $-\sqrt{400}$

$a>0$일 때, a^2의 제곱근은 $\sqrt{a^2}=a$, $-\sqrt{a^2}=-a$

셀파 근호 안의 수가 어떤 수의 제곱이면 근호를 사용하지 않고 나타낼 수 있다.

풀이 (1) $\sqrt{169}=\sqrt{13^2}=\mathbf{13}$

(2) $-\sqrt{0.16}=-\sqrt{0.4^2}=\mathbf{-0.4}$

(3) $\sqrt{\frac{169}{64}}=\sqrt{\left(\frac{13}{8}\right)^2}=\mathbf{\frac{13}{8}}$

(4) $-\sqrt{400}=-\sqrt{20^2}=\mathbf{-20}$

확인 05 다음 수를 근호를 사용하지 않고 나타내시오.

(1) $-\sqrt{225}$　(2) $\sqrt{\frac{36}{121}}$　(3) $\sqrt{1.44}$

» My 셀파

(1) $15^2=225$
(2) $11^2=121$, $6^2=36$
(3) $1.2^2=1.44$

기본 06 제곱근의 성질

해법코드

다음 중 옳은 것을 모두 고르면? (정답 2개)

① $(-\sqrt{6})^2=-6$　② $\sqrt{\left(-\frac{1}{5}\right)^2}=\frac{1}{5}$　③ $-(-\sqrt{0.9})^2=-0.9$

④ $\sqrt{(-0.3)^2}=-0.3$　⑤ $-\left(\sqrt{\frac{3}{2}}\right)^2=\frac{3}{2}$

$a>0$일 때
❶ $(\sqrt{a})^2=a$, $(-\sqrt{a})^2=a$
❷ $\sqrt{a^2}=a$, $\sqrt{(-a)^2}=a$

셀파 $a>0$일 때, $(-a)^2=a^2$이므로 $\sqrt{(-a)^2}=\sqrt{a^2}=a$

풀이 ① $(-\sqrt{6})^2=6$

② $-\frac{1}{5}<0$이므로 $\sqrt{\left(-\frac{1}{5}\right)^2}=-\left(-\frac{1}{5}\right)=\frac{1}{5}$

③ $(-\sqrt{0.9})^2=0.9$이므로 $-(-\sqrt{0.9})^2=-0.9$

④ $\sqrt{(-0.3)^2}=-(-0.3)=0.3$

⑤ $\left(\sqrt{\frac{3}{2}}\right)^2=\frac{3}{2}$이므로 $-\left(\sqrt{\frac{3}{2}}\right)^2=-\frac{3}{2}$

따라서 옳은 것은 ②, ③이다.

참고
제곱근($\sqrt{\ }$)과 제곱(^{2})은 서로 반대의 관계이므로 만나면 지워진다고 생각한다.
예 $(\sqrt{2})^2=2$, $\sqrt{2^2}=2$

확인 06 다음 중 가장 큰 수는?

① $(\sqrt{7})^2$　② $(-\sqrt{3})^2$　③ $-(\sqrt{6})^2$

④ $\sqrt{(-5)^2}$　⑤ $\sqrt{16}$

» My 셀파

제곱근의 성질을 이용하여 근호를 없앤 후 대소를 비교한다.

기본 07 제곱근의 성질을 이용한 계산

다음을 계산하시오.

(1) $(\sqrt{3})^2+\sqrt{(-5)^2}$　　(2) $\sqrt{(-3)^2}-(-\sqrt{3})^2$

(3) $(\sqrt{6})^2\times(-\sqrt{25})-\sqrt{(-12)^2}$　　(4) $(-\sqrt{10})^2\times\sqrt{81}\div\sqrt{9}$

해법코드
- 제곱근의 성질을 이용하여 근호를 없애고 계산한다.
- 덧셈, 뺄셈, 곱셈, 나눗셈이 섞여 있을 때는 유리수에서와 마찬가지로 곱셈, 나눗셈부터 계산한 후 덧셈, 뺄셈을 계산한다.

셀파 제곱근의 성질을 이용하여 근호를 없앤 후 계산한다.

풀이 (1) $(\sqrt{3})^2+\sqrt{(-5)^2}=3+5=\mathbf{8}$

(2) $\sqrt{(-3)^2}-(-\sqrt{3})^2=3-3=\mathbf{0}$

(3) $(\sqrt{6})^2\times(-\sqrt{25})-\sqrt{(-12)^2}=6\times(-5)-12=\mathbf{-42}$

(4) $(-\sqrt{10})^2\times\sqrt{81}\div\sqrt{9}=10\times9\div3=\mathbf{30}$

확인 07 다음을 계산하시오.

(1) $\sqrt{(-2)^2}+(-\sqrt{3})^2$　　(2) $\sqrt{64}-\sqrt{(-7)^2}$

(3) $\sqrt{\left(-\frac{1}{3}\right)^2}\times\sqrt{(-9)^2}-\sqrt{(-2)^2}$　　(4) $(\sqrt{1.5})^2\div(\sqrt{3})^2\times\sqrt{(-2)^2}$

» My 셀파

제곱근의 성질을 이용하여 근호를 없애고 곱셈, 나눗셈 ⇨ 덧셈, 뺄셈 순으로 계산한다.

기본 08 $\sqrt{a^2}$의 성질

$a<0$일 때, 다음 중 옳은 것은?

① $-\sqrt{a^2}=-a$　② $\sqrt{(-2a)^2}=-2a$　③ $-\sqrt{(4a)^2}=-4a$

④ $\sqrt{9a^2}=-9a$　⑤ $-\sqrt{(-5a)^2}=-5a$

해법코드

$\sqrt{a^2}$은 a^2의 양의 제곱근이므로 a의 부호에 관계없이 항상 음이 아닌 값을 가진다.

⇨ $a\geq0$일 때는 그대로 a
$a<0$일 때는 부호를 바꾸어 양수가 되게 한다.

셀파 $\sqrt{a^2}=|a|=\begin{cases} a & (a\geq0) \\ -a & (a<0) \end{cases}$

풀이 ① $a<0$이므로 $-\sqrt{a^2}=-(-a)=a$

② $-2a>0$이므로 $\sqrt{(-2a)^2}=-2a$

③ $4a<0$이므로 $-\sqrt{(4a)^2}=-(-4a)=4a$

④ $\sqrt{9a^2}=\sqrt{(3a)^2}$이고 $3a<0$이므로 $\sqrt{9a^2}=-3a$

⑤ $-5a>0$이므로 $-\sqrt{(-5a)^2}=-(-5a)=5a$

따라서 옳은 것은 ②이다.

» 오답 피하기

④ $a<0$일 때
$\sqrt{9a^2}=-9a$ (×)
$\sqrt{9a^2}=\sqrt{(3a)^2}=-3a$ (○)

확인 08 $a>0$일 때, 다음 중 그 값이 나머지 넷과 다른 하나는?

① $(\sqrt{a})^2$　② $-\sqrt{a^2}$　③ $\sqrt{(-a)^2}$

④ $(-\sqrt{a})^2$　⑤ $-(-\sqrt{a^2})$

» My 셀파

$\sqrt{(\text{양수})^2}=(\text{양수})$,
$\sqrt{(\text{음수})^2}=-(\text{음수})=(\text{양수})$

기본 09 $\sqrt{a^2}$ 꼴을 포함한 식을 간단히 하기

$a>0$, $b<0$일 때, $\sqrt{(3a)^2}+\sqrt{(-a)^2}-\sqrt{(3b)^2}+\sqrt{(-b)^2}$을 간단히 하시오.

해법코드

$\sqrt{a^2}$을 간단히 할 때는 먼저 a의 부호를 조사한다.
① $a>0$이면 $\sqrt{a^2}=a$(부호 그대로)
② $a<0$이면 $\sqrt{a^2}=-a$(부호 반대로)

셀파 근호 안이 문자로 주어지면 근호를 없앨 때 부호에 주의한다.
⇨ $\sqrt{(양수)^2}=(양수)$, $\sqrt{(음수)^2}=-(음수)$

풀이 $a>0$일 때, $3a>0$이므로 $\sqrt{(3a)^2}=3a$
$-a<0$이므로 $\sqrt{(-a)^2}=-(-a)$
$b<0$일 때, $3b<0$이므로 $\sqrt{(3b)^2}=-3b$
$-b>0$이므로 $\sqrt{(-b)^2}=-b$
$\therefore \sqrt{(3a)^2}+\sqrt{(-a)^2}-\sqrt{(3b)^2}+\sqrt{(-b)^2}$
$=3a+\{-(-a)\}-(-3b)+(-b)$
$=3a+a+3b-b$
$=\mathbf{4a+2b}$

확인 09 다음 식을 간단히 하시오.

(1) $a<0$일 때, $\sqrt{(2a)^2}-\sqrt{(-3a)^2}$

(2) $a>0$, $b<0$일 때, $-\sqrt{(-a)^2}-\sqrt{4b^2}+\sqrt{25a^2}+\sqrt{(-3b)^2}$

» My 셀파

$\sqrt{(\quad)^2}$에서 ( ) 안의 부호를 조사한다.

기본 10 $\sqrt{(a-b)^2}$ 꼴을 포함한 식 간단히 하기

$-1<a<3$일 때, $\sqrt{(a+1)^2}-\sqrt{(a-3)^2}$을 간단히 하시오.

해법코드

$\sqrt{(a-b)^2}$ 꼴을 간단히 할 때는 먼저 $a-b$의 부호를 조사한다.
① $a>b$이면 $\sqrt{(\underbrace{a-b}_{a-b>0})^2}=a-b$
② $a<b$이면 $\sqrt{(\underbrace{a-b}_{a-b<0})^2}=-(a-b)$

셀파 $A\geq 0$일 때, $\sqrt{A^2}=A$, $A<0$일 때, $\sqrt{A^2}=-A$

풀이 ㉠ $-1<a<3$일 때, $a+1>0$이므로 $\sqrt{(a+1)^2}=a+1$
$a-3<0$이므로 $\sqrt{(a-3)^2}=-(a-3)$
$\therefore \sqrt{(a+1)^2}-\sqrt{(a-3)^2}=a+1-\{-(a-3)\}$
$=a+1+a-3$
$=\mathbf{2a-2}$

㉠ $-1<a<3$이므로
$-1<a$의 양변에 1을 더하면
$0<a+1$
$a<3$의 양변에서 3을 빼면
$a-3<0$

확인 10 다음 식을 간단히 하시오.

(1) $a>1$일 때, $\sqrt{(a-1)^2}-\sqrt{(1-a)^2}$

(2) $-2<a<3$일 때, $\sqrt{(a+2)^2}+\sqrt{(a-3)^2}$

» My 셀파

(1) $a>1$일 때, $a-1$과 $1-a$가 양수인지 음수인지 각각 조사한다.
(2) $-2<a<3$일 때, $a+2$와 $a-3$이 양수인지 음수인지 각각 조사한다.

기본 11 제곱근의 대소 비교

다음 중 두 수의 대소 관계가 옳은 것은?

① $3>\sqrt{10}$　② $\sqrt{\frac{2}{3}}>\sqrt{\frac{3}{5}}$　③ $\sqrt{\frac{1}{2}}<\frac{1}{2}$

④ $-\sqrt{8}>-\sqrt{7}$　⑤ $-\sqrt{26}>-5$

해법코드

$a>0$, $b>0$일 때
❶ $a<b$이면 $\sqrt{a}<\sqrt{b}$
❷ $\sqrt{a}<\sqrt{b}$이면 $a<b$
❸ $\sqrt{a}<\sqrt{b}$이면 $-\sqrt{a}>-\sqrt{b}$

셀파 대소를 비교하는 두 수 모두 근호가 있는 꼴 또는 근호가 없는 꼴로 만든다.

풀이 ① $3=\sqrt{9}$이고 $9<10$이므로 $\sqrt{9}<\sqrt{10}$　$\therefore 3<\sqrt{10}$

② ㉠ $\frac{2}{3}=\frac{10}{15}$, $\frac{3}{5}=\frac{9}{15}$이고 $\frac{10}{15}>\frac{9}{15}$이므로 $\sqrt{\frac{10}{15}}>\sqrt{\frac{9}{15}}$　$\therefore \sqrt{\frac{2}{3}}>\sqrt{\frac{3}{5}}$

③ $\frac{1}{2}=\sqrt{\frac{1}{4}}$이고 $\frac{1}{2}>\frac{1}{4}$이므로 $\sqrt{\frac{1}{2}}>\sqrt{\frac{1}{4}}$　$\therefore \sqrt{\frac{1}{2}}>\frac{1}{2}$

④ $8>7$이므로 ㉡ $\sqrt{8}>\sqrt{7}$　$\therefore -\sqrt{8}<-\sqrt{7}$

⑤ $5=\sqrt{25}$이고 $26>25$이므로 $\sqrt{26}>\sqrt{25}$, 즉 $\sqrt{26}>5$　$\therefore -\sqrt{26}<-5$

따라서 옳은 것은 ②이다.

㉠ 3과 5의 최소공배수 15로 분모를 통분한다.

㉡ 부등식의 양변에 -1을 곱하면 부등호의 방향이 바뀐다.

확인 11 다음 중 두 수의 대소 관계가 옳지 않은 것은?

① $\sqrt{37}>6$　② $-\sqrt{\frac{1}{6}}<-\frac{1}{2}$　③ $2.5>\sqrt{6}$

④ $\sqrt{3}>-\sqrt{5}$　⑤ $-\sqrt{(-3)^2}<-\sqrt{8}$

» My 셀파

$\sqrt{\ }$ 가 없는 수는 $\sqrt{\ }$ 가 있는 수로 바꾸어 대소를 비교한다.

기본 12 제곱근을 포함한 부등식

부등식 $4<\sqrt{5x}<10$을 만족하는 자연수 x의 개수를 구하시오.

해법코드

$a>0$, $b>0$, $c>0$일 때, 다음이 성립한다.
① $\sqrt{a}<\sqrt{b}<\sqrt{c}$
⇨ $(\sqrt{a})^2<(\sqrt{b})^2<(\sqrt{c})^2$
⇨ $a<b<c$
② $\sqrt{a}<b<\sqrt{c}$
⇨ $(\sqrt{a})^2<b^2<(\sqrt{c})^2$
⇨ $a<b^2<c$

셀파 부등식의 각 변을 제곱한다.

풀이 $4<\sqrt{5x}<10$에서 $4^2<(\sqrt{5x})^2<10^2$

$\therefore 16<5x<100$

이 부등식의 각 변을 5로 나누면 $3.2<x<20$

이때 x는 자연수이므로 $x=4, 5, 6, \cdots, 19$

따라서 주어진 부등식을 만족하는 자연수 x의 개수는 $19-4+1=$**16**

● 부등식의 각 변이 양수이면 각각을 제곱하여도 부등호의 방향은 바뀌지 않는다.

확인 12 부등식 $5<\sqrt{3x}\le 6$을 만족하는 자연수 x의 값 중에서 가장 큰 값을 a, 가장 작은 값을 b라 할 때, $a-b$의 값을 구하시오.

» My 셀파

부등식의 각 변을 제곱하여 모두 근호를 포함하지 않는 꼴이 되도록 만든다.

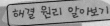

제곱수를 이용하여 근호 없애기

Q $\sqrt{12\times x}$**가 자연수가 되려면 근호 안의 수** $12\times x$**가 어떤 수이어야 할까?**

A $12\times x$가 제곱수이어야 한다. 제곱수란 1, 4, 9, 16, …과 같이 자연수의 제곱인 수인데, 제곱근의 성질로부터 $\sqrt{(\text{제곱수})}=\sqrt{(\text{자연수})^2}=(\text{자연수})$이므로 근호 안의 수가 제곱수이면 근호를 사용하지 않고 자연수로 나타낼 수 있다.

㉠ $1=1\times1=1^2$
$4=2\times2=2^2$
$9=3\times3=3^2$
$16=4\times4=4^2=2^4$
$25=5\times5=5^2$
$36=6\times6=6^2=2^2\times3^2$
⋮

● 제곱수를 소인수분해하면 소인수의 지수가 모두 짝수이다.

Q $12\times x$**가 제곱수가 되도록 하는 자연수** x**의 값은 어떻게 구할까?**

A 제곱수의 성질을 이용하면 된다.

㉠제곱수의 성질!! 제곱수를 소인수분해하면 소인수의 지수가 모두 짝수이다.

12를 소인수분해하면 $12=2^2\times3$

$12\times x=2^2\times3\times x=(\text{자연수})^2$이 되려면 자연수 x의 값은 반드시

㉡$3\times(\text{자연수})^2$ 꼴이어야 한다. 즉 x가 될 수 있는 수는 3×1^2, 3×2^2, 3×3^2, …이다.

㉡ $12=2^2\times3$에서 소인수 3의 지수를 짝수로 만들어야 하므로 반드시 3을 곱해 주어야 한다.

이상을 정리하면 다음과 같다.

> **$\sqrt{Ax}$, $\sqrt{\frac{A}{x}}$가 자연수가 되도록 하는 x의 값 구하기**
>
> ① A를 소인수분해한다.
> ② 모든 소인수의 지수가 짝수가 되도록 하는 x의 값을 구한다.

㉢ $9+x=16$에서 $x=7$
$9+x=25$에서 $x=16$
$9+x=36$에서 $x=27$
⋮
따라서 구하는 가장 작은 자연수 x의 값은 7이다.

• Lecture $\sqrt{A+x}$, $\sqrt{A-x}$가 자연수가 되도록 하는 자연수 x의 값 구하기

(1) $\sqrt{A+x}$가 자연수가 되려면 $A+x$가 A보다 큰 제곱수이어야 한다.

(2) $\sqrt{A-x}$가 자연수가 되려면 $A-x$가 A보다 작은 제곱수이어야 한다.

예 다음 수가 자연수가 되도록 하는 가장 작은 자연수 x의 값을 구해 보자.

(1) $\sqrt{9+x}$ ⇨ $9+x>9$이므로 ㉢$9+x$의 값이 제곱수 16, 25, 36, …이 되면 자연수가 되므로 $x=7$

(2) $\sqrt{9-x}$ ⇨ $9-x<9$이므로 ㉣$9-x$의 값이 제곱수 1, 4가 되면 자연수가 되므로 $x=5$

㉣ $9-x=1$에서 $x=8$
$9-x=4$에서 $x=5$
따라서 구하는 가장 작은 자연수 x의 값은 5이다.

• 근호 안의 수가 제곱수이면 근호를 사용하지 않고 자연수로 나타낼 수 있다.
• 어떤 수를 제곱수로 만들 때, 지수가 홀수인 소인수가 있으면 그 소인수의 지수를 반드시 짝수가 되도록 한다.

발전 13 $\sqrt{Ax}$, $\sqrt{\frac{A}{x}}$가 자연수가 되도록 하는 x의 값 구하기

다음 수가 자연수가 되도록 하는 가장 작은 자연수 x의 값을 구하시오.

(1) $\sqrt{84x}$　　　(2) $\sqrt{\frac{180}{x}}$

해법코드

1 자연수 A를 소인수분해한다.
2 소인수의 지수가 모두 짝수가 되도록 하는 x의 값을 구한다.

셀파 $\sqrt{\square}=$(자연수) ⇨ □는 제곱수이므로 소인수분해하였을 때, 소인수의 지수가 모두 짝수이다.

풀이 (1) ㉠84를 소인수분해하면 $84=2^2\times3\times7$

$\sqrt{84x}=\sqrt{2^2\times3\times7\times x}$가 자연수가 되려면 $2^2\times3\times7\times x=(\text{자연수})^2$이어야 하므로

$x=3\times7\times(\text{자연수})^2$ 꼴이어야 한다. 즉 $x=3\times7\times1^2$, $3\times7\times2^2$, $3\times7\times3^2$, $\cdots$

따라서 구하는 가장 작은 자연수 x의 값은 $3\times7\times1^2=\mathbf{21}$이다.

(2) ㉡180을 소인수분해하면 $180=2^2\times3^2\times5$

$\sqrt{\frac{180}{x}}=\sqrt{\frac{2^2\times3^2\times5}{x}}$가 자연수가 되려면 $\frac{2^2\times3^2\times5}{x}=(\text{자연수})^2$이어야 하므로

x는 180의 약수이면서 $5\times(\text{자연수})^2$ 꼴이어야 한다.

따라서 구하는 가장 작은 자연수 x의 값은 $\mathbf{5}$이다.

㉠
$$\begin{array}{r|l} 2 & 84 \\ 2 & 42 \\ 3 & 21 \\ & 7 \end{array}$$

㉡
$$\begin{array}{r|l} 2 & 180 \\ 2 & 90 \\ 3 & 45 \\ 3 & 15 \\ & 5 \end{array}$$

확인 13 다음 수가 자연수가 되도록 하는 가장 작은 자연수 x의 값을 구하시오.

(1) $\sqrt{60x}$　　　(2) $\sqrt{\frac{108}{x}}$

» My 셀파

(1) $60=2^2\times3\times5$이므로 어떤 수를 곱하였을 때 지수가 모두 짝수가 되는지 생각한다.
(2) $108=2^2\times3^3$이므로 어떤 수로 나누었을 때 지수가 모두 짝수가 되는지 생각한다.

발전 14 $\sqrt{A+x}$, $\sqrt{A-x}$가 자연수가 되도록 하는 x의 값 구하기

다음 수가 자연수가 되도록 하는 가장 작은 자연수 x의 값을 구하시오.

(1) $\sqrt{56+x}$　　　(2) $\sqrt{17-x}$

해법코드

(1) $\sqrt{A+x}$가 자연수가 되려면 근호 안의 수가 A보다 큰 제곱수이어야 한다.
(2) $\sqrt{A-x}$가 자연수가 되려면 근호 안의 수가 A보다 작은 제곱수이어야 한다.

셀파 $\sqrt{\square}=$(자연수) ⇨ □는 제곱수이다.

풀이 (1) $\sqrt{56+x}$가 자연수가 되려면 $56+x$는 56보다 크고 $(\text{자연수})^2$ 꼴이어야 하므로

$56+x=64, 81, 100, \cdots$　　$\therefore x=8, 25, 44, \cdots$

따라서 구하는 가장 작은 자연수 x의 값은 $\mathbf{8}$이다.

(2) $\sqrt{17-x}$가 자연수가 되려면 $17-x$는 17보다 작고 $(\text{자연수})^2$ 꼴이어야 하므로

$17-x=1, 4, 9, 16$　　$\therefore x=16, 13, 8, 1$

따라서 구하는 가장 작은 자연수 x의 값은 $\mathbf{1}$이다.

확인 14 다음 수가 자연수가 되도록 하는 가장 작은 자연수 x의 값을 구하시오.

(1) $\sqrt{25+x}$　　　(2) $\sqrt{20-x}$

» My 셀파

(1) $25+x>25$이므로 25보다 큰 제곱수를 생각한다.
(2) $20-x<20$이므로 20보다 작은 제곱수를 생각한다.

제곱근의 성질

빠른 정답 220쪽 | 정답과 해설 5쪽

제곱근의 성질을 이용한 계산

1 다음을 계산하시오.

(1) $(\sqrt{2})^2+(-\sqrt{3})^2-(\sqrt{7})^2$

(2) $(-\sqrt{2})^2-\sqrt{49}+\sqrt{(-4)^2}$

(3) $(-\sqrt{7})^2-\sqrt{16}\times(-\sqrt{3})^2$

(4) $\sqrt{(-4)^2}\div\sqrt{\left(\frac{2}{3}\right)^2}+(-\sqrt{0.5})^2$

(5) $\sqrt{(-8)^2}\times\sqrt{4^2}\div(-\sqrt{16})^2$

(6) $\sqrt{(-12)^2}\div(-\sqrt{6})^2\times\sqrt{\left(-\frac{1}{2}\right)^2}$

(7) $-\left(\sqrt{\frac{2}{3}}\right)^2\div\sqrt{\left(-\frac{1}{6}\right)^2}\div(-\sqrt{2})^2$

(8) $\sqrt{12^2}\div(\sqrt{4})^2-\sqrt{\left(-\frac{4}{5}\right)^2}\times\sqrt{25}$

$\sqrt{A^2}$ 꼴을 간단히 하기

2 다음 식을 간단히 하시오.

(1) $a>0$일 때, $\sqrt{a^2}+\sqrt{(-a)^2}$

(2) $a<0$일 때, $\sqrt{(-3a)^2}-\sqrt{(8a)^2}$

(3) $a>0$일 때, $\sqrt{81a^2}-\sqrt{(-5a)^2}$

(4) $a<0$일 때, $-\sqrt{(4a)^2}+\sqrt{49a^2}$

(5) $a<2$일 때, $\sqrt{(a-2)^2}+\sqrt{(2-a)^2}$

(6) $-4<x<2$일 때, $\sqrt{(x-2)^2}+\sqrt{(x+4)^2}$

(7) $0<x<5$일 때, $\sqrt{4x^2}-\sqrt{(-3x)^2}+\sqrt{(x-5)^2}$

(8) $-1<x<2$일 때, $\sqrt{(x-2)^2}-\sqrt{(3-x)^2}$

실력 키우기

빠른 정답 220쪽 | 정답과 해설 6쪽

01 제곱근의 뜻과 표현

x가 11의 제곱근일 때, 다음 중 x와 11 사이의 관계식으로 옳은 것은?

① $11^2=x$ ② $11=\sqrt{x}$ ③ $x=\sqrt{11}$
④ $x^2=\sqrt{11}$ ⑤ $x=\pm\sqrt{11}$

02 제곱근의 뜻과 표현

다음 중 제곱근을 구할 수 없는 수는?

① 0 ② $\sqrt{(-3)^2}$ ③ $(-4)^2$
④ $-\sqrt{7^2}$ ⑤ $\frac{2}{3}$

03 제곱근의 이해

다음 중 옳지 않은 것은?

① 81의 제곱근은 ± 9이다.
② 제곱근 16은 4이다.
③ $(-3)^2$의 제곱근은 ± 3이다.
④ 0.4의 음의 제곱근은 -0.2이다.
⑤ 0의 제곱근은 0뿐이다.

04 근호를 사용하지 않고 제곱근 나타내기 (창의·융합)

다음을 보고 물음에 답하시오.

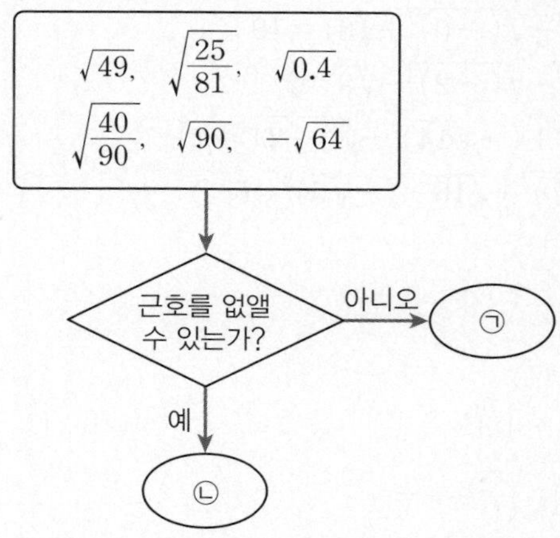

(1) ㉠에 도달하는 수를 모두 말하시오.

(2) ㉡에 도달하는 수 중 1보다 작은 수를 모두 말하시오.

05 제곱근 구하기 (서술형)

$(-13)^2$의 양의 제곱근을 a, $\sqrt{256}$의 음의 제곱근을 b라 할 때, $a+b$의 값을 구하시오.

06 제곱근의 성질

다음 중 그 값이 나머지 넷과 다른 하나는?

① $(\sqrt{6})^2$ ② $(-\sqrt{6})^2$ ③ $\sqrt{6^2}$
④ $\sqrt{(-6)^2}$ ⑤ $-\sqrt{(-6)^2}$

07 제곱근의 성질을 이용한 계산

다음 중 계산이 옳은 것은?

① $\sqrt{16}-\sqrt{9}+\sqrt{36}=\sqrt{43}$
② $(\sqrt{4})^2-\sqrt{(-6)^2}+\sqrt{81}=19$
③ $(\sqrt{3})^2-\sqrt{(-2)^2}-\sqrt{9}=2$
④ $(\sqrt{5})^2+(-\sqrt{14})^2-\sqrt{(-2)^2}=21$
⑤ $\sqrt{(-7)^2}+\sqrt{16}-(-\sqrt{5})^2=6$

08 $\sqrt{a^2}$의 성질

$a\neq0$이고 $\sqrt{a^2}=-a$일 때, 다음 중 옳은 것은?

① $\sqrt{(-a)^2}=a$　② $\sqrt{(5a)^2}=-5a$
③ $\sqrt{4a^2}=2a$　④ $\sqrt{(-9a)^2}=3a$
⑤ $-\sqrt{16a^2}=-4a$

09 $\sqrt{a^2}$ 꼴을 포함한 식 간단히 하기 (서술형)

두 수 a, b에 대하여 $a-b>0$, $ab<0$일 때,
$\sqrt{a^2}-\sqrt{(b-a)^2}+\sqrt{4b^2}$을 간단히 하려고 한다. 다음 물음에 답하시오.

(1) □ 안에 알맞은 부등호를 써넣으시오.

a □ 0, b □ 0

(2) $\sqrt{a^2}-\sqrt{(b-a)^2}+\sqrt{4b^2}$을 간단히 하시오.

10 제곱근의 대소 관계

다음 중 두 수의 대소 관계가 옳지 않은 것은?

① $7>\sqrt{48}$　② $\sqrt{3}<2$
③ $12>\sqrt{13}$　④ $\sqrt{\frac{1}{2}}>\frac{3}{4}$
⑤ $-\sqrt{5}>-6$

11 제곱근을 포함한 부등식

$3<\sqrt{x-2}\leq4$를 만족하는 자연수 x는 모두 몇 개인지 구하시오.

12 $\sqrt{Ax}$가 자연수가 되도록 하는 x의 값 구하기

다음 중 $\sqrt{48n}$이 자연수가 되도록 하는 자연수 n의 값이 아닌 것은?

① 12　② 27　③ 36
④ 48　⑤ 75

13 $\sqrt{A+x}$가 자연수가 되도록 하는 x의 값 구하기 (서술형)

다음 조건을 모두 만족하는 모든 자연수 x의 값의 합을 구하시오.

> (가) $\sqrt{36+x}$는 자연수이다.
> (나) $5<\sqrt{x}<7$

14 $\sqrt{\frac{A}{x}}$, $\sqrt{A-x}$가 자연수가 되도록 하는 x의 값 구하기

$\sqrt{42-x}$가 자연수가 되도록 하는 자연수 x의 값 중 가장 큰 값을 a, $\sqrt{\frac{54}{y}}$가 자연수가 되도록 하는 자연수 y의 값 중 가장 작은 값을 b라 할 때, $a+b$의 값을 구하시오.

15 제곱근의 성질과 제곱근의 대소 관계를 이용한 식의 계산 (서술형)

$\sqrt{(\sqrt{5}-2)^2}-\sqrt{(2-\sqrt{5})^2}$을 간단히 하려고 한다. 다음 물음에 답하시오.

(1) $\sqrt{5}$와 2의 대소를 비교하시오.

(2) $\sqrt{(\sqrt{5}-2)^2}-\sqrt{(2-\sqrt{5})^2}$을 간단히 하시오.

16 제곱근과 도형 (융합형)

다음은 정사각형 모양의 색종이를 사용하여 종이접기의 기본 중의 하나인 방석 접기 방법을 나타낸 것이다.

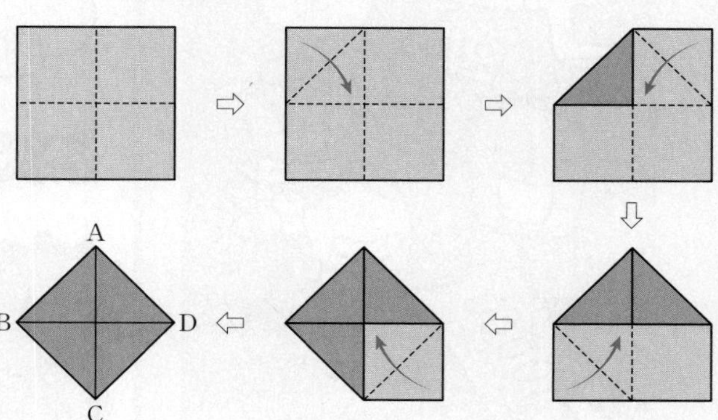

처음 색종이의 넓이가 30 cm^2일 때, 물음에 답하시오.

(1) 정사각형 ABCD의 넓이를 구하시오.

(2) $\overline{AB}$의 길이를 구하시오.

17 제곱근의 대소 관계의 활용

$\sqrt{x}$ 이하의 자연수의 개수를 $N(x)$라 하자. 예를 들어 $2<\sqrt{5}<3$이므로 $N(5)=2$이다. 이때 다음 식의 값을 구하시오.

> $N(1)+N(2)+N(3)+\cdots+N(10)$

셋이 똑같이
나눠 가져라~
와~
네!
10000

똑같이 나누면
$\frac{10000}{3}$이니까.
각자의 몫은…….
3333.333…
톡톡

앗, 딱 떨어지지 않아.
나눠 갖는 건 무리인 건가!
무리?

소수점 아래 수가 무한히 반복
되니까 분수로 나타낼 수 없지.
그럼 무리수네~
아, 그렇지는 않아.
내 용돈 ㅠㅠ

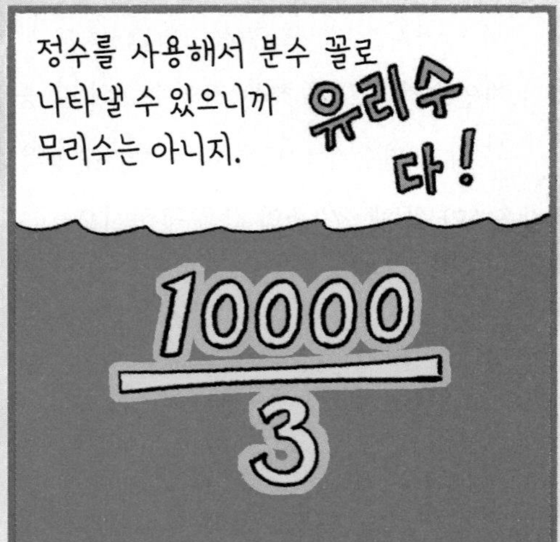
정수를 사용해서 분수 꼴로
나타낼 수 있으니까
무리수는 아니지.
유리수
다!
$\frac{10000}{3}$

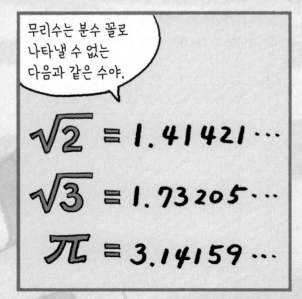

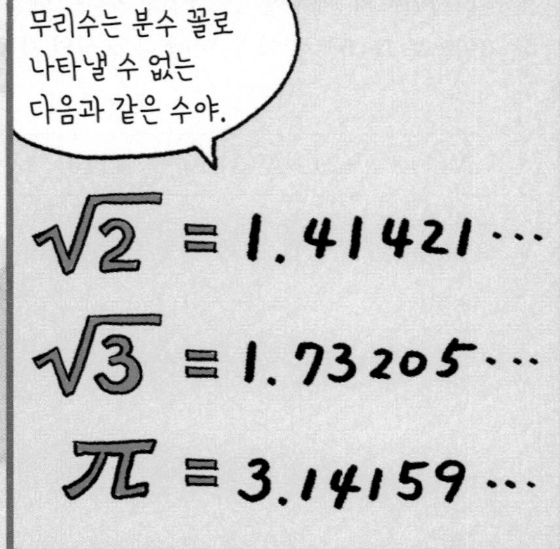
무리수는 분수 꼴로
나타낼 수 없는
다음과 같은 수야.
$\sqrt{2} = 1.41421\cdots$
$\sqrt{3} = 1.73205\cdots$
$\pi = 3.14159\cdots$

실수
유리수
무리수
유리수와 무리수를 합하
면 실수가 된다.
내 용돈 ㅠㅠ

2

I | 제곱근과 실수

무리수와 실수

| 개념 1 | 무리수
| 개념 2 | 실수
| 개념 3 | 실수와 수직선
| 개념 4 | 실수의 대소 관계

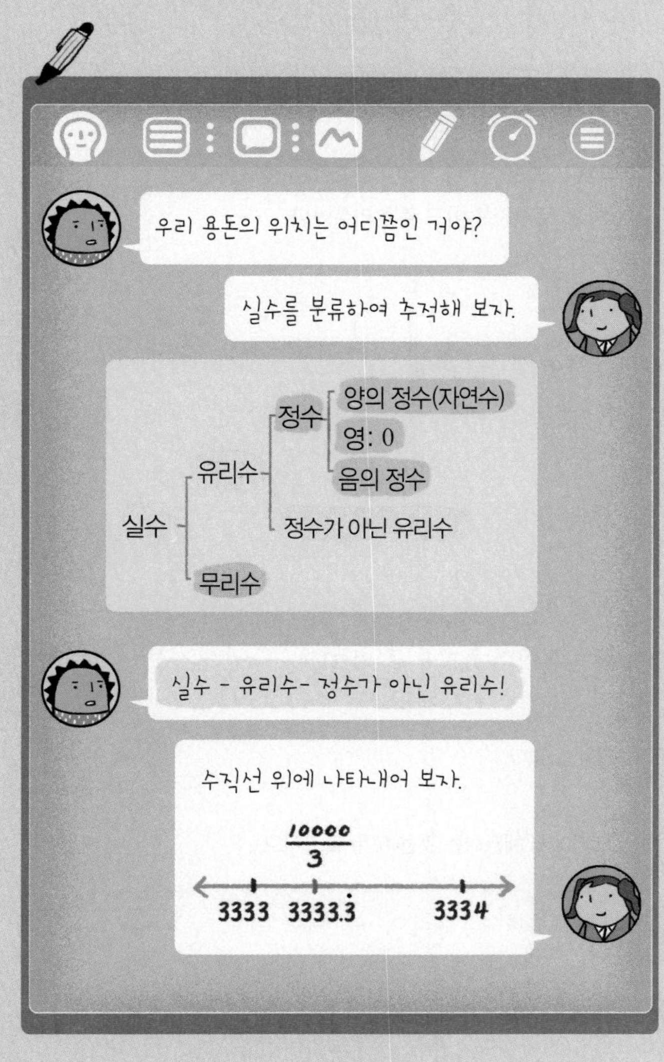

2 무리수와 실수

1 무리수

(1) **무리수** 유리수가 아닌 수, 즉 어떤 수를 소수로 나타낼 때, [ ]가 아닌 무한소수가 되는 수 — 순환소수

예 $\sqrt{2}=1.414213\cdots$, $\sqrt{3}=1.732050\cdots$, $\pi=3.141592\cdots$, ㉠$1+\sqrt{3}=2.732050\cdots$

(2) **소수의 분류**

소수
- 유한소수 ─ 유리수
- 무한소수
  - 순환소수 ─ 유리수
  - 순환소수가 아닌 무한소수 ─ [ ] — 무리수

참고 $\sqrt{2}$, $\sqrt{3}$과 같이 ㉡근호 안의 수가 어떤 유리수의 제곱이 아니면 무리수이다.

개념 다시 보기
- **유리수** 분수 $\frac{a}{b}$(a, b는 정수, $b\neq0$) 꼴로 나타낼 수 있는 수
  예 $\frac{1}{3}$, $-2\left(=-\frac{2}{1}\right)$, $0.\dot{4}\left(=\frac{4}{9}\right)$, $\cdots$
- **순환소수** 무한소수 중 소수점 아래 어떤 자리에서부터 일정한 숫자의 배열이 한없이 되풀이되는 소수
  예 $0.121212\cdots=0.\dot{1}\dot{2}$
  $0.333\cdots=0.\dot{3}$

보기 다음 수가 유리수인지 무리수인지 말하시오.

(1) $\sqrt{5}$ (2) $-\sqrt{16}$ (3) $1.\dot{2}$ (4) π

풀이 (1) 5는 유리수를 제곱한 수가 아니므로 $\sqrt{5}$는 무리수이다.
(2) $-\sqrt{16}=-\sqrt{4^2}=-4$이므로 유리수이다.
(3) $1.\dot{2}$는 순환소수이므로 유리수이다.
(4) π는 순환소수가 아닌 무한소수이므로 무리수이다.

㉠ (유리수)+(무리수), (유리수)−(무리수)는 모두 무리수이다.
그러나 (무리수)+(무리수), (무리수)−(무리수)는 반드시 무리수는 아니다.
예 $\sqrt{3}+(-\sqrt{3})=0$ (유리수)
$\sqrt{3}-\sqrt{3}=0$ (유리수)

2 실수

(1) **실수** 유리수와 무리수를 통틀어 실수라 한다.

예 $-\frac{2}{3}$는 유리수이므로 실수이고, $\sqrt{2}$는 [ ]이므로 실수이다. — 무리수

(2) **실수의 분류**

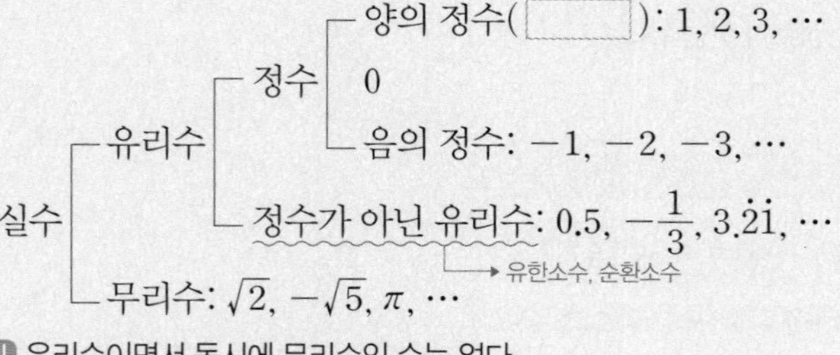

자연수

앞으로 수라 하면 실수를 말하는 거야.

주의 유리수이면서 동시에 무리수인 수는 없다.

㉡ 근호 안의 수가 어떤 유리수의 제곱이 아니면 근호를 없앨 수 없다. 즉 근호가 있는 수 중 근호를 없앨 수 없으면 무리수이다.

보기 $\sqrt{3}$, $\frac{1}{4}$ 각각에 대하여 다음 **보기**에서 해당하는 것을 모두 고르시오.

보기
정수, 정수가 아닌 유리수, 유리수, 무리수, 실수

풀이 $\sqrt{3}$: 무리수, 실수, $\frac{1}{4}$: 정수가 아닌 유리수, 유리수, 실수

주의
- 근호가 있다고 해서 항상 무리수는 아니다. $\sqrt{(\text{유리수})^2}$ 꼴은 근호를 없앨 수 있으므로 유리수이다.
  예 $\sqrt{4}=\sqrt{2^2}=2$
  $\sqrt{\frac{1}{9}}=\sqrt{\left(\frac{1}{3}\right)^2}=\frac{1}{3}$
- 근호가 없다고 해서 항상 유리수인 것은 아니다.
  예 $\pi=3.1415\cdots$ (무리수)

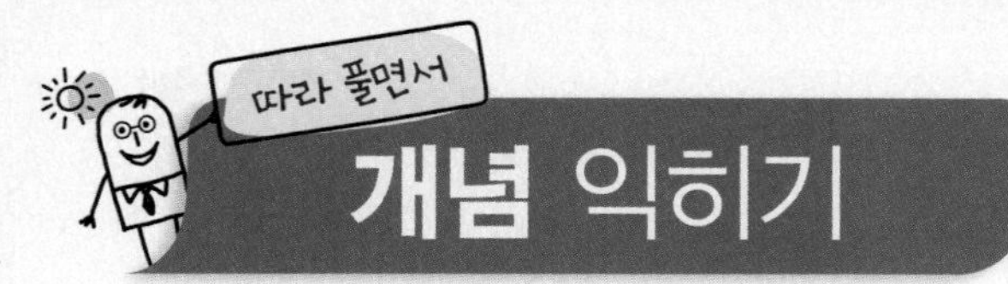

빠른 정답 220쪽 | 정답과 해설 8쪽

| 개념 체크 |

1-1 유리수와 무리수

다음 **보기**의 수를 유리수와 무리수로 구분하시오.

| 보기 |
㉠ -1 ㉡ $\sqrt{10}$ ㉢ 3.14 ㉣ $-\sqrt{81}$ ㉤ $3.\dot{8}$

셀파 • 정수, 유한소수, 순환소수, 근호를 없앨 수 있는 수 ⇨ 유리수
• 순환소수가 아닌 무한소수, 근호를 없앨 수 없는 수 ⇨ 무리수

연구 ㉠ -1은 정수이므로 유리수이다.
㉡ $\sqrt{10}$은 근호를 없앨 수 없으므로 ☐이다.
㉢ 3.14는 ☐소수이므로 유리수이다.
㉣ $-\sqrt{81}=$☐이므로 ☐이다.
㉤ $3.\dot{8}$은 ☐소수이므로 ☐이다.

근호를 사용하여 나타낸 수
이더라도 근호를 없앨 수
있으면 유리수야.

2-1 실수의 분류

다음 설명 중 옳은 것에는 ○표, 옳지 않은 것에는 ×표를 ( ) 안에 써넣으시오.

(1) $\sqrt{11}$은 실수이다. ( )
(2) 근호를 사용한 수는 모두 무리수이다. ( )
(3) 무한소수는 모두 무리수이다. ( )
(4) 무리수가 아닌 실수는 모두 유리수이다. ( )

셀파 실수는 유리수와 무리수로 이루어져 있다.

연구 (1) $\sqrt{11}$은 ☐이므로 실수이다.
(2) $\sqrt{4}=$☐와 같이 $\sqrt{(\text{제곱수})}$는 ☐이다.
(3) $0.\dot{3}=$☐과 같이 무한소수이지만 ☐인 것도 있다.
(4) 실수는 유리수와 무리수로 구분되므로 무리수가 아닌 실수는 모두 ☐이다.

| 따라 풀기 |

1-2 아래 **보기**의 수에 대하여 다음을 모두 구하시오.

| 보기 |
㉠ $\sqrt{3}$ ㉡ $\sqrt{24}$ ㉢ 0.1234 ㉣ $\sqrt{100}$
㉤ $\sqrt{\frac{4}{9}}$ ㉥ $-\sqrt{6.4}$ ㉦ $8.\dot{1}\dot{5}$ ㉧ $3-\sqrt{25}$

(1) 자연수 ⇨ ________

(2) 정수 ⇨ ________

(3) 유리수 ⇨ ________

(4) 무리수 ⇨ ________

2-2 다음 수가 수의 분류에 해당되면 ○표, 해당하지 않으면 ×표를 빈칸에 써넣으시오.

수의 분류 / 수	자연수	정수	정수가 아닌 유리수	유리수	무리수	실수
15						
$\sqrt{36}$						
$-\frac{2}{5}$						
$0.\dot{4}$						
$\sqrt{7}$						

요점 콕콕

유리수	무리수(유리수가 아닌 수)
분수 꼴로 나타낼 수 있는 수	분수 꼴로 나타낼 수 없는 수
정수, 유한소수, 순환소수	순환소수가 아닌 무한소수
근호를 없앨 수 있는 수	근호를 없앨 수 없는 수

3 실수와 수직선

(1) **무리수를 수직선 위에 나타내기** 직각삼각형의 빗변의 길이를 이용하여 ㉠무리수를 수직선 위에 나타낼 수 있다.

직각삼각형의 빗변의 길이가 $\sqrt{a}$일 때, 기준점을 중심으로 하고 반지름의 길이가 ☐인 원을 그려 수직선과 만나는 점을 찾으면 그 점에 대응하는 수는 다음과 같다.

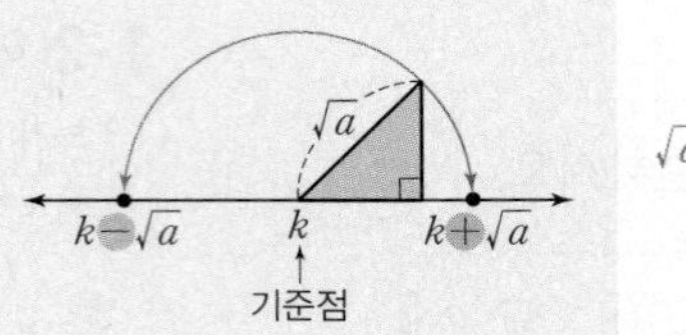

⇨ 대응하는 수가 기준점의 { 오른쪽: (기준점의 좌표)$+\sqrt{a}$ / 왼쪽: (기준점의 좌표)$-\sqrt{a}$ }

(2) **실수와 수직선**

❶ 한 실수는 ☐ 위의 한 점에 대응하고, 수직선 위의 한 점은 한 실수에 대응한다.

❷ 서로 다른 두 실수 사이에는 무수히 많은 실수가 있다.

❸ 수직선은 유리수와 무리수, 즉 ㉡☐에 대응하는 점들로 완전히 메울 수 있다.

❹ 수직선 위에서 ☐의 오른쪽에는 양의 실수(양수)가 대응하고 왼쪽에는 음의 실수(음수)가 대응한다.

$\sqrt{a}$
수직선
실수
원점

㉠ 수직선 위에는 유리수에 대응하는 점뿐만 아니라 무리수에 대응하는 점도 있다.

㉡ 유리수만으로 수직선을 다 메울 수 없고, 무리수만으로도 수직선을 다 메울 수 없다.

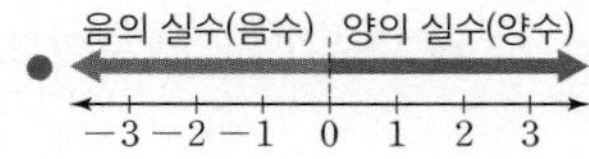

보기 무리수 $\sqrt{2}$와 $-\sqrt{2}$를 수직선 위에 나타내시오.

풀이 [1] 수직선 위에 원점을 한 꼭짓점으로 하고 직각을 낀 두 변의 길이가 모두 1인 직각삼각형 AOB를 그린다.

[2] 원점 O(0)을 중심으로 하고 [1]의 직각삼각형의 빗변(길이가 $\sqrt{2}$)을 반지름으로 하는 원을 그려 원과 수직선이 만나는 두 점을 각각 P, Q라 한다.

[3] 점 P는 기준점 O(0)의 오른쪽에 있으므로 점 P에 대응하는 수는 $0+\sqrt{2}=\sqrt{2}$
점 Q는 기준점 O(0)의 왼쪽에 있으므로 점 Q에 대응하는 수는 $0-\sqrt{2}=-\sqrt{2}$

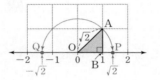

4 실수의 대소 관계

(1) 양수는 0보다 크고, 음수는 0보다 작다.
⇨ (음수) < ☐ < (양수)

(2) 양수끼리는 ㉢절댓값이 큰 수가 크다.

(3) 음수끼리는 절댓값이 ☐ 수가 작다.

0
큰

㉢ 실수의 절댓값도 유리수에서와 마찬가지로 수직선에서 원점과 그 실수에 대응하는 점 사이의 거리이다.
예 $|\sqrt{2}|=|-\sqrt{2}|=\sqrt{2}$

보기 다음 그림은 $-1-\sqrt{3}$, $-\sqrt{2}$, $\sqrt{5}$를 수직선 위에 나타낸 것이다. 이 수들의 대소를 비교하시오.

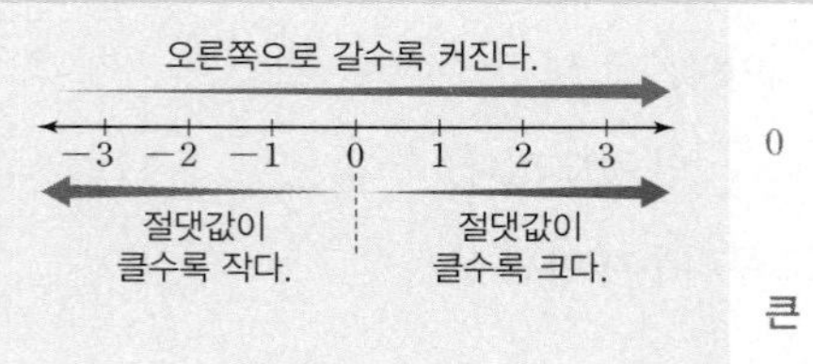

풀이 수직선에서 오른쪽에 있는 수가 왼쪽에 있는 수보다 크므로 $\mathbf{-1-\sqrt{3}<-\sqrt{2}<\sqrt{5}}$

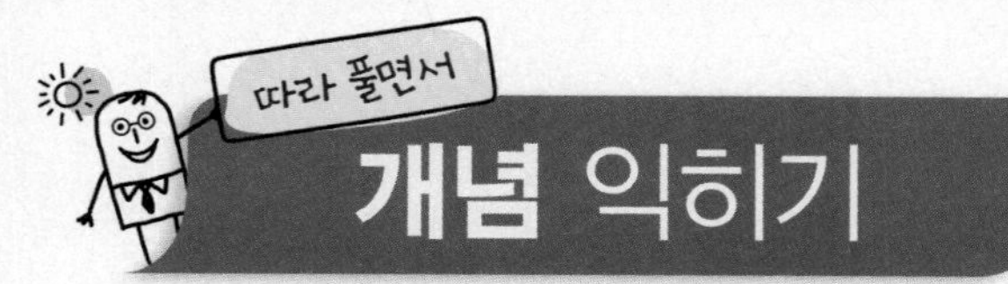

빠른 정답 220쪽 | 정답과 해설 9쪽

| 개념 체크 |

3-1 무리수를 수직선 위에 나타내기

오른쪽 그림과 같이 한 눈금의 길이가 1인 모눈종이 위에 수직선과 직각삼각형 OAB를 그리고, 점 O를 중심으로 하고 $\overline{OB}$를 반지름으로 하는 원을 그렸다. 원이 수직선과 만나는 두 점을 각각 P, Q라 할 때, 다음을 구하시오.

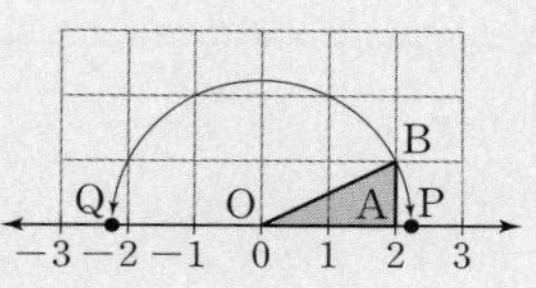

(1) 점 P에 대응하는 수 (2) 점 Q에 대응하는 수

셀파 $\overline{OB}$의 길이를 구하고 $\overline{OP}=\overline{OB}$, $\overline{OQ}=\overline{OB}$임을 이용한다.

연구 직각삼각형 OAB에서 $\overline{OB}=$ ☐

(1) $\overline{OP}=\overline{OB}$이고 점 P는 기준점 O(0)의 오른쪽에 있으므로 점 P에 대응하는 수는 0+☐=☐

(2) $\overline{OQ}=\overline{OB}$이고 점 Q는 기준점 O(0)의 왼쪽에 있으므로 점 Q에 대응하는 수는 0−☐=☐

4-1 실수의 대소 관계

다음 ◯ 안에 부등호 < 또는 > 중 알맞은 것을 써넣으시오.

(1) $-\sqrt{2}$ ◯ 0 (2) $\sqrt{7}$ ◯ $-\sqrt{5}$

(3) $\frac{5}{2}$ ◯ $\sqrt{8}$ (4) $-\sqrt{\frac{1}{3}}$ ◯ -1

셀파 수직선에서 오른쪽에 있는 수가 왼쪽에 있는 수보다 크다.

연구 (1) (음수)<0이므로 $-\sqrt{2}<0$

(2) (양수)>(음수)이므로 $\sqrt{7}$ ☐ $-\sqrt{5}$

(3) $\frac{5}{2}=\sqrt{\frac{25}{4}}$이고 $\left|\sqrt{\frac{25}{4}}\right|<|\sqrt{8}|$이므로 $\frac{5}{2}$ ☐ $\sqrt{8}$

(4) $-1=-\sqrt{1}$이고 $\left|-\sqrt{\frac{1}{3}}\right|$ ☐ $|-\sqrt{1}|$이므로

$-\sqrt{\frac{1}{3}}$ ☐ -1

| 따라 풀기 |

3-2 오른쪽 그림과 같이 한 눈금의 길이가 1인 모눈종이 위에 수직선과 직각삼각형 ABC를 그리고, 점 A를 중심으로 하고 $\overline{AC}$를 반지름으로 하는 원을 그렸다. 원이 수직선과 만나는 두 점을 각각 P, Q라 할 때, 다음 ☐ 안에 알맞은 수를 써넣으시오.

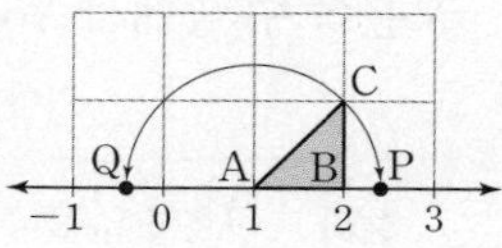

(1) $\overline{AC}$의 길이는 ☐이다.

(2) 점 P는 기준점 A(1)에서 오른쪽으로 ☐만큼 떨어진 점이므로 점 P에 대응하는 수는 ☐이다.

(3) 점 Q는 기준점 A(1)에서 왼쪽으로 ☐만큼 떨어진 점이므로 점 Q에 대응하는 수는 ☐이다.

4-2 다음 ◯ 안에 부등호 < 또는 > 중 알맞은 것을 써넣으시오.

(1) $-\sqrt{5}$ ◯ $-\sqrt{12}$ (2) $\sqrt{7}$ ◯ $\frac{8}{3}$

(3) -4 ◯ $-\sqrt{18}$ (4) $-\sqrt{10}$ ◯ $1+\sqrt{2}$

• **무리수를 수직선 위에 나타내기** 오른쪽 그림과 같이 직각삼각형 ABC를 그린 후 점 A를 중심으로 하고 $\overline{AC}$를 반지름으로 하는 원을 그려 수직선과 만나는 점을 찾는다.

• **실수의 대소 관계** 수직선에서 오른쪽에 있는 수가 왼쪽에 있는 수보다 크다.

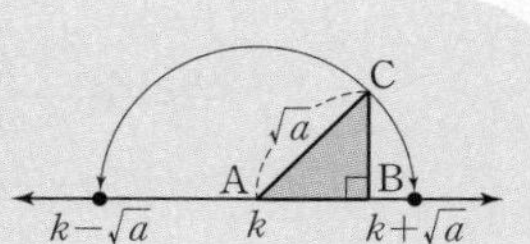

빠른 정답 220쪽 | 정답과 해설 9쪽

기본 01 유리수와 무리수 구별하기

오른쪽 수 중에서 무리수인 것을 모두 고르시오.

$\sqrt{0.\dot{4}},\ \sqrt{\pi^2},\ \sqrt{(-3)^2},\ 2+\sqrt{5}$

해법코드
- 정수, 유한소수, 순환소수, 근호를 없앨 수 있는 수 ⇨ 유리수
- 순환소수가 아닌 무한소수, 근호를 없앨 수 없는 수 ⇨ 무리수

셀파 근호를 없앨 수 있는지부터 확인한다.

풀이
- $\sqrt{0.\dot{4}}=\sqrt{\frac{4}{9}}=\frac{2}{3}$ ⇨ 유리수
- $\pi>0$이므로 $\sqrt{\pi^2}=\pi$ ⇨ 무리수 (π: 원주율을 나타내는 무리수)
- $\sqrt{(-3)^2}=3$ ⇨ 유리수
- 2는 유리수이고 $\sqrt{5}$는 무리수이므로 ㉠ $2+\sqrt{5}$는 무리수이다.

따라서 무리수인 것은 $\sqrt{\pi^2}$, $2+\sqrt{5}$이다.

㉠ (유리수)+(무리수)=(무리수)

확인 01 다음 수 중에서 무리수인 것을 모두 고르시오.

$\sqrt{0.\dot{1}},\ -\frac{\sqrt{16}}{7},\ \sqrt{8.1},\ 3.14,\ \sqrt{8^3},\ \sqrt{2}-1,\ \sqrt{\left(\frac{2}{7}\right)^2}$

» My 셀파
근호가 있는 수는 먼저 근호를 없앨 수 있는지 확인한다.

기본 02 무리수의 이해

다음 중 옳은 것을 모두 고르면? (정답 2개)

① 무한소수는 모두 무리수이다.
② 무리수에는 유한소수도 있다.
③ 순환소수는 모두 무리수이다.
④ π는 무리수이다.
⑤ 실수 중 유리수가 아닌 수는 모두 무리수이다.

해법코드
- 소수 중 유한소수와 순환소수는 유리수, 순환소수가 아닌 무한소수는 무리수이다.
- 실수는 유리수와 무리수로 이루어져 있고, 유리수이면서 동시에 무리수인 수는 없다.

셀파 소수 { 유한소수 ― 유리수, 무한소수 { 순환소수 ― 유리수, 순환소수가 아닌 무한소수 ― 무리수 } }

풀이 ① 무한소수 중 순환소수는 유리수이다.
② 유한소수는 모두 유리수이다.
③ ㉠ 순환소수는 모두 유리수이다.
따라서 옳은 것은 ④, ⑤이다.

㉠ 순환소수는 분수로 나타낼 수 있으므로 유리수이다.

확인 02 다음 보기에서 옳은 것을 모두 고르시오.

| 보기 |
㉠ 근호를 사용하여 나타낸 수는 모두 무리수이다.
㉡ 정수가 아닌 유리수는 유한소수로만 나타낼 수 있다.
㉢ 유리수와 무리수를 더하면 반드시 무리수이다.
㉣ 무리수는 $\frac{b}{a}$ 꼴로 나타낼 수 없다. (단, $a\neq0$, a, b는 정수)

» My 셀파
반례를 생각해 본다.
● 주어진 내용이 거짓임을 보여주는 예를 '반례'라 한다. 반례가 하나라도 존재하면 그 내용은 거짓이다.

기본 03 실수의 분류

오른쪽 수 분류표의 A, B에 속하는 수를 다음 **보기**에서 바르게 짝 지은 것을 고르시오.

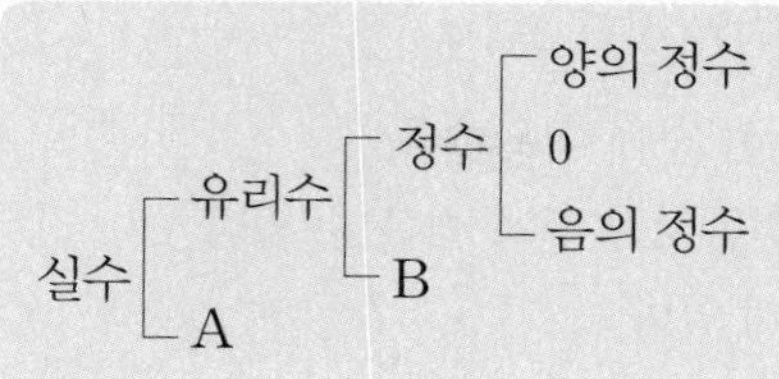

| 보기 |
㉠ A: $-\sqrt{5}$, B: π
㉡ A: $\sqrt{4}-3$, B: 0.2
㉢ A: $\sqrt{2}+1$, B: $\sqrt{\frac{1}{4}}$

해법코드
유리수와 무리수를 통틀어 실수라 한다. 또 유리수는 정수와 정수가 아닌 유리수로 나눌 수 있다.

셀파 근호가 있는 수는 근호를 없앨 수 있는지 확인한다.

풀이 A는 무리수이고, B는 정수가 아닌 유리수이다.

㉢ A: $\sqrt{2}+1$ ⇨ 무리수, B: $\sqrt{\frac{1}{4}}=\sqrt{\left(\frac{1}{2}\right)^2}=\frac{1}{2}$ ⇨ 정수가 아닌 유리수

따라서 바르게 짝 지은 것은 ㉢이다.

참고
㉠ A: $-\sqrt{5}$ ⇨ 무리수
B: π ⇨ 무리수
㉡ A: $\sqrt{4}-3=2-3=-1$
⇨ 유리수
B: 0.2 ⇨ 정수가 아닌 유리수

확인 03 다음 중 오른쪽 그림의 색칠한 부분에 속하는 수는?

① $(-\sqrt{5})^2$ ② $\sqrt{9}-2$ ③ $\sqrt{169}$
④ $\sqrt{1.\dot{6}}$ ⑤ $-\sqrt{\frac{25}{16}}$

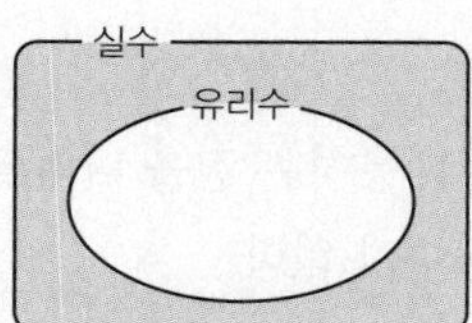

» My 셀파
실수는 유리수와 무리수로 이루어져 있고, 유리수이면서 동시에 무리수인 수는 없으므로 색칠한 부분에 속하는 수는 무리수이다.

기본 04 무리수를 수직선 위에 나타내기

오른쪽 그림과 같이 한 눈금의 길이가 1인 모눈종이 위에 수직선과 직각삼각형 ABC를 그리고, 점 A를 중심으로 하고 $\overline{AC}$를 반지름으로 하는 원을 그렸다. 원이 수직선과 만나는 두 점을 각각 P, Q라 할 때, 다음을 구하시오.

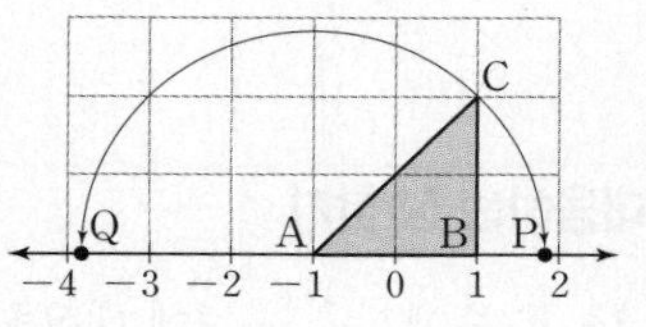

(1) $\overline{AC}$의 길이 (2) 점 P에 대응하는 수 (3) 점 Q에 대응하는 수

해법코드
수직선에서
a의 오른쪽으로 b만큼 떨어진 점에 대응하는 수 ⇨ $a+b$
a의 왼쪽으로 b만큼 떨어진 점에 대응하는 수 ⇨ $a-b$

셀파 점 P는 기준점 A보다 오른쪽에 있고, 점 Q는 기준점 A보다 왼쪽에 있다.

풀이 (1) 직각삼각형 ABC에서 $\overline{AB}=2$, $\overline{CB}=2$이므로 $\overline{AC}=\sqrt{2^2+2^2}=\sqrt{8}$

(2) 점 P는 기준점 A(-1)에서 오른쪽으로 $\overline{AP}=\overline{AC}=\sqrt{8}$만큼 떨어진 점이므로
점 P에 대응하는 수는 $\mathbf{-1+\sqrt{8}}$

(3) 점 Q는 기준점 A(-1)에서 왼쪽으로 $\overline{AQ}=\overline{AC}=\sqrt{8}$만큼 떨어진 점이므로
점 Q에 대응하는 수는 $\mathbf{-1-\sqrt{8}}$

확인 04 오른쪽 그림과 같이 넓이가 6인 정사각형 ABCD에 대하여 $\overline{BC}=\overline{PC}$가 되도록 수직선 위에 점 P를 정할 때, 점 P에 대응하는 수를 구하시오.

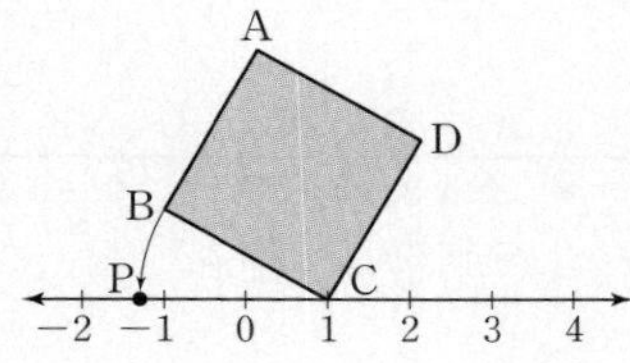

» My 셀파
정사각형 ABCD의 넓이가 6이므로 정사각형 ABCD의 한 변의 길이는 $\sqrt{6}$임을 이용한다.

기본 05 실수와 수직선

다음 중 옳지 않은 것을 모두 고르면? (정답 2개)

① 모든 실수는 각각 수직선 위의 한 점에 대응한다.
② 수직선은 유리수에 대응하는 점들로 완전히 메울 수 있다.
③ -1과 1 사이에는 유리수가 1개 있다.
④ $\sqrt{2}$와 $\sqrt{3}$ 사이에는 무수히 많은 무리수가 있다.
⑤ 서로 다른 두 무리수 사이에는 무수히 많은 유리수가 있다.

해법코드
- 수직선은 실수, 즉 유리수와 무리수에 대응하는 점들로 완전히 메울 수 있다.
- 서로 다른 두 실수 사이에는 무수히 많은 실수가 있다.

셀파 실수와 수직선 사이의 관계를 알아본다.

풀이 ② 수직선은 유리수와 무리수, 즉 실수에 대응하는 점들로 완전히 메울 수 있다.
즉 유리수에 대응하는 점들로 수직선을 완전히 메울 수 없다.
③ -1과 1 사이에 정수는 0으로 1개뿐이지만 유리수는 무수히 많다.
따라서 옳지 않은 것은 ②, ③이다.

확인 05 다음 중 옳은 것은?

① 수직선 위에 $\sqrt{11}$에 대응하는 점을 나타낼 수 없다.
② 2와 $\sqrt{5}$ 사이에는 정수가 없다.
③ 서로 다른 두 정수 사이에는 무수히 많은 정수가 있다.
④ $\frac{1}{10}$과 $\frac{7}{10}$ 사이에는 5개의 유리수가 있다.
⑤ 1에 가장 가까운 무리수는 $\sqrt{2}$이다.

» My 셀파
- 모든 실수는 각각 수직선 위의 한 점에 대응한다.
- 서로 다른 두 실수 사이에는 무수히 많은 유리수와 무리수가 있다.

기본 06 수직선에서 무리수에 대응하는 점 찾기

다음 수직선 위의 점 A, B, C, D, E 중에서 $\sqrt{5}-2$에 대응하는 점을 구하시오.

A B C D E
-2 -1 0 1 2 3

해법코드
수직선 위에서 $\sqrt{x}$에 대응하는 점을 찾을 때는 먼저 x에 가까운 $(\text{자연수})^2$ 꼴인 수를 찾아 $\sqrt{x}$의 값의 범위를 구한다.

셀파 $4<5<9$이므로 $\sqrt{4}<\sqrt{5}<\sqrt{9}$, 즉 $2<\sqrt{5}<3$이다.

풀이 $\sqrt{4}<\sqrt{5}<\sqrt{9}$이므로 $2<\sqrt{5}<3$
부등식 $2<\sqrt{5}<3$의 각 변에서 2를 빼면 $0<\sqrt{5}-2<1$
따라서 ㉠ $\sqrt{5}-2$에 대응하는 점은 C이다.

㉠ 점 A~E 중에서 0과 1 사이의 수에 대응하는 것을 찾는다.

참고
$\sqrt{5}=2.236\cdots$이므로 바로 $2<\sqrt{5}<3$으로 생각해도 된다.

확인 06 다음 수직선에서 $-2-\sqrt{2}$, $\sqrt{6}-2$, $-3+\sqrt{17}$에 대응하는 점이 있는 구간을 각각 구하시오.

A B C D E F
-4 -3 -2 -1 0 1 2

» My 셀파
$-\sqrt{2}$, $\sqrt{6}$, $\sqrt{17}$의 각각에 이웃한 두 정수를 생각해 본다.

기본 07 실수의 대소 관계

다음 수직선 위의 세 점 A, B, C에 대응하는 수가 $1-\sqrt{5}$, $-2+\sqrt{8}$, $-2-\sqrt{3}$ 중 하나일 때, 세 점 A, B, C에 대응하는 수를 각각 구하고, 세 수의 대소를 비교하시오.

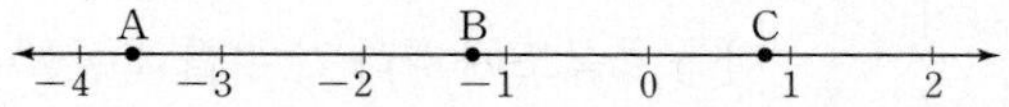

해법코드
(1) (음수) < 0 < (양수)
(2) 양수끼리는 절댓값이 큰 수가 크다.
(3) 음수끼리는 절댓값이 큰 수가 작다.

셀파 $\sqrt{x}$에 이웃한 두 정수를 이용하여 부등식 $n<\sqrt{x}<n+1$ (n은 정수)을 만들어 본다.

풀이 $\sqrt{4}<\sqrt{5}<\sqrt{9}$, 즉 $2<\sqrt{5}<3$이므로 $-3<-\sqrt{5}<-2$ $\quad\therefore -2<1-\sqrt{5}<-1$
$\sqrt{4}<\sqrt{8}<\sqrt{9}$, 즉 $2<\sqrt{8}<3$이므로 $0<-2+\sqrt{8}<1$
$\sqrt{1}<\sqrt{3}<\sqrt{4}$, 즉 $1<\sqrt{3}<2$이므로 $-2<-\sqrt{3}<-1$ $\quad\therefore -4<-2-\sqrt{3}<-3$
따라서 $\mathbf{A(-2-\sqrt{3}),\ B(1-\sqrt{5}),\ C(-2+\sqrt{8})}$이고
주어진ⓖ 세 수의 대소를 비교하면 $\mathbf{-2-\sqrt{3}<1-\sqrt{5}<-2+\sqrt{8}}$

ⓖ 수직선에서 오른쪽에 있는 수가 왼쪽에 있는 수보다 크므로 세 점 A, B, C에 대응하는 수는 점 A, 점 B, 점 C의 순서로 커짐을 알 수 있다.

확인 07 다음 수직선 위의 네 점 A, B, C, D 중에서 $\sqrt{12}-2$, $-3+\sqrt{7}$에 대응하는 점을 각각 구하고, 두 수의 대소를 비교하시오.

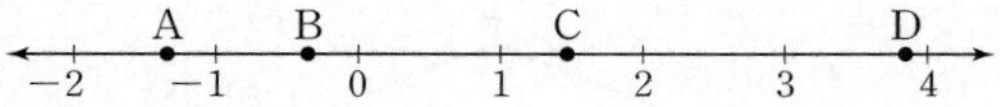

» My 셀파
수직선에서 오른쪽에 있는 수가 왼쪽에 있는 수보다 크다.

발전 08 두 실수 사이의 수

다음 중 두 수 $\sqrt{3}$과 $\sqrt{8}$ 사이에 있는 수가 아닌 것은? (단, $\sqrt{3}=1.732$, $\sqrt{8}=2.828$)

① $\sqrt{3}+0.1$ ② $\sqrt{3}+1$ ③ $\sqrt{8}-1$
④ $\sqrt{8}-2$ ⑤ $\dfrac{\sqrt{3}+\sqrt{8}}{2}$

해법코드
주어진 $\sqrt{3}$과 $\sqrt{8}$의 값을 각 보기에 대입하여 계산한다.

셀파 $\sqrt{3}$과 $\sqrt{8}$의 값을 이용하여 보기의 수가 $\sqrt{3}$과 $\sqrt{8}$ 사이에 있는지 확인한다.

풀이 ① $\sqrt{3}+0.1=1.732+0.1=1.832$이므로 $\sqrt{3}<\sqrt{3}+0.1<\sqrt{8}$
② $\sqrt{3}+1=1.732+1=2.732$이므로 $\sqrt{3}<\sqrt{3}+1<\sqrt{8}$
③ $\sqrt{8}-1=2.828-1=1.828$이므로 $\sqrt{3}<\sqrt{8}-1<\sqrt{8}$
④ $\sqrt{8}-2=2.828-2=0.828$이므로 $\sqrt{8}-2<\sqrt{3}$
따라서 $\sqrt{8}-2$는 $\sqrt{3}$과 $\sqrt{8}$ 사이에 있는 수가 아니다.
⑤ $\dfrac{\sqrt{3}+\sqrt{8}}{2}=\dfrac{1.732+2.828}{2}=2.28$이므로 $\sqrt{3}<\dfrac{\sqrt{3}+\sqrt{8}}{2}<\sqrt{8}$
따라서 $\sqrt{3}$과 $\sqrt{8}$ 사이에 있는 수가 아닌 것은 ④이다.

확인 08 다음 수 중에서 두 수 $\sqrt{5}$와 3 사이에 있는 수를 모두 고르시오. (단, $\sqrt{5}=2.236$)

$\sqrt{6}$, $\sqrt{8}$, $\sqrt{10}$, $\sqrt{5}+0.5$, $\sqrt{\dfrac{11}{2}}$, $\dfrac{\sqrt{5}+3}{2}$, $\dfrac{3-\sqrt{5}}{2}$

» My 셀파
$3=\sqrt{9}$와 $\sqrt{5}=2.236$을 이용하여 보기의 수가 $\sqrt{5}$와 3 사이에 있는지 확인한다.

실력 키우기

01 유리수와 무리수 구별하기

다음 중 무리수는 모두 몇 개인지 말하시오.

$\sqrt{9}$, $(-\sqrt{10})^2$, $\sqrt{5}$, $\sqrt{5}-2$,
$0.6\dot{7}\dot{1}$, 0.7, $-\sqrt{\frac{3}{12}}$, $3.\dot{1}\dot{4}$

02 유리수와 무리수 구별하기 (창의력)

다음 중 a가 유리수일 때, 항상 무리수인 것은?

① $a+1$ ② $\sqrt{a}$ ③ $3a$
④ $\sqrt{2}+a$ ⑤ $\sqrt{3}a$

03 무리수의 이해

다음 중 $\sqrt{3}$에 대한 설명으로 옳은 것을 모두 고르면? (정답 2개)

① 순환소수이다.
② 제곱하면 유리수가 된다.
③ 1과 2 사이의 무리수이다.
④ 기약분수로 나타낼 수 있다.
⑤ 수직선 위의 한 점에 대응시킬 수 없다.

04 무리수와 실수 (서술형)

x가 50 이하의 자연수일 때, $\sqrt{x}$가 무리수가 되도록 하는 x의 개수를 구하시오.

05 실수의 분류 (창의·융합)

다음 흐름도에 따라 각 수를 분류할 때, ㉠~㉣에 알맞은 수를 써넣으시오.

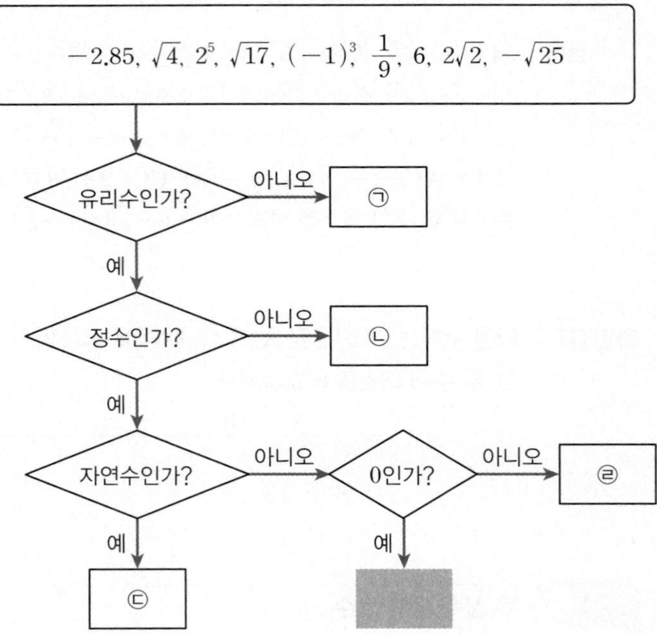

06 무리수를 수직선 위에 나타내기

다음 그림은 한 눈금의 길이가 1인 모눈종이 위에 수직선과 두 정사각형 ABCD, EFGH를 그린 것이다. 수직선 위의 두 점 P, Q에 대하여 $\overline{AD}=\overline{AP}$, $\overline{EF}=\overline{EQ}$일 때, 옳은 것을 **보기**에서 모두 고르시오.

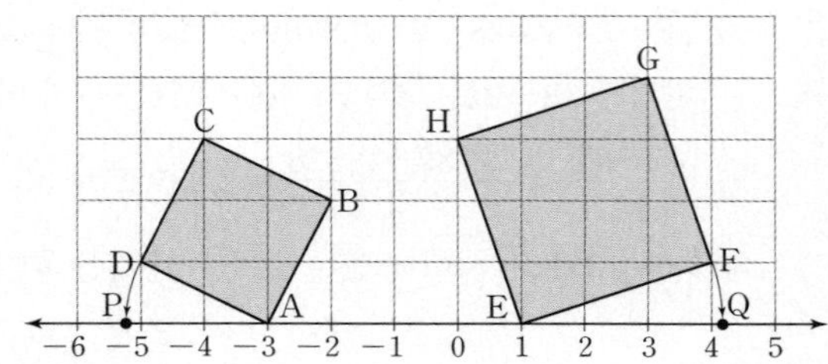

보기

㉠ 정사각형 ABCD의 한 변의 길이는 $\sqrt{5}$이다.
㉡ 정사각형 EFGH의 넓이는 $\sqrt{10}$이다.
㉢ 점 P에 대응하는 수는 $-3+\sqrt{5}$이다.
㉣ 점 Q에 대응하는 수는 $1+\sqrt{10}$이다.

07 무리수를 수직선 위에 나타내기

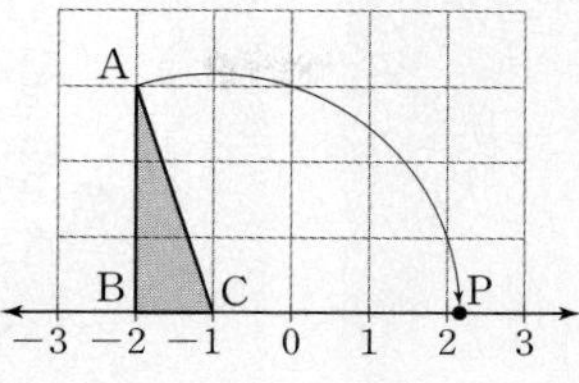

오른쪽 그림과 같이 한 눈금의 길이가 1인 모눈종이 위에 수직선과 직각삼각형 ABC를 그리고 $\overline{CA}=\overline{CP}$가 되도록 수직선 위에 점 P를 정했다. 점 P에 대응하는 수가 $a+\sqrt{b}$일 때, 유리수 a, b에 대하여 $a+b$의 값을 구하시오.

08 실수와 수직선

다음 **보기**에서 옳은 것을 모두 고르시오.

보기
㉠ 수직선 위에 $\sqrt{12}$에 대응하는 점을 나타낼 수 있다. ㉡ 모든 실수는 각각 수직선 위의 한 점에 대응한다. ㉢ 유리수와 무리수에 대응하는 점만으로는 수직선을 완전히 메울 수 없다. ㉣ 서로 다른 두 유리수 사이에는 무리수가 없다.

09 수직선에서 무리수에 대응하는 점 찾기 (서술형)

두 수 $-1-\sqrt{2}$와 $2+\sqrt{13}$에 대하여 물음에 답하시오.

(1) 다음 수직선 위에 두 수 $-1-\sqrt{2}$와 $2+\sqrt{13}$에 대응하는 점을 각각 나타내시오.

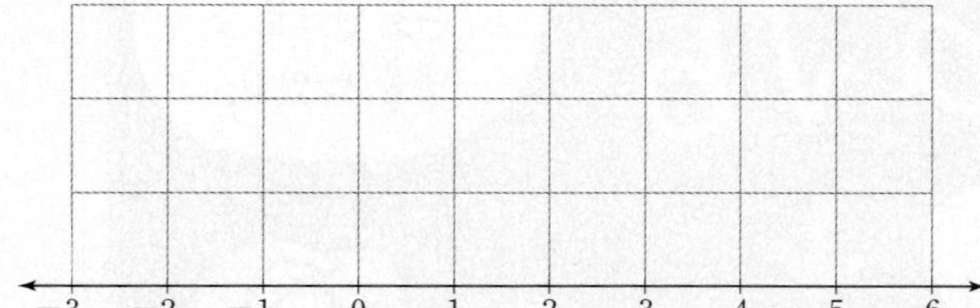

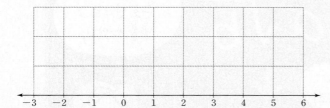

(2) 두 수 $-1-\sqrt{2}$와 $2+\sqrt{13}$ 사이에 있는 정수는 모두 몇 개인지 구하시오.

10 실수의 대소 관계 (서술형)

다음 수직선 위의 네 점 A, B, C, D는 각각 아래의 수 중 하나에 대응한다. 물음에 답하시오.

$-\sqrt{8}$, $1+\sqrt{2}$, $\sqrt{10}-2$, $3-\sqrt{13}$

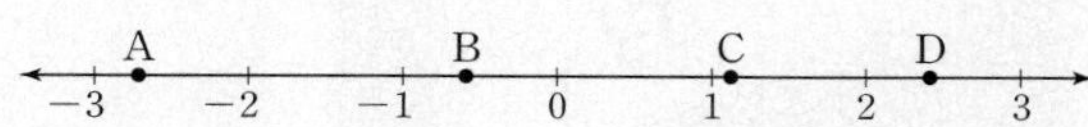

(1) 다음은 $\sqrt{10}-2$에 대응하는 점을 찾는 과정이다. □ 안에 알맞은 것을 써넣으시오.

$3<\sqrt{10}<4$이므로 $\square<\sqrt{10}-2<\square$ 따라서 $\sqrt{10}-2$에 대응하는 점은 □이다.

(2) $-\sqrt{8}$, $1+\sqrt{2}$, $3-\sqrt{13}$에 대응하는 점을 각각 구하시오.

(3) 주어진 수직선과 (2)의 결과를 이용하여 네 수 중 가장 큰 수와 가장 작은 수를 각각 구하시오.

11 두 실수 사이의 수

다음 중 $\sqrt{6}$과 $\sqrt{7}$ 사이에 있는 수를 모두 고르면? (정답 2개)
(단, $\sqrt{6}=2.449$, $\sqrt{7}=2.646$)

① $\sqrt{6}+0.2$　　② $\sqrt{7}-0.01$

③ $\dfrac{\sqrt{6}+\sqrt{7}}{2}$　　④ $\dfrac{\sqrt{7}-\sqrt{6}}{2}$

⑤ $\dfrac{3+\sqrt{7}}{2}$

꺼내 줘~

꺼내 줘어어…

뭘 꺼내 달라는 거야?
헉, 악몽인가!
벌떡

졸았냐?
왜 고함치고
난리냐?
자꾸 꺼내 달란
소리가 들려서…
와하하
와하하하하

근호 안에 있는 수가
제곱이면 꺼내서
계산하라는 말이다.
$\sqrt{a^2b}$

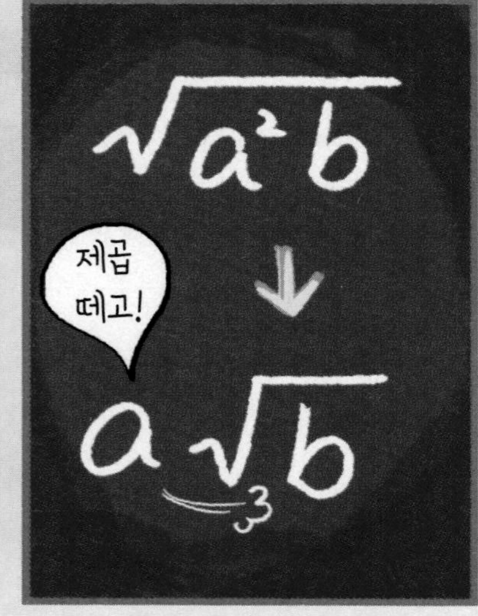
$\sqrt{a^2b}$
제곱
떼고!
$a\sqrt{b}$

근호 밖도 별거 없네.
다시
근호 안으로 넣어줘!
$a\sqrt{b}$

$a\sqrt{b}$
제곱해서
근호 안으로
넣을 수 있지.
제곱
붙이고!
$\sqrt{a^2b}$

I | 제곱근과 실수

근호를 포함한 식의 곱셈과 나눗셈

| 개념 1 | 제곱근의 곱셈과 나눗셈
| 개념 2 | 근호가 있는 식의 변형
| 개념 3 | 분모의 유리화
| 개념 4 | 제곱근을 어림한 값

3 근호를 포함한 식의 곱셈과 나눗셈

1 제곱근의 곱셈과 나눗셈

(1) **제곱근의 곱셈** 근호 안의 수끼리, 근호 밖의 수끼리 곱한다.

$a>0$, $b>0$이고 m, n이 유리수일 때

① ㉠ $\sqrt{a}\times\sqrt{b}=\sqrt{a}\sqrt{b}=\sqrt{ab}$ 예 $\sqrt{2}\times\sqrt{3}=\sqrt{2\times\square}=\sqrt{6}$ 3

② ㉡ $m\sqrt{a}\times n\sqrt{b}=mn\sqrt{ab}$ 예 $4\sqrt{2}\times2\sqrt{3}=(4\times\square)\times\sqrt{2\times3}=8\sqrt{6}$ 2

(2) **제곱근의 나눗셈** 근호 안의 수끼리, 근호 밖의 수끼리 나눈다.

$a>0$, $b>0$이고 m, n이 유리수일 때

① $\sqrt{a}\div\sqrt{b}=\dfrac{\sqrt{a}}{\sqrt{b}}=\sqrt{\dfrac{a}{b}}$ 예 $\sqrt{2}\div\sqrt{3}=\sqrt{\dfrac{2}{\square}}$ 3

② $m\sqrt{a}\div n\sqrt{b}=\dfrac{m\sqrt{a}}{n\sqrt{b}}=\dfrac{m}{n}\sqrt{\dfrac{a}{b}}$ (단, $n\neq0$) 예 $4\sqrt{2}\div2\sqrt{3}=\square\sqrt{\dfrac{2}{3}}$ 2

참고 제곱근의 나눗셈은 역수의 곱셈으로 바꾸어 계산할 수 있다.

예 $\dfrac{\sqrt{3}}{\sqrt{5}}\div\dfrac{\sqrt{6}}{\sqrt{25}}=\dfrac{\sqrt{3}}{\sqrt{5}}\times\dfrac{\sqrt{25}}{\sqrt{6}}=\sqrt{\dfrac{3}{5}\times\dfrac{25}{6}}=\sqrt{\dfrac{5}{2}}$

참고 세 개 이상의 제곱근의 곱셈도 같은 방법으로 한다.
$a>0$, $b>0$, $c>0$일 때, $\sqrt{a}\sqrt{b}\sqrt{c}=\sqrt{abc}$

㉠ $\sqrt{a}\times\sqrt{b}$는 곱셈 기호를 생략하여 $\sqrt{a}\sqrt{b}$와 같이 나타내기도 한다.

㉡ $m\times\sqrt{a}$는 곱셈 기호를 생략하여 $m\sqrt{a}$와 같이 나타내기도 한다.

보기 다음 □ 안에 알맞은 수를 써넣으시오.

(1) $\sqrt{3}\sqrt{5}=\sqrt{3\times\square}=\square$

(2) $\sqrt{12}\div\sqrt{6}=\sqrt{\dfrac{\square}{6}}=\sqrt{\square}$

풀이 (1) $\sqrt{3}\sqrt{5}=\sqrt{3\times\mathbf{5}}=\mathbf{\sqrt{15}}$

(2) $\sqrt{12}\div\sqrt{6}=\sqrt{\dfrac{\mathbf{12}}{6}}=\mathbf{\sqrt{2}}$

㉢ 약수를 인수라고도 한다.

2 근호가 있는 식의 변형

(1) 근호 안의 수가 제곱인 ㉢인수를 가지면 제곱인 인수를 근호 밖으로 꺼낼 수 있다.

$a>0$, $b>0$일 때, ㉣ $\sqrt{a^2b}=a\sqrt{b}$, ㉤ $\sqrt{\dfrac{b}{a^2}}=\dfrac{\sqrt{b}}{a}$

예 $\sqrt{12}=\sqrt{2^2\times3}=2\sqrt{3}$, $\sqrt{\dfrac{3}{4}}=\sqrt{\dfrac{3}{2^2}}=\dfrac{\sqrt{3}}{2}$

(제곱인 인수를 근호 밖으로 꺼내기 / 소인수분해)

(2) 근호 밖의 양수는 □하여 근호 안으로 넣을 수 있다. 제곱

$a>0$, $b>0$일 때, $a\sqrt{b}=\sqrt{a^2b}$, $\dfrac{\sqrt{b}}{a}=\sqrt{\dfrac{b}{a^2}}$

예 $2\sqrt{3}=\sqrt{2^2\times3}=\sqrt{12}$, $\dfrac{\sqrt{3}}{2}=\sqrt{\dfrac{3}{2^\square}}=\sqrt{\dfrac{3}{4}}$ 2

㉣ $\sqrt{a^2b}=\sqrt{a^2}\sqrt{b}=a\sqrt{b}$

● $a\sqrt{b}$의 꼴로 나타낼 때는 일반적으로 b가 가장 작은 자연수가 되도록 한다.

㉤ $\sqrt{\dfrac{b}{a^2}}=\dfrac{\sqrt{b}}{\sqrt{a^2}}=\dfrac{\sqrt{b}}{a}$

보기 다음 □ 안에 알맞은 수를 써넣으시오.

(1) $\sqrt{18}=\sqrt{\square^2\times2}=\square\sqrt{2}$

(2) $5\sqrt{2}=\sqrt{\square^2\times2}=\sqrt{\square}$

풀이 (1) $\sqrt{18}=\sqrt{\mathbf{3}^2\times2}=\mathbf{3}\sqrt{2}$

(2) $5\sqrt{2}=\sqrt{\mathbf{5}^2\times2}=\mathbf{\sqrt{50}}$

주의 근호 안으로 수를 넣을 때, 부호는 근호 안으로 넣을 수 없다.
예 $-3\sqrt{2}=-\sqrt{3^2\times2}=-\sqrt{18}$

빠른 정답 221쪽 | 정답과 해설 12쪽

| 개념 체크 |

1-1 제곱근의 곱셈과 나눗셈

다음 식을 간단히 하시오.

(1) $\sqrt{6}\sqrt{11}$　　(2) $2\sqrt{2}\times5\sqrt{3}$

(3) $\dfrac{\sqrt{18}}{\sqrt{3}}$　　(4) $6\sqrt{12}\div3\sqrt{2}$

셀파 제곱근의 곱셈과 나눗셈은 근호 안의 수끼리, 근호 밖의 수끼리 곱하거나 나눈다.

연구 (1) $\sqrt{6}\sqrt{11}=\sqrt{6\times\square}=\sqrt{\square}$

(2) $2\sqrt{2}\times5\sqrt{3}=(2\times5)\times\sqrt{2\times\square}=10\sqrt{\square}$

(3) $\dfrac{\sqrt{18}}{\sqrt{3}}=\sqrt{\dfrac{18}{\square}}=\sqrt{\square}$

(4) $6\sqrt{12}\div3\sqrt{2}=\dfrac{\square}{3}\sqrt{\dfrac{12}{2}}=\square\sqrt{6}$

2-1 근호가 있는 식의 변형

다음 수를 $\sqrt{a}$ 꼴은 $b\sqrt{c}$ 꼴로, $b\sqrt{c}$ 꼴은 $\sqrt{a}$ 꼴로 나타내시오.

(1) $\sqrt{108}$　　(2) $\sqrt{0.07}$

(3) $-5\sqrt{3}$　　(4) $\dfrac{\sqrt{11}}{2}$

셀파 $a>0, b>0$일 때, $\sqrt{a^2b}=a\sqrt{b}$, $\sqrt{\dfrac{a}{b^2}}=\dfrac{\sqrt{a}}{b}$

연구 (1) $\sqrt{108}=\sqrt{\square^2\times3}=\square\sqrt{3}$

(2) $\sqrt{0.07}=\sqrt{\dfrac{7}{100}}=\dfrac{\sqrt{7}}{\sqrt{\square^2}}=\dfrac{\sqrt{7}}{10}$

(3) $-5\sqrt{3}=-\sqrt{\square^2\times3}=-\sqrt{\square}$

(4) $\dfrac{\sqrt{11}}{2}=\sqrt{\dfrac{11}{\square^2}}=\sqrt{\square}$

근호 안의 소수는 분수로 바꾸어 생각해.

| 따라 풀기 |

1-2 다음 식을 간단히 하시오.

(1) $\sqrt{2}\sqrt{7}$　　(2) $\sqrt{3}\times2\sqrt{3}$

(3) $5\sqrt{2}\times4\sqrt{11}$　　(4) $\dfrac{\sqrt{7}}{\sqrt{28}}$

(5) $\sqrt{20}\div\sqrt{5}$　　(6) $4\sqrt{8}\div2\sqrt{18}$

2-2 다음 수를 $a\sqrt{b}$ 꼴로 나타내시오. (단, b는 가장 작은 자연수)

(1) $\sqrt{175}$　　(2) $\sqrt{96}$

(3) $\sqrt{\dfrac{7}{25}}$　　(4) $\sqrt{0.12}$

2-3 다음 수를 $\sqrt{a}$ 또는 $-\sqrt{a}$ 꼴로 나타내시오.

(1) $4\sqrt{5}$　　(2) $-3\sqrt{2}$

(3) $\dfrac{\sqrt{7}}{3}$　　(4) $\dfrac{5\sqrt{3}}{2}$

• $a>0, b>0$이고 m, n이 유리수일 때 ① $\sqrt{a}\sqrt{b}=\sqrt{ab}$, $m\sqrt{a}\times n\sqrt{b}=mn\sqrt{ab}$

② $\dfrac{\sqrt{a}}{\sqrt{b}}=\sqrt{\dfrac{a}{b}}$, $m\sqrt{a}\div n\sqrt{b}=\dfrac{m}{n}\sqrt{\dfrac{a}{b}}$ (단, $n\neq0$)

• $a>0, b>0$일 때, $\sqrt{a^2b}=a\sqrt{b}$, $\dfrac{\sqrt{b}}{\sqrt{a^2}}=\dfrac{\sqrt{b}}{a}$

3 근호를 포함한 식의 곱셈과 나눗셈

3 분모의 유리화

(1) 분모의 유리화　분수의 분모가 근호를 포함한 무리수일 때, 분자와 분모에 0이 아닌 같은 수를 곱하여 분모를 [　　]로 고치는 것　　유리수

(2) 분모를 유리화하는 방법　$a>0$이고 a, b, c가 유리수일 때

① $\dfrac{b}{\sqrt{a}}=\dfrac{b\times\sqrt{a}}{\sqrt{a}\times\sqrt{a}}=\dfrac{b\sqrt{a}}{a}$　　예 $\dfrac{1}{\sqrt{2}}=\dfrac{1\times\sqrt{2}}{\sqrt{2}\times\sqrt{2}}=\dfrac{\sqrt{2}}{2}$

② $\dfrac{\sqrt{b}}{\sqrt{a}}=\dfrac{\sqrt{b}\times\sqrt{a}}{\sqrt{a}\times\sqrt{a}}=\dfrac{\sqrt{ab}}{a}$ (단, $b>0$)　　예 $\dfrac{\sqrt{3}}{\sqrt{2}}=\dfrac{\sqrt{3}\times[\ \ ]}{\sqrt{2}\times\sqrt{2}}=\dfrac{\sqrt{6}}{2}$　　$\sqrt{2}$

③ $\dfrac{c}{b\sqrt{a}}=\dfrac{c\times\sqrt{a}}{b\sqrt{a}\times\sqrt{a}}=\dfrac{c\sqrt{a}}{ab}$ (단, $b\neq0$)　　예 $\dfrac{3}{2\sqrt{2}}=\dfrac{3\times\sqrt{2}}{2\sqrt{2}\times\sqrt{2}}=\dfrac{3\sqrt{2}}{[\ \ ]}$　　4

ㄱ 분자와 분모에 0이 아닌 같은 수를 곱해도 그 값이 변하지 않음을 이용한다.
$\dfrac{A}{B}=\dfrac{A\times C}{B\times C}$
(단, $B\neq0$, $C\neq0$)

보기 다음 수의 분모를 유리화하시오.

(1) $\dfrac{1}{\sqrt{6}}$　　(2) $\dfrac{3}{\sqrt{2}}$　　(3) $\dfrac{\sqrt{3}}{\sqrt{7}}$　　(4) $\dfrac{9}{2\sqrt{3}}$

풀이 (1) $\dfrac{1}{\sqrt{6}}=\dfrac{1\times\sqrt{6}}{\sqrt{6}\times\sqrt{6}}=\mathbf{\dfrac{\sqrt{6}}{6}}$　($\sqrt{6}$을 분자, 분모에 곱한다.)

(2) $\dfrac{3}{\sqrt{2}}=\dfrac{3\times\sqrt{2}}{\sqrt{2}\times\sqrt{2}}=\mathbf{\dfrac{3\sqrt{2}}{2}}$　($\sqrt{2}$를 분자, 분모에 곱한다.)

(3) $\dfrac{\sqrt{3}}{\sqrt{7}}=\dfrac{\sqrt{3}\times\sqrt{7}}{\sqrt{7}\times\sqrt{7}}=\mathbf{\dfrac{\sqrt{21}}{7}}$　($\sqrt{7}$을 분자, 분모에 곱한다.)

(4) $\dfrac{9}{2\sqrt{3}}=\dfrac{9\times\sqrt{3}}{2\sqrt{3}\times\sqrt{3}}=\mathbf{\dfrac{3\sqrt{3}}{2}}$　($\sqrt{3}$을 분자, 분모에 곱한다.)

참고 분모가 $\sqrt{a^2b}$ ($a>0$, $b>0$) 꼴이면 $\sqrt{a^2b}=a\sqrt{b}$ 꼴로 바꾼 후 분모를 유리화하는 것이 간단하다.
예 $\dfrac{1}{\sqrt{18}}=\dfrac{1}{\sqrt{3^2\times2}}=\dfrac{1}{3\sqrt{2}}$
$=\dfrac{1\times\sqrt{2}}{3\sqrt{2}\times\sqrt{2}}=\dfrac{\sqrt{2}}{6}$

4 제곱근을 어림한 값

(1) 제곱근표　1.00부터 99.9까지의 수에 대한 양의 [　　]의 값을 반올림하여 소수점 아래 셋째 자리까지 나타낸 것이다.　　제곱근

(2) 제곱근표에서 제곱근을 어림한 값을 읽는 방법
처음 두 자리 수의 가로줄과 끝자리 수의 세로줄이 만나는 곳에 있는 수를 읽는다.

예 제곱근표에서 $\sqrt{3.48}$을 어림한 값은 왼쪽의 수 3.4의 가로줄과 위쪽의 수 8의 [　　]이 만나는 곳에 있는 수 [　　]이다. 즉 $\sqrt{3.48}=1.865$　　세로줄　1.865

수	0	1	…	8
3.2	1.789	1.792	…	1.811
3.3	1.817	1.819	…	1.838
3.4	1.844	1.847	…	1.865
3.5	1.871	1.873	…	1.892

ㄴ 이 책의 230~231쪽에 제곱근표가 실려 있다.

ㄷ 제곱근표에 있는 제곱근의 값은 대부분 어림한 값이지만 '='를 사용하여 나타낸다.

보기 위 제곱근표를 이용하여 다음 수를 어림한 값을 구하시오.

(1) $\sqrt{3.31}$　　(2) $\sqrt{3.50}$

풀이 (1) 제곱근표에서 왼쪽의 수 3.3의 가로줄과 위쪽의 수 1의 세로줄이 만나는 곳에 있는 수인 1.819이다.　$\therefore \sqrt{3.31}=\mathbf{1.819}$

(2) 제곱근표에서 왼쪽의 수 3.5의 가로줄과 위쪽의 수 0의 세로줄이 만나는 곳에 있는 수인 1.871이다.　$\therefore \sqrt{3.50}=\mathbf{1.871}$

$\sqrt{2}=1.414$, $\sqrt{3}=1.732$, $\sqrt{5}=2.236$ 정도는 외워 두면 편리해.

| 개념 체크 |

3-1 분모의 유리화

다음 수의 분모를 유리화하시오.

(1) $\dfrac{2}{\sqrt{2}}$　(2) $\dfrac{\sqrt{2}}{3\sqrt{5}}$　(3) $\dfrac{\sqrt{7}}{\sqrt{12}}$

셀파 분모에 있는 제곱근을 분자, 분모에 모두 곱하여 분모를 유리화한다.

연구 (1) $\dfrac{2}{\sqrt{2}}=\dfrac{2\times\square}{\sqrt{2}\times\square}=\square$

(2) $\dfrac{\sqrt{2}}{3\sqrt{5}}=\dfrac{\sqrt{2}\times\square}{3\sqrt{5}\times\square}=\square$

(3) $\dfrac{\sqrt{7}}{\sqrt{12}}=\dfrac{\sqrt{7}\times\square}{2\sqrt{3}\times\square}=\square$

| 따라 풀기 |

3-2 다음은 분모를 유리화하는 과정이다. □ 안에 알맞은 수를 써넣으시오.

(1) $\dfrac{3}{\sqrt{5}}=\dfrac{3\times\square}{\sqrt{5}\times\square}=\square$

(2) $\dfrac{\sqrt{3}}{\sqrt{10}}=\dfrac{\sqrt{3}\times\square}{\sqrt{10}\times\square}=\square$

(3) $\dfrac{\sqrt{7}}{2\sqrt{6}}=\dfrac{\sqrt{7}\times\square}{2\sqrt{6}\times\square}=\square$

(4) $\dfrac{4}{\sqrt{8}}=\dfrac{4\times\square}{2\sqrt{2}\times\square}=\square$

4-1 제곱근을 어림한 값

아래 제곱근표를 이용하여 다음 제곱근을 어림한 값을 구하시오.

수	0	1	2	3	4	5
10	3.162	3.178	3.194	3.209	3.225	3.240
11	3.317	3.332	3.347	3.362	3.376	3.391
12	3.464	3.479	3.493	3.507	3.521	3.536

(1) $\sqrt{10.4}$　(2) $\sqrt{12.1}$

셀파 처음 두 자리 수가 제곱근표에서 왼쪽이고 끝자리 수가 제곱근표에서 위쪽의 수이다.

연구 (1) 왼쪽의 수 10의 가로줄과 위쪽의 수 □의 세로줄이 만나는 곳에 있는 수를 읽으면 □이다.

(2) 왼쪽의 수 □의 가로줄과 위쪽의 수 □의 세로줄이 만나는 곳에 있는 수를 읽으면 □이다.

4-2 아래 제곱근표를 이용하여 다음 제곱근을 어림한 값을 구하시오.

수	0	1	2	3	4
1.0	1.000	1.005	1.010	1.015	1.020
1.1	1.049	1.054	1.058	1.063	1.068
1.2	1.095	1.100	1.105	1.109	1.114
1.3	1.140	1.145	1.149	1.153	1.158

(1) $\sqrt{1.23}$　(2) $\sqrt{1.34}$

- **분모의 유리화**　분모를 유리화할 때는 반드시 분자, 분모에 같은 수를 곱해야 한다.

  예 $\dfrac{\sqrt{3}}{\sqrt{2}}=\dfrac{\sqrt{3}}{\sqrt{2}\times\sqrt{2}}=\dfrac{\sqrt{3}}{2}$ (×), $\dfrac{\sqrt{3}}{\sqrt{2}}=\dfrac{\sqrt{3}\times\sqrt{2}}{\sqrt{2}\times\sqrt{2}}=\dfrac{\sqrt{6}}{2}$ (○)

- **제곱근표를 읽는 방법**　처음 두 자리 수의 가로줄과 끝자리 수의 세로줄이 만나는 곳에 있는 수를 읽는다.

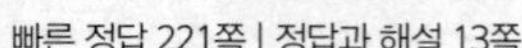
빠른 정답 221쪽 | 정답과 해설 13쪽

기본 01 제곱근의 곱셈

$(-3\sqrt{2})\times 4\sqrt{\frac{15}{14}}\times\left(-\sqrt{\frac{7}{5}}\right)$을 간단히 하시오.

해법코드
$a>0, b>0$이고 m, n이 유리수일 때
① $\sqrt{a}\sqrt{b}=\sqrt{ab}$
② $m\sqrt{a}\times n\sqrt{b}=mn\sqrt{ab}$

셀파 근호 안의 수끼리, 근호 밖의 수끼리 곱한다.

풀이 $(-3\sqrt{2})\times 4\sqrt{\frac{15}{14}}\times\left(-\sqrt{\frac{7}{5}}\right)=(-3)\times 4\times(-1)\times\sqrt{2\times\frac{15}{14}\times\frac{7}{5}}$
$=\mathbf{12\sqrt{3}}$

확인 01 **1.** $3\sqrt{5}\times(-2\sqrt{2})\times\sqrt{\frac{3}{8}}$을 간단히 하시오.

2. $5\times\sqrt{6}\times\sqrt{a}=\sqrt{2}\times\sqrt{50}$이 되는 양수 a의 값을 구하시오.

» My 셀파
1. 근호 안의 수끼리, 근호 밖의 수끼리 곱한다.
2. 좌변과 우변을 각각 계산한 후 비교한다.

기본 02 제곱근의 나눗셈

다음 중 옳지 않은 것은?

① $\sqrt{112}\div\sqrt{7}=4$ ② $\frac{\sqrt{64}}{\sqrt{4}}=4$ ③ $(-\sqrt{24})\div 3\sqrt{12}=-\frac{\sqrt{2}}{3}$
④ $\frac{\sqrt{35}}{\sqrt{12}}\div\frac{\sqrt{7}}{\sqrt{60}}=5$ ⑤ $\frac{3\sqrt{10}}{\sqrt{3}}\div\frac{\sqrt{6}}{2\sqrt{5}}=\frac{3}{2}$

해법코드
$a>0, b>0$이고 m, n이 유리수일 때
① $\frac{\sqrt{a}}{\sqrt{b}}=\sqrt{\frac{a}{b}}$
② $m\sqrt{a}\div n\sqrt{b}=\frac{m}{n}\sqrt{\frac{a}{b}}$
(단, $n\neq 0$)

● 나누는 수가 분수 꼴일 때는 역수의 곱셈으로 바꾸어 계산한다.

셀파 근호 안의 수끼리, 근호 밖의 수끼리 나눈다.

풀이 ① $\sqrt{112}\div\sqrt{7}=\frac{\sqrt{112}}{\sqrt{7}}=\sqrt{\frac{112}{7}}=\sqrt{16}=4$

② $\frac{\sqrt{64}}{\sqrt{4}}=\sqrt{\frac{64}{4}}=\sqrt{16}=4$

③ ㉠$(-\sqrt{24})\div 3\sqrt{12}=-\frac{1}{3}\sqrt{\frac{24}{12}}=-\frac{\sqrt{2}}{3}$

④ $\frac{\sqrt{35}}{\sqrt{12}}\div\frac{\sqrt{7}}{\sqrt{60}}=\frac{\sqrt{35}}{\sqrt{12}}\times\frac{\sqrt{60}}{\sqrt{7}}=\sqrt{\frac{35}{12}\times\frac{60}{7}}=\sqrt{25}=5$

⑤ $\frac{3\sqrt{10}}{\sqrt{3}}\div\frac{\sqrt{6}}{2\sqrt{5}}=$ ㉡$\frac{3\sqrt{10}}{\sqrt{3}}\times\frac{2\sqrt{5}}{\sqrt{6}}=(3\times 2)\times\sqrt{\frac{10}{3}\times\frac{5}{6}}=6\sqrt{\frac{25}{9}}=6\times\frac{5}{3}=10$

따라서 옳지 않은 것은 ⑤이다.

㉠ $-\sqrt{24}=(-1)\times\sqrt{24}$

㉡ 근호 밖의 수를 정확히 찾는다.
$\frac{3\sqrt{10}}{\sqrt{3}}=3\sqrt{\frac{10}{3}}$,
$\frac{2\sqrt{5}}{\sqrt{6}}=2\sqrt{\frac{5}{6}}$

확인 02 $\frac{\sqrt{18}}{2\sqrt{2}}\div\frac{\sqrt{3}}{\sqrt{5}}\div\frac{\sqrt{15}}{\sqrt{8}}=\sqrt{k}$일 때, 자연수 k의 값을 구하시오.

» My 셀파
(좌변)$=\frac{\sqrt{18}}{2\sqrt{2}}\times\frac{\sqrt{5}}{\sqrt{3}}\times\frac{\sqrt{8}}{\sqrt{15}}$

기본 03 근호가 있는 식의 변형 (1)

$\sqrt{125}=a\sqrt{5}$, $\sqrt{0.48}=b\sqrt{3}$일 때, 유리수 a, b에 대하여 ab의 값을 구하시오.

해법코드

$a>0$, $b>0$일 때
① $\sqrt{a^2b}=\sqrt{a^2}\sqrt{b}=a\sqrt{b}$
② $\sqrt{\frac{b}{a^2}}=\frac{\sqrt{b}}{\sqrt{a^2}}=\frac{\sqrt{b}}{a}$

셀파 근호 안의 수를 소인수분해하였을 때, a^2b 꼴이면 a를 근호 밖으로 꺼내어 나타낼 수 있다.

풀이 $\sqrt{125}=\sqrt{5^2\times5}=5\sqrt{5}$이므로 $a=5$

$\sqrt{0.48}=\sqrt{\frac{48}{100}}=\sqrt{\frac{4^2\times3}{10^2}}=\frac{4\sqrt{3}}{10}=\frac{2\sqrt{3}}{5}$이므로 $b=\frac{2}{5}$

$\therefore ab=5\times\frac{2}{5}=\mathbf{2}$

Lecture (1) 어떤 수를 a^2b 꼴로 나타내려면 소인수분해하여 지수가 짝수인 부분끼리 모은다.

예 $180=2^2\times3^2\times5=(2\times3)^2\times5=6^2\times5$

(2) 특히 지수가 3 이상의 홀수인 경우는 (지수)=(짝수)+1 꼴로 바꾼다.

예 $128=2^7=2^{6+1}=2^6\times2=(2^3)^2\times2=8^2\times2$

확인 03 **1.** $\sqrt{54}=a\sqrt{6}$, $\sqrt{\frac{9}{48}}=\frac{\sqrt{3}}{b}$일 때, 유리수 a, b에 대하여 $a+b$의 값을 구하시오.

2. $\sqrt{12}\times\sqrt{18}\times\sqrt{50}=a\sqrt{3}$일 때, 유리수 a의 값을 구하시오.

» My 셀파

1. 근호 안의 수를 소인수분해하여 제곱인 인수를 근호 밖으로 꺼낸다.
2. 좌변의 $\sqrt{a}$ 꼴을 $b\sqrt{c}$ 꼴로 바꾼 후 곱셈을 한다.

기본 04 근호가 있는 식의 변형 (2)

$4\sqrt{5}=\sqrt{a}$, $\frac{3}{2\sqrt{2}}=\sqrt{b}$일 때, 유리수 a, b에 대하여 ab의 값을 구하시오.

해법코드

$a>0$, $b>0$일 때
① $a\sqrt{b}=\sqrt{a^2}\times\sqrt{b}=\sqrt{a^2b}$
② $\frac{\sqrt{b}}{a}=\sqrt{\frac{b}{a^2}}$

셀파 근호 밖의 양수는 제곱하여 근호 안으로 넣어 나타낼 수 있다.

풀이 $4\sqrt{5}=\sqrt{4^2\times5}=\sqrt{80}$이므로 $a=80$

$\frac{3}{2\sqrt{2}}=\frac{\sqrt{3^2}}{\sqrt{2^2\times2}}=\frac{\sqrt{9}}{\sqrt{8}}=\sqrt{\frac{9}{8}}$이므로 $b=\frac{9}{8}$

$\therefore ab=80\times\frac{9}{8}=\mathbf{90}$

확인 04 **1.** $-2\sqrt{10}=-\sqrt{a}$, $\frac{\sqrt{5}}{10}=\sqrt{b}$일 때, 유리수 a, b에 대하여 ab의 값을 구하시오.

2. $\sqrt{0.08+k}=\frac{\sqrt{7}}{5}$일 때, 유리수 k의 값을 구하시오.

» My 셀파

1. 좌변의 근호 밖의 양수를 제곱하여 근호 안으로 넣고 우변과 비교한다. 이때 부호는 그대로 둔다.
2. 우변을 $\sqrt{c}$ 꼴로 변형한 후 좌변과 비교한다.

기본 05 분모의 유리화

$\frac{7}{\sqrt{3}}=a\sqrt{3}$, $\frac{\sqrt{27}}{\sqrt{32}}=b\sqrt{6}$을 만족하는 유리수 a, b에 대하여 ab의 값을 구하시오.

해법코드

$a>0$, $b>0$일 때
$\frac{a}{\sqrt{b}}=\frac{a\times\sqrt{b}}{\sqrt{b}\times\sqrt{b}}=\frac{a\sqrt{b}}{b}$

셀파 분모의 근호 안에 제곱인 인수가 있으면 근호 밖으로 꺼낸 후 유리화한다.

풀이 $\frac{7}{\sqrt{3}}=\frac{7\times\sqrt{3}}{\sqrt{3}\times\sqrt{3}}=\frac{7\sqrt{3}}{3}\qquad \therefore a=\frac{7}{3}$

ⓖ $\frac{\sqrt{27}}{\sqrt{32}}=\frac{\sqrt{3^2\times3}}{\sqrt{4^2\times2}}=\frac{3\sqrt{3}}{4\sqrt{2}}=\frac{3\sqrt{3}\times\sqrt{2}}{4\sqrt{2}\times\sqrt{2}}=\frac{3\sqrt{6}}{8}\qquad \therefore b=\frac{3}{8}$

$\therefore ab=\frac{7}{3}\times\frac{3}{8}=\mathbf{\frac{7}{8}}$

ⓖ $\frac{\sqrt{27}}{\sqrt{32}}$의 분자, 분모에서 근호 안의 수가 가장 작은 자연수가 되도록 변형한 후 분모를 유리화한다.

확인 05 $-\frac{2\sqrt{3}}{\sqrt{8}}=a\sqrt{6}$, $\frac{6}{\sqrt{12}}=b\sqrt{3}$을 만족하는 유리수 a, b에 대하여 $a+b$의 값을 구하시오.

» My 셀파
분모를 유리화하여 a, b의 값을 각각 구한다.

기본 06 제곱근의 곱셈과 나눗셈의 혼합 계산

$\frac{\sqrt{45}}{\sqrt{32}}\div\frac{\sqrt{3}}{6\sqrt{2}}\times\left(-\sqrt{\frac{7}{9}}\right)$을 간단히 하시오.

해법코드

1 근호 안의 수를 소인수분해하여 제곱인 인수는 근호 밖으로 꺼낸다.
2 나눗셈은 역수의 곱셈으로 바꾼 후 앞에서부터 차례대로 계산한다. 이때 근호 밖의 수끼리, 근호 안의 수끼리 계산한다.

셀파 곱셈과 나눗셈이 섞여 있는 계산은 나눗셈을 역수의 곱셈으로 바꾼 후 앞에서부터 차례대로 계산한다.

풀이 (근호 안의 제곱인 인수를 근호 밖으로 꺼낸다.)

$$\text{ⓖ}\ \frac{\sqrt{45}}{\sqrt{32}}\div\frac{\sqrt{3}}{6\sqrt{2}}\times\left(-\sqrt{\frac{7}{9}}\right)=\frac{3\sqrt{5}}{4\sqrt{2}}\div\frac{\sqrt{3}}{6\sqrt{2}}\times\left(-\frac{\sqrt{7}}{3}\right)$$

(나눗셈을 역수의 곱셈으로 바꾼다.)

$$=\frac{3\sqrt{5}}{4\sqrt{2}}\times\frac{6\sqrt{2}}{\sqrt{3}}\times\left(-\frac{\sqrt{7}}{3}\right)$$

$$\text{ⓛ}=-\frac{3\sqrt{35}}{2\sqrt{3}}=-\frac{3\sqrt{35}\times\sqrt{3}}{2\sqrt{3}\times\sqrt{3}}$$

$$=-\frac{3\sqrt{105}}{6}=\mathbf{-\frac{\sqrt{105}}{2}}$$

ⓖ $\sqrt{45}=\sqrt{3^2\times5}=3\sqrt{5}$
$\sqrt{32}=\sqrt{4^2\times2}=4\sqrt{2}$

다른 풀이 근호 안의 제곱인 인수를 근호 밖으로 꺼내지 않고 계산해도 된다.

$$\frac{\sqrt{45}}{\sqrt{32}}\div\frac{\sqrt{3}}{6\sqrt{2}}\times\left(-\sqrt{\frac{7}{9}}\right)=\frac{\sqrt{45}}{\sqrt{32}}\times\frac{6\sqrt{2}}{\sqrt{3}}\times\left(-\sqrt{\frac{7}{9}}\right)$$

$$=-6\sqrt{\frac{45}{32}\times\frac{2}{3}\times\frac{7}{9}}=-6\times\frac{\sqrt{35}}{\sqrt{48}}=-6\times\frac{\sqrt{35}}{4\sqrt{3}}$$

$$=-\frac{3\sqrt{35}}{2\sqrt{3}}=-\frac{\sqrt{105}}{2}$$

ⓛ 계산 결과의 분모가 근호를 포함한 무리수일 때는 분모를 유리화한다.

확인 06 $\left(-\frac{1}{\sqrt{3}}\right)\times(-\sqrt{60})\div\frac{2\sqrt{32}}{\sqrt{80}}=k\sqrt{2}$일 때, 유리수 k의 값을 구하시오.

» My 셀파
나눗셈을 역수의 곱셈으로 바꾼 후 앞에서부터 차례대로 계산한다.

집중 연습

근호를 포함한 식의 곱셈과 나눗셈

빠른 정답 221쪽 | 정답과 해설 14쪽

근호가 있는 식의 변형

1 다음 수를 $a\sqrt{b}$ 꼴로 나타내시오. (단, b는 가장 작은 자연수)

(1) $\sqrt{72}$　　(2) $-\sqrt{124}$

(3) $\sqrt{\dfrac{45}{16}}$　　(4) $\sqrt{\dfrac{30}{144}}$

(5) $\sqrt{0.28}$　　(6) $\sqrt{0.025}$

2 다음 수를 $\sqrt{a}$ 또는 $-\sqrt{a}$ 꼴로 나타내시오.

(1) $9\sqrt{2}$　　(2) $-3\sqrt{11}$

(3) $\dfrac{\sqrt{20}}{5}$　　(4) $-\dfrac{2\sqrt{3}}{3}$

분모의 유리화

3 다음 수의 분모를 유리화하시오.

(1) $\dfrac{8}{\sqrt{3}}$　　(2) $\dfrac{5}{3\sqrt{5}}$

(3) $-\dfrac{10\sqrt{3}}{\sqrt{2}}$　　(4) $\dfrac{\sqrt{6}}{\sqrt{3}\sqrt{5}}$

(5) $-\dfrac{14}{3\sqrt{6}}$　　(6) $\dfrac{\sqrt{5}}{4\sqrt{2}}$

제곱근의 곱셈과 나눗셈

4 다음 식을 간단히 하시오.

(1) $\sqrt{5}\times\sqrt{15}$

(2) $-\sqrt{27}\times\sqrt{50}$

(3) $\sqrt{48}\div(-2\sqrt{6})$

(4) $5\sqrt{20}\div2\sqrt{75}$

(5) $\dfrac{3}{\sqrt{5}}\times\dfrac{\sqrt{2}}{\sqrt{3}}\div\sqrt{6}$

(6) $\sqrt{72}\times\sqrt{108}\div\sqrt{48}$

(7) $\sqrt{39}\div\sqrt{13}\div\sqrt{\dfrac{1}{3}}$

(8) $\dfrac{\sqrt{2}}{3}\times\dfrac{\sqrt{10}}{\sqrt{3}}\div\sqrt{\dfrac{2}{15}}$

(9) $\dfrac{2}{\sqrt{5}}\div\dfrac{\sqrt{11}}{\sqrt{5}}\times\dfrac{3\sqrt{11}}{\sqrt{2}}$

(10) $4\sqrt{48}\div2\sqrt{75}\div\sqrt{12}\div\sqrt{3}$

해결 원리 알아보기

셀파 특강 제곱근표에 없는 수의 제곱근을 어림한 값 구하기

Q **앞에서 배운 제곱근표에는 1.00부터 99.9까지의 수에 대한 양의 제곱근을 어림한 값이 주어져 있다. 그렇다면 제곱근표에 없는 1.00보다 작거나 100보다 큰 수에 대한 제곱근을 어림한 값은 어떻게 구할까?**

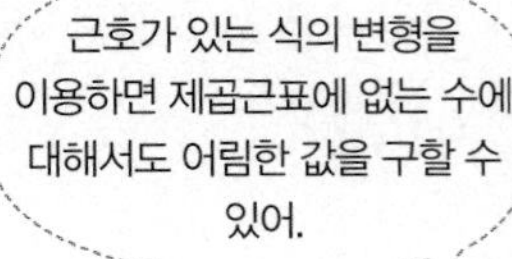

근호가 있는 식의 변형을
이용하면 제곱근표에 없는 수에
대해서도 어림한 값을 구할 수
있어.

A ㉠근호가 있는 식의 변형을 이용하여 근호 안의 수를 제곱근표에 있는 수가 나오도록 바꾸어 구하면 된다.

(1) 100보다 큰 수의 제곱근을 어림한 값 구하기

1 근호 안의 수를 ㉡$100\times a$, $10000\times a$, $\cdots$ 꼴로 나타낸다.
이때 a는 제곱근표에 있는 수이다.

2 ㉢$\sqrt{100a}=10\sqrt{a}$, $\sqrt{10000a}=100\sqrt{a}$, $\cdots$로 만든다.

3 제곱근표에서 $\sqrt{a}$를 어림한 값을 찾아 대입한다.

예 $\sqrt{3.48}=1.865$일 때, $\sqrt{348}$을 어림한 값을 구하면
$\sqrt{348}=\sqrt{3.48\times100}=\sqrt{3.48\times10^2}=10\sqrt{3.48}=10\times1.865=18.65$

(2) 0보다 크고 1보다 작은 수의 제곱근을 어림한 값 구하기

1 근호 안의 수를 ㉣$\frac{a}{100}$, $\frac{a}{10000}$, $\cdots$ 꼴로 나타낸다.
이때 a는 제곱근표에 있는 수이다.

2 $\sqrt{\frac{a}{100}}=\frac{\sqrt{a}}{10}$, $\sqrt{\frac{a}{10000}}=\frac{\sqrt{a}}{100}$, $\cdots$로 만든다.

3 제곱근표에서 $\sqrt{a}$를 어림한 값을 찾아 대입한다.

예 $\sqrt{3.48}=1.865$일 때, $\sqrt{0.0348}$을 어림한 값을 구하면
$\sqrt{0.0348}=\sqrt{\frac{3.48}{100}}=\sqrt{\frac{3.48}{10^2}}=\frac{\sqrt{3.48}}{10}=\frac{1.865}{10}=0.1865$

㉠ $a>0$, $b>0$일 때, $\sqrt{a^2b}=a\sqrt{b}$, $\sqrt{\frac{b}{a^2}}=\frac{\sqrt{b}}{a}$ 임을 이용한다.

㉡ $10^n\times$(제곱근표에 있는 수) (단, n은 짝수) 꼴로 바꾼다.

㉢ $100\times a=10^2\times a$이므로 a만 빼고 10은 근호 밖으로 나올 수 있다. 즉 $\sqrt{10^2\times a}=10\sqrt{a}$이므로 제곱근표에 있는 수를 이용할 수 있다.

•Lecture 위에서 설명한 방법을 간단히 정리하면 a의 값이 1.00부터 99.9까지의 값을 갖도록 소수점의 위치만 두 자리씩 오른쪽 또는 왼쪽으로 계속 옮겨 준다.

(1) 근호 안이 100보다 큰 수 ⇨ 제곱근표에 있는 수가 나올 때까지 소수점을 왼쪽으로 두 자리씩 움직인다.

예 $\sqrt{348}=\sqrt{3.48\times100}$, $\sqrt{34800}=\sqrt{3.48\times10000}$

(2) 근호 안이 0보다 크고 1보다 작은 수 ⇨ 제곱근표에 있는 수가 나올 때까지 소수점을 오른쪽으로 두 자리씩 움직인다.

예 $\sqrt{0.0348}=\sqrt{\frac{3.48}{100}}$, $\sqrt{0.00348}=\sqrt{\frac{34.8}{10000}}$

㉣ $\frac{(\text{제곱근표에 있는 수})}{10^n}$ (단, n은 짝수) 꼴로 바꾼다.

Note 제곱근표에 없는 수의 제곱근을 어림한 값을 구할 때는
근호 안의 수를 $a\times10^n$ 또는 $a\times\frac{1}{10^n}$ (a는 제곱근표에 있는 수, n은 짝수) 꼴로 변형한다.

기본 07 제곱근표에 있는 수의 제곱근을 어림한 값 구하기

오른쪽 제곱근표에서 $\sqrt{7.23}=a$이고 $\sqrt{b}=2.704$일 때, $1000a-100b$의 값을 구하시오.

수	0	1	2	3
7.1	2.665	2.666	2.668	2.670
7.2	2.683	2.685	2.687	2.689
7.3	2.702	2.704	2.706	2.707
7.4	2.720	2.722	2.724	2.726

해법코드

$\sqrt{7.23}$의 어림한 값은 7.2의 가로줄과 3의 세로줄이 만나는 곳에 적힌 수를 읽는다.

셀파 제곱근표에서 어림한 값을 찾고, 반대로 어림한 값으로 근호 안의 수를 찾는다.

풀이 $\sqrt{7.23}$의 어림한 값은 ㉠7.2의 가로줄과 3의 세로줄이 만나는 곳에 있는 수이므로 $a=2.689$
또 ㉡어림한 값 2.704는 7.3의 가로줄과 1의 세로줄이 만나는 곳에 있는 수이므로 $b=7.31$
$\therefore 1000a-100b=1000\times 2.689-100\times 7.31=2689-731=\mathbf{1958}$

㉠ 가로줄과 세로줄을 선으로 표시하여 헷갈리지 않도록 한다.

㉡ 어림한 값 2.704에서 만나는 가로줄과 세로줄을 찾아 b의 값을 구한다.

확인 07 위의 제곱근표에서 $\sqrt{a}=2.724$이고 $\sqrt{b}=2.666$일 때, $a+b$의 값을 구하시오.

» My 셀파
각 어림한 값에서 만나는 가로줄과 세로줄을 확인한다.

기본 08 제곱근표에 없는 수의 제곱근을 어림한 값 구하기

$\sqrt{6}=2.449$, $\sqrt{60}=7.746$일 때, 다음 수를 어림한 값을 구하시오.

(1) $\sqrt{600}$　　(2) $\sqrt{6000}$

(3) $\sqrt{0.06}$　　(4) $\sqrt{0.006}$

해법코드

① 100보다 큰 수의 제곱근을 어림한 값은 근호 안의 수를 10^2, 10^4, 10^6, …과의 곱으로 나타낸 후 $\sqrt{a^2b}=a\sqrt{b}$임을 이용하여 구한다.

② 0보다 크고 1보다 작은 수의 제곱근을 어림한 값은 근호 안의 수를 $\frac{1}{10^2}$, $\frac{1}{10^4}$, $\frac{1}{10^6}$, …과의 곱으로 나타낸 후 $\sqrt{\frac{b}{a^2}}=\frac{\sqrt{b}}{a}$임을 이용하여 구한다.

셀파 근호 안의 수를 $6\times\left(10^n \text{ 또는 } \frac{1}{10^n}\right)$ 또는 $60\times\left(10^n \text{ 또는 } \frac{1}{10^n}\right)$ 꼴로 변형한다. (단, n은 짝수)

풀이 (1) $\sqrt{600}=\sqrt{6\times 100}=10\sqrt{6}=10\times 2.449=\mathbf{24.49}$

(2) $\sqrt{6000}=\sqrt{60\times 100}=10\sqrt{60}=10\times 7.746=\mathbf{77.46}$

(3) $\sqrt{0.06}=\sqrt{\frac{6}{100}}=\frac{\sqrt{6}}{10}=\frac{2.449}{10}=\mathbf{0.2449}$

(4) $\sqrt{0.0060}=\sqrt{\frac{60}{10000}}=\frac{\sqrt{60}}{100}=\frac{7.746}{100}=\mathbf{0.07746}$

확인 08 $\sqrt{5.9}=2.429$, $\sqrt{59}=7.681$일 때, 다음 수를 어림한 값을 구하시오.

(1) $\sqrt{5900}$　　(2) $\sqrt{59000}$

(3) $\sqrt{0.59}$　　(4) $\sqrt{0.059}$

» My 셀파
근호 안의 수를 $5.9\times\left(10^n \text{ 또는 } \frac{1}{10^n}\right)$ 또는 $59\times\left(10^n \text{ 또는 } \frac{1}{10^n}\right)$ 꼴로 변형한다. (단, n은 짝수)

발전 09 문자를 사용한 제곱근의 표현

$\sqrt{2}=a$, $\sqrt{3}=b$라 할 때, 다음을 a, b를 사용하여 나타내시오.

(1) $\sqrt{150}$ (2) $\sqrt{0.015}$

해법코드

(1) 150을 소인수분해한다.
(2) 0.015를 분수로 고쳐 생각한다.

셀파 근호 안의 수를 소인수분해하고, $\sqrt{ab}=\sqrt{a}\sqrt{b}\,(a>0, b>0)$임을 이용한다.

풀이 (1) $\sqrt{150}=\sqrt{2\times3\times5^2}=\sqrt{2}\times\sqrt{3}\times\sqrt{5^2}$ ($\sqrt{2}=a$, $\sqrt{3}=b$를 대입)
$=a\times b\times5=\mathbf{5ab}$

(2) ❶ $\sqrt{0.015}=\sqrt{\dfrac{150}{10000}}=\dfrac{\sqrt{150}}{100}$
$=\dfrac{\sqrt{2\times3\times5^2}}{100}=\dfrac{\sqrt{2}\times\sqrt{3}\times\sqrt{5^2}}{100}$ ($\sqrt{2}=a$, $\sqrt{3}=b$를 대입)
$=\dfrac{a\times b\times5}{100}=\mathbf{\dfrac{ab}{20}}$

❶ $0.015=\dfrac{15}{1000}$로 놓으면 분모가 10^3으로 제곱수가 아니므로 $0.015=\dfrac{150}{10000}$으로 놓는다.

확인 09 $\sqrt{5}=a$, $\sqrt{7}=b$라 할 때, 다음을 a, b를 사용하여 나타내시오.

(1) $\sqrt{63}-\sqrt{20}$ (2) $\sqrt{1.4}$

» My 셀파

(1) 63과 20을 각각 소인수분해한다.
(2) 1.4를 분수로 고쳐 생각한다.

발전 10 도형에서 제곱근의 곱셈과 나눗셈의 활용

오른쪽 그림과 같이 직사각형 ABCD에서 $\overline{AB}$, $\overline{BC}$를 각각 한 변으로 하는 정사각형을 그렸더니 그 넓이가 각각 24, 96이 되었다. 이때 직사각형 ABCD와 넓이가 같은 정사각형의 한 변의 길이를 구하시오.

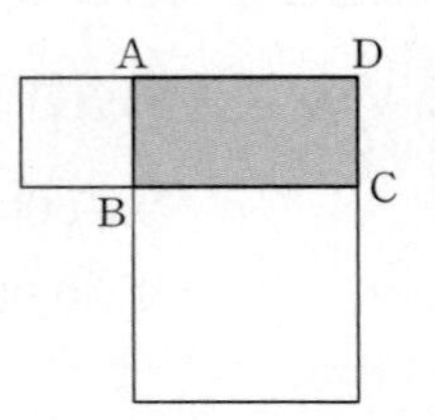

해법코드

넓이가 a인 정사각형의 한 변의 길이는 $\sqrt{a}$이다.

셀파 (직사각형 ABCD의 넓이)=(구하려는 정사각형의 한 변의 길이)^2

풀이 $\overline{AB}$를 한 변으로 하는 정사각형의 넓이가 24이므로 $\overline{AB}=\sqrt{24}=\sqrt{2^2\times6}=2\sqrt{6}$
$\overline{BC}$를 한 변으로 하는 정사각형의 넓이가 96이므로 $\overline{BC}=\sqrt{96}=\sqrt{4^2\times6}=4\sqrt{6}$
$\therefore$ ❶ (직사각형 ABCD의 넓이)$=\overline{AB}\times\overline{BC}=2\sqrt{6}\times4\sqrt{6}=48$
따라서 직사각형 ABCD와 넓이가 같은 정사각형의 넓이는 48이고
이 정사각형의 한 변의 길이는 $\sqrt{48}=\sqrt{4^2\times3}=\mathbf{4\sqrt{3}}$

❶ (직사각형 ABCD의 넓이)
=(가로의 길이)×(세로의 길이)

확인 10 오른쪽 삼각형과 직사각형의 넓이가 서로 같을 때, 직사각형의 세로의 길이를 구하시오.

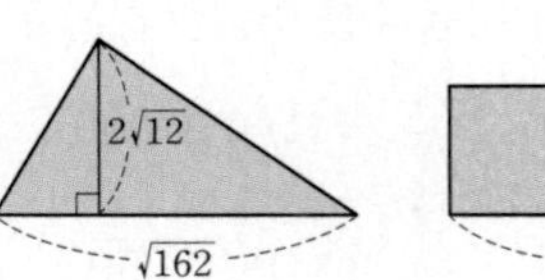

» My 셀파

(삼각형의 넓이)
$=\dfrac{1}{2}\times$(밑변의 길이)×(높이)
임을 이용하여 삼각형의 넓이를 구한다.

실력 키우기

빠른 정답 221쪽 | 정답과 해설 16쪽

01 제곱근의 곱셈과 나눗셈

다음 중 옳지 않은 것은?

① $\dfrac{\sqrt{10}}{\sqrt{5}}=\sqrt{2}$

② $\sqrt{3}\times\sqrt{6}=\sqrt{9}$

③ $\sqrt{\dfrac{4}{7}}\times\sqrt{\dfrac{7}{2}}=\sqrt{2}$

④ $-\sqrt{75}\div\sqrt{3}=-5$

⑤ $\sqrt{\dfrac{3}{5}}\div\sqrt{\dfrac{3}{25}}=\sqrt{5}$

02 근호가 있는 식의 변형

다음 중 □ 안에 들어갈 수가 가장 큰 것은?

① $4\sqrt{2}=\sqrt{\square}$　② $\sqrt{175}=\square\sqrt{7}$

③ $\sqrt{270}=3\sqrt{\square}$　④ $\dfrac{\sqrt{5}}{7}=\sqrt{\dfrac{5}{\square}}$

⑤ $\sqrt{0.18}=\dfrac{\square\sqrt{2}}{10}$

03 근호가 있는 식의 변형 (서술형)

$5\sqrt{6}=\sqrt{a}$, $-\sqrt{126}=b\sqrt{c}$일 때, 정수 a, b, c에 대하여 $a-b-c$의 값을 구하시오. (단, c는 가장 작은 자연수)

04 분모의 유리화

다음 중 분모를 유리화한 것으로 옳지 않은 것은?

① $\dfrac{1}{\sqrt{3}}=\dfrac{\sqrt{3}}{3}$　② $\dfrac{\sqrt{3}}{\sqrt{5}}=\dfrac{\sqrt{15}}{5}$

③ $\dfrac{6}{\sqrt{2}}=\dfrac{3\sqrt{2}}{2}$　④ $\dfrac{\sqrt{11}}{\sqrt{3}}=\dfrac{\sqrt{33}}{3}$

⑤ $\dfrac{3}{2\sqrt{5}}=\dfrac{3\sqrt{5}}{10}$

05 분모의 유리화 (융합형)

다음 **보기**의 수를 크기가 큰 것부터 차례대로 나열하시오.

보기

ㄱ. $\dfrac{\sqrt{5}}{\sqrt{7}}$　ㄴ. $\dfrac{5}{\sqrt{7}}$　ㄷ. $\dfrac{\sqrt{5}}{7}$　ㄹ. $\dfrac{5}{7}$

06 제곱근의 곱셈과 나눗셈의 혼합 계산 (서술형)

다음을 만족하는 유리수 a, b에 대하여 $a+b$의 값을 구하시오.

$$4\sqrt{5}\div2\sqrt{18}\times3\sqrt{6}=a\sqrt{15},\quad \frac{4}{\sqrt{3}}\times3\sqrt{8}\div\sqrt{2}=8\sqrt{b}$$

07 제곱근의 곱셈과 나눗셈의 혼합 계산 (창의력)

다음과 같이 화살표 위에 쓰여진 계산을 차례대로 한 결과가 4일 때, (가)에 알맞은 수를 구하시오.

(가) $\xrightarrow{\div \frac{\sqrt{6}}{\sqrt{5}}}$ □ $\xrightarrow{\times \frac{8}{\sqrt{45}}}$ 4

08 제곱근표에 없는 수의 제곱근을 어림한 값 구하기

다음 중 주어진 제곱근표를 이용하여 어림한 값을 구할 수 없는 것은?

수	0	1	2	3	4
6.0	2.449	2.452	2.454	2.456	2.458
6.1	2.470	2.472	2.474	2.476	2.478
6.2	2.490	2.492	2.494	2.496	2.498
6.3	2.510	2.512	2.514	2.516	2.518

① $\sqrt{6.04}$ ② $\sqrt{611}$ ③ $\sqrt{0.063}$
④ $\sqrt{61300}$ ⑤ $\sqrt{0.00624}$

09 제곱근표에 없는 수의 제곱근을 어림한 값 구하기

$\sqrt{3.1}=1.761$, $\sqrt{31}=5.568$일 때, 다음 중 옳지 않은 것은?

① $\sqrt{310}=17.61$
② $\sqrt{3100}=55.68$
③ $\sqrt{0.31}=0.1761$
④ $\sqrt{0.0031}=0.05568$
⑤ $\sqrt{0.00031}=0.01761$

10 문자를 사용한 제곱근의 표현

$\sqrt{3}=a$, $\sqrt{5}=b$일 때, 다음 중 옳지 않은 것은?

① $\sqrt{48}=4a$ ② $\sqrt{0.05}=\frac{b}{10}$
③ $\sqrt{125}=b^3$ ④ $\sqrt{\frac{27}{5}}=\frac{a^3}{b}$
⑤ $\sqrt{45}=ab^2$

11 도형에서 제곱근의 곱셈과 나눗셈의 활용 (서술형)

오른쪽 그림과 같은 △ABC에서 $\overline{BC}=4$이고 $\overline{BC} /\!/ \overline{EF}$이다. $\square EBCF=\frac{1}{3}\triangle AEF$일 때, $\overline{EF}$의 길이를 구하시오.

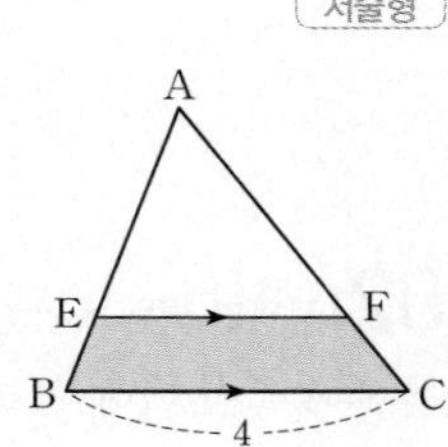

12 제곱근표에 없는 수의 제곱근을 어림한 값 구하기 (융합형)

태양계에서 행성이 태양을 한 바퀴 도는 데 걸리는 시간을 그 행성의 일 년이라 한다. 태양과 행성 사이의 거리를 R(백만 km), 행성의 일 년을 N(일)이라 하면 $N=0.2\times\sqrt{R^3}$이 성립한다. 태양과 화성 사이의 거리가 228백만 km일 때, 화성의 일 년은 며칠인지 구하시오.
(단, $\sqrt{2.28}=1.510$으로 계산하고, 계산 결과는 소수 첫째 자리에서 버림하여 일의 자리까지 구한다.)

개념 더 알아보기

셀파 특강

제곱근과 도형

1 직사각형과 직육면체의 대각선의 길이

Q 가로의 길이가 a, 세로의 길이가 b인 직사각형의 대각선의 길이 l은 어떻게 구할까?

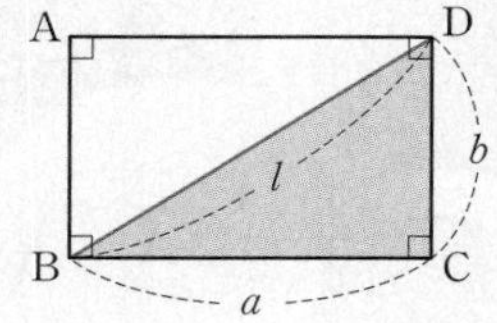

A 직각삼각형 BCD에서 피타고라스 정리를 적용하면 $l=\sqrt{a^2+b^2}$

참고
(1) 한 변의 길이가 a인 정사각형의 대각선의 길이를 l이라 하면 $l=\sqrt{a^2+a^2}=\sqrt{2}a$
(2) 한 모서리의 길이가 a인 정육면체의 대각선의 길이를 l이라 하면 $l=\sqrt{a^2+a^2+a^2}=\sqrt{3}a$

Q 가로의 길이가 a, 세로의 길이가 b, 높이가 c인 직육면체의 대각선의 길이 l은 어떻게 구할까?

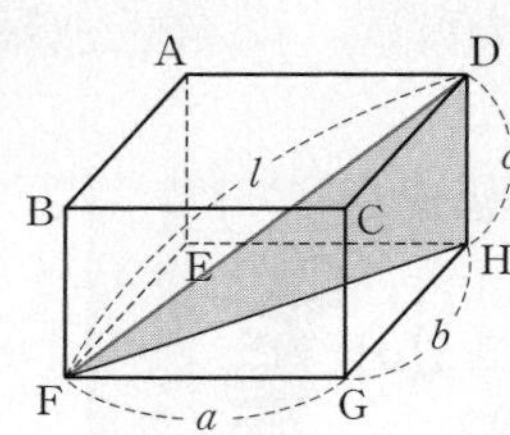

A 밑면의 직각삼각형 FGH에서 피타고라스 정리를 적용하면 $\overline{\mathrm{FH}}^2=a^2+b^2$
직각삼각형 DFH에서
$l=\sqrt{\overline{\mathrm{FH}}^2+\overline{\mathrm{DH}}^2}=\sqrt{a^2+b^2+c^2}$

2 정삼각형의 높이와 넓이

Q 한 변의 길이가 a인 정삼각형의 높이 h와 넓이 S는 어떻게 구할까?

A 오른쪽 그림과 같이❶ 꼭짓점 A에서 밑변 BC에 내린 수선의 발을 H라 하면 점 H는 $\overline{\mathrm{BC}}$의 중점이다.
즉 직각삼각형 ABH에서 $\overline{\mathrm{BH}}=\frac{1}{2}a$이므로 피타고라스 정리에 의하여

$h^2=a^2-\left(\frac{1}{2}a\right)^2=\frac{3}{4}a^2$

$\therefore h=\sqrt{\frac{3}{4}a^2}=\frac{\sqrt{3}}{2}a$,

$S=\frac{1}{2}\times a\times h=\frac{1}{2}\times a\times\frac{\sqrt{3}}{2}a=\frac{\sqrt{3}}{4}a^2$

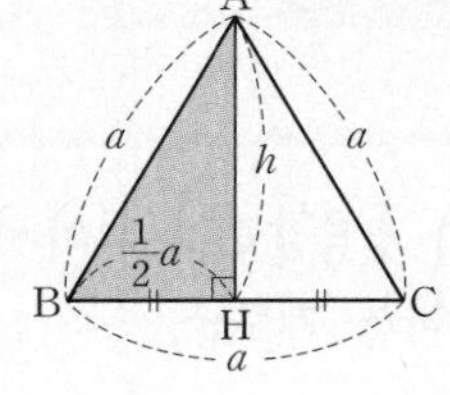

❶ 정삼각형은 이등변삼각형이고, 이등변삼각형에서 다음은 모두 일치한다.
(꼭지각의 이등분선)
=(밑변의 수직이등분선)
=(꼭지각의 꼭짓점에서 밑변에 내린 수선)
=(꼭지각의 꼭짓점과 밑변의 중점을 이은 선분)

Note
- 가로, 세로의 길이가 각각 a, b인 직사각형의 대각선의 길이를 l이라 하면 $l=\sqrt{a^2+b^2}$
- 세 모서리의 길이가 각각 a, b, c인 직육면체의 대각선의 길이를 l이라 하면 $l=\sqrt{a^2+b^2+c^2}$
- 한 변의 길이가 a인 정삼각형의 높이를 h, 넓이를 S라 하면 $h=\frac{\sqrt{3}}{2}a$, $S=\frac{\sqrt{3}}{4}a^2$

감사!
부
약~

잠깐!
계산하고 가야지.
아, 계산!

2√3
-√3
√12

근호를 포함하고 있어!
어떻게 계산해?

당황하지 말고
근호 안의 수가
같은 것끼리 모아.

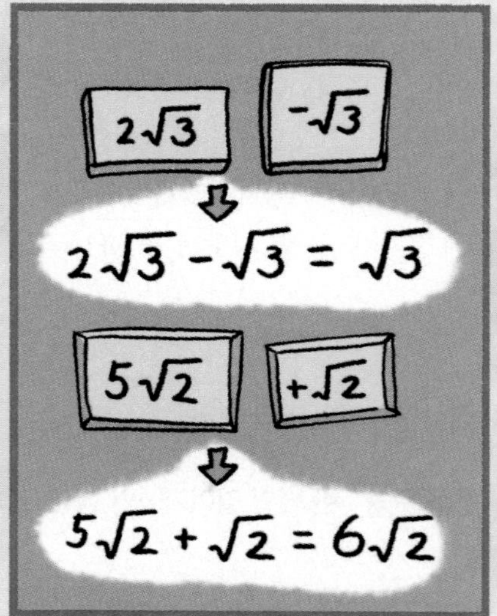
2√3
-√3
2√3 - √3 = √3
5√2
+√2
5√2 + √2 = 6√2

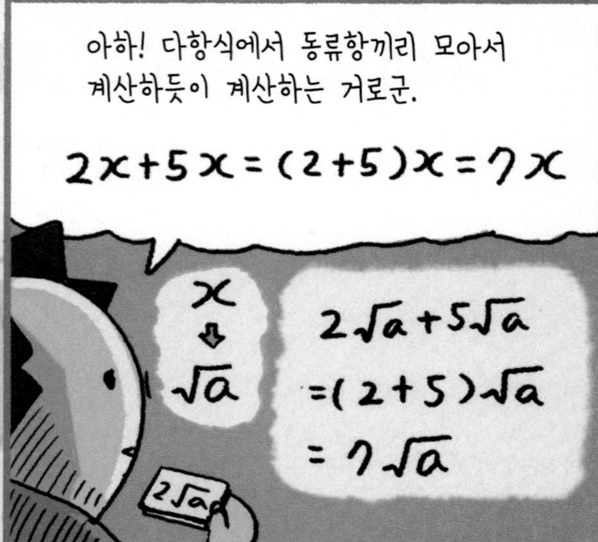
아하! 다항식에서 동류항끼리 모아서
계산하듯이 계산하는 거로군.
2x+5x=(2+5)x=7x
x
√a
2√a+5√a
=(2+5)√a
=7√a
2√a

이건 그대로 둬요?
아무래도 뭔가 조치를
취해야 할 것 같은데?
√12

I | 제곱근과 실수

근호를 포함한 식의 덧셈과 뺄셈

| 개념 1 | 제곱근의 덧셈과 뺄셈
| 개념 2 | 근호를 포함한 식의 계산
| 개념 3 | 뺄셈을 이용한 실수의 대소 관계
| 개념 4 | 무리수의 정수 부분과 소수 부분

4 근호를 포함한 식의 덧셈과 뺄셈

1 제곱근의 덧셈과 뺄셈

다항식의 덧셈과 뺄셈에서 동류항끼리 모아서 계산하듯이 제곱근의 덧셈과 뺄셈은 근호 안의 수가 ☐ 것끼리 모아서 계산한다. 같은

$$2x+5x=(2+5)x=7x$$
$$2\sqrt{3}+5\sqrt{3}=(2+5)\sqrt{3}=7\sqrt{3}$$

즉 m, n은 유리수이고 $\sqrt{a}$는 무리수일 때

(1)[ㄱ] $m\sqrt{a}+n\sqrt{a}=(m+n)\sqrt{a}$ 예 $2\sqrt{3}+5\sqrt{3}=(2+☐)\sqrt{3}=7\sqrt{3}$ 5

(2) $m\sqrt{a}-n\sqrt{a}=(m-n)\sqrt{a}$ 예 $5\sqrt{3}-2\sqrt{3}=(5-☐)\sqrt{3}=3\sqrt{3}$ 2

주의 $a>0, b>0$일 때, $\sqrt{a}+\sqrt{b}\neq\sqrt{a+b}$, $\sqrt{a}-\sqrt{b}\neq\sqrt{a-b}$ $(a\neq b)$

참고 근호 안의 수가 a^2b 꼴이면 $a\sqrt{b}$ 꼴로 변형한 후 계산한다.

예 $\sqrt{8}+\sqrt{2}=2\sqrt{2}+\sqrt{2}=(2+1)\sqrt{2}=3\sqrt{2}$

개념 다시 보기

동류항 문자와 차수가 모두 같은 항

예 $3a+5b-a+2b$에서 $3a$와 $-a$, $5b$와 $2b$는 동류항이다.

ㄱ $m\sqrt{a}+n\sqrt{a}$
$=\underbrace{\sqrt{a}+\cdots+\sqrt{a}}_{m\text{개}}+\underbrace{\sqrt{a}+\cdots+\sqrt{a}}_{n\text{개}}$
$=(m+n)\sqrt{a}$ → $\sqrt{a}$가 $(m+n)$개

보기 다음 식을 간단히 하시오.

(1) $\sqrt{5}+2\sqrt{5}$ (2) $3\sqrt{5}-\sqrt{5}$

풀이 (1) $\sqrt{5}+2\sqrt{5}=(1+2)\sqrt{5}=\mathbf{3\sqrt{5}}$ ($\sqrt{5}=1\times\sqrt{5}$)

(2) $3\sqrt{5}-\sqrt{5}=(3-1)\sqrt{5}=\mathbf{2\sqrt{5}}$ ($-\sqrt{5}=(-1)\times\sqrt{5}$)

2 근호를 포함한 식의 계산

(1) 괄호가 있는 경우 ☐을 이용하여 괄호를 푼다. 분배법칙

즉 $a>0, b>0, c>0$일 때

① $\sqrt{a}(\sqrt{b}\pm\sqrt{c})=\sqrt{ab}\pm\sqrt{ac}$ (단, [ㄴ]복부호 동순)

② $(\sqrt{a}\pm\sqrt{b})\sqrt{c}=\sqrt{ac}\pm$☐ (단, 복부호 동순) $\sqrt{bc}$

예 ① $\sqrt{2}(\sqrt{3}+\sqrt{5})=\sqrt{2}\times\sqrt{3}+\sqrt{2}\times\sqrt{5}=\sqrt{6}+\sqrt{10}$

② $(\sqrt{3}+\sqrt{5})\sqrt{2}=\sqrt{3}\times\sqrt{2}+\sqrt{5}\times\sqrt{2}=\sqrt{6}+\sqrt{10}$

(2)[ㄷ] 근호 안에 제곱인 인수가 있으면 근호 밖으로 꺼낸다.

(3) 분모에 무리수가 있으면 분모를 ☐한다. 유리화

(4) 덧셈, 뺄셈, 곱셈, 나눗셈이 섞여 있는 경우, 곱셈과 ☐을 먼저 계산한다. 나눗셈

ㄴ '+'와 '−'를 함께 써서 나타낸 '±'를 복부호라 한다.
또 '복부호 동순'이라고 하는 것은 다음 내용을 말한다.
$\sqrt{a}(\sqrt{b}+\sqrt{c})=\sqrt{ab}+\sqrt{ac}$
$\sqrt{a}(\sqrt{b}-\sqrt{c})=\sqrt{ab}-\sqrt{ac}$

ㄷ $a>0, b>0, c>0$일 때
- $\sqrt{a^2b}=a\sqrt{b}$
  예 $\sqrt{12}=\sqrt{2^2\times3}=2\sqrt{3}$
- $\sqrt{\dfrac{b}{a^2}}=\dfrac{\sqrt{b}}{a}$
  예 $\sqrt{\dfrac{3}{4}}=\sqrt{\dfrac{3}{2^2}}=\dfrac{\sqrt{3}}{2}$

보기 다음 식을 간단히 하시오.

(1) $\sqrt{3}(\sqrt{5}+1)$ (2) $(\sqrt{7}-\sqrt{6})\sqrt{5}$

풀이 (1) $\sqrt{3}(\sqrt{5}+1)=\sqrt{3}\times\sqrt{5}+\sqrt{3}\times1=$[ㄹ]$\mathbf{\sqrt{15}+\sqrt{3}}$

(2) $(\sqrt{7}-\sqrt{6})\sqrt{5}=\sqrt{7}\times\sqrt{5}-\sqrt{6}\times\sqrt{5}=\mathbf{\sqrt{35}-\sqrt{30}}$

ㄹ $\sqrt{15}$와 $\sqrt{3}$은 근호 안의 수가 다르므로 더 이상 간단히 할 수 없다.

빠른 정답 221쪽 | 정답과 해설 18쪽

| 개념 체크 |

1-1 제곱근의 덧셈과 뺄셈

다음 식을 간단히 하시오.

(1) $7\sqrt{2}+6\sqrt{2}$ (2) $4\sqrt{6}-2\sqrt{6}$

(3) $\sqrt{5}+\dfrac{4\sqrt{5}}{5}$ (4) $\dfrac{2\sqrt{3}}{3}-\dfrac{3\sqrt{3}}{4}$

셀파 m, n이 유리수이고 $\sqrt{a}$가 무리수일 때
$m\sqrt{a}+n\sqrt{a}=(m+n)\sqrt{a},\quad m\sqrt{a}-n\sqrt{a}=(m-n)\sqrt{a}$

연구 (1) $7\sqrt{2}+6\sqrt{2}=(7+6)\sqrt{2}=\square\sqrt{2}$

(2) $4\sqrt{6}-2\sqrt{6}=(4-\square)\sqrt{6}=\square\sqrt{6}$

(3) $\sqrt{5}+\dfrac{4\sqrt{5}}{5}=\dfrac{\square\sqrt{5}+4\sqrt{5}}{5}=\dfrac{\square\sqrt{5}}{5}$

(4) $\dfrac{2\sqrt{3}}{3}-\dfrac{3\sqrt{3}}{4}=\dfrac{\square\sqrt{3}-\square\sqrt{3}}{12}=\square$

| 따라 풀기 |

1-2 다음 식을 간단히 하시오.

(1) $4\sqrt{7}+5\sqrt{7}$

(2) $\sqrt{3}-5\sqrt{3}$

(3) $\dfrac{2\sqrt{2}}{3}+\dfrac{\sqrt{2}}{3}$

(4) $\dfrac{\sqrt{5}}{2}-\dfrac{\sqrt{5}}{4}$

2-1 근호를 포함한 식의 계산

다음 식을 간단히 하시오.

(1) $\sqrt{2}(3+2\sqrt{5})$

(2) $(\sqrt{18}-\sqrt{6})\div\sqrt{3}$

(3) $5\sqrt{2}-\dfrac{6}{\sqrt{2}}$

셀파 • 분배법칙을 이용하여 괄호를 푼다.
• 분모에 무리수가 있으면 분모를 유리화한다.

연구 (1) $\sqrt{2}(3+2\sqrt{5})=3\sqrt{2}+\square$

(2) $(\sqrt{18}-\sqrt{6})\div\sqrt{3}=\dfrac{\sqrt{18}-\sqrt{6}}{\sqrt{3}}=\sqrt{6}-\square$

(3) $5\sqrt{2}-\dfrac{6}{\sqrt{2}}=5\sqrt{2}-\square\sqrt{2}=\square\sqrt{2}$

2-2 다음 식을 간단히 하시오.

(1) $\sqrt{10}(\sqrt{3}+\sqrt{7})$

(2) $(\sqrt{48}-\sqrt{15})\div\sqrt{3}$

(3) $2\sqrt{3}+\dfrac{9}{\sqrt{3}}$

(4) $\dfrac{\sqrt{3}}{\sqrt{2}}-\dfrac{\sqrt{2}}{\sqrt{3}}$

근호를 포함한 식의 계산 ⇨ • 괄호가 있으면 분배법칙을 이용하여 괄호를 푼다.
• 근호 안의 제곱인 인수는 근호 밖으로 꺼낸다.
• 분모에 무리수가 있으면 분모를 유리화한다.

3 뺄셈을 이용한 실수의 대소 관계

두 실수 a, b의 대소 관계는 $a-b$의 값의 부호에 따라 다음과 같이 정해진다.

① $a-b>0$이면 $a>b$

② $a-b=0$이면 a ☐ b =

③ $a-b<0$이면 $a<b$

예 $\sqrt{2}+1$과 $\sqrt{5}+1$의 대소를 비교하면

$\sqrt{2}+1-(\sqrt{5}+1)=\sqrt{2}-\sqrt{5}$ ☐ 0이므로 $\sqrt{2}+1<\sqrt{5}+1$ <

참고 두 실수의 대소 관계는 다음과 같은 방법으로도 구할 수 있다.

[방법 1] ㉠부등식의 성질을 이용

$2<5$이므로 $\sqrt{2}<\sqrt{5}$

이 식의 양변에 ☐을 더하면 $\sqrt{2}+1<\sqrt{5}+1$ 1

[방법 2] ㉡제곱근을 어림한 값을 이용

$1<\sqrt{2}<2$이므로 $\sqrt{2}=1.\times\times\times$

$2<\sqrt{5}<3$이므로 $\sqrt{5}=2.\times\times\times$

즉 $\sqrt{2}+1=2.\times\times\times$, $\sqrt{5}+1=3.\times\times\times$이므로 $\sqrt{2}+1<\sqrt{5}+1$

㉠ 부등식의 양변에 같은 수를 더하거나 양변에서 같은 수를 빼도 부등호의 방향은 바뀌지 않는다.
$a>b$일 때
$a+c>b+c$, $a-c>b-c$

㉡ 근호 안의 수와 가까운 (자연수)^2 꼴인 수를 찾아 제곱근을 어림한 값을 구한다.

보기 $1-3\sqrt{2}$와 $1-2\sqrt{3}$의 대소를 비교하시오.

풀이 $1-3\sqrt{2}-(1-2\sqrt{3})=1-3\sqrt{2}-1+2\sqrt{3}=2\sqrt{3}-3\sqrt{2}=\sqrt{12}-\sqrt{18}<0$

$\therefore$ $\mathbf{1-3\sqrt{2}<1-2\sqrt{3}}$

4 무리수의 정수 부분과 소수 부분

(1) 무리수는 순환소수가 아닌 무한소수가 되는 수이므로 정수 부분과 ☐ 부분으로 나눌 수 있다. 소수

⇨ (무리수)=(정수 부분)+(소수 부분)

예 $\sqrt{2}=1.414\cdots=1+0.414\cdots$ (정수 부분: 1, 소수 부분: 0.414⋯)

(2) 무리수의 소수 부분은 그 무리수에서 ☐ 부분을 뺀 값이다. 정수

⇨ (소수 부분)=(무리수)−(정수 부분)

예 $\sqrt{2}=1+0.414\cdots$
(이항)
$\sqrt{2}-1=0.414\cdots$

즉 $\sqrt{2}$의 소수 부분은 $\sqrt{2}-$ ☐ 로 나타낼 수 있다. 1

참고 기억해 두면 편리한 무리수의 정수 부분
$\sqrt{1}=\sqrt{1^2}=1$, $\sqrt{4}=\sqrt{2^2}=2$,
$\sqrt{9}=\sqrt{3^2}=3$, $\sqrt{16}=\sqrt{4^2}=4$
이므로
① $\sqrt{2}$, $\sqrt{3}$의 정수 부분 ⇨ 1
② $\sqrt{5}$, $\sqrt{6}$, $\sqrt{7}$, $\sqrt{8}$의 정수 부분 ⇨ 2
③ $\sqrt{10}$, $\sqrt{11}$, ⋯, $\sqrt{15}$의 정수 부분 ⇨ 3

● 제곱근이 어느 정수 사이에 있는지 알면 정수 부분을 금방 구할 수 있다.

보기 $\sqrt{3}$의 정수 부분과 소수 부분을 각각 구하시오.

풀이 $\sqrt{1}<\sqrt{3}<\sqrt{4}$이므로 $1<\sqrt{3}<2$

즉 $\sqrt{3}$의 정수 부분은 $\mathbf{1}$이므로 $\sqrt{3}$의 소수 부분은 $\mathbf{\sqrt{3}-1}$이다.

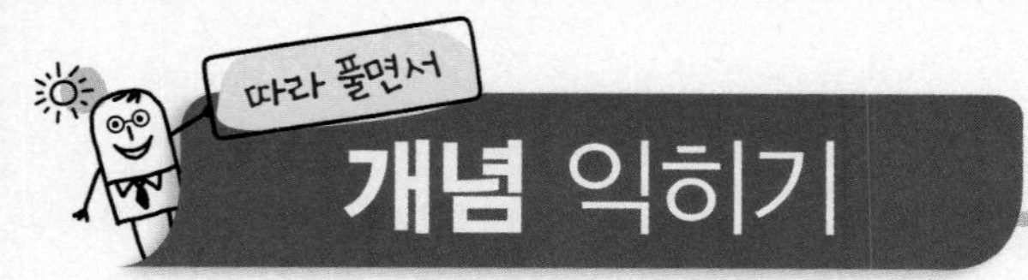

빠른 정답 221쪽 | 정답과 해설 19쪽

| 개념 체크 |

3-1 뺄셈을 이용한 실수의 대소 관계

다음 ◯ 안에 알맞은 부등호를 써넣으시오.

(1) $5-\sqrt{6}$ ◯ $\sqrt{6}$

(2) $2\sqrt{7}-7$ ◯ $1-\sqrt{7}$

(3) $5\sqrt{3}-3\sqrt{2}$ ◯ $\sqrt{2}+2\sqrt{3}$

셀파 두 수의 차를 이용하여 대소를 비교한다.

연구 (1) $5-\sqrt{6}-\sqrt{6}=5-2\sqrt{6}$

이때 $5=\sqrt{25}$, $2\sqrt{6}=\sqrt{24}$이므로 $5-2\sqrt{6}$ □ 0

$\therefore 5-\sqrt{6}$ □ $\sqrt{6}$

(2) $2\sqrt{7}-7-(1-\sqrt{7})=3\sqrt{7}-8$

이때 $3\sqrt{7}=\sqrt{63}$, $8=\sqrt{\square}$이므로 $3\sqrt{7}-8$ □ 0

$\therefore 2\sqrt{7}-7$ □ $1-\sqrt{7}$

(3) $5\sqrt{3}-3\sqrt{2}-(\sqrt{2}+2\sqrt{3})=3\sqrt{3}-4\sqrt{2}$

이때 $3\sqrt{3}=\sqrt{\square}$, $4\sqrt{2}=\sqrt{\square}$이므로

$3\sqrt{3}-4\sqrt{2}$ □ 0

$\therefore 5\sqrt{3}-3\sqrt{2}$ □ $\sqrt{2}+2\sqrt{3}$

| 따라 풀기 |

3-2 다음 ◯ 안에 알맞은 부등호를 써넣으시오.

(1) $4-\sqrt{3}$ ◯ 2

(2) $2\sqrt{5}-3$ ◯ $\sqrt{5}$

(3) $7-\sqrt{3}$ ◯ $3\sqrt{3}+1$

(4) $\sqrt{3}+\sqrt{2}$ ◯ $3\sqrt{2}-\sqrt{3}$

두 수의 대소 관계를 묻는 문제가 나오면 두 수의 차의 부호만 알면 돼!

4-1 무리수의 정수 부분과 소수 부분

다음 수의 정수 부분과 소수 부분을 각각 구하시오.

(1) $\sqrt{5}$ (2) $2+\sqrt{3}$

셀파 $\sqrt{a}$의 정수 부분이 n일 때, 소수 부분은 $\sqrt{a}-n$이다.

연구 (1) $2<\sqrt{5}<3$이므로 $\sqrt{5}$의 정수 부분은 □이고

$\sqrt{5}$의 소수 부분은 $\sqrt{5}-$□이다.

(2) $1<\sqrt{3}<2$이므로 $3<2+\sqrt{3}<4$

따라서 $2+\sqrt{3}$의 정수 부분은 □이고

$2+\sqrt{3}$의 소수 부분은 $(2+\sqrt{3})-$□$=$□

4-2 다음 수의 정수 부분과 소수 부분을 각각 구하시오.

(1) $\sqrt{7}$ (2) $\sqrt{10}$

(3) $2+\sqrt{2}$ (4) $\sqrt{3}-1$

- **두 실수의 대소 관계** 두 실수 a, b에 대하여
  ① $a-b>0$이면 $a>b$ ② $a-b=0$이면 $a=b$ ③ $a-b<0$이면 $a<b$
- **무리수의 정수 부분과 소수 부분** $\sqrt{a}$가 무리수이고 n이 정수일 때, $n<\sqrt{a}<n+1$이면 ⇨ $\begin{cases}(\sqrt{a}\text{의 정수 부분})=n \\ (\sqrt{a}\text{의 소수 부분})=\sqrt{a}-n\end{cases}$

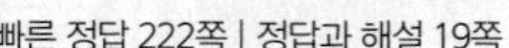

빠른 정답 222쪽 | 정답과 해설 19쪽

기본 01 제곱근의 덧셈과 뺄셈

다음 중 옳은 것은?

① $\sqrt{3}+\sqrt{2}=\sqrt{3+2}$　② $7\sqrt{2}-5\sqrt{2}=2\sqrt{2}$　③ $3\sqrt{7}+6\sqrt{3}=9\sqrt{10}$
④ $\sqrt{5}-4\sqrt{5}=-4$　⑤ $2\sqrt{6}+\sqrt{5}-4\sqrt{6}=-\sqrt{6}$

해법코드
a, b, c, d가 유리수이고 $\sqrt{x}, \sqrt{y}$가 무리수일 때 (단, $x\neq y$)
$a\sqrt{x}+b\sqrt{y}+c\sqrt{x}+d\sqrt{y}$
$=(a+c)\sqrt{x}+(b+d)\sqrt{y}$

셀파 제곱근의 덧셈과 뺄셈은 근호 안의 수가 같은 것을 동류항으로 생각하고 계산한다.

풀이 ① $\sqrt{3}+\sqrt{2}$는 근호 안의 수가 다르므로 더 이상 간단히 할 수 없다.
② $7\sqrt{2}-5\sqrt{2}=(7-5)\sqrt{2}=2\sqrt{2}$
③ $3\sqrt{7}+6\sqrt{3}$은 근호 안의 수가 다르므로 더 이상 간단히 할 수 없다.
④ $\sqrt{5}-4\sqrt{5}=(1-4)\sqrt{5}=-3\sqrt{5}$
⑤ $2\sqrt{6}+\sqrt{5}-4\sqrt{6}=\sqrt{5}+(2-4)\sqrt{6}=\sqrt{5}-2\sqrt{6}$
따라서 옳은 것은 ②이다.

확인 01 다음 식을 간단히 하시오.

(1) $2\sqrt{2}+3\sqrt{5}-4\sqrt{2}-\sqrt{5}$　(2) $6\sqrt{10}-10\sqrt{6}-2\sqrt{10}+\sqrt{6}$

» My 셀파
근호 안의 수가 같은 것끼리 모아서 계산한다.

기본 02 $\sqrt{a^2b}=a\sqrt{b}$를 이용한 제곱근의 덧셈과 뺄셈

$-\sqrt{27}+\sqrt{32}+\sqrt{75}-\sqrt{72}=a\sqrt{3}+b\sqrt{2}$일 때, 유리수 a, b에 대하여 $a+b$의 값을 구하시오.

해법코드
근호 안의 수가 a^2b일 때는 $a\sqrt{b}$ 꼴로 고친 후 근호 안의 수가 같은 것끼리 모아서 계산한다.

셀파 $\sqrt{a^2b}=a\sqrt{b}$임을 이용하여 계산한다.

풀이 $-\sqrt{27}+\sqrt{32}+\sqrt{75}-\sqrt{72}=-3\sqrt{3}+4\sqrt{2}+5\sqrt{3}-6\sqrt{2}$
$=(-3+5)\sqrt{3}+(4-6)\sqrt{2}$
$=2\sqrt{3}-2\sqrt{2}$
따라서 $a=2$, $b=-2$이므로 $a+b=2+(-2)=\mathbf{0}$

확인 02 다음 식을 간단히 하시오.

(1) $\sqrt{20}+\sqrt{45}$　(2) $2\sqrt{12}-\sqrt{75}$

(3) $\sqrt{40}-\sqrt{90}+2\sqrt{10}$　(4) $3\sqrt{8}+\sqrt{18}-\sqrt{98}+\sqrt{48}$

» My 셀파
1 $\sqrt{a^2b}=a\sqrt{b}$임을 이용하여 근호 안의 수를 가장 작은 자연수로 만든다.
2 근호 안의 수가 같은 것끼리 모아서 계산한다.

기본 03 분배법칙을 이용한 제곱근의 덧셈과 뺄셈

다음 식을 간단히 하시오.

(1) $\sqrt{3}(2-\sqrt{2})+\sqrt{2}(\sqrt{6}-3\sqrt{3})$ (2) $\sqrt{54}-2\sqrt{2}(\sqrt{27}-\sqrt{32})$

셀파 괄호가 있으면 분배법칙을 이용하여 괄호를 풀고 계산한다.

풀이 (1) $\sqrt{3}(2-\sqrt{2})+\sqrt{2}(\sqrt{6}-3\sqrt{3})=2\sqrt{3}-\sqrt{6}+\sqrt{12}-3\sqrt{6}$

$=2\sqrt{3}-\sqrt{6}+2\sqrt{3}-3\sqrt{6}$ ($\sqrt{12}=\sqrt{2^2\times3}=2\sqrt{3}$)

$=\mathbf{4\sqrt{3}-4\sqrt{6}}$

(2) ㉠$\sqrt{54}-2\sqrt{2}(\sqrt{27}-\sqrt{32})=3\sqrt{6}-2\sqrt{2}(3\sqrt{3}-4\sqrt{2})$

$=3\sqrt{6}-6\sqrt{6}+16$

$=\mathbf{-3\sqrt{6}+16}$

해법코드

$a>0, b>0, c>0$일 때

① $\sqrt{a}(\sqrt{b}\pm\sqrt{c})=\sqrt{ab}\pm\sqrt{ac}$ (복부호 동순)

② $(\sqrt{a}\pm\sqrt{b})\sqrt{c}=\sqrt{ac}\pm\sqrt{bc}$ (복부호 동순)

㉠ 먼저 근호 안의 제곱인 인수를 근호 밖으로 꺼낸다.

$\sqrt{54}=\sqrt{3^2\times6}=3\sqrt{6}$

$\sqrt{27}=\sqrt{3^2\times3}=3\sqrt{3}$

$\sqrt{32}=\sqrt{4^2\times2}=4\sqrt{2}$

확인 03 다음 식을 간단히 하시오.

(1) $2\sqrt{3}(\sqrt{3}+\sqrt{6})-4\sqrt{2}$

(2) $3(\sqrt{45}-\sqrt{50})+2\sqrt{2}(4-\sqrt{10})$

» My 셀파

분배법칙을 이용하여 괄호를 풀고, 근호 안의 수가 같은 것끼리 계산한다. 이때 근호 안에 제곱인 인수가 있으면 먼저 제곱인 인수를 근호 밖으로 꺼낸다.

기본 04 분모의 유리화를 이용한 제곱근의 덧셈과 뺄셈

$\dfrac{\sqrt{6}-\sqrt{2}}{\sqrt{3}}-\dfrac{1-\sqrt{27}}{\sqrt{2}}$을 간단히 하시오.

셀파 $a>0$일 때, $\dfrac{b\pm c}{\sqrt{a}}=\dfrac{(b\pm c)\times\sqrt{a}}{\sqrt{a}\times\sqrt{a}}=\dfrac{b\sqrt{a}\pm c\sqrt{a}}{a}$ (복부호 동순)

풀이 $\dfrac{\sqrt{6}-\sqrt{2}}{\sqrt{3}}-\dfrac{1-\sqrt{27}}{\sqrt{2}}=\dfrac{(\sqrt{6}-\sqrt{2})\times\sqrt{3}}{\sqrt{3}\times\sqrt{3}}-\dfrac{(1-3\sqrt{3})\times\sqrt{2}}{\sqrt{2}\times\sqrt{2}}$ (㉠)

$=\dfrac{\sqrt{18}-\sqrt{6}}{3}-\dfrac{\sqrt{2}-3\sqrt{6}}{2}$ ($\sqrt{18}=\sqrt{3^2\times2}=3\sqrt{2}$)

$=\dfrac{3\sqrt{2}-\sqrt{6}}{3}-\dfrac{\sqrt{2}-3\sqrt{6}}{2}$

㉡ $=\sqrt{2}-\dfrac{\sqrt{6}}{3}-\dfrac{\sqrt{2}}{2}+\dfrac{3\sqrt{6}}{2}$

$=\mathbf{\dfrac{\sqrt{2}}{2}+\dfrac{7\sqrt{6}}{6}}$

해법코드

분모에 무리수가 있는 제곱근의 덧셈과 뺄셈은 분모를 유리화한 후 계산한다.

㉠ $\sqrt{27}=\sqrt{3^2\times3}=3\sqrt{3}$

㉡ $\sqrt{2}-\dfrac{\sqrt{6}}{3}-\dfrac{\sqrt{2}}{2}+\dfrac{3\sqrt{6}}{2}$

$=\left(1-\dfrac{1}{2}\right)\sqrt{2}+\left(-\dfrac{1}{3}+\dfrac{3}{2}\right)\sqrt{6}$

$=\dfrac{\sqrt{2}}{2}+\dfrac{7\sqrt{6}}{6}$

확인 04 다음 식을 간단히 하시오.

(1) $\dfrac{\sqrt{30}+3}{\sqrt{3}}-\sqrt{10}$ (2) $\dfrac{5\sqrt{2}-\sqrt{10}}{\sqrt{5}}-\dfrac{2\sqrt{5}-10}{\sqrt{2}}$

» My 셀파

먼저 분모를 유리화한다.

기본 05 근호를 포함한 복잡한 식의 계산

$\frac{3}{\sqrt{2}}+\frac{5}{\sqrt{6}}-\sqrt{2}(2+\sqrt{3})$을 간단히 하시오.

해법코드

① 괄호가 있으면 분배법칙을 이용하여 괄호를 푼다.
② $\sqrt{a^2b}(a>0, b>0)$ 꼴은 $a\sqrt{b}$ 꼴로 고친다.
③ 분모에 무리수가 있으면 분모를 유리화한다.
④ 곱셈, 나눗셈 ⇨ 덧셈, 뺄셈 순으로 계산한다.

셀파 분모에 무리수가 있으면 분모를 유리화하고 괄호를 푼다.

풀이 $\frac{3}{\sqrt{2}}+\frac{5}{\sqrt{6}}-\sqrt{2}(2+\sqrt{3})=\frac{3\sqrt{2}}{2}+\frac{5\sqrt{6}}{6}-2\sqrt{2}-\sqrt{6}$

$=\left(\frac{3}{2}-2\right)\sqrt{2}+\left(\frac{5}{6}-1\right)\sqrt{6}$

$=\mathbf{-\frac{\sqrt{2}}{2}-\frac{\sqrt{6}}{6}}$

확인 05 다음 식을 간단히 하시오.

(1) $2\sqrt{54}-\frac{6}{\sqrt{3}}+\sqrt{3}(2\sqrt{2}-5)$

(2) $\sqrt{75}\left(\sqrt{3}-\frac{4}{\sqrt{2}}\right)-\frac{5}{\sqrt{3}}(\sqrt{12}-\sqrt{18})$

» My 셀파

분모를 유리화하고 괄호를 푼다. 이때 $\sqrt{a^2b}$ 꼴은 $a\sqrt{b}$ 꼴로 고친다.

기본 06 제곱근의 계산 결과가 유리수가 되기 위한 조건

$\sqrt{7}(5\sqrt{7}-6)-a(1+\sqrt{7})$을 계산한 결과가 유리수가 되도록 하는 유리수 a의 값을 구하시오.

해법코드

$A+B\sqrt{m}$(A, B는 유리수, $\sqrt{m}$은 무리수)이 유리수일 조건 ⇨ $B=0$

셀파 주어진 식을 $A+B\sqrt{m}$(A, B는 유리수, $\sqrt{m}$은 무리수) 꼴로 정리한다.

풀이 $\sqrt{7}(5\sqrt{7}-6)-a(1+\sqrt{7})=35-6\sqrt{7}-a-a\sqrt{7}$

$=\underbrace{(35-a)}_{\text{유리수 부분}}+\underbrace{(-6-a)\sqrt{7}}_{\text{무리수 부분}}$

무리수 부분이 0일 때 유리수가 되므로 $-6-a=0$

$\therefore a=\mathbf{-6}$

● (유리수)+(무리수)=(무리수)이므로 $A+B\sqrt{m}$ (A, B는 유리수, $\sqrt{m}$은 무리수)이 유리수가 되려면 무리수 부분이 0이어야 한다. 즉
(유리수)$+0\times\sqrt{m}$ ⇨ 유리수

확인 06 $\sqrt{24}\left(\frac{1}{\sqrt{2}}-\sqrt{6}\right)-\frac{a}{\sqrt{3}}(\sqrt{27}-3)$을 계산한 결과가 유리수가 되도록 하는 유리수 a의 값을 구하시오.

» My 셀파

주어진 식을 전개한 후 유리수는 유리수끼리, 무리수는 무리수끼리 묶는다.

기본 07 무리수의 정수 부분과 소수 부분

$\sqrt{6}+3$의 정수 부분을 x, $\sqrt{3}$의 소수 부분을 y라 할 때, $x-y$의 값을 구하시오.

해법코드

(무리수)=(정수 부분)+(소수 부분)
⇨ (무리수의 소수 부분)
=(무리수)−(정수 부분)

셀파 근호 안의 수와 가까운 (자연수)^2 꼴인 수를 찾아 무리수의 정수 부분을 찾는다.

풀이 $\sqrt{4}<\sqrt{6}<\sqrt{9}$, 즉 ㉠$2<\sqrt{6}<3$에서 $5<\sqrt{6}+3<6$이므로
$\sqrt{6}+3$의 정수 부분은 5이다. $\quad\therefore x=5$
또 $\sqrt{1}<\sqrt{3}<\sqrt{4}$, 즉 $1<\sqrt{3}<2$이므로 $\sqrt{3}$의 정수 부분은 1이고
㉡소수 부분은 $\sqrt{3}-1$이다. $\quad\therefore y=\sqrt{3}-1$
$\therefore x-y=5-(\sqrt{3}-1)=5-\sqrt{3}+1=\mathbf{6-\sqrt{3}}$

㉠ $\sqrt{6}+3$을 만들기 위해 이 부등식의 각 변에 3을 더하면 $5<\sqrt{6}+3<6$

㉡ 어떤 수의 소수 부분은 그 수에서 정수 부분을 뺀 것이다.

확인 07 다음을 구하시오.

(1) $\sqrt{7}-1$의 소수 부분을 a, $\sqrt{28}$의 소수 부분을 b라 할 때, $2a-b$의 값

(2) $2\sqrt{3}$의 정수 부분을 a, 소수 부분을 b라 할 때, $\sqrt{3}a-b$의 값

» My 셀파
무리수의 정수 부분은 대소 관계를 이용하여 무리수를 연속하는 두 정수 사이의 수로 나타내어 구한다.
(2) $2\sqrt{3}=\sqrt{12}$임을 이용하여 $\sqrt{12}$의 정수 부분을 찾는다.

기본 08 제곱근의 계산의 도형에의 활용

오른쪽 그림과 같은 직육면체의 부피가 $10\sqrt{10}$일 때,
이 직육면체의 겉넓이를 구하시오.

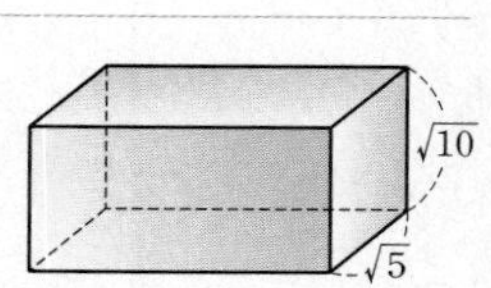

해법코드

직육면체

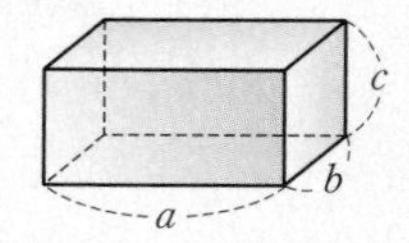

⇨ 겉넓이 $S=2(ab+bc+ca)$
부피 $V=abc$

셀파 먼저 직육면체의 부피를 이용하여 밑면의 가로의 길이를 구한다.

풀이 직육면체의 밑면의 가로의 길이를 x라 하면
㉠$x\times\sqrt{5}\times\sqrt{10}=10\sqrt{10}$
$x\sqrt{5}=10 \quad\therefore x=\frac{10}{\sqrt{5}}=\frac{10\sqrt{5}}{5}=2\sqrt{5}$
따라서 직육면체의 겉넓이는

$$\begin{aligned}2(2\sqrt{5}\times\sqrt{5}+\sqrt{5}\times\sqrt{10}+2\sqrt{5}\times\sqrt{10})&=2(10+\sqrt{50}+2\sqrt{50})\\&=2(10+5\sqrt{2}+10\sqrt{2})\\&=2(10+15\sqrt{2})\\&=\mathbf{20+30\sqrt{2}}\end{aligned}$$

㉠ $x\times\sqrt{5}\times\sqrt{10}=10\sqrt{10}$의 양변을 $\sqrt{10}$으로 나누면 $x\sqrt{5}=10$

확인 08 오른쪽 그림과 같은 사다리꼴 ABCD의 넓이를 구하시오.

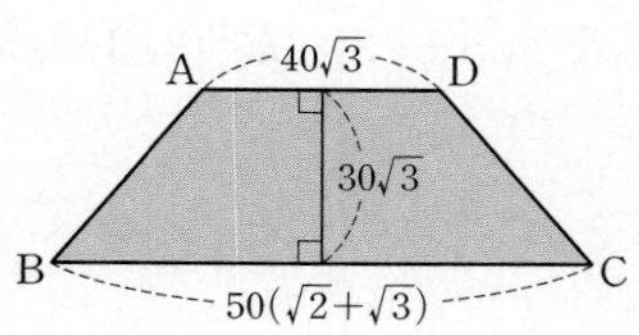

» My 셀파
(사다리꼴의 넓이)
$=\frac{1}{2}\times${(윗변의 길이)
+(아랫변의 길이)}×(높이)

기본 09 뺄셈을 이용한 실수의 대소 관계

다음 중 두 실수의 대소 관계가 옳은 것은?

① $1+\sqrt{12}<2+\sqrt{3}$　② $\sqrt{3}+\sqrt{7}>\sqrt{8}+\sqrt{3}$

③ $\sqrt{45}+\sqrt{27}<\sqrt{48}+\sqrt{20}$　④ $8-\sqrt{2}>3+2\sqrt{2}$

⑤ $4\sqrt{5}+3\sqrt{6}<5\sqrt{5}+2\sqrt{6}$

해법코드

두 실수 A, B의 대소를 비교하려면 $A-B$의 부호를 조사한다.

- $A-B>0$이면 $A>B$
- $A-B=0$이면 $A=B$
- $A-B<0$이면 $A<B$

셀파 두 실수 A, B의 대소 관계 ⇨ $A-B$의 부호를 조사한다.

풀이 ① $(1+\sqrt{12})-(2+\sqrt{3})=1+\sqrt{12}-2-\sqrt{3}$

$=1+2\sqrt{3}-2-\sqrt{3}$

$=-1+\sqrt{3}=\sqrt{3}-\sqrt{1}>0$ ❶

$\therefore 1+\sqrt{12}>2+\sqrt{3}$

② $(\sqrt{3}+\sqrt{7})-(\sqrt{8}+\sqrt{3})=\sqrt{3}+\sqrt{7}-\sqrt{8}-\sqrt{3}=\sqrt{7}-\sqrt{8}<0$

$\therefore \sqrt{3}+\sqrt{7}<\sqrt{8}+\sqrt{3}$

③ $(\sqrt{45}+\sqrt{27})-(\sqrt{48}+\sqrt{20})=\sqrt{45}+\sqrt{27}-\sqrt{48}-\sqrt{20}$

$=3\sqrt{5}+3\sqrt{3}-4\sqrt{3}-2\sqrt{5}$

$=\sqrt{5}-\sqrt{3}>0$

$\therefore \sqrt{45}+\sqrt{27}>\sqrt{48}+\sqrt{20}$

④ $(8-\sqrt{2})-(3+2\sqrt{2})=8-\sqrt{2}-3-2\sqrt{2}=5-3\sqrt{2}=\sqrt{25}-\sqrt{18}>0$

$\therefore 8-\sqrt{2}>3+2\sqrt{2}$

⑤ $(4\sqrt{5}+3\sqrt{6})-(5\sqrt{5}+2\sqrt{6})=4\sqrt{5}+3\sqrt{6}-5\sqrt{5}-2\sqrt{6}=-\sqrt{5}+\sqrt{6}>0$

$\therefore 4\sqrt{5}+3\sqrt{6}>5\sqrt{5}+2\sqrt{6}$

따라서 옳은 것은 ④이다.

❶ 제곱근의 대소 비교
$\sqrt{A}$와 $\sqrt{B}$의 대소를 비교할 때는 A와 B의 대소를 생각한다. 즉 $A>0$, $B>0$일 때 $A>B$이면 $\sqrt{A}>\sqrt{B}$
⇨ $3>1$이므로 $\sqrt{3}>\sqrt{1}$
$\therefore \sqrt{3}-\sqrt{1}>0$

확인 09

1. 다음 중 두 실수의 대소 관계가 옳지 않은 것은?

① $\sqrt{10}+1>4$　② $4-\sqrt{19}>-1$

③ $\sqrt{5}+1<\sqrt{5}+\sqrt{2}$　④ $2-\sqrt{2}>-\sqrt{2}+\sqrt{3}$

⑤ $\sqrt{15}-\sqrt{17}>-\sqrt{17}+4$

» My 셀파

1. 두 실수 A, B에 대하여
- $A-B>0$이면 $A>B$
- $A-B=0$이면 $A=B$
- $A-B<0$이면 $A<B$

2. 다음 세 실수 A, B, C의 대소를 비교하여 부등호를 써서 나타내시오.

$$A=\sqrt{5}+\sqrt{3},\quad B=3\sqrt{3}-\sqrt{5},\quad C=2\sqrt{3}$$

2. 세 실수 a, b, c의 대소 관계는 $a<b$이고 $b<c$이면 $a<b<c$ 임을 이용하여 구한다.

근호를 포함한 식의 덧셈과 뺄셈

빠른 정답 222쪽 | 정답과 해설 21쪽

제곱근의 덧셈과 뺄셈

1 다음 식을 간단히 하시오.

(1) $3\sqrt{2}+5\sqrt{2}-2\sqrt{2}$

(2) $6\sqrt{5}-3\sqrt{5}-7\sqrt{5}$

(3) $5\sqrt{2}-4\sqrt{3}+\sqrt{2}+3\sqrt{3}$

(4) $4\sqrt{3}-2\sqrt{7}+3\sqrt{7}-\sqrt{3}$

(5) $\sqrt{27}-2\sqrt{3}+\sqrt{48}$

(6) $\sqrt{48}+4\sqrt{2}-\sqrt{50}-\sqrt{12}$

(7) $\sqrt{27}+\sqrt{147}-5\sqrt{20}-\sqrt{125}$

(8) $\sqrt{48}-\frac{6}{\sqrt{3}}+5\sqrt{3}$

(9) $6\sqrt{2}-\sqrt{75}-\frac{6}{\sqrt{2}}+\sqrt{27}$

(10) $\sqrt{27}-\sqrt{45}-\frac{6}{2\sqrt{3}}+\frac{10}{\sqrt{5}}$

근호를 포함한 복잡한 식의 계산

2 다음 식을 간단히 하시오.

(1) $2\sqrt{24}-\sqrt{18}\times\sqrt{3}$

(2) $\sqrt{15}\times\sqrt{5}-8\sqrt{6}\div2\sqrt{2}$

(3) $\sqrt{18}\div\frac{1}{\sqrt{6}}-\sqrt{12}$

(4) $\sqrt{72}+\frac{6}{\sqrt{2}}-\sqrt{3}\times\sqrt{6}$

(5) $\sqrt{27}\times\frac{2}{\sqrt{3}}-\sqrt{40}\div\frac{\sqrt{5}}{2}$

(6) $\sqrt{2}(3-\sqrt{5})+\sqrt{5}(\sqrt{2}-\sqrt{10})$

(7) $\sqrt{3}(\sqrt{2}-\sqrt{6})+(\sqrt{42}-\sqrt{14})\div\sqrt{7}$

(8) $\frac{\sqrt{3}-\sqrt{2}}{\sqrt{3}}-\frac{\sqrt{2}+\sqrt{3}}{\sqrt{2}}$

(9) $\frac{10}{\sqrt{5}}+\sqrt{5}(1-\sqrt{5})-3\sqrt{20}$

(10) $\frac{2}{\sqrt{6}}(3-4\sqrt{3})-2\left(\frac{3}{\sqrt{2}}+\sqrt{6}\right)$

실력 키우기

01 $\sqrt{a^2b}=a\sqrt{b}$를 이용한 제곱근의 덧셈과 뺄셈

$\sqrt{2}=x$, $\sqrt{3}=y$라 할 때, $2\sqrt{18}+3\sqrt{12}-\sqrt{32}-3\sqrt{27}$을 x, y를 사용하여 간단히 나타내시오.

02 분배법칙을 이용한 제곱근의 덧셈과 뺄셈

$A=\sqrt{5}-3\sqrt{3}$, $B=2\sqrt{3}-2\sqrt{5}$일 때, $\sqrt{5}A-\sqrt{3}B$의 값은?

① $-1-5\sqrt{15}$　② $-1-\sqrt{15}$
③ $-1+\sqrt{15}$　④ $11-\sqrt{15}$
⑤ $11-5\sqrt{15}$

03 제곱근의 덧셈과 뺄셈

다음 중 옳지 않은 것은?

① $6\sqrt{3}+2\sqrt{3}=8\sqrt{3}$
② $5\sqrt{7}-8\sqrt{7}=-3\sqrt{7}$
③ $2\sqrt{48}-\sqrt{3}=7\sqrt{3}$
④ $\dfrac{6}{\sqrt{18}}+\dfrac{2}{\sqrt{2}}=6\sqrt{2}$
⑤ $\sqrt{2}(\sqrt{50}-\sqrt{10})=10-2\sqrt{5}$

04 근호를 포함한 복잡한 식의 계산 (서술형)

$\dfrac{4}{\sqrt{2}}+\dfrac{6}{\sqrt{3}}-\sqrt{2}(1-\sqrt{6})=a\sqrt{2}+b\sqrt{3}$일 때, $a+b$의 값을 구하시오. (단, a, b는 유리수)

05 제곱근의 계산 결과가 유리수가 되기 위한 조건

다음 식의 계산 결과가 유리수일 때, 유리수 x의 값을 구하시오.

$$2(4-x\sqrt{2})-\sqrt{3}(x\sqrt{3}+4\sqrt{6})$$

06 무리수의 정수 부분과 소수 부분 (서술형)

$4-\sqrt{2}$의 정수 부분을 a, 소수 부분을 b라 할 때, $a+\dfrac{1}{\sqrt{a}}+\dfrac{1}{b-2}$의 값을 구하시오.

07 무리수의 정수 부분과 소수 부분

$\sqrt{3}$의 소수 부분을 a라 할 때, $\sqrt{147}$을 a를 사용하여 나타내시오.

08 제곱근의 계산의 도형에의 활용 (서술형)

오른쪽 그림과 같이 가로의 길이가 $\sqrt{108}$, 세로의 길이가 $\sqrt{75}$인 직사각형 모양의 종이의 네 귀퉁이에서 각각 한 변의 길이가 $\sqrt{3}$인 정사각형을 잘라 내어 만든 뚜껑이 없는 직육면체 모양의 상자의 부피를 구하시오.

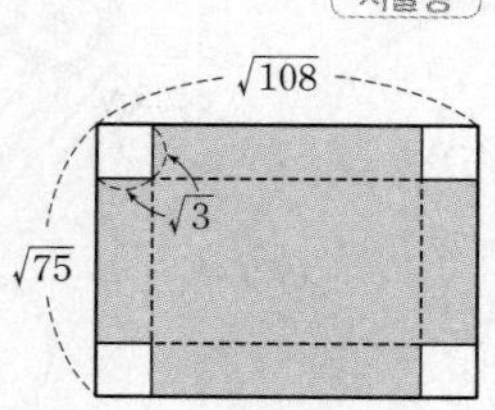

09 두 실수의 대소 관계

다음 **보기**에서 두 실수의 대소 관계가 옳은 것을 모두 고르시오.

보기
- ㉠ $2<\sqrt{7}-1$
- ㉡ $\sqrt{24}+1>3+\sqrt{6}$
- ㉢ $\sqrt{75}+2>3+\sqrt{48}$
- ㉣ $2\sqrt{3}-3\sqrt{2}<-\sqrt{18}+\sqrt{3}$

10 제곱근의 덧셈과 뺄셈 (창의력)

$a>0$, $b>0$이고 $ab=5$일 때, $a\sqrt{\dfrac{8b}{a}}+b\sqrt{\dfrac{2a}{b}}$의 값을 구하시오.

11 제곱근의 덧셈과 뺄셈의 활용 (융합형)

다음 그림은 한 눈금의 길이가 1인 모눈종이 위에 정사각형 ABCD를 그린 것이다. $\overline{AB}=\overline{AP}$, $\overline{AD}=\overline{AQ}$가 되도록 수직선 위에 두 점 P, Q를 정할 때, 물음에 답하시오.

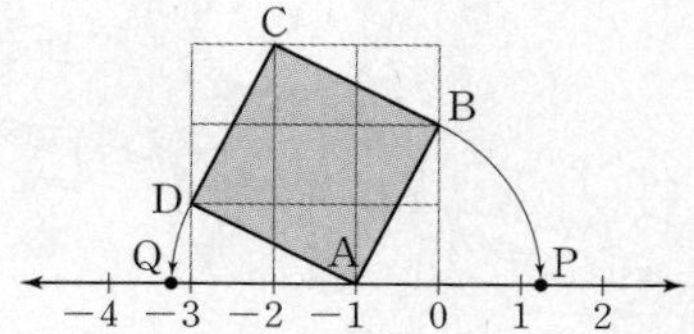

(1) 두 점 P, Q의 좌표를 각각 구하시오.

(2) $\overline{PQ}$의 길이를 구하시오.

12 제곱근의 계산의 도형에의 활용

다음 그림과 같이 넓이가 각각 3 m^2, 12 m^2, 27 m^2인 정사각형 모양의 화단이 붙어 있다. 물음에 답하시오.

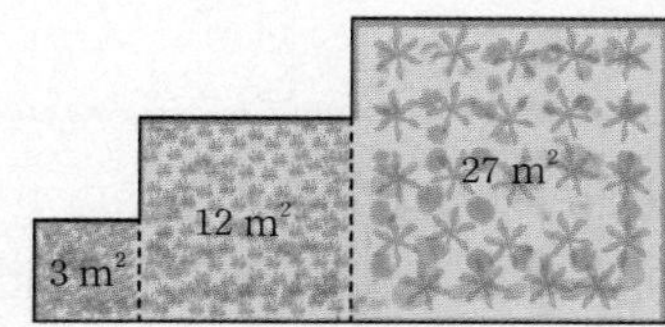

(1) 각 정사각형 모양의 화단의 한 변의 길이를 차례대로 구하시오.

(2) 화단 전체에 울타리를 설치하려고 할 때, 필요한 울타리의 길이를 구하시오.

와사삭
뭐 먹어?
맛있어 보이네.
POTATO

그래?
하나 먹어 봐.
앙~
POTATO

빼~액
지금 뭐하는 거야?
왜?

우리는 둘이니까, 하나씩
공평하게 나눠 줘야지.
어째서
둘 다 줘야 돼?

분배법칙에
어긋나잖아.
차별 금지
분배법칙?

두 개의 다항식을 곱할 때는
분배법칙을 이용하여 전개해야 된다고.
a+b × c+d
(a+b)×(c+d)
ac+ad+bc+bd

예를 들면
(x+1)(x+2)=x²+2x+x+2
=x²+3x+2
흑
POT

Ⅱ | 다항식의 곱셈과 인수분해

다항식의 곱셈

5 다항식의 곱셈

1 다항식과 다항식의 곱셈

ⓐ분배법칙을 이용하여 [ ]하고 동류항끼리 모아서 간단히 한다. 전개

$$(a+b)(c+d)=\underset{①}{ac}+\underset{②}{ad}+\underset{③}{bc}+\underset{④}{bd}$$

예 $(x+1)(x+2)=\underset{①}{x\times x}+\underset{②}{x\times 2}+\underset{③}{1\times x}+\underset{④}{1\times 2}=x^2+2x+x+2=x^2+$ [ ] $+2$ (동류항) $3x$

개념 다시 보기

분배법칙

$m(a+b)=ma+mb$

$(a+b)m=am+bm$

ⓐ $(a+b)(c+d)$에서 $c+d=M$으로 놓고 분배법칙을 이용하여 전개한다.

$(a+b)(c+d)=(a+b)M$
$=aM+bM$

M 대신 $c+d$를 대입하면

$a(c+d)+b(c+d)$
$=ac+ad+bc+bd$

설명 도형의 넓이로 이해하는 다항식과 다항식의 곱셈

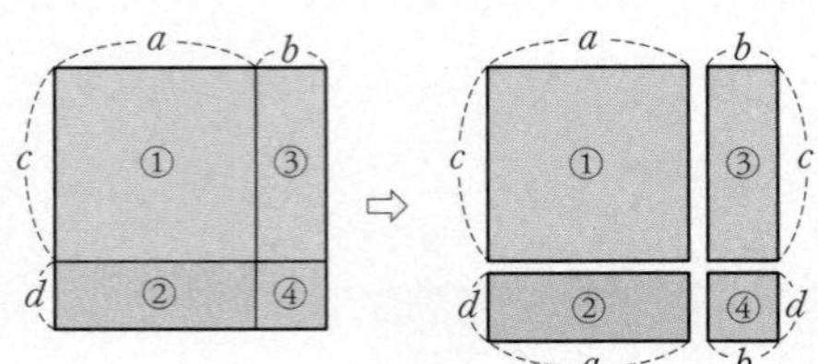

$(a+b)(c+d)=$ⓑ(가장 큰 직사각형의 넓이)
$=①+②+③+④$
$=ac+ad+bc+bd$

ⓑ 가로, 세로의 길이가 각각 $a+b$, $c+d$인 직사각형이다.
이 직사각형은 4개의 작은 직사각형 ①, ②, ③, ④로 나누어져 있다.
이때 쪼개진 직사각형의 넓이를 모두 더하면 가장 큰 직사각형의 넓이가 된다. 즉
①+②+③+④
=(가장 큰 직사각형의 넓이)

2 곱셈 공식 (1) – 합의 제곱, 차의 제곱

(1) 합의 제곱

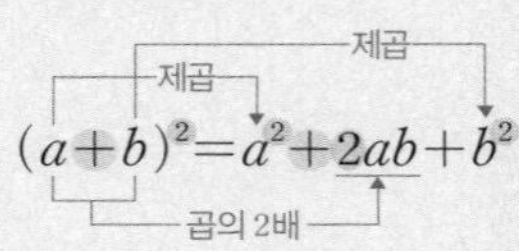

$(a+b)^2=a^2+2ab+b^2$

⇨ $(a+b)^2=(a+b)(a+b)$
$=a^2+$ⓒ$ab+ba+b^2$
$=a^2+2ab+b^2$

예 $(x+1)^2=x^2+2\times x\times 1+1^2$
$=x^2+2x+$ [ ] 1

(2) 차의 제곱

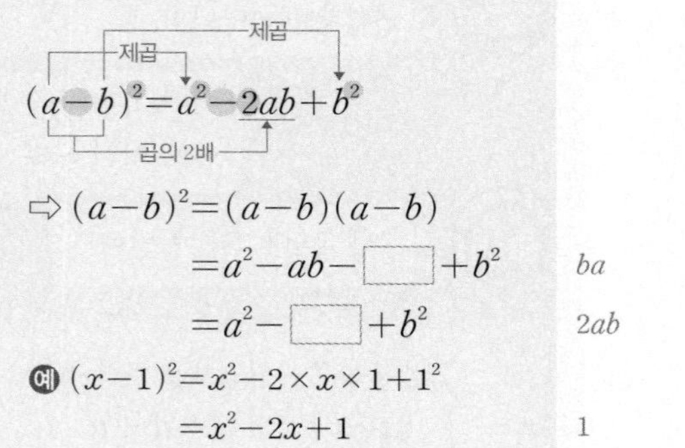

$(a-b)^2=a^2-2ab+b^2$

⇨ $(a-b)^2=(a-b)(a-b)$
$=a^2-ab-$ [ ] $+b^2$ ba
$=a^2-$ [ ] $+b^2$ $2ab$

예 $(x-1)^2=x^2-2\times x\times 1+1^2$
$=x^2-2x+1$

ⓒ $ab=ba$이므로
$ab+ba=ab+ab=2ab$

설명 도형의 넓이로 이해하는 곱셈 공식 (1)

(1)

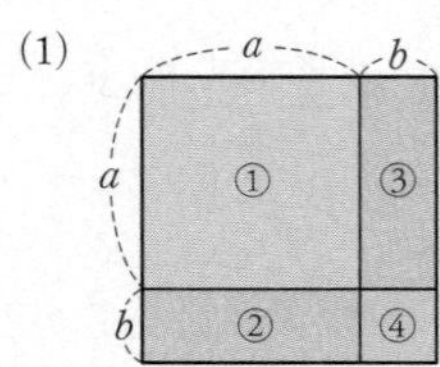

$(a+b)^2=$(가장 큰 정사각형의 넓이)
$=①+②+③+④$
$=a^2+ab+ab+b^2$
$=a^2+2ab+b^2$

(2)

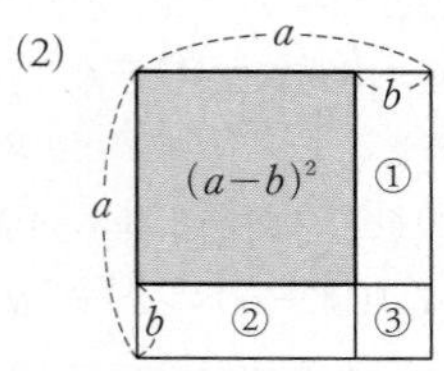

$(a-b)^2$
=(색칠한 정사각형의 넓이)
=(가장 큰 정사각형의 넓이)−①−②−③
$=a^2-b(a-b)-b(a-b)-b^2$
$=a^2-2ab+b^2$

주의
- $(a+b)^2\neq a^2+b^2$
- $(a-b)^2\neq a^2-b^2$

따라 풀면서

개념 익히기

빠른 정답 222쪽 | 정답과 해설 24쪽

| 개념 체크 |

1-1 다항식과 다항식의 곱셈

다음 식을 전개하시오.

(1) $(x-1)(y+2)$

(2) $(x-y)(5x-2y)$

셀파 $(a+b)(c+d)=\underset{①}{ac}+\underset{②}{ad}+\underset{③}{bc}+\underset{④}{bd}$

연구 (1) $(x-1)(y+2)$

$=x\times y+x\times 2+(-1)\times y+(\square)\times 2$

$=xy+2x-y-\square$

(2) $(x-y)(5x-2y)$

$=x\times 5x+x\times(\square)+(-y)\times 5x+(-y)\times(-2y)$

$=5x^2-\square-5xy+2y^2$

$=5x^2-\square+2y^2$

2-1 곱셈 공식 (1) – 합의 제곱, 차의 제곱

다음 식을 전개하시오.

(1) $(x+5)^2$

(2) $(x-2y)^2$

(3) $(2x+3y)^2$

셀파 $(a+b)^2=a^2+2ab+b^2$, $(a-b)^2=a^2-2ab+b^2$

연구 (1) $(x+5)^2=x^2+\square\times x\times 5+5^2$

$=x^2+\square+25$

(2) $(x-2y)^2=x^2-2\times x\times\square+(2y)^2$

$=x^2-\square+\square$

(3) $(2x+3y)^2=(2x)^2+2\times\square\times 3y+(3y)^2$

$=4x^2+\square+\square$

| 따라 풀기 |

1-2 다음 식을 전개하시오.

(1) $(x-2)(3y+4)$

(2) $(2a+5)(b-2)$

(3) $(a+1)(2a+8)$

(4) $(2x-y)(3x+y)$

2-2 다음 식을 전개하시오.

(1) $(x+4)^2$

(2) $(x-5)^2$

(3) $(x+2y)^2$

(4) $(3x-2y)^2$

- 다항식과 다항식의 곱셈 $(a+b)(c+d)=ac+ad+bc+bd$
- 곱셈 공식 (1) $(a+b)^2=a^2+2ab+b^2$, $(a-b)^2=a^2-2ab+b^2$

5 다항식의 곱셈

3 곱셈 공식 (2) – 합과 차의 곱

$(a+b)(a-b)=a^2-b^2$
(합, 차, 제곱의 차)

⇨ $(a+b)(a-b)=a^2-ab+\boxed{}-b^2=a^2-b^2$ ba

예 $(x+2)(x-2)=x^2-\boxed{}^2=x^2-4$ 2

㉠ 첫 번째 그림에서 가로의 길이가 b, 세로의 길이가 $a-b$인 직사각형(②)을 잘라 두 번째 그림처럼 아래쪽(③)에 붙인다.

설명 도형의 넓이로 이해하는 곱셈 공식 (2)

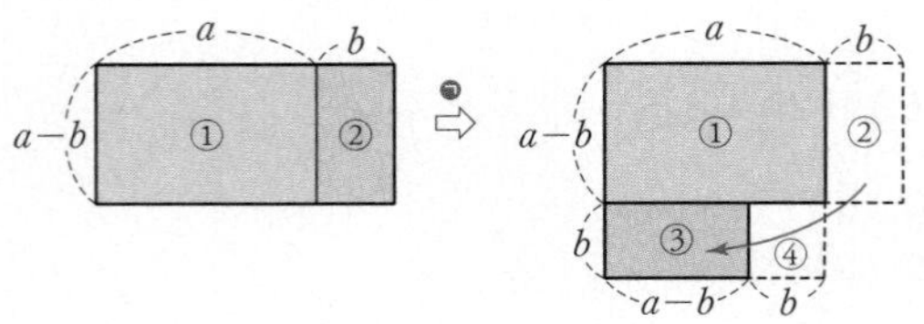

(색칠한 직사각형의 넓이)$=$①$+$②
$=$①$+$③

이므로

$(a+b)(a-b)=a^2-$④
$=a^2-b^2$

㉡ bx와 ax는 동류항이므로
$bx+ax=(a+b)x$

4 곱셈 공식 (3) – 두 일차식의 곱

(1) x의 계수가 1인 두 일차식의 곱

$(x+a)(x+b)=x^2+(a+b)x+ab$ (합, 곱)

⇨ $(x+a)(x+b)=x^2+\underline{bx+ax}+ab=x^2+(\boxed{})x+ab$ $a+b$

예 $(x+1)(x+2)=x^2+(\boxed{})x+1\times2=x^2+3x+2$ $1+2$

(2) x의 계수가 1이 아닌 두 일차식의 곱

$(ax+b)(cx+d)=\underset{①}{acx^2}+(\underset{②}{ad}+\underset{③}{bc})x+\underset{④}{bd}$

⇨ $(ax+b)(cx+d)=acx^2+\underline{adx+bcx}+bd=acx^2+(ad+bc)x+bd$

예 $(2x+1)(3x+2)=(2\times3)x^2+(2\times2+\boxed{})x+1\times2$ 1×3
$=6x^2+\boxed{}x+2$ 7

㉢ adx와 bcx는 동류항이므로
$adx+bcx=(ad+bc)x$

설명 도형의 넓이로 이해하는 곱셈 공식 (3)

(1)

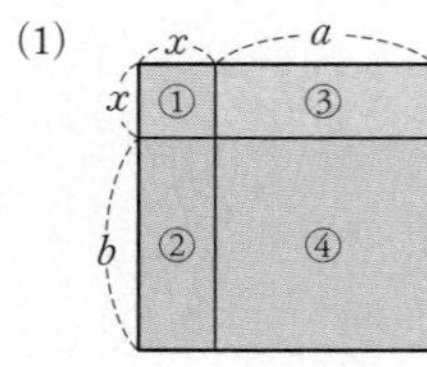

(가장 큰 직사각형의 넓이)$=$①$+$②$+$③$+$④이므로

$(x+a)(x+b)=x^2+bx+ax+ab$
$=x^2+(a+b)x+ab$

(2)

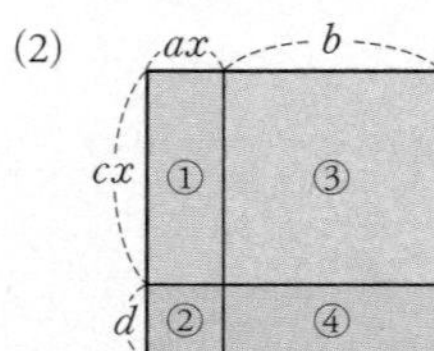

(가장 큰 직사각형의 넓이)$=$①$+$②$+$③$+$④이므로

$(ax+b)(cx+d)=acx^2+adx+bcx+bd$
$=acx^2+(ad+bc)x+bd$

곱셈 공식이 기억나지 않는다고? 그럴 땐, 좀 복잡하지만 분배법칙을 이용하여 전개하면 돼.

개념 익히기

빠른 정답 222쪽 | 정답과 해설 24쪽

| 개념 체크 |

3-1 곱셈 공식 (2) – 합과 차의 곱

다음 식을 전개하시오.

(1) $(a+4)(a-4)$

(2) $(2a+3b)(2a-3b)$

(3) $(-2a+1)(-2a-1)$

(4) $(-a+b)(a+b)$

셀파 $(a+b)(a-b)=a^2-b^2$

연구 (1) $(a+4)(a-4)=a^2-4^2=a^2-16$

(2) $(2a+3b)(2a-3b)=(2a)^2-(3b)^2=4a^2-\square$

(3) $(-2a+1)(-2a-1)=(\square)^2-1^2=\square-1$

(4) $(-a+b)(a+b)=(\square-a)(b+a)=\square-a^2$

4-1 곱셈 공식 (3) – 두 일차식의 곱

다음 식을 전개하시오.

(1) $(x+2)(x+4)$

(2) $(x+1)(x-3)$

(3) $(x-y)(x+2y)$

(4) $(3x+1)(4x+1)$

셀파
- $(x+a)(x+b)=x^2+(a+b)x+ab$
- $(ax+b)(cx+d)=acx^2+(ad+bc)x+bd$

연구 (1) $(x+2)(x+4)=x^2+(2+\square)x+2\times4$

$=x^2+\square x+8$

(2) $(x+1)(x-3)=x^2+\{1+(\square)\}x+\square\times(-3)$

$=x^2-\square x-3$

(3) $(x-y)(x+2y)$

$=x^2+\{(-y)+\square\}x+(\square)\times2y$

$=x^2+\square-\square$

(4) $(3x+1)(4x+1)$

$=(3\times\square)x^2+(3\times1+1\times\square)x+1\times\square$

$=\square x^2+7x+1$

| 따라 풀기 |

3-2 다음 식을 전개하시오.

(1) $(3-x)(3+x)$

(2) $(a+2b)(a-2b)$

(3) $(-2a+b)(-2a-b)$

(4) $(3a-2b)(-3a-2b)$

4-2 다음 식을 전개하시오.

(1) $(x-1)(x+2)$

(2) $(x-2)(x-3)$

(3) $(x-2y)(x+5y)$

(4) $(x+4)(5x+2)$

(5) $(3x-1)(4x-3)$

- **곱셈 공식 (2)** $(a+b)(a-b)=a^2-b^2$
- **곱셈 공식 (3)** $(x+a)(x+b)=x^2+(a+b)x+ab$, $(ax+b)(cx+d)=acx^2+(ad+bc)x+bd$

곱셈 공식을 이용한 전개

빠른 정답 222쪽 | 정답과 해설 25쪽

곱셈 공식

① $(a+b)^2=a^2+2ab+b^2$, $(a-b)^2=a^2-2ab+b^2$

② $(a+b)(a-b)=a^2-b^2$

③ $(x+a)(x+b)=x^2+(a+b)x+ab$

④ $(ax+b)(cx+d)=acx^2+(ad+bc)x+bd$

참고 전개식이 같은 다항식

- $(-a-b)^2=\{-(a+b)\}^2=(a+b)^2$
- $(-a+b)^2=\{-(a-b)\}^2=(a-b)^2$
- $(-a-b)(-a+b)=\{-(a+b)\}\{-(a-b)\}$ $=(a+b)(a-b)$

$(a+b)^2$, $(a-b)^2$ 꼴

1 다음 식을 전개하시오.

(1) $(3x+5)^2$

(2) $(4a+2b)^2$

(3) $\left(\frac{1}{2}a-3b\right)^2$

(4) $(-a+3b)^2$

(5) $(-7x-2y)^2$

$(a+b)(a-b)$ 꼴

2 다음 식을 전개하시오.

(1) $(5+a)(5-a)$

(2) $(2x-5y)(2x+5y)$

(3) $(3a+8)(-3a+8)$

(4) $\left(-\frac{3}{4}x-y\right)\left(-\frac{3}{4}x+y\right)$

$(x+a)(x+b)$ 꼴

3 다음 식을 전개하시오.

(1) $(x+3)(x+2)$

(2) $(x-3)(x-10)$

(3) $(x+1)(x-6)$

(4) $(x-3y)(x+y)$

$(ax+b)(cx+d)$ 꼴

4 다음 식을 전개하시오.

(1) $(5x+3)(x+2)$

(2) $(3x-4)(2x+5)$

(3) $(4a+3)(2a-9)$

(4) $(6x-2y)(4x-7y)$

(5) $\left(\frac{1}{3}a-10\right)\left(\frac{1}{5}a-9\right)$

기본 01 다항식과 다항식의 곱셈

$(x-y)(2y+3x)$의 전개식에서 xy의 계수를 구하시오.

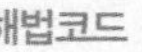

해법코드

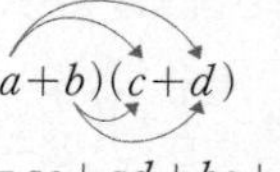

$(a+b)(c+d)$
$=ac+ad+bc+bd$

셀파 분배법칙을 이용하여 전개한 후 동류항이 있으면 동류항끼리 모아서 계산한다.

풀이 $(x-y)(2y+3x)=x\times 2y+x\times 3x+(-y)\times 2y+(-y)\times 3x$
$=2xy+3x^2-2y^2-3xy$
$=3x^2-xy-2y^2$ ㉠

따라서 xy의 계수는 $\mathbf{-1}$이다.

㉠ $3x^2-xy-2y^2$
$=3x^2+(-xy)+(-2y^2)$

다른 풀이 $(x-y)(2y+3x)$에서 xy항이 나오는 부분만 전개하면
$x\times 2y+(-y)\times 3x=2xy-3xy=-xy$
$\therefore$ (xy의 계수)$=-1$

특정한 항의 계수를 묻는 문제는 필요한 항이 나오는 부분만 전개해서 구해도 돼!

확인 01 $(x+2y)(3x-y+1)$의 전개식에서 xy의 계수와 y^2의 계수의 합을 구하시오.

» My 셀파
분배법칙을 이용하여 전개한다.

기본 02 곱셈 공식 ① – $(a+b)^2$, $(a-b)^2$ 꼴

$(2x-A)^2=4x^2+12x+B$일 때, 상수 A, B에 대하여 $A+B$의 값을 구하시오.

해법코드

- $(a+b)^2=a^2+2ab+b^2$
- $(a-b)^2=a^2-2ab+b^2$

셀파 곱셈 공식을 이용하여 좌변을 전개한 후 우변과 각 항의 계수를 비교한다.

풀이 $(2x-A)^2=(2x)^2-2\times 2x\times A+A^2=4x^2-4Ax+A^2$이므로
㉠ $4x^2-4Ax+A^2=4x^2+12x+B$에서
$-4A=12$, $A^2=B$ $\quad\therefore A=-3$, $B=9$
$\therefore A+B=-3+9=\mathbf{6}$

㉠ 좌변과 우변이 같으려면 x^2의 계수끼리, x의 계수끼리, 상수항끼리 각각 같아야 한다. 즉
$ax^2+bx+c=a'x^2+b'x+c'$
⇨ $a=a'$, $b=b'$, $c=c'$

확인 02 다음 중 옳은 것은?

① $(x+3)^2=x^2+9$
② $(2a-1)^2=4a^2-2a+1$
③ $(3a+2b)^2=9a^2+12a+4b^2$
④ $\left(\frac{1}{2}x-2\right)^2=\frac{1}{4}x^2-2x+4$
⑤ $(-2x+3)^2=4x^2+12x+9$

» My 셀파
- $(■+▲)^2=■^2+2■▲+▲^2$
- $(■-▲)^2=■^2-2■▲+▲^2$

기본 03 **곱셈 공식 ② - $(a+b)(a-b)$ 꼴**

$\left(a-\frac{1}{5}x\right)\left(\frac{1}{5}x+a\right)=-\frac{1}{25}x^2+9$일 때, 양수 a의 값을 구하시오.

해법코드
- $(a+b)(a-b)=a^2-b^2$

셀파 교환법칙을 이용하여 좌변을 (■+▲)(■−▲) 꼴로 고친다.

풀이 $\left(a-\frac{1}{5}x\right)\left(\frac{1}{5}x+a\right)=\left(a-\frac{1}{5}x\right)\left(a+\frac{1}{5}x\right)$
$=\left(a+\frac{1}{5}x\right)\left(a-\frac{1}{5}x\right)$
$=a^2-\left(\frac{1}{5}x\right)^2$
$=a^2-\frac{1}{25}x^2$

$a^2-\frac{1}{25}x^2=-\frac{1}{25}x^2+9$에서 $a^2=9$
$\therefore a=\mathbf{3}\ (\because a>0)$

확인 03 $2(x+2)(x-2)-(2x-1)(2x+1)$을 계산하였을 때, x^2의 계수와 상수항의 합을 구하시오.

» My 셀파
- (■+▲)(■−▲)=■²−▲²

기본 04 **곱셈 공식 ③ -일차항의 계수가 1인 두 일차식의 곱**

$(x-A)(x+5)=x^2+Bx-10$일 때, 상수 A, B에 대하여 AB의 값을 구하시오.

해법코드
- $(x+a)(x+b)$
$=x^2+(a+b)x+ab$

셀파 곱셈 공식을 이용하여 좌변을 전개한 후 우변과 비교한다.

풀이 $(x-A)(x+5)=x^2+(-A+5)x-5A$이므로
$x^2+(-A+5)x-5A=x^2+Bx-10$에서
ㄱ $-A+5=B,\ -5A=-10$ $\quad\therefore A=2,\ B=3$
$\therefore AB=2\times3=\mathbf{6}$

ㄱ $-5A=-10$에서 $A=\frac{-10}{-5}=2$
$-A+5=B$에서 $-2+5=B$
$\therefore B=3$

확인 04 **1.** $(x-4)(x+A)$의 전개식에서 상수항이 x의 계수의 2배일 때, 상수 A의 값을 구하시오.

2. $(x+5)(x+1)-(x-4)(x-2)$를 계산하시오.

» My 셀파

1. 곱셈 공식
$(x+a)(x+b)$
$=x^2+(a+b)x+ab$
를 이용하여 주어진 식을 전개한 후 x의 계수와 상수항을 구한다.

2. 각 다항식의 곱셈을 곱셈 공식을 이용하여 전개한 후 동류항끼리 계산한다.

기본 05 곱셈 공식 ④ – 일차항의 계수가 1이 아닌 두 일차식의 곱

$(3x+Ay)(2x+3y)=6x^2-xy+By^2$일 때, 상수 A, B에 대하여 $A-B$의 값을 구하시오.

해법코드
- $(ax+b)(cx+d)$
  $=acx^2+(ad+bc)x+bd$

셀파 곱셈 공식을 이용하여 좌변을 전개한 후 우변과 비교한다.

풀이 $(3x+Ay)(2x+3y)=(3\times 2)x^2+(3\times 3y+Ay\times 2)x+Ay\times 3y$
$=6x^2+(9+2A)xy+3Ay^2$

$6x^2+(9+2A)xy+3Ay^2=6x^2-xy+By^2$에서

$9+2A=-1$, $3A=B$ $\quad\therefore A=-5,\ B=-15$

$\therefore A-B=-5-(-15)=-5+15=$**10**

$9+2A=-1$에서
$2A=-10 \quad \therefore A=-5$
$3A=B$에서 $3\times(-5)=B$
$\therefore B=-15$

확인 05 $(3x-5)(4x+A)=12x^2+Bx-35$일 때, 상수 A, B에 대하여 $A+B$의 값을 구하시오.

» My 셀파
곱셈 공식
$(ax+b)(cx+d)$
$=acx^2+(ad+bc)x+bd$
를 이용하여 좌변을 전개한다.

기본 06 곱셈 공식 종합

다음 중 옳은 것을 모두 고르면? (정답 2개)

① $(3x+2y)^2=9x^2+4y^2$
② $(5x-3)^2=25x^2-30x+9$
③ $(-3+2x)(-3-2x)=-9-4x^2$
④ $(x+1)(x-5)=x^2+4x-5$
⑤ $(2x+1)(3x-1)=6x^2+x-1$

해법코드
- $(a+b)^2=a^2+2ab+b^2$
- $(a-b)^2=a^2-2ab+b^2$
- $(a+b)(a-b)=a^2-b^2$
- $(x+a)(x+b)$
  $=x^2+(a+b)x+ab$
- $(ax+b)(cx+d)$
  $=acx^2+(ad+bc)x+bd$

셀파 곱셈 공식을 이용하여 식을 전개한다.

풀이 ① $(3x+2y)^2=(3x)^2+2\times 3x\times 2y+(2y)^2=9x^2+12xy+4y^2$

② $(5x-3)^2=(5x)^2-2\times 5x\times 3+3^2=25x^2-30x+9$

③ $(-3+2x)(-3-2x)=(-3)^2-(2x)^2=9-4x^2$

④ $(x+1)(x-5)=x^2+\{1+(-5)\}x+1\times(-5)=x^2-4x-5$

⑤ $(2x+1)(3x-1)=(2\times 3)x^2+\{2\times(-1)+1\times 3\}x+1\times(-1)=6x^2+x-1$

따라서 옳은 것은 ②, ⑤이다.

확인 06 다음 중 □ 안에 들어갈 수가 가장 큰 것은?

① $(-x-4y)^2=x^2+8xy+\square y^2$
② $(-2x+1)^2=\square x^2-4x+1$
③ $(-x+3)(-x-3)=x^2-\square$
④ $(x-4)(x-6)=x^2-\square x+24$
⑤ $(2x-1)(3x+2)=6x^2+\square x-2$

» My 셀파
좌변을 곱셈 공식을 이용하여 전개한다.

기본 07 곱셈 공식과 도형의 넓이 (1)

오른쪽 그림과 같이 가로의 길이가 $6x$, 세로의 길이가 $3x$인 직사각형에서 가로의 길이는 5만큼 늘이고, 세로의 길이는 2만큼 줄였다. 이때 색칠한 직사각형의 넓이를 구하시오.

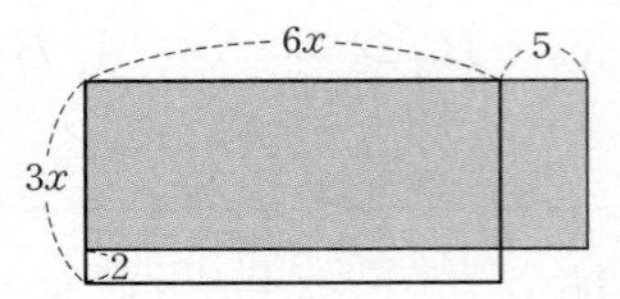

해법코드

곱셈 공식을 이용하여 직사각형의 넓이 구하기

1. 가로, 세로의 길이를 각각 문자를 사용하여 나타낸다.
2. 직사각형의 넓이를 구하는 식을 세운 후 곱셈 공식을 이용하여 전개한다.

셀파 (직사각형의 넓이)=(가로의 길이)×(세로의 길이)

풀이 색칠한 직사각형의 가로의 길이는 $6x+5$, 세로의 길이는 $3x-2$이다.

∴ (색칠한 직사각형의 넓이)$=(6x+5)(3x-2)$

$=(6\times3)x^2+\{6\times(-2)+5\times3\}x+5\times(-2)$

$=\mathbf{18x^2+3x-10}$

확인 07 오른쪽 그림과 같이 한 변의 길이가 x인 정사각형에서 가로의 길이를 4만큼 줄이고, 세로의 길이를 2만큼 늘여서 만든 직사각형의 넓이를 구하시오.

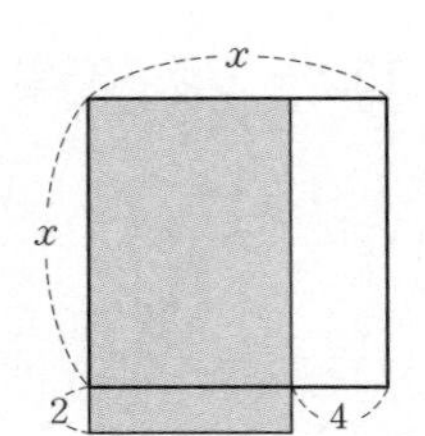

» My 셀파

새로 만든 직사각형의 가로의 길이와 세로의 길이를 각각 문자를 사용하여 나타낸다.

기본 08 곱셈 공식과 도형의 넓이 (2)

오른쪽 그림은 가로, 세로의 길이가 각각 $4x$ m, $(3x-2)$ m인 직사각형 모양의 땅에 폭이 2 m인 길을 낸 것이다. 길을 제외한 땅의 넓이를 구하시오.

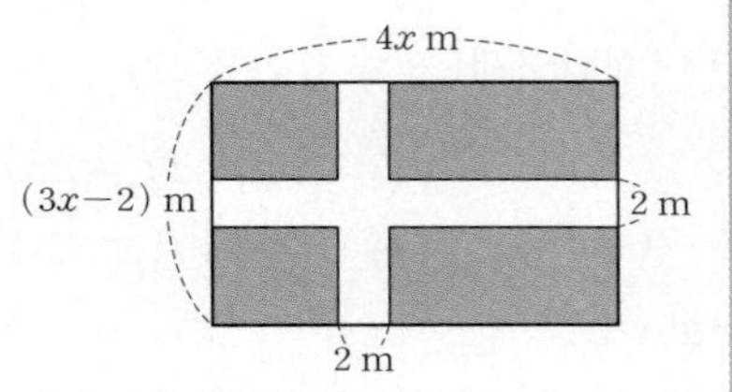

해법코드

일정한 간격만큼 떨어져 있는 도형의 넓이는 떨어져 있는 도형을 이동하여 붙여서 생각한다.

셀파 길로 나누어진 네 직사각형을 붙인다.

풀이 길로 나누어진 네 직사각형을 붙이면 오른쪽 그림과 같이 직사각형이 된다.

이때 길을 제외한 땅은 가로의 길이가 $(4x-2)$ m, 세로의 길이가 $(3x-2)-2=3x-4$ (m)인 직사각형이다.

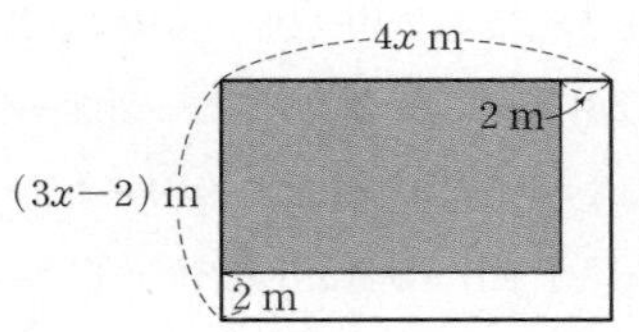

∴ (길을 제외한 땅의 넓이)$=(4x-2)(3x-4)$

$=12x^2+(-16-6)x+8$

$=\mathbf{12x^2-22x+8}$

확인 08 오른쪽 그림과 같이 가로, 세로의 길이가 각각 $6x$ m, $4x$ m인 직사각형 모양의 화단에 폭이 3 m인 길을 만들었다. 길을 제외한 화단의 넓이를 구하시오.

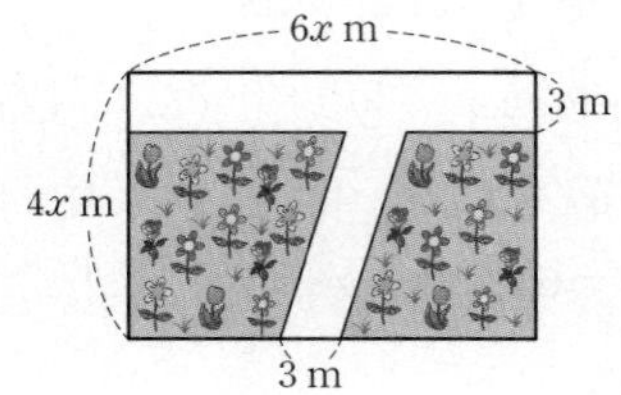

» My 셀파

길을 제외한 화단을 이동하여 붙여 생각한다.

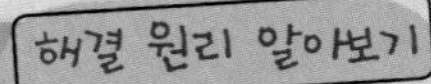

치환을 이용한 복잡한 식의 전개

Q 곱셈 공식을 바로 적용할 수 없는 복잡한 식의 전개는 어떻게 해야 할까?

A 분배법칙을 이용해야 한다. 이때 전개해야 할 식에 공통부분이 있으면 공통부분을 한 문자로 치환하여 간단하게 전개할 수 있다.

> **용어 click**
> **치환** 두다 치(置), 바꾸다 환(換)으로, 계산을 편하게 하기 위해 바꾸어 놓은 것을 뜻한다.

1 공통부분이 있는 식의 전개

1 공통부분을 한 문자로 치환한 후 곱셈 공식을 이용하여 전개한다.
2 치환한 문자에 원래의 식을 대입하여 정리한다.

보기

$(a+b-1)(a+b+2)$를 전개하시오.

풀이 $a+b=A$로 놓으면

$(a+b-1)(a+b+2)=(A-1)(A+2)$

$=A^2+A-2$

$=(a+b)^2+(a+b)-2$ ← A 대신 $a+b$를 대입한다.

$=\boldsymbol{a^2+2ab+b^2+a+b-2}$

> **다른 풀이**
> 다음과 같이 분배법칙을 이용하여 전개할 수도 있다.
> $(a+b-1)(a+b+2)$
> $=a(a+b+2)+b(a+b+2)$
> $\quad-(a+b+2)$
> $=a^2+ab+2a+ab+b^2+2b$
> $\quad-a-b-2$
> $=a^2+2ab+b^2+a+b-2$

2 공통부분이 없는 ( )( )( )( ) 꼴의 전개

1 공통부분이 나오도록 두 개씩 짝을 지어 전개한다.
2 공통부분을 한 문자로 치환하여 전개한다.

보기

$(x-1)(x-2)(x+3)(x+4)$를 전개하시오.

풀이 $(x-1)(x-2)(x+3)(x+4)=$ ㉠ $\{(x-1)(x+3)\}\{(x-2)(x+4)\}$

$=(x^2+2x-3)(x^2+2x-8)$

$x^2+2x=A$로 놓으면

(주어진 식)$=(A-3)(A-8)$

$=A^2-11A+24$

$=(x^2+2x)^2-11(x^2+2x)+24$ ← A 대신 x^2+2x를 대입한다.

$=x^4+4x^3+4x^2-11x^2-22x+24$

$=\boldsymbol{x^4+4x^3-7x^2-22x+24}$

> ㉠ 상수항의 합이 2로 같아지도록 일차식을 두 개씩 짝 지었다. 즉 $-1+3=2$, $-2+4=2$

참고 $(x+a)(x+b)(x+c)(x+d)$에서 상수항의 합 또는 곱이 같아지도록 일차식을 두 개씩 짝 지어야 공통부분이 생긴다.

복잡한 다항식의 곱셈에서 각 다항식에 공통부분이 있으면 공통부분을 문자 A로 치환하여 식을 전개한다.

발전 09 공통부분이 있을 때의 전개

$(x+3y-2)(x-3y-2)$를 전개하시오.

해법코드

주어진 식에서 공통부분을 한 문자로 치환한 후, 곱셈 공식을 이용하여 전개한다.

셀파 $x+3y-2$와 $x-3y-2$의 공통부분은 $x-2$이다.

풀이 ㉠ $(x+3y-2)(x-3y-2)=(x-2+3y)(x-2-3y)$

$x-2=A$로 놓으면

(주어진 식) $=(A+3y)(A-3y)=A^2-9y^2$ ← A 대신 $x-2$를 대입한다.

$=(x-2)^2-9y^2$

$=x^2-4x+4-9y^2$

㉡ $=\boldsymbol{x^2-9y^2-4x+4}$

㉠ 교환법칙을 이용하여 공통부분인 $x-2$가 잘 나타나도록 한다.

㉡ 보통 차수가 큰 항부터 차례대로 쓴다. 그러나 차수가 큰 항부터 차례대로 쓰지 않아도 틀린 것은 아니다.

확인 09 다음 식을 전개하시오.

(1) $(2x+y+1)(3x+y+1)$

(2) $(1-x-y)(1+x+y)$

» My 셀파

(1) $y+1$이 공통부분이다.

(2) $1-x-y=1-(x+y)$이므로 $x+y$가 공통부분이다.

발전 10 ( )( )( )( ) 꼴의 전개

$(x+3)(x+5)(x-1)(x-3)$을 전개하시오.

해법코드

네 개의 일차식의 곱에서 공통부분이 나올 수 있도록 일차식을 두 개씩 짝 지어 전개한다.

셀파 상수항의 합이 같아지도록 일차식을 두 개씩 짝 지어 전개한다.

풀이 $(x+3)(x+5)(x-1)(x-3)=\{(x+3)(x-1)\}\{(x+5)(x-3)\}$

(상수항의 합: $3+(-1)=2$, 상수항의 합: $5+(-3)=2$)

$=(x^2+2x-3)(x^2+2x-15)$

$x^2+2x=A$로 놓으면

(주어진 식) $=(A-3)(A-15)=A^2-18A+45$ ← A 대신 x^2+2x를 대입한다.

$=(x^2+2x)^2-18(x^2+2x)+45$

$=x^4+4x^3+4x^2-18x^2-36x+45$

$=\boldsymbol{x^4+4x^3-14x^2-36x+45}$

x의 계수가 1인 네 일차식의 곱이니까 두 개씩 짝 지어 전개하면 이차항은 x^2이군!

그럼, x의 계수나 상수항이 같게 나오도록 짝 지으면 되겠어.

참고 $(x+3)(x+5)(x-1)(x-3)$에서 상수항의 합이 같아지도록 일차식을 두 개씩 짝 지어 전개하면 공통부분이 나온다. 즉 $3, 5, -1, -3$ 중에서 $3+(-1)=5+(-3)=2$이므로 $x+3$과 $x-1$을 짝 짓고, $x+5$와 $x-3$을 짝 지어 전개하면 공통부분은 x^2+2x이다.

확인 10 $(x+1)(x+2)(x-2)(x-3)=x^4+ax^3+bx^2+cx+d$일 때, $a-b+c-d$의 값을 구하시오. (단, a, b, c, d는 상수)

» My 셀파

상수항의 합이 같아지도록 일차식을 두 개씩 짝 지어 전개한다.

실력 키우기

빠른 정답 222쪽 | 정답과 해설 27쪽

01 다항식과 다항식의 곱셈

$(x-y+1)(3x+ay+2)$의 전개식에서 xy의 계수가 -8일 때, 상수 a의 값을 구하시오.

02 곱셈 공식 ① - $(a+b)^2$, $(a-b)^2$ 꼴

$(5x+A)^2=25x^2+Bx+4$일 때, 양수 A, B에 대하여 $A+B$의 값을 구하시오.

03 곱셈 공식 ② - $(a+b)(a-b)$ 꼴

다음 중 $(a+3b)(a-3b)$와 전개식이 같은 것은?

① $(a+3b)(-a-3b)$
② $(3b+a)(3b-a)$
③ $(-a+3b)(a+3b)$
④ $(-a+3b)(-a-3b)$
⑤ $(3b-a)(-3b+a)$

04 곱셈 공식 ② - $(a+b)(a-b)$ 꼴 서술형

$(x-2)(x+2)(x^2+4)(x^4+16)=x^a+b$일 때, 상수 a, b의 값을 각각 구하시오.

05 곱셈 공식 ③ - 일차항의 계수가 1인 두 일차식의 곱

다음 중 □ 안에 알맞은 수가 나머지 넷과 다른 하나는?

① $(x+3)(x-5)=x^2-\square x-15$
② $(x-6)(x+4)=x^2-\square x-24$
③ $(x+6)\left(x-\frac{1}{3}\right)=x^2+\frac{17}{3}x-\square$
④ $(x+2y)(x-4y)=x^2-\square xy-8y^2$
⑤ $\left(-x+\frac{3}{4}y\right)\left(-x+\frac{1}{4}y\right)=x^2-\square xy+\frac{3}{16}y^2$

06 곱셈 공식 ③ - 일차항의 계수가 1인 두 일차식의 곱

$(x+a)(x+b)=x^2+cx+10$일 때, 다음 중 c의 값이 될 수 없는 것은? (단, a, b, c는 정수)

① -11 ② -7 ③ -3
④ 7 ⑤ 11

07 곱셈 공식 ④ – 일차항의 계수가 1이 아닌 두 일차식의 곱 (서술형)

$(2x+a)(3x-8)$을 전개한 식에서 x의 계수가 상수항보다 6만큼 크다고 할 때, 상수 a의 값을 구하시오.

08 곱셈 공식 종합

다음 식을 전개하였을 때, x의 계수가 가장 큰 것은?

① $(1+3x)^2$ ② $(2x-3)^2$
③ $(5x+7)(-5x+7)$ ④ $(x+9)(x-2)$
⑤ $(3x-2)(5x+1)$

09 곱셈 공식 종합

$2(x+1)^2-(x-1)(2x+3)$을 계산하시오.

10 곱셈 공식 종합

오른쪽 그림에서 세 직사각형의 넓이 P, Q, R의 관계를 이용하여 설명할 수 있는 곱셈 공식은?

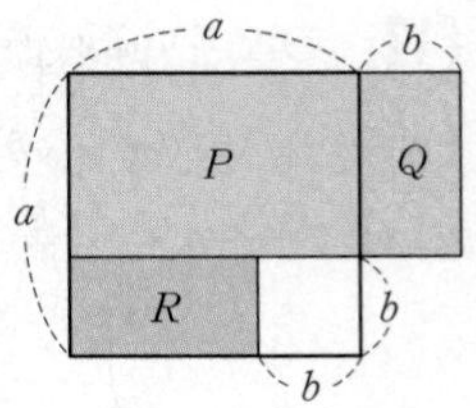

① $(a+b)^2=a^2+2ab+b^2$
② $(a-b)^2=a^2-2ab+b^2$
③ $(a+b)(a-b)=a^2-b^2$
④ $(x+a)(x+b)=x^2+(a+b)x+ab$
⑤ $(ax+b)(cx+d)=acx^2+(ad+bc)x+bd$

11 곱셈 공식과 도형의 넓이 (1)

오른쪽 그림과 같이 가로, 세로의 길이가 각각 $3x+4$, $2x-1$이고 높이가 $2x+1$인 직육면체의 겉넓이를 구하시오.

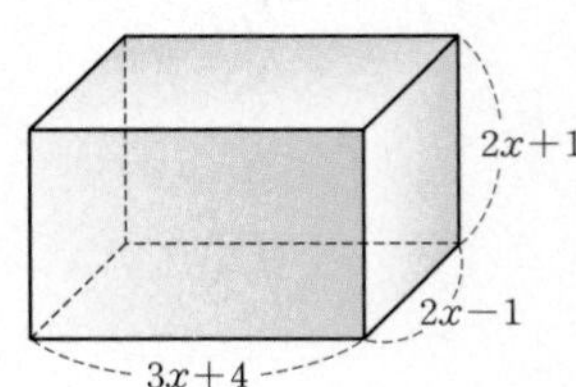

12 곱셈 공식과 도형의 넓이 (2)

오른쪽 그림은 한 변의 길이가 x인 정사각형을 대각선을 따라 자른 후 직각이등변삼각형 2개를 떼어 낸 도형이다. 색칠한 부분의 넓이는?

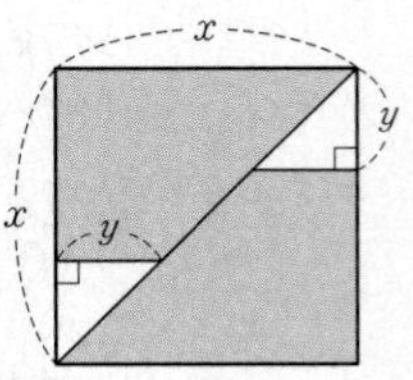

① $x^2+2xy+y^2$ ② $x^2-2xy+y^2$
③ x^2-2y^2 ④ x^2-y^2
⑤ $x^2-\frac{1}{2}y^2$

13 치환을 이용한 식의 전개

다음 식을 전개하시오.

(1) $(-x+y-5)(2x-y+5)$

(2) $(x-3y+2)^2$

14 ( )( )( )( ) 꼴의 전개 (서술형)

$x^2+5x-7=0$일 때,
$(x+1)(x+2)(x+3)(x+4)$의 값을 구하시오.

15 곱셈 공식 ③ – 일차항의 계수가 1인 두 일차식의 곱 (서술형)

$(x-3)(x+8)$을 전개하는데 지훈이는 8을 A로 잘못 보아서 x^2-B로 전개하였고, 아영이는 -3을 C로 잘못 보아서 x^2-x+D로 전개하였다. 상수 A, B, C, D에 대하여 $A+B+C-D$의 값을 구하시오.

16 곱셈 공식 종합 (창의·융합)

다음과 같이 사다리를 타는 방법에 따라 식을 계산하려고 한다. ㉠, ㉡에 알맞은 식을 구하시오.

〈사다리 타는 방법〉
A, B, C 각각에서 출발하여 선을 따라 내려가다가 옆으로 그려진 선을 만나면 그 선을 따라 이동하면서 괄호에 그때까지 구한 식을 대입하여 계산한 결과를 마지막 칸에 쓴다.
예 B에서 출발하는 경우
$(2a^2\div a)\times(x-2y)=2a(x-2y)=2ax-4ay$

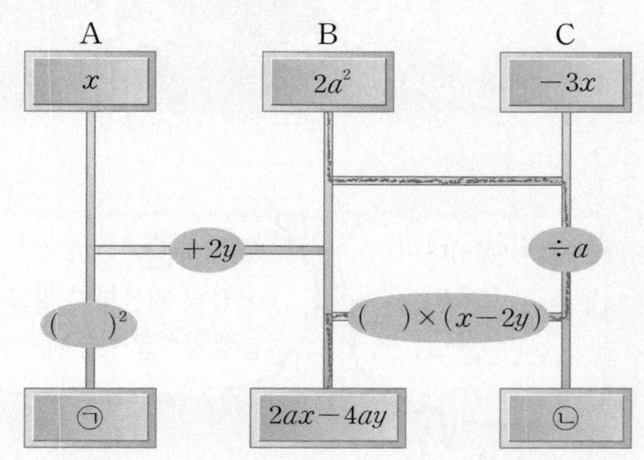

17 곱셈 공식 종합 (융합형)

다음 전개도를 접어서 만든 정육면체에서 서로 마주 보는 면에 적혀 있는 두 일차식의 곱을 각각 A, B, C라 할 때, $A+B+C$를 구하시오.

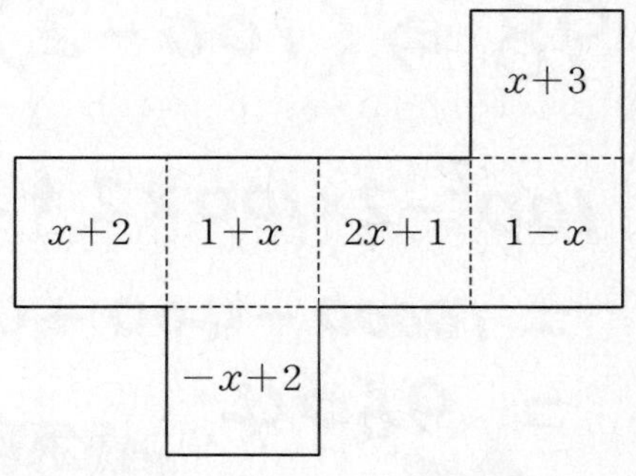

와, 사람이 엄청
많이 모였네.
몇 명이나 될까?

나는 가로줄을
세어 볼께.
너는 세로줄을
세어 봐.
가로줄 98명!
...
세로줄도 98명!

98×98이면…
98
×98
4
98의 제곱이니까
어렵게 계산하지 말고
곱셈 공식을 이용해.

제곱을 쉽게 계산하는
공식이 발명됐다는
말이야?
$(a-b)^2 = a^2-2ab+b^2$
오~

$98^2 \Rightarrow (100-2)^2$
a b
$100^2-2\times100\times2+2^2$
$=10000-400+4$
$=9604$
짜잔

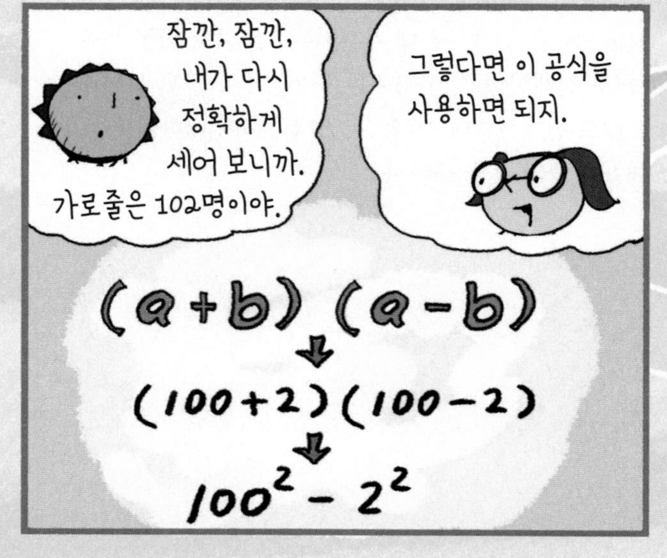
잠깐, 잠깐,
내가 다시
정확하게
세어 보니까.
가로줄은 102명이야.
그렇다면 이 공식을
사용하면 되지.
$(a+b)(a-b)$
$(100+2)(100-2)$
100^2-2^2

Ⅱ | 다항식의 곱셈과 인수분해

곱셈 공식의 활용

곱셈 공식의 활용

1 곱셈 공식을 이용한 수의 계산

(1) 수의 제곱의 계산

$(a+b)^2=a^2+2ab+b^2$ 또는 $(a-b)^2=a^2-2ab+b^2$을 이용한다.

예 $101^2=(100+\square)^2=100^2+2\times100\times1+1^2=10201$ 1

$99^2=(\square-1)^2=100^2-2\times100\times1+1^2=9801$ 100

(2) 두 수의 곱의 계산

$(a+b)(a-b)=a^2-b^2$ 또는 $(x+a)(x+b)=x^2+(a+b)x+ab$를 이용한다.

예 $102\times98=(100+2)(100-\square)=100^2-2^2=9996$ 2

$101\times103=(100+1)(100+3)=100^2+(1+\square)\times100+1\times3=10403$ 3

개념 다시 보기

곱셈 공식

① $(a+b)^2=a^2+2ab+b^2$

$(a-b)^2=a^2-2ab+b^2$

② $(a+b)(a-b)=a^2-b^2$

③ $(x+a)(x+b)$

$=x^2+(a+b)x+ab$

④ $(ax+b)(cx+d)$

$=acx^2+(ad+bc)x+bd$

보기 곱셈 공식을 이용하여 다음을 계산하시오.

(1) 97^2 (2) 62×58

풀이 (1) $97^2=(100-3)^2=100^2-2\times100\times3+3^2=10000-600+9=\mathbf{9409}$

(2) $62\times58=(60+2)(60-2)=60^2-2^2=3600-4=\mathbf{3596}$

$97^2=(90+7)^2=90^2+2\times90\times7+7^2=8100+1260+49=9409$ 와 같이 계산할 수도 있어.

$(100-3)^2$으로 계산하는 것보다 복잡해.

그래서 곱셈 공식을 이용한 수의 계산에서 a, b, x의 값은 계산이 편리한 수로 정하면 좋아.

2 곱셈 공식을 이용한 무리수의 계산

$\sqrt{\ }$를 x와 같은 문자로 생각하고 곱셈 공식을 이용한다.

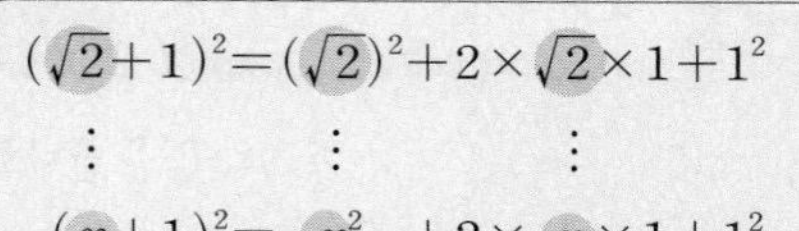

$(\sqrt{2}+1)^2=(\sqrt{2})^2+2\times\sqrt{2}\times1+1^2$

$(x+1)^2=x^2+2\times x\times1+1^2$

① $(\sqrt{a}+\sqrt{b})^2=a+\square\sqrt{ab}+b$ 2

② $(\sqrt{a}-\sqrt{b})^2=a-2\sqrt{ab}+b$

③ $(\sqrt{a}+\sqrt{b})(\sqrt{a}-\sqrt{b})=a-\square$ b

설명

① $(\sqrt{a}+\sqrt{b})^2$

$=(\sqrt{a})^2+2\times\sqrt{a}\times\sqrt{b}+(\sqrt{b})^2$

$=a+2\sqrt{ab}+b$

② $(\sqrt{a}-\sqrt{b})^2$

$=(\sqrt{a})^2-2\times\sqrt{a}\times\sqrt{b}+(\sqrt{b})^2$

$=a-2\sqrt{ab}+b$

③ $(\sqrt{a}+\sqrt{b})(\sqrt{a}-\sqrt{b})$

$=(\sqrt{a})^2-(\sqrt{b})^2$

$=a-b$

보기 다음을 계산하시오.

(1) $(\sqrt{3}+\sqrt{2})^2$ (2) $(\sqrt{3}-\sqrt{2})^2$ (3) $(\sqrt{3}+\sqrt{2})(\sqrt{3}-\sqrt{2})$

풀이 (1) $(\sqrt{3}+\sqrt{2})^2=(\sqrt{3})^2+2\times\sqrt{3}\times\sqrt{2}+(\sqrt{2})^2=3+2\sqrt{6}+2=\mathbf{5+2\sqrt{6}}$

(2) $(\sqrt{3}-\sqrt{2})^2=(\sqrt{3})^2-2\times\sqrt{3}\times\sqrt{2}+(\sqrt{2})^2=3-2\sqrt{6}+2=\mathbf{5-2\sqrt{6}}$

(3) $(\sqrt{3}+\sqrt{2})(\sqrt{3}-\sqrt{2})=(\sqrt{3})^2-(\sqrt{2})^2=3-2=\mathbf{1}$

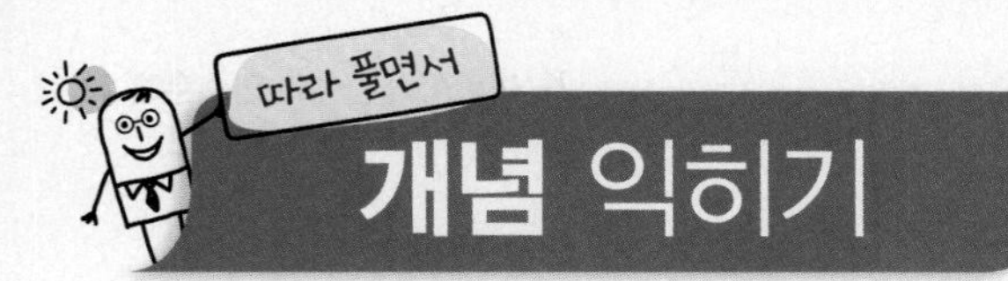

빠른 정답 223쪽 | 정답과 해설 29쪽

| 개념 체크 |

1-1 곱셈 공식을 이용한 수의 계산

곱셈 공식을 이용하여 다음을 계산하시오.

(1) 51^2 (2) 95^2

(3) 63×57 (4) 31×33

셀파 가장 편리한 곱셈 공식을 찾아 이용한다.

연구 (1) $51^2=(50+\square)^2=2500+100+\square=\square$

(2) $95^2=(100-\square)^2=10000-\square+25$
$=\square$

(3) $63\times57=(\square+3)(\square-3)$
$=\square-9=\square$

(4) $31\times33=(\square+1)(\square+3)$
$=\square+120+3=\square$

2-1 곱셈 공식을 이용한 무리수의 계산

다음을 계산하시오.

(1) $(5-\sqrt{2})^2$ (2) $(3-2\sqrt{2})(3+2\sqrt{2})$

(3) $(\sqrt{2}+2)(\sqrt{2}-3)$ (4) $(\sqrt{6}+4)(2\sqrt{6}-3)$

셀파 제곱근을 문자로 생각하고 곱셈 공식을 이용한다.

연구 (1) $(5-\sqrt{2})^2=5^2-2\times5\times\sqrt{2}+(\square)^2=\square$

(2) $(3-2\sqrt{2})(3+2\sqrt{2})=3^2-(\square)^2=\square$

(3) $(\sqrt{2}+2)(\sqrt{2}-3)$
$=(\sqrt{2})^2+\{2+(\square)\}\sqrt{2}+2\times(\square)$
$=\square$

(4) $(\sqrt{6}+4)(2\sqrt{6}-3)$
$=(1\times2)(\sqrt{6})^2+\{1\times(-3)+\square\times2\}\sqrt{6}$
$+\square\times(-3)$
$=\square$

| 따라 풀기 |

1-2 다음을 계산할 때 이용하면 가장 편리한 곱셈 공식을 아래 보기에서 찾고, 그 곱셈 공식을 이용하여 계산하시오.

| 보기 |

㉠ $(a+b)^2=a^2+2ab+b^2$
㉡ $(a-b)^2=a^2-2ab+b^2$
㉢ $(a+b)(a-b)=a^2-b^2$
㉣ $(x+a)(x+b)=x^2+(a+b)x+ab$

(1) 48^2 (2) 72^2

(3) 91×89 (4) 103×108

2-2 다음을 계산하시오.

(1) $(\sqrt{2}+4)^2$

(2) $(\sqrt{3}-\sqrt{6})^2$

(3) $(3\sqrt{5}+6)(3\sqrt{5}-6)$

(4) $(\sqrt{3}+\sqrt{2})(\sqrt{3}+3\sqrt{2})$

(5) $(\sqrt{5}-2\sqrt{2})(3\sqrt{5}+\sqrt{2})$

• **수의 계산** $(a+b)^2=a^2+2ab+b^2$, $(a-b)^2=a^2-2ab+b^2$, $(a+b)(a-b)=a^2-b^2$에서 a에 해당하는 수를 10의 배수가 되게 하면 계산하기 쉽다.
• **무리수의 계산** $\sqrt{\ }$를 x와 같은 문자로 생각하고 곱셈 공식을 이용한다.

3 곱셈 공식을 이용한 분모의 유리화

분모가 두 수의 합 또는 차로 되어 있는 무리수일 때, 곱셈 공식 $(a+b)(a-b)=$ [ ] 을 이용하여 ㉠분모를 유리화한다. a^2-b^2

$b>0$이고 a, b는 유리수, c는 실수일 때

① $\dfrac{c}{a+\sqrt{b}}=\dfrac{c(a-\sqrt{b})}{(a+\sqrt{b})(a-\sqrt{b})}=\dfrac{ac-c\sqrt{b}}{a^2-b}$ (단, $a\neq\sqrt{b}$)

부호 반대

② $\dfrac{c}{\sqrt{a}+\sqrt{b}}=\dfrac{c(\sqrt{a}-\sqrt{b})}{(\sqrt{a}+\sqrt{b})(\sqrt{a}-\sqrt{b})}=\dfrac{c\sqrt{a}-c\sqrt{b}}{a-\square}$ (단, $a>0$, $a\neq b$) b

부호 반대

예 $\dfrac{1}{\sqrt{3}+\sqrt{2}}=\dfrac{(\sqrt{3}-\sqrt{2})}{(\sqrt{3}+\sqrt{2})(\square)}=\dfrac{\sqrt{3}-\sqrt{2}}{3-2}=\sqrt{3}-\sqrt{2}$ $\sqrt{3}-\sqrt{2}$

참고 분모의 형태에 따라 분모를 유리화하기 위해 분모, 분자에 곱하는 무리수는 다음과 같다.

분모	분모, 분자에 곱해야 하는 수
$\sqrt{a}+\sqrt{b}$	$\sqrt{a}-\sqrt{b}$
$\sqrt{a}-\sqrt{b}$	$\sqrt{a}+\sqrt{b}$
$a+\sqrt{b}$	$a-\sqrt{b}$
$a-\sqrt{b}$	$a+\sqrt{b}$
$-\sqrt{a}+\sqrt{b}$	$-\sqrt{a}-\sqrt{b}$
$-\sqrt{a}-\sqrt{b}$	$-\sqrt{a}+\sqrt{b}$

(단, $a>0$, $b>0$)

● 분모가 $-\sqrt{a}+\sqrt{b}$인 경우, 순서를 바꾸어 $\sqrt{b}-\sqrt{a}$로 생각해서 $\sqrt{b}+\sqrt{a}$를 분모, 분자에 곱해도 된다.

보기 다음 수의 분모를 유리화하시오.

(1) $\dfrac{1}{\sqrt{5}+\sqrt{3}}$ (2) $\dfrac{\sqrt{3}}{\sqrt{2}-1}$

풀이 (1) $\dfrac{1}{\sqrt{5}+\sqrt{3}}=\dfrac{\sqrt{5}-\sqrt{3}}{(\sqrt{5}+\sqrt{3})(\sqrt{5}-\sqrt{3})}=\dfrac{\sqrt{5}-\sqrt{3}}{(\sqrt{5})^2-(\sqrt{3})^2}=\dfrac{\sqrt{5}-\sqrt{3}}{5-3}=\mathbf{\dfrac{\sqrt{5}-\sqrt{3}}{2}}$

(2) $\dfrac{\sqrt{3}}{\sqrt{2}-1}=\dfrac{\sqrt{3}(\sqrt{2}+1)}{(\sqrt{2}-1)(\sqrt{2}+1)}=\dfrac{\sqrt{3}\times\sqrt{2}+\sqrt{3}\times1}{(\sqrt{2})^2-1^2}=\dfrac{\sqrt{6}+\sqrt{3}}{2-1}=\mathbf{\sqrt{6}+\sqrt{3}}$

㉠ 분모의 유리화: 분수의 분모가 근호가 있는 무리수일 때, 분모를 유리수로 고치는 것
⇨ $a>0$, $b>0$일 때
$\dfrac{\sqrt{b}}{\sqrt{a}}=\dfrac{\sqrt{b}\times\sqrt{a}}{\sqrt{a}\times\sqrt{a}}=\dfrac{\sqrt{ab}}{a}$

4 곱셈 공식의 변형

(1) 곱셈 공식의 변형

① $(a+b)^2=a^2+2ab+b^2$ ⇨ $a^2+b^2=(a+b)^2-2ab$ (이항)

② $(a-b)^2=a^2-2ab+b^2$ ⇨ $a^2+b^2=(a-b)^2\square 2ab$ (이항) $+$

③ $(a+b)^2=(a-b)^2+\square$ ㉡ $4ab$

④ $(a-b)^2=(a+b)^2-4ab$

(2) ㉢두 수의 곱이 1인 식의 변형

① $a^2+\dfrac{1}{a^2}=\left(a+\dfrac{1}{a}\right)^2-\square$ ② $a^2+\dfrac{1}{a^2}=\left(a-\dfrac{1}{a}\right)^2+2$ 2

③ $\left(a+\dfrac{1}{a}\right)^2=\left(a-\dfrac{1}{a}\right)^2+4$ ④ $\left(a-\dfrac{1}{a}\right)^2=\left(a+\dfrac{1}{a}\right)^2-\square$ 4

㉡ $a^2+b^2=(a+b)^2-2ab$, $a^2+b^2=(a-b)^2+2ab$이므로
$(a+b)^2-2ab$
$=(a-b)^2+2ab$
$\therefore (a+b)^2=(a-b)^2+4ab$,
$(a-b)^2=(a+b)^2-4ab$

㉢ (1) 곱셈 공식의 변형의 식에 b 대신 $\dfrac{1}{a}$을 대입하면 된다.
⇨ $a^2+b^2=(a+b)^2-2ab$에 b 대신 $\dfrac{1}{a}$을 대입하면
$a^2+\dfrac{1}{a^2}$
$=\left(a+\dfrac{1}{a}\right)^2-2a\times\dfrac{1}{a}$
$=\left(a+\dfrac{1}{a}\right)^2-2$

보기 $a+b=2$, $ab=1$일 때, a^2+b^2의 값을 구하시오.

풀이 $a^2+b^2=(a+b)^2-2ab=2^2-2\times1=4-2=\mathbf{2}$

빠른 정답 223쪽 | 정답과 해설 30쪽

| 개념 체크 |

3-1 곱셈 공식을 이용한 분모의 유리화

다음 수의 분모를 유리화하시오.

(1) $\dfrac{\sqrt{2}}{\sqrt{6}+2}$ (2) $\dfrac{\sqrt{5}+\sqrt{2}}{\sqrt{5}-\sqrt{2}}$

셀파 $(a+b)(a-b)=a^2-b^2$을 이용하여 분모를 유리화한다.

연구 (1) $\dfrac{\sqrt{2}}{\sqrt{6}+2}=\dfrac{\sqrt{2}\times(\square)}{(\sqrt{6}+2)\times(\sqrt{6}-2)}$

$=\dfrac{\square-2\sqrt{2}}{2}=\square$

(2) $\dfrac{\sqrt{5}+\sqrt{2}}{\sqrt{5}-\sqrt{2}}=\dfrac{(\sqrt{5}+\sqrt{2})\times(\square)}{(\sqrt{5}-\sqrt{2})\times(\square)}$

$=\dfrac{\square}{3}$

4-1 곱셈 공식의 변형

$a+b=3$, $ab=2$일 때, 다음 식의 값을 구하시오.

(1) a^2+b^2 (2) $(a-b)^2$

셀파 $a+b$와 ab의 값을 쓸 수 있도록 주어진 식을 변형한다.

연구 (1) $a^2+b^2=(a+b)^2-\square$

$=9-\square=\square$

(2) $(a-b)^2=(a+b)^2-\square$

$=9-\square=\square$

| 따라 풀기 |

3-2 다음 수의 분모를 유리화하시오.

(1) $\dfrac{1}{1-\sqrt{6}}$

(2) $\dfrac{\sqrt{5}}{\sqrt{10}+3}$

(3) $\dfrac{\sqrt{2}}{\sqrt{3}-\sqrt{2}}$

(4) $\dfrac{\sqrt{7}+\sqrt{3}}{\sqrt{7}-\sqrt{3}}$

(5) $\dfrac{2-\sqrt{2}}{3+2\sqrt{2}}$

4-2 $a+b=5$, $ab=-4$일 때, 다음 식의 값을 구하시오.

(1) a^2+b^2 (2) $(a-b)^2$

4-3 $a-b=4$, $ab=2$일 때, 다음 식의 값을 구하시오.

(1) a^2+b^2 (2) $(a+b)^2$

• **곱셈 공식을 이용한 분모의 유리화**
분모가 2개의 항으로 되어 있는 무리수일 때는 곱셈 공식 $(a+b)(a-b)=a^2-b^2$을 이용하여 분모를 유리화한다.

• **곱셈 공식의 변형** ① $a^2+b^2=(a+b)^2-2ab$ ② $a^2+b^2=(a-b)^2+2ab$

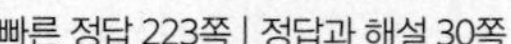

빠른 정답 223쪽 | 정답과 해설 30쪽

기본 01 곱셈 공식을 이용한 수의 계산

곱셈 공식을 이용하여 4.8×5.2를 계산하려고 할 때, 다음 중 가장 편리한 곱셈 공식은?

① $(a+b)^2=a^2+2ab+b^2$
② $(a-b)^2=a^2-2ab+b^2$
③ $(a+b)(a-b)=a^2-b^2$
④ $(x+a)(x+b)=x^2+(a+b)x+ab$
⑤ $(ax+b)(cx+d)=acx^2+(ad+bc)x+bd$

해법코드

수의 제곱의 계산
$(a+b)^2=a^2+2ab+b^2$ 또는 $(a-b)^2=a^2-2ab+b^2$을 이용
두 수의 곱의 계산
$(a+b)(a-b)=a^2-b^2$ 또는 $(x+a)(x+b)$
$=x^2+(a+b)x+ab$를 이용

셀파 소수를 계산할 때는 정수를 이용한다.

풀이 $4.8\times5.2=(5-0.2)(5+0.2)=5^2-0.2^2$
$=25-0.04=24.96$
따라서 ③ $(a+b)(a-b)=a^2-b^2$을 이용하는 것이 가장 편리하다.

확인 01 다음 중 주어진 수의 계산을 가장 편리하게 하기 위하여 이용하는 곱셈 공식의 연결이 옳지 않은 것은?

① 502^2 ⇨ $(a+b)^2=a^2+2ab+b^2$
② 9.8^2 ⇨ $(a-b)^2=a^2-2ab+b^2$
③ 105×98 ⇨ $(a+b)(a-b)=a^2-b^2$
④ 6.1×6.8 ⇨ $(x+a)(x+b)=x^2+(a+b)x+ab$
⑤ 298×302 ⇨ $(a+b)(a-b)=a^2-b^2$

» My 셀파
정수를 계산할 때는 10의 배수를 이용하고, 소수를 계산할 때는 정수를 이용한다.

기본 02 곱셈 공식을 이용한 무리수의 계산

$(3\sqrt{2}+2\sqrt{3})^2$을 계산하면 $a+b\sqrt{6}$일 때, $a+b$의 값을 구하시오. (단, a, b는 유리수)

해법코드

제곱근을 문자로 생각하고 다음의 곱셈 공식을 이용하여 전개한 후 계산한다.
① $(a+b)^2=a^2+2ab+b^2$
$(a-b)^2=a^2-2ab+b^2$
② $(a+b)(a-b)=a^2-b^2$
③ $(x+a)(x+b)$
$=x^2+(a+b)x+ab$
④ $(ax+b)(cx+d)$
$=acx^2+(ad+bc)x+bd$

셀파 $\sqrt{2}$를 문자 x, $\sqrt{3}$을 문자 y로 생각하여 $(3x+2y)^2$을 전개하는 것으로 생각한다.

풀이 $(3\sqrt{2}+2\sqrt{3})^2=(3\sqrt{2})^2+2\times3\sqrt{2}\times2\sqrt{3}+(2\sqrt{3})^2$
$=18+12\sqrt{6}+12$
$=30+12\sqrt{6}$
따라서 $a=30$, $b=12$이므로 $a+b=\mathbf{42}$

확인 02 $(\sqrt{3}+1)(\sqrt{3}-1)-(\sqrt{5}-2)^2$을 계산하시오.

» My 셀파
제곱근을 문자로 생각하고 곱셈 공식을 이용한다.

기본 03 곱셈 공식을 이용한 분모의 유리화

$\dfrac{\sqrt{5}-\sqrt{3}}{\sqrt{5}+\sqrt{3}}$의 분모를 유리화하면 $a+b\sqrt{15}$일 때, $a-b$의 값을 구하시오. (단, a, b는 유리수)

해법코드

곱셈 공식 $(a+b)(a-b)=a^2-b^2$을 이용하여 분모를 유리화한다.

셀파 분모, 분자에 $\sqrt{5}-\sqrt{3}$을 곱하여 분모를 유리화한다.

풀이 $\dfrac{\sqrt{5}-\sqrt{3}}{\sqrt{5}+\sqrt{3}}=\dfrac{(\sqrt{5}-\sqrt{3})(\sqrt{5}-\sqrt{3})}{(\sqrt{5}+\sqrt{3})(\sqrt{5}-\sqrt{3})}=\dfrac{(\sqrt{5}-\sqrt{3})^2}{(\sqrt{5}+\sqrt{3})(\sqrt{5}-\sqrt{3})}$ ❶

$=\dfrac{5-2\sqrt{15}+3}{5-3}=\dfrac{8-2\sqrt{15}}{2}=4-\sqrt{15}$

따라서 $a=4$, $b=-1$이므로 $a-b=4-(-1)=\mathbf{5}$

❶ (분자)
$=(\sqrt{5}-\sqrt{3})^2$
$=(\sqrt{5})^2-2\times\sqrt{5}\times\sqrt{3}+(\sqrt{3})^2$
$=5-2\sqrt{15}+3$
$=8-2\sqrt{15}$
(분모)
$=(\sqrt{5}+\sqrt{3})(\sqrt{5}-\sqrt{3})$
$=(\sqrt{5})^2-(\sqrt{3})^2$
$=5-3=2$

확인 03 **1.** 다음 수의 분모를 유리화하시오.

(1) $\dfrac{1}{\sqrt{17}+4}$　　(2) $\dfrac{3}{\sqrt{7}-2}$

(3) $\dfrac{\sqrt{2}}{2\sqrt{2}-\sqrt{5}}$　　(4) $\dfrac{\sqrt{6}-\sqrt{2}}{\sqrt{6}+\sqrt{2}}$

2. $\dfrac{2-\sqrt{3}}{2+\sqrt{3}}+\dfrac{\sqrt{3}}{2-\sqrt{3}}$을 계산하면 $a+b\sqrt{3}$일 때, $a+b$의 값을 구하시오.

(단, a, b는 유리수)

» My 셀파

1. 분모, 분자에 다음을 각각 곱하여 분모를 유리화한다.
(1) $\sqrt{17}-4$　(2) $\sqrt{7}+2$
(3) $2\sqrt{2}+\sqrt{5}$　(4) $\sqrt{6}-\sqrt{2}$

2. 먼저 분모를 유리화한 후 계산한다.

기본 04 곱셈 공식의 변형

$x-y=5$, $x^2+y^2=19$일 때, 다음 식의 값을 구하시오.

(1) xy　　(2) $\dfrac{y}{x}+\dfrac{x}{y}$

해법코드

(1) $a+b$와 ab의 값이 주어질 때
① $a^2+b^2=(a+b)^2-2ab$
② $(a-b)^2=(a+b)^2-4ab$
(2) $a-b$와 ab의 값이 주어질 때
① $a^2+b^2=(a-b)^2+2ab$
② $(a+b)^2=(a-b)^2+4ab$

셀파 $x^2+y^2=(x-y)^2+2xy$임을 이용하여 xy의 값을 구한다.

풀이 (1) $x^2+y^2=(x-y)^2+2xy$에서 $19=5^2+2xy$

$2xy=-6$　　$\therefore xy=\mathbf{-3}$

(2) $\dfrac{y}{x}+\dfrac{x}{y}=\dfrac{x^2+y^2}{xy}=\dfrac{19}{-3}=\mathbf{-\dfrac{19}{3}}$

확인 04 $x-y=5$, $xy=12$일 때, x^2-xy+y^2의 값을 구하시오.

» My 셀파

$x-y$와 xy의 값이 주어졌으므로 $x^2+y^2=(x-y)^2+2xy$를 이용한다.

기본 05 두 수의 곱이 1인 식의 변형

$x+\frac{1}{x}=4$일 때, 다음 식의 값을 구하시오.

(1) $x^2+\frac{1}{x^2}$ (2) $\left(x-\frac{1}{x}\right)^2$

해법코드

$x+\frac{1}{x}$ 또는 $x-\frac{1}{x}$의 값이 주어질 때

① $x^2+\frac{1}{x^2}=\left(x+\frac{1}{x}\right)^2-2$
$=\left(x-\frac{1}{x}\right)^2+2$

② $\left(x+\frac{1}{x}\right)^2=\left(x-\frac{1}{x}\right)^2+4$

③ $\left(x-\frac{1}{x}\right)^2=\left(x+\frac{1}{x}\right)^2-4$

셀파 $\left(x+\frac{1}{x}\right)^2$의 전개식을 변형하여 식의 값을 구한다.

풀이 (1) $x^2+\frac{1}{x^2}=\left(x+\frac{1}{x}\right)^2-2=4^2-2=\mathbf{14}$

(2) $\left(x-\frac{1}{x}\right)^2=\left(x+\frac{1}{x}\right)^2-4=4^2-4=\mathbf{12}$

다른 풀이 (2) (1)에서 $x^2+\frac{1}{x^2}=14$이므로 $\left(x-\frac{1}{x}\right)^2=x^2-2+\frac{1}{x^2}=14-2=12$

확인 05 $x-\frac{1}{x}=3$일 때, 다음 식의 값을 구하시오.

(1) $x^2+\frac{1}{x^2}$ (2) $\left(x+\frac{1}{x}\right)^2$

» My 셀파

(1) $x^2+\frac{1}{x^2}=\left(x-\frac{1}{x}\right)^2+2$

(2) $\left(x+\frac{1}{x}\right)^2=\left(x-\frac{1}{x}\right)^2+4$

발전 06 식의 값 구하기 – 두 수의 곱이 1인 식 만들기

$x^2-6x+1=0$일 때, $x^2+\frac{1}{x^2}$의 값을 구하시오.

해법코드

$x^2+ax\pm1=0\,(a\neq0)$

⇨ $x\neq0$이므로 양변을 x로 나누면

$x+a\pm\frac{1}{x}=0$

$\therefore x\pm\frac{1}{x}=-a$

셀파 $\frac{1}{x}$이 나오도록 $x^2-6x+1=0$을 변형한다.

풀이 $x^2-6x+1=0$의 양변을 ㉠x로 나누면 $x-6+\frac{1}{x}=0$ $\therefore x+\frac{1}{x}=6$

$\therefore x^2+\frac{1}{x^2}=\left(x+\frac{1}{x}\right)^2-2=6^2-2=\mathbf{34}$

㉠ $x=0$을 $x^2-6x+1=0$에 대입하면 $1\neq0$이므로 등식을 만족하지 않는다. 따라서 $x\neq0$

● $x\neq0$이므로 등식의 양변을 x로 나눌 수 있다.

·Lecture $x^2+ax+1=0$일 때, $x^2+\frac{1}{x^2}$의 값 구하기

1 $x^2+ax+1=0$의 양변을 x로 나누어 $x+\frac{1}{x}$의 값을 구한다.

2 $x^2+\frac{1}{x^2}=\left(x+\frac{1}{x}\right)^2-2$를 이용한다.

확인 06 $x^2+5x-1=0$일 때, 다음 식의 값을 구하시오.

(1) $x-\frac{1}{x}$ (2) $x^2+\frac{1}{x^2}$

» My 셀파

주어진 등식의 양변을 x로 나누어 $x-\frac{1}{x}$의 값을 구한다. 이때 $x^2+\frac{1}{x^2}=\left(x-\frac{1}{x}\right)^2+2$

발전 07 식의 값 구하기 – 식을 먼저 간단히 하는 경우

$x=\dfrac{1}{\sqrt{3}+\sqrt{2}}, y=\dfrac{1}{\sqrt{3}-\sqrt{2}}$일 때, x^2+y^2의 값을 구하시오.

해법코드

1 분모가 무리수이면 분모를 유리화한다.
2 $x+y$, xy의 값을 구한다.
3 곱셈 공식의 변형을 이용하여 식의 값을 구한다.

셀파 먼저 x, y의 분모를 각각 유리화한다.

풀이 $x=\dfrac{1}{\sqrt{3}+\sqrt{2}}=\dfrac{\sqrt{3}-\sqrt{2}}{(\sqrt{3}+\sqrt{2})(\sqrt{3}-\sqrt{2})}=\sqrt{3}-\sqrt{2}$

$y=\dfrac{1}{\sqrt{3}-\sqrt{2}}=\dfrac{\sqrt{3}+\sqrt{2}}{(\sqrt{3}-\sqrt{2})(\sqrt{3}+\sqrt{2})}=\sqrt{3}+\sqrt{2}$

이때 $x+y=(\sqrt{3}-\sqrt{2})+(\sqrt{3}+\sqrt{2})=2\sqrt{3}$

$xy=(\sqrt{3}-\sqrt{2})(\sqrt{3}+\sqrt{2})=3-2=1$

$\therefore x^2+y^2=(x+y)^2-2xy=(2\sqrt{3})^2-2\times1=12-2=\mathbf{10}$

확인 07 $x=\dfrac{1}{\sqrt{5}+1}, y=\dfrac{1}{\sqrt{5}-1}$일 때, x^2+xy+y^2의 값을 구하시오.

» My 셀파

$x^2+xy+y^2=(x+y)^2-xy$이므로 $x+y$와 xy의 값을 이용하여 식의 값을 구한다.

발전 08 식의 값 구하기 – $x=a+\sqrt{b}$ 꼴인 경우

$x=4+\sqrt{7}$일 때, x^2-8x+3의 값을 구하시오.

해법코드

[방법 1] x의 값을 직접 대입하여 식의 값을 구한다.
[방법 2] $x=a+\sqrt{b}$를 $x-a=\sqrt{b}$로 변형한 후 양변을 제곱하여 정리한다.

셀파 $x=a+\sqrt{b} \Rightarrow x-a=\sqrt{b} \Rightarrow (x-a)^2=b$

풀이 [방법 1] $x^2-8x+3=(4+\sqrt{7})^2-8(4+\sqrt{7})+3$

$=16+8\sqrt{7}+7-32-8\sqrt{7}+3$

$=\mathbf{-6}$

[방법 2] $x=4+\sqrt{7}$에서 $x-4=\sqrt{7}$이므로 $(x-4)^2=(\sqrt{7})^2$

$x^2-8x+16=7 \quad \therefore x^2-8x=-9$

$\therefore x^2-8x+3=-9+3=\mathbf{-6}$

[방법 1]은 계산이 복잡하니 [방법 2]를 기억해 두자.

확인 08 1. $x=3+\sqrt{2}$일 때, x^2-6x+4의 값을 구하시오.

2. $x=\dfrac{2}{\sqrt{3}-1}$일 때, x^2-2x+5의 값을 구하시오.

» My 셀파

1. $x=3+\sqrt{2}$를 $x-3=\sqrt{2}$로 변형한 후 양변을 제곱한다.
2. $\dfrac{2}{\sqrt{3}-1}$의 분모를 유리화한다.

실력 키우기

01 곱셈 공식을 이용한 수의 계산

곱셈 공식을 이용하여 8.9×9.1을 계산하시오.

02 곱셈 공식을 이용한 수의 계산 (서술형)

곱셈 공식을 이용하여 $\dfrac{1004\times997+12}{1000}$를 계산하려고 한다. 다음 물음에 답하시오.

(1) $1000=x$라 할 때, 위의 식을 x를 사용하여 간단히 나타내시오.

(2) $\dfrac{1004\times997+12}{1000}$를 계산하시오.

03 곱셈 공식을 이용한 무리수의 계산

다음 중 옳은 것은?

① $(\sqrt{3}+1)^2=3+2\sqrt{3}$
② $(\sqrt{5}-2)^2=5-4\sqrt{5}$
③ $(\sqrt{6}+\sqrt{2})(\sqrt{6}-\sqrt{2})=4$
④ $(\sqrt{7}+2)(\sqrt{7}-3)=1$
⑤ $(2\sqrt{2}-\sqrt{5})(2\sqrt{2}+\sqrt{3})=8-\sqrt{15}$

04 곱셈 공식을 이용한 무리수의 계산 (서술형)

A가 유리수일 때, 다음을 구하시오.

$$A=(3-2\sqrt{2})(a+4\sqrt{2})$$

(1) 유리수 a의 값

(2) A의 값

05 곱셈 공식을 이용한 분모의 유리화

다음 중 **보기**에서 옳은 것을 모두 고른 것은?

보기

ㄱ. $\dfrac{1}{\sqrt{2}+1}=\sqrt{2}-1$　　ㄴ. $\dfrac{\sqrt{3}}{\sqrt{3}-\sqrt{2}}=3-\sqrt{6}$

ㄷ. $\dfrac{\sqrt{6}+\sqrt{2}}{\sqrt{6}-\sqrt{2}}=2+\sqrt{3}$　　ㄹ. $\dfrac{1}{2+\sqrt{5}}=2-\sqrt{5}$

① ㄱ, ㄴ　② ㄱ, ㄷ　③ ㄴ, ㄷ
④ ㄴ, ㄹ　⑤ ㄷ, ㄹ

06 곱셈 공식의 변형

$x+y=-2$, $(x-y)^2=6$일 때, 다음 식의 값을 구하시오.

(1) xy

(2) x^2+y^2

(3) $\dfrac{y}{x}+\dfrac{x}{y}$

07 두 수의 곱이 1인 식의 변형

$x-\frac{1}{x}=4$일 때, 다음 식의 값을 구하시오.

(1) $x^2+\frac{1}{x^2}$

(2) $x^4+\frac{1}{x^4}$

08 식의 값 구하기 - 두 수의 곱이 1인 식 만들기 (서술형)

$x^2-4x+1=0$일 때, 다음 식의 값을 구하시오.

(1) $x+\frac{1}{x}$

(2) $x^2+2x+\frac{2}{x}+\frac{1}{x^2}$

09 식의 값 구하기 - 식을 먼저 간단히 하는 경우

$x=\frac{1}{2+\sqrt{2}}$, $y=\frac{1}{2-\sqrt{2}}$일 때, x^2+y^2-8xy의 값을 구하시오.

10 식의 값 구하기 - $x=a+\sqrt{b}$ 꼴인 경우 (융합형)

$3-\sqrt{2}$의 소수 부분을 x라 할 때, x^2-4x+2의 값을 구하시오.

11 곱셈 공식을 이용한 수의 계산

$6\times(7+1)\times(7^2+1)\times(7^4+1)+2=7^a+1$일 때, 자연수 a의 값을 구하시오.

12 곱셈 공식을 이용한 무리수의 계산 (창의력)

$(2+\sqrt{5})^{100}(2-\sqrt{5})^{102}=a+b\sqrt{5}$일 때, 유리수 a, b에 대하여 $a-b$의 값을 구하시오.

13 곱셈 공식을 이용한 분모의 유리화

$f(x)=\sqrt{x+1}-\sqrt{x}$일 때,

$\frac{1}{f(1)}-\frac{1}{f(2)}+\frac{1}{f(3)}-\frac{1}{f(4)}$의 값을 구하시오.

나의 취미생활은
자전거 분해, 조립!

어때? 자전거 분해,
조립 같이 할래?
분해된 부품들이
자전거의 인수 같구만.
나의 취미는 인수분해야.

인수분해?
미지수 x의 정체를
밝히기 위한 방법이지.

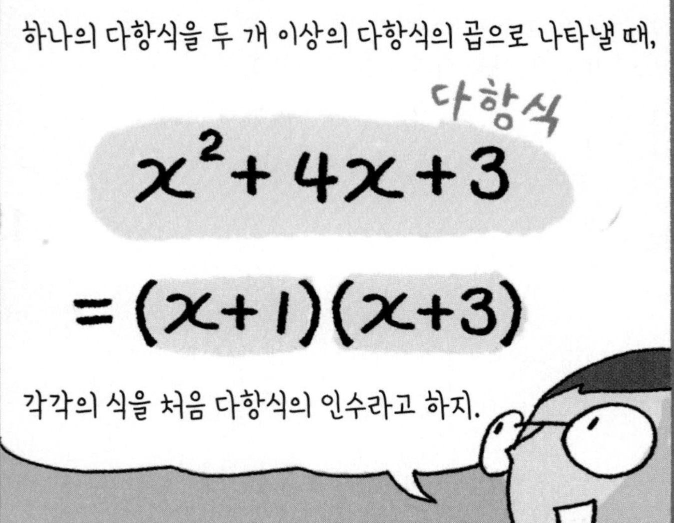
하나의 다항식을 두 개 이상의 다항식의 곱으로 나타낼 때,
다항식
x^2+4x+3
$=(x+1)(x+3)$
각각의 식을 처음 다항식의 인수라고 하지.

저걸 인수분해한다고
하는 거야.
자전거는 분해하는
방식이 있단다.
분해
조립
메뉴얼

인수분해에도
공식이 있지.
공식 1
공식 2
공식 3
공식 4
무려
4가지

7

Ⅱ | 다항식의 곱셈과 인수분해

다항식의 인수분해

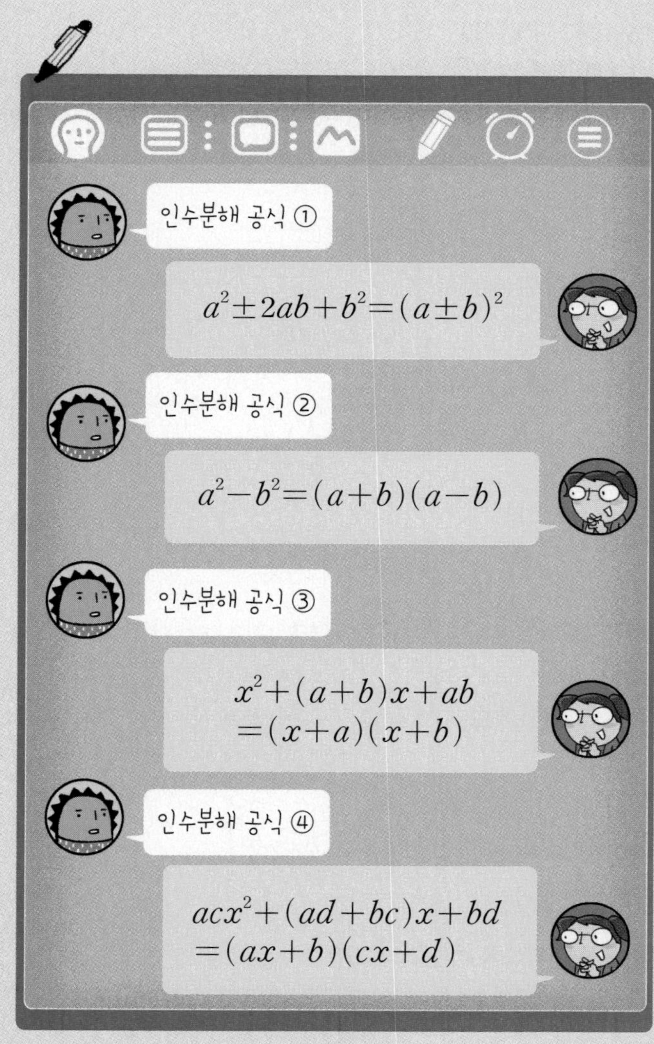

7 다항식의 인수분해

1 인수분해와 공통인수

(1) 인수분해

① 인수: 하나의 다항식을 두 개 이상의 다항식의 ☐으로 나타낼 때, 각각의 식을 처음 다항식의 ㉠인수라 한다.

인수분해
$x^2+4x+3=(x+1)(x+3)$
합의 모양 　 곱의 모양
전개

② 인수분해: 하나의 다항식을 두 개 이상의 인수의 곱으로 나타내는 것을 그 다항식을 ㉡인수분해한다고 한다.

(2) 공통인수를 이용한 인수분해

① 공통인수: 다항식의 각 항에 공통으로 들어 있는 인수

② 공통인수를 이용한 인수분해: 다항식의 각 항에 공통인수가 있으면 분배법칙을 이용하여 ☐로 묶어 내어 인수분해할 수 있다.

$ma+mb=m(a+b)$
공통인수

예 ㉢$12a^2+8ab=4a\times3a+4a\times2b=$☐$(3a+2b)$
공통인수

곱
공통인수
$4a$

개념 다시 보기
전개 다항식의 곱을 괄호를 풀어서 하나의 다항식으로 나타내는 것

㉠ $(x+1)(x+3)$의 인수는 $1, x+1, x+3, (x+1)(x+3)$
● 모든 다항식에서 1과 자기 자신은 그 다항식의 인수이다.

㉡ 인수분해는 전개를 거꾸로 한 과정이다.

㉢ 인수분해할 때는 공통인수가 남지 않도록 모두 묶어 낸다.
이때 수는 최대공약수로 묶어 낸다.
예 $12a^2+8ab=4(3a^2+2ab)$ (×)
$12a^2+8ab=2a(6a+4b)$ (×)
$12a^2+8ab=4a(3a+2b)$ (○)

보기 다음 다항식을 공통인수를 이용하여 인수분해하시오.

(1) $ab+ac$ 　　(2) $2xy+3y^2$

풀이 (1) $ab+ac=\mathbf{a(b+c)}$ 　　(2) $2xy+3y^2=2\times x\times y+3\times y\times y=\mathbf{y(2x+3y)}$

2 인수분해 공식 (1)

(1) $a^2\pm2ab+b^2$의 인수분해

① $a^2+2ab+b^2=(a+b)^2$ 　예 $x^2+6x+9=x^2+2\times x\times3+3^2=(x+3)^2$

② $a^2-2ab+b^2=(a-b)^2$ 　예 $x^2-8x+16=x^2-2\times x\times4+4^2=(x-$☐$)^2$

(2) 완전제곱식 다항식의 제곱으로 된 식 또는 이 식에 ☐를 곱한 식

예 $(x+1)^2$, $(a-b)^2$, $2(x+2)^2$

(3) 완전제곱식이 될 조건

① ㉣x^2+ax+b가 완전제곱식이 되도록 하는 b의 조건: $b=\left(\frac{a}{2}\right)^2$

예 x^2+4x+b가 완전제곱식이 되려면 $b=\left(\frac{4}{☐}\right)^2=4$

② ㉤x^2+ax+b^2이 완전제곱식이 되도록 하는 a의 조건: $a=\pm2b$

예 x^2+ax+9가 완전제곱식이 되려면 $9=($☐$)^2$이므로 $a=2\times(\pm3)=\pm6$

4
상수
2
±3

㉣ x^2+ax+b
$=x^2+2\times x\times\frac{a}{2}+\left(\frac{a}{2}\right)^2$
$=\left(x+\frac{a}{2}\right)^2$
⇨ $b=\left(\frac{a}{2}\right)^2$

㉤ x^2+ax+b^2
$=x^2+2\times x\times(\pm b)+b^2$
$=(x\pm b)^2$
⇨ $a=\pm2b$

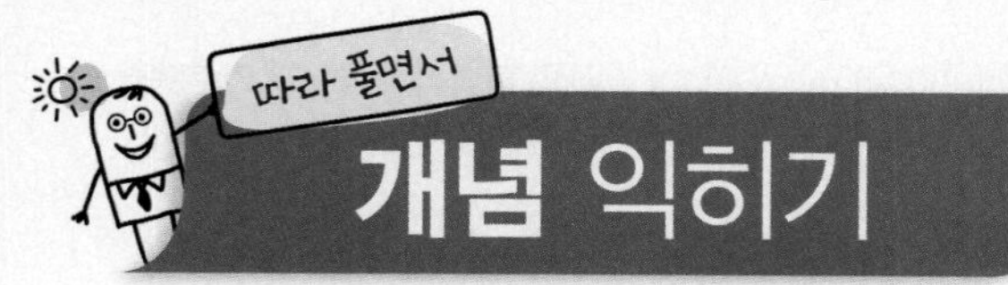

빠른 정답 223쪽 | 정답과 해설 34쪽

| 개념 체크 |

1-1 인수분해와 공통인수

1. $xy(x+y)$의 인수를 모두 구하시오.

2. 다음 식을 공통인수를 이용하여 인수분해하시오.

(1) x^2+xy　　(2) $a^2b+ab^2-a^2b^2$

셀파 (2) 각 항에 공통으로 들어 있는 인수를 찾아 묶어 낸다.

연구 1. 곱해진 각각의 다항식이 인수이므로
$\square$, $x, y, x+y, xy, x(x+y)$, $\square$, $\square$

2. (1) $x^2+xy=\square\times x+\square\times y=\square(x+y)$

(2) $a^2b+ab^2-a^2b^2$
$=a\times a\times b+a\times b\times\square-a\times a\times b\times b$
$=\square(a+b-\square)$

| 따라 풀기 |

1-2 다음 중 주어진 식의 인수를 모두 찾아 ○표를 하시오.

(1) x^2y　　$x,\ y,\ x^2,\ y^2,\ xy$

(2) $x(x-y)$　　$x,\ y,\ x-y,\ x(x-y)$

1-3 다음 다항식에서 묶어 내야 할 공통인수를 찾고, 인수분해하시오.

(1) $a+2ab$　　(2) $16x^2y-12y^2$

(3) $a^2b+2ab-3ab^2$　　(4) $2p^2q+4pq^2+6q$

2-1 인수분해 공식 (1)

다음 다항식을 인수분해하시오.

(1) $x^2+10x+25$　　(2) $49x^2-14x+1$

셀파 $●^2+2\times●\times■+■^2=(●+■)^2$,
$●^2-2\times●\times■+■^2=(●-■)^2$

연구 (1) $x^2+10x+25=x^2+2\times x\times 5+\square^2$
$=(x+\square)^2$

(2) $49x^2-14x+1=(\square)^2-2\times\square\times 1+1^2$
$=(\square-1)^2$

2-2 다음 다항식을 인수분해하시오.

(1) x^2+2x+1

(2) x^2-6x+9

(3) $4x^2+4x+1$

(4) $x^2-16xy+64y^2$

- **공통인수를 이용한 인수분해** $ma+mb=m(a+b)$
  공통인수를 찾을 때는 수에서는 최대공약수, 문자에서는 차수가 가장 낮은 것을 찾는다.
- **인수분해 공식 (1)** $a^2+2ab+b^2=(a+b)^2$, $a^2-2ab+b^2=(a-b)^2$

3 인수분해 공식 (2)

(1) ㉠ a^2-b^2의 인수분해 $a^2-b^2=(a+b)(a-b)$

제곱의 차 / 합 / 차

예 ① x^2-4
$=x^2-2^2$
$=(x+2)(x-2)$

② $4x^2-25y^2$
$=(2x)^2-(\square)^2$ 5y
$=(2x+5y)(2x-5y)$

(2) ㉡ $x^2+(a+b)x+ab$의 인수분해

$$x^2+(a+b)x+ab=(x+a)(x+b)$$

두 수의 곱 / 두 수의 합

[방법] 1 곱이 상수항이 되는 두 정수를 찾는다.
2 1의 두 수 중 합이 $\square$의 계수가 되는 두 정수 a, b를 고른다. x
3 $(x+\square)(x+b)$ 꼴로 나타낸다. a

㉠ $a^2-b^2=a^2+ab-ab-b^2$
$=a(a+b)-b(a+b)$
$=(a+b)(a-b)$

● 특별한 조건이 없으면 인수분해는 유리수 범위에서 한다.

보기 다항식 x^2+5x+6을 인수분해하시오.

풀이 1 곱이 상수항 6이 되는 두 정수를 찾는다.
2 1의 두 정수 중 그 합이 x의 계수 5가 되는 두 정수 2, 3을 고른다.
3 $x^2+5x+6=\mathbf{(x+2)(x+3)}$

곱이 6인 두 정수	두 정수의 합
1, 6	7
2, 3	5
−1, −6	−7
−2, −3	−5

㉡ $x^2+(a+b)x+ab$
$=x^2+ax+bx+ab$
$=x(x+a)+b(x+a)$
$=(x+a)(x+b)$

4 인수분해 공식 (3)

$acx^2+(ad+bc)x+bd$의 인수분해

$$acx^2+(ad+bc)x+bd=(ax+b)(cx+d)$$

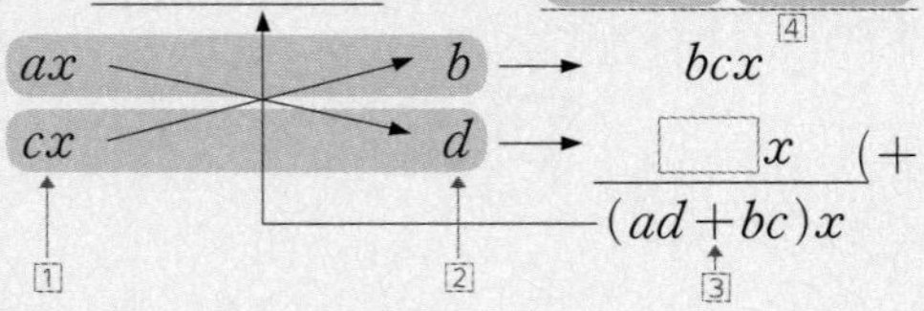

$ax \to b \to bcx$
$cx \to d \to \square x$ (+
$(ad+bc)x$

[방법] 1 곱이 x^2항이 되는 두 단항식을 세로로 나열한다.
2 곱이 $\square$이 되는 두 수를 세로로 나열한다. 상수항
3 대각선 방향으로 곱하여 더한 것이 x항이 되는 것을 찾는다.
4 $(ax+b)(cx+\square)$ 꼴로 나타낸다. d

(빈칸 답: ad)

● $ac>0$이면 a, c는 모두 양수인 경우만 생각한다.
$ac<0$이면 -1로 묶어 낸 후 인수분해한다.

보기 다항식 $2x^2+5x+2$를 인수분해하시오.

풀이 $2x^2+5x+2=\mathbf{(x+2)(2x+1)}$

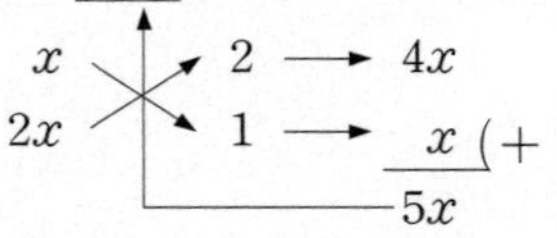

$x \to 2 \to 4x$
$2x \to 1 \to x$ (+
$5x$

1 곱이 $2x^2$이 되는 두 단항식을 세로로 나열한다.
2 곱이 상수항 2가 되는 두 수를 세로로 나열한다.
3 대각선 방향으로 곱하여 더한 것이 $5x$가 되는 것을 찾는다.

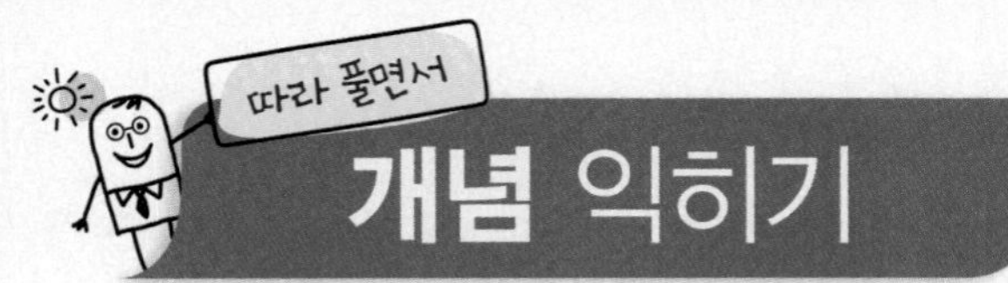

| 개념 체크 |

3-1 인수분해 공식 (2)

1. 다음 식을 인수분해하시오.

(1) x^2-16 (2) x^2-9y^2

2. 다항식 $x^2+12x+27$을 인수분해하시오.

셀파 • $●^2-■^2=(●+■)(●-■)$
• $x^2+(●+■)x+●■=(x+●)(x+■)$

연구 **1.** (1) $x^2-16=x^2-\square^2=(x+4)(x-\square)$
(2) $x^2-9y^2=x^2-(\square)^2=(x+\square)(x-3y)$

2. $x^2\underline{+12x}+27=(x+3)(x+\square)$

x ╲╱ $3 \to 3x$
x ╱╲ $\square \to \square$ (+
$12x$

4-1 인수분해 공식 (3)

다항식 $3x^2-7x+2$를 인수분해하시오.

셀파 $acx^2+(ad+bc)x+bd=(ax+b)(cx+d)$

연구 $3x^2\underline{-7x}+2=$ ____________

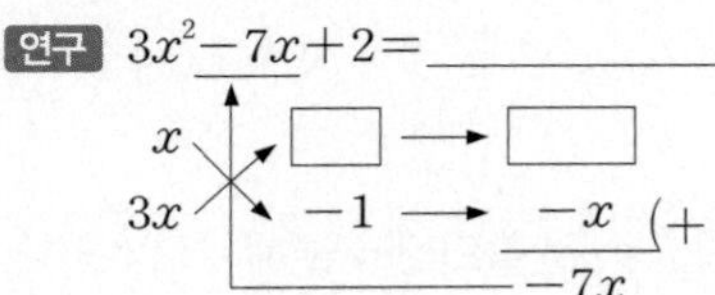

| 따라 풀기 |

3-2 다음은 다항식을 인수분해하는 과정이다. 밑줄 친 부분에 알맞은 것을 써넣으시오.

(1) $16-b^2=4^2-b^2=$ ____________

(2) $25x^2-y^2=($ ______ $)^2-y^2=$ ______________

(3) $4x^2-9y^2=(2x)^2-($ ______ $)^2$
$=$ ______________

3-3 다음은 다항식을 인수분해하는 과정이다. $\square$ 안에 알맞은 것을 써넣고, 주어진 식을 인수분해하시오.

(1) $x^2\underline{-3x}-4=$ ____________

x ╲╱ $1 \to x$
x ╱╲ $\square \to \square$ (+
$-3x$

(2) $x^2\underline{+5x}+4=$ ____________

x ╲╱ $\square \to \square$
x ╱╲ $\square \to \square$ (+
$5x$

4-2 다음은 다항식을 인수분해하는 과정이다. $\square$ 안에 알맞은 것을 써넣고, 주어진 식을 인수분해하시오.

(1) $4x^2\underline{+7x}-2=$ ____________

$\square$ ╲╱ $2 \to 8x$
$4x$ ╱╲ $\square \to \square$ (+
$\square$

(2) $6x^2\underline{-5xy}-6y^2=$ ______________

$\square$ ╲╱ $-3y \to -9xy$
$3x$ ╱╲ $\square \to \square$ (+
$-5xy$

7 | 다항식의 인수분해

• $a^2-b^2=(a+b)(a-b)$
• $x^2+(a+b)x+ab=(x+a)(x+b)$
• $acx^2+(ad+bc)x+bd=(ax+b)(cx+d)$

집중 연습

다항식의 인수분해

빠른 정답 223쪽 | 정답과 해설 35쪽

공통인수를 이용한 인수분해

1 다음 다항식을 인수분해하시오.

(1) $12a^2b-18ab^2$

(2) $3a^2b-ab^2+2ab$

(3) $x(x+z)+y(x+z)$

(4) $2(a+b)+c(a+b)$

(5) $a(x-y)+b(y-x)$

$a^2\pm2ab+b^2$ 꼴의 인수분해

2 다음 다항식을 인수분해하시오.

(1) $a^2+12a+36$

(2) $x^2-14x+49$

(3) $x^2-\frac{2}{5}x+\frac{1}{25}$

(4) $9x^2+6x+1$

(5) $4x^2-20x+25$

a^2-b^2 꼴의 인수분해

3 다음 다항식을 인수분해하시오.

(1) a^2-64

(2) x^2-81y^2

(3) $\frac{1}{4}x^2-\frac{1}{9}$

(4) $9a^2-49b^2$

$x^2+(a+b)x+ab$ 꼴의 인수분해

4 다음 다항식을 인수분해하시오.

(1) $x^2-13x+36$

(2) $x^2+7x-30$

(3) $x^2-2xy-35y^2$

(4) $x^2-17xy+72y^2$

(5) $x^2+xy-42y^2$

$acx^2+(ad+bc)x+bd$ 꼴의 인수분해

5 다음 다항식을 인수분해하시오.

(1) $9x^2+9x+2$

(2) $5x^2-11xy-36y^2$

(3) $3x^2-7xy-6y^2$

빠른 정답 224쪽 | 정답과 해설 36쪽

기본 01 인수 찾기

다음 중 $a(a+1)(a-1)$의 인수가 아닌 것은?

① a ② $a+1$ ③ $a(a-1)$
④ a^2-1 ⑤ a^2+1

해법코드
하나의 다항식을 두 개 이상의 다항식의 곱으로 나타낼 때, 각각의 다항식을 처음 다항식의 인수라 한다.
이때 모든 다항식에서 1과 자기 자신은 그 다항식의 인수이다.

셀파 a, $a+1$, $a-1$뿐만 아니라 이들 인수끼리의 곱도 인수이다.

풀이 $a(a+1)(a-1)$의 인수는 1, a, $a+1$, $a-1$,
$a(a+1)=a^2+a$, $a(a-1)=a^2-a$, $(a+1)(a-1)=a^2-1$,
$a(a+1)(a-1)=a^3-a$이다.
따라서 $a(a+1)(a-1)$의 인수가 아닌 것은 ⑤ a^2+1이다.

확인 01 다음 중 $2x(x-3)$의 인수가 아닌 것은?

① $2x$ ② x^2 ③ $x-3$
④ $2(x-3)$ ⑤ x^2-3x

» My 셀파
2, x, $x-3$뿐만 아니라 이들 인수끼리의 곱도 인수이다.

기본 02 공통인수를 이용한 인수분해

다음 식을 인수분해하시오.

(1) $(x-3)y+4(3-x)$ (2) $x(2y+z)-4y(2y+z)+3z(2y+z)$

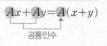

해법코드
$Ax+Ay=A(x+y)$
공통인수

셀파 항의 배열 순서가 다르다면 $B-A=-(A-B)$를 이용해서 고쳐 본다.

풀이 (1) $(x-3)y+4(3-x)=(x-3)y-4(x-3)=\mathbf{(x-3)(y-4)}$

(2) $x(2y+z)-4y(2y+z)+3z(2y+z)=\mathbf{(2y+z)(x-4y+3z)}$

ㄱ $3-x=-(x-3)$이므로 $(x-3)y$와 $-4(x-3)$에서 공통인수는 $x-3$이다.

ㄴ 공통인수 $2y+z$로 묶는다.

확인 02 다음 식을 인수분해하시오.

(1) $-2a^3x+8a^2y$

(2) $(x+y)^2+x(x+y)+2y(x+y)$

» My 셀파
1 공통인수를 찾는다.
2 분배법칙을 이용하여 공통인수로 묶어 낸다.

기본 03 인수분해 공식 ① – $a^2\pm2ab+b^2$ 꼴

다음 다항식 중 완전제곱식으로 인수분해할 수 없는 것을 모두 고르면? (정답 2개)

① $x^2+12x+36$ ② $x^2-18x+81$ ③ x^2-4x+2
④ $16x^2-28x+49$ ⑤ $9x^2+12xy+4y^2$

해법코드
- $a^2+2ab+b^2=(a+b)^2$ (같은 부호)
- $a^2-2ab+b^2=(a-b)^2$ (같은 부호)

셀파 $k(●+■)^2$, $k(●-■)^2$ (k는 상수) 꼴로 인수분해되는지 확인한다.

풀이 ① $x^2+12x+36=x^2+2\times x\times6+6^2=(x+6)^2$
② $x^2-18x+81=x^2-2\times x\times9+9^2=(x-9)^2$
③ $x^2-4x+2=x^2-2\times x\times2+2$는 완전제곱식이 될 수 없다.
④ $16x^2-28x+49=(4x)^2-2\times2x\times7+7^2$은 완전제곱식이 될 수 없다.
⑤ $9x^2+12xy+4y^2=(3x)^2+2\times3x\times2y+(2y)^2=(3x+2y)^2$
따라서 완전제곱식으로 인수분해할 수 없는 것은 ③, ④이다.

㉠ $2^2=4$이어야 완전제곱식으로 인수분해할 수 있다.

㉡ $2\times4x\times7$이어야 완전제곱식으로 인수분해할 수 있다.

확인 03 다음 보기에서 완전제곱식으로 인수분해할 수 있는 것을 모두 고르시오.

보기
㉠ $4x^2+12x+9$ ㉡ $x^2-25xy-10y^2$
㉢ $25x^2-20xy+4y^2$ ㉣ $y^2+y+\frac{1}{4}$

» My 셀파
보기에 주어진 식이 $●^2\pm2●■+■^2$ 꼴이면 완전제곱식으로 인수분해할 수 있다.

기본 04 완전제곱식이 되기 위한 조건

다음 식이 완전제곱식이 되도록 □ 안에 알맞은 수를 써넣으시오.

(1) $x^2+10x+\square$ (2) $4x^2-20xy+\square y^2$
(3) $x^2+\square xy+16y^2$ (4) $9x^2+\square x+25$

해법코드
- $x^2+ax+\square$가 완전제곱식이 되기 위한 조건 ⇨ $\square=\left(\frac{a}{2}\right)^2$
- $x^2+\square x+b^2$이 완전제곱식이 되기 위한 조건 ⇨ $\square=\pm2b$

셀파 주어진 식이 $●^2\pm2●■+■^2$ 꼴이 되도록 만든다.

풀이 (1) $x^2+10x+\square$에서 $10x=2\times x\times5$이므로 $\square=5^2=\mathbf{25}$
(2) $4x^2-20xy+\square y^2$에서 $4x^2=(2x)^2$, $20xy=2\times2x\times5y$이므로
$\square y^2=(5y)^2=25y^2$ $\therefore \square=\mathbf{25}$
(3) $x^2+\square xy+16y^2$에서 $16y^2=(4y)^2$이므로
$\square xy=\pm2\times x\times4y=\pm8xy$ $\therefore \square=\mathbf{\pm8}$
(4) $9x^2+\square x+25$에서 $9x^2=(3x)^2$, $25=5^2$이므로
$\square x=\pm2\times3x\times5=\pm30x$ $\therefore \square=\mathbf{\pm30}$

» 오답 피하기
완전제곱식이 되는 일차항의 계수의 부호는 '+'일 수도 있고, '−'일 수도 있음에 주의한다.

참고 (4) 이차항의 계수가 3^2, 상수항이 5^2인 이차식으로 만들 수 있는 완전제곱식은 $(3x+5)^2$, $(3x-5)^2$ 이외에도 $(-3x+5)^2$, $(-3x-5)^2$이 있지만 $(3x+5)^2=(-3x-5)^2$, $(3x-5)^2=(-3x+5)^2$이므로 문제에서는 $(3x+5)^2$, $(3x-5)^2$인 경우만 다루어도 충분하다.

확인 04 두 다항식 $x^2+18x+a$, $4x^2+bx+49$가 모두 완전제곱식이 되도록 하는 양수 a, b에 대하여 $a+b$의 값을 구하시오.

» My 셀파
$x^2+ax+b\,(b>0)$가 완전제곱식이 될 조건 ⇨ $b=\left(\frac{a}{2}\right)^2$ 또는 $a=\pm2\sqrt{b}$

기본 05 근호 안이 완전제곱식으로 인수분해되는 식

$-3<x<3$일 때, $\sqrt{x^2+6x+9}-\sqrt{x^2-6x+9}$를 간단히 하시오.

해법코드

근호 안의 식을 완전제곱식으로 인수분해한 후 부호에 주의하여 근호를 없앤다.

$\Rightarrow \sqrt{a^2}=\begin{cases} a\ (a\geq 0) \\ -a\ (a<0) \end{cases}$

셀파 $-3<x<3$에서 $x>-3$이므로 $x+3>0$, $x<3$이므로 $x-3<0$

풀이 $-3<x<3$일 때, $x+3>0$, $x-3<0$이므로

$$\begin{aligned}\sqrt{x^2+6x+9}-\sqrt{x^2-6x+9}&=\sqrt{(x+3)^2}-\sqrt{(x-3)^2}\\&=(x+3)-\{-(x-3)\}\\&=(x+3)+(x-3)\\&=\mathbf{2x}\end{aligned}$$

㉠ $x+3>0$이므로 $\sqrt{(x+3)^2}=x+3$
또 $x-3<0$이므로 $\sqrt{(x-3)^2}=-(x-3)$

확인 05 다음 범위에서 주어진 식을 간단히 하시오.

(1) $0<x<4$일 때, $2\sqrt{x^2}+\sqrt{x^2-8x+16}$

(2) $2<x<5$일 때, $\sqrt{x^2-4x+4}-\sqrt{x^2-10x+25}$

» My 셀파

1 근호 안의 식을 완전제곱식으로 인수분해한다.

2 $\sqrt{(A-B)^2}$은 $A-B$의 부호를 조사하여 근호를 없앤다.

기본 06 인수분해 공식 ② - a^2-b^2 꼴

$-27x^2+12y^2$을 인수분해하면 $a(bx+cy)(bx-cy)$일 때, 정수 a, b, c의 값을 각각 구하시오. (단, $b>0$, $c>0$)

해법코드

1 공통인수가 있으면 먼저 공통인수로 묶어 낸다.

2 인수분해 공식 $a^2-b^2=(a+b)(a-b)$를 이용하여 인수분해한다.

셀파 바로 공식을 적용하기 어렵다면 공통인수를 찾아본다.

풀이

$$\begin{aligned}-27x^2+12y^2&=-3(9x^2-4y^2)=-3\{(3x)^2-(2y)^2\}\\&=-3(3x+2y)(3x-2y)\end{aligned}$$

$\therefore$ $\mathbf{a=-3,\ b=3,\ c=2}$

㉠ 맨 앞에 있는 항의 계수에 '−'부호가 있는 경우에는 보통 '−'를 포함한 공통인수로 묶어 낸 후 인수분해한다.

• Lecture $-a^2+b^2$ 꼴을 인수분해할 때는

$$-a^2+b^2=\begin{cases}-(a^2-b^2)=-(a+b)(a-b)\\ b^2-a^2=(b+a)(b-a)\end{cases}$$

중 어느 것으로 인수분해해도 그 결과는 같다.

확인 06 다항식 $28x^2-175y^2$을 인수분해하면 $a(bx+cy)(bx-cy)$일 때, 자연수 a, b, c의 값을 각각 구하시오.

» My 셀파

공통인수 7을 묶어 낸 후 $A^2-B^2=(A+B)(A-B)$를 이용한다.

7 | 다항식의 인수분해

기본 07 인수분해 공식 ③ - $x^2+(a+b)x+ab$ 꼴

x의 계수가 1인 두 일차식의 곱이 $x^2-11x+28$일 때, 이 두 일차식의 합을 구하시오.

해법코드

$x^2+(a+b)x+ab$
$=(x+a)(x+b)$

셀파 곱이 28이고 합이 -11인 두 정수를 찾아 주어진 식을 인수분해한다.

풀이 곱이 28인 두 정수 중에서 합이 -11인 두 정수는 -4, -7이므로

$x^2-11x+28=(x-4)(x-7)$

따라서 두 일차식은 $x-4$, $x-7$이므로 이 두 일차식의 합은

$(x-4)+(x-7)=$ **$2x-11$**

곱이 28인 두 정수	두 정수의 합
1, 28	29
2, 14	16
4, 7	11
-1, -28	-29
-2, -14	-16
-4, -7	-11

확인 07 $x^2+ax+12$를 인수분해하면 $(x-3)(x+b)$일 때, 상수 a, b에 대하여 $b-a$의 값을 구하시오.

» My 셀파

$x^2+ax+12=(x-3)(x+b)$에서
$12=-3\times b$, $a=-3+b$

기본 08 인수분해 공식 ④ - $acx^2+(ad+bc)x+bd$ 꼴

$6x^2-11xy+3y^2=(3x+ay)(2x+by)$일 때, 정수 a, b의 값을 각각 구하시오.

해법코드

$acx^2+(ad+bc)x+bd$
$=(ax+b)(cx+d)$

셀파 좌변을 인수분해한 후 우변과 비교한다.

풀이 $6x^2-11xy+3y^2$ ㉠

$3x \quad -y \rightarrow -2xy$

$2x \quad -3y \rightarrow -9xy$ (+

$-11xy$

두 일차식의 곱으로 나타낼 때 각 일차식은 가로 방향으로 쓴다. 즉 윗줄에서 $3x-y$, 아랫줄에서 $2x-3y$

$\therefore 6x^2-11xy+3y^2=(3x-y)(2x-3y)$ ㉡

따라서 **$a=-1$, $b=-3$**

㉠ 곱이 $3y^2$인 두 단항식은 y, $3y$ 또는 $-y$, $-3y$이다.
● 상수항이 '+'이고 일차항의 계수가 '−'이면 곱이 상수항이 되는 두 수의 부호는 모두 '−'이다.

주의 계수만 써서 인수분해할 경우 상수항에 문자가 있다면 그 문자를 빠뜨리지 않도록 한다.

$6x^2-11xy+3y^2$

$3x \quad -1$

$2x \quad -3$

⇨ $(3x-1)(2x-3)$ (×)
$(3x-y)(2x-3y)$ (○)

㉡ $(3x-y)(2x-3y)$와 $(3x+ay)(2x+by)$가 같아야 하므로 $a=-1$, $b=-3$

확인 08 $8x^2+10xy+3y^2=(2x+ay)(4x+by)$일 때, 정수 a, b에 대하여 $a-b$의 값을 구하시오.

» My 셀파

좌변을 인수분해한 후 우변과 비교한다.

기본 09 인수분해 공식 종합

다음 중 인수분해한 것이 옳지 않은 것은?

① $x^2+8x+16=(x+4)^2$　② $\frac{9}{4}x^2-1=\left(\frac{3}{2}x+1\right)\left(\frac{3}{2}x-1\right)$

③ $x^2-2x-15=(x-5)(x+3)$　④ $3x^2+5xy-2y^2=(x+y)(3x-2y)$

⑤ $10x^2+7x-12=(2x+3)(5x-4)$

해법코드

❶ $ma+mb=m(a+b)$
❷ $a^2+2ab+b^2=(a+b)^2$
❸ $a^2-2ab+b^2=(a-b)^2$
❹ $a^2-b^2=(a+b)(a-b)$
❺ $x^2+(a+b)x+ab=(x+a)(x+b)$
❻ $acx^2+(ad+bc)x+bd=(ax+b)(cx+d)$

셀파 인수분해 공식을 이용한다.

풀이 ① $x^2+8x+16=x^2+2\times x\times 4+4^2=(x+4)^2$

② $\frac{9}{4}x^2-1=\left(\frac{3}{2}x\right)^2-1^2=\left(\frac{3}{2}x+1\right)\left(\frac{3}{2}x-1\right)$

③ $x^2-2x-15=(x+3)(x-5)$

$x \to 3 \to 3x$, $x \to -5 \to -5x$, 합: $-2x$

④ $3x^2+5xy-2y^2=(x+2y)(3x-y)$

$x \to 2y \to 6xy$, $3x \to -y \to -xy$, 합: $5xy$

⑤ $10x^2+7x-12=(2x+3)(5x-4)$

$2x \to 3 \to 15x$, $5x \to -4 \to -8x$, 합: $7x$

따라서 옳지 않은 것은 ④이다.

확인 09 다음 중 $x+2$를 인수로 갖지 않는 다항식은?

① x^2+2x　② x^2+4x+4　③ $3x^2-6$

④ $x^2-5x-14$　⑤ $3x^2+5x-2$

» My 셀파
보기의 각 다항식을 인수분해하였을 때, $(x+2)A$ 꼴이면 $x+2$를 인수로 갖는 다항식이다.

기본 10 두 다항식의 공통인수 구하기

다음 중 두 다항식 $18x^2-8$과 $12x^2+x-6$의 공통인수인 것은?

① $3x+2$　② $4x+3$　③ $(3x+2)(4x+3)$

④ $3x-2$　⑤ $(3x+2)(3x-2)(4x+3)$

해법코드
두 다항식을 각각 인수분해하여 공통인수를 찾는다.

셀파 두 다항식을 각각 인수분해하여 각 다항식의 인수를 확인한다.

풀이 $18x^2-8=2(9x^2-4)=2\{(3x)^2-2^2\}=2(3x+2)(3x-2)$

㉠ $12x^2+x-6=(4x+3)(3x-2)$

따라서 두 다항식의 공통인수는 ④ $3x-2$이다.

㉠ $12x^2+x-6$
$4x \to 3 \to 9x$, $3x \to -2 \to -8x$, 합: x

확인 10 다음 중 두 다항식 $4x^2+11xy+6y^2$, $12x^2+25xy+12y^2$의 공통인수인 것은?

① $x+2y$　② $x+6y$　③ $3x+2y$

④ $3x+4y$　⑤ $4x+3y$

» My 셀파
1 각 다항식을 인수분해한다.
2 공통인수를 찾는다.

7 | 다항식의 인수분해

발전 11 인수가 주어진 이차식의 미지수 구하기

다항식 x^2+ax+2가 $x-1$을 인수로 가질 때, 상수 a의 값을 구하시오.

해법코드

ax^2+bx+c가 $mx+n$을 인수로 가지면

ax^2+bx+c
$=(mx+n)(\square x+\triangle)$
주어진 인수 다른 한 인수

셀파 x^2+ax+2가 $x-1$을 인수로 가지므로 $x^2+ax+2=(x-1)(x$에 대한 일차식$)$ 꼴로 인수분해된다.

풀이 다항식 x^2+ax+2가 $x-1$을 인수로 가지므로
다른 한 인수를 ㉠$x+p$로 놓으면 $x^2+ax+2=(x-1)(x+p)$ (주어진 인수: $x-1$)
이때 -1과 p의 곱은 상수항 2와 같으므로 $-1\times p=2$ $\therefore p=-2$
또 -1과 p의 합은 x의 계수 a와 같으므로 $-1+p=a$
$\therefore a=-1+(-2)=\mathbf{-3}$

㉠ x^2+ax+2의 x^2의 계수가 1이고, 인수 $x-1$에서 x의 계수도 1이므로 다른 한 인수를 x의 계수가 1인 일차식 $x+p$로 놓을 수 있다.

확인 11 다음을 구하시오.

(1) 다항식 x^2+5x+a가 $x-3$을 인수로 가질 때, 상수 a의 값

(2) 다항식 $2x^2+bx-2$가 $x+2$로 나누어떨어질 때, 상수 b의 값

» My 셀파

(2) A가 B로 나누어떨어지면
$A=B\times$(몫)
이므로 B는 A의 인수이다.

발전 12 계수 또는 상수항을 잘못 보고 인수분해한 경우

x^2의 계수가 1인 어떤 이차식을 성하는 x의 계수를 잘못 보아 $(x-1)(x-4)$로 인수분해하였고, 준서는 상수항을 잘못 보아 $(x-1)(x+5)$로 인수분해하였다. 처음 이차식을 인수분해하시오.

해법코드

잘못 본 수를 제외한 나머지 값은 제대로 본 것이므로

(i) 일차항의 계수를 잘못 본 경우
x^2+ax+b
잘못 본 수 (a), 제대로 본 수 (b)

(ii) 상수항을 잘못 본 경우
x^2+cx+d
제대로 본 수 (c), 잘못 본 수 (d)

⇨ 원래의 식은 x^2+cx+b

셀파 각각의 인수분해한 식을 전개하여 제대로 본 계수와 상수항을 찾는다.

풀이 성하가 인수분해한 식을 전개하면 $(x-1)(x-4)=x^2-5x+4$
㉠성하는 상수항은 제대로 보았으므로 처음 이차식의 상수항은 4이다.
준서가 인수분해한 식을 전개하면 $(x-1)(x+5)=x^2+4x-5$
㉡준서는 x의 계수는 제대로 보았으므로 처음 이차식의 x의 계수는 4이다.
따라서 처음 이차식은 x^2+4x+4이고
이 식을 인수분해하면 $x^2+4x+4=\mathbf{(x+2)^2}$

㉠ 성하는 x의 계수를 잘못 보았지만 x^2의 계수와 상수항은 제대로 보았다.

㉡ 준서는 상수항을 잘못 보았지만 x^2의 계수와 x의 계수는 제대로 보았다.

확인 12 x^2의 계수가 1인 어떤 이차식을 인수분해하는데 고은이는 x의 계수를 잘못 보고 $(x-1)(x-8)$로, 민수는 상수항을 잘못 보고 $(x-3)^2$으로 인수분해하였다. 다음 물음에 답하시오.

(1) 처음 이차식을 구하시오.

(2) 처음 이차식을 바르게 인수분해하시오.

» My 셀파

고은이는 상수항을 제대로 보았고, 민수는 x의 계수를 제대로 보았다.

발전 13 도형을 이용한 인수분해 공식

오른쪽 그림의 모든 직사각형을 겹치지 않게 이어 붙여 새로운 직사각형을 만들 때, 새로운 직사각형의 가로의 길이와 세로의 길이의 합을 구하시오.

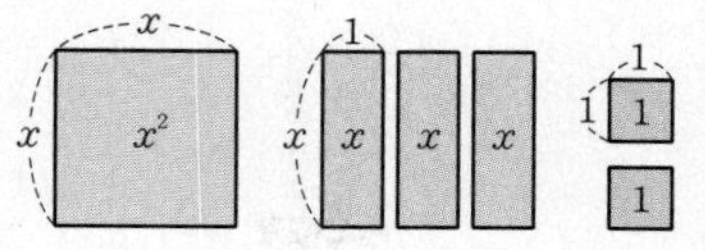

해법코드

여러 종류의 직사각형을 이어 붙여 새로운 직사각형을 만들었을 때, 이어 붙이기 전의 직사각형의 넓이의 합과 새로운 직사각형의 넓이가 같음을 이용한다.

셀파 (주어진 6개의 직사각형의 넓이의 합)=(새로 만들어진 직사각형의 넓이)

풀이 주어진 그림에서 6개의 직사각형의 넓이의 합은

$x^2+x+x+x+1+1=x^2+3x+2=(x+1)(x+2)$

이때 새로운 직사각형의 넓이는 6개의 직사각형의 넓이의 합과 같다.

따라서 ㉠새로운 직사각형의 가로의 길이와 세로의 길이는 각각 $x+1$, $x+2$ 또는 $x+2$, $x+1$이므로 구하는 합은

$(x+1)+(x+2)=\mathbf{2x+3}$

㉠
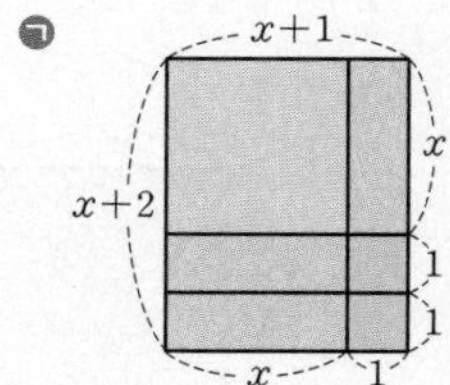

확인 13 다음 그림의 모든 직사각형을 겹치지 않게 이어 붙여 새로운 직사각형을 만들 때, 새로운 직사각형의 가로의 길이와 세로의 길이의 합을 구하시오.

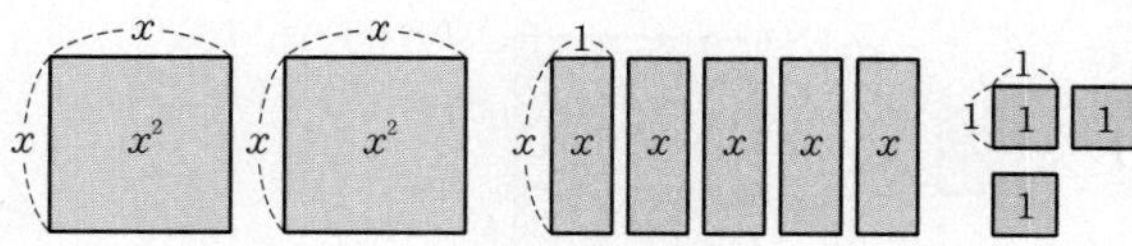

» My 셀파

새로운 직사각형의 넓이는 주어진 10개의 직사각형의 넓이의 합과 같음을 이용한다.

발전 14 인수분해의 도형에의 활용

오른쪽 그림과 같은 직사각형의 세로의 길이가 $x+2$이고 넓이가 $2x^2+3x-2$일 때, 이 직사각형의 둘레의 길이를 구하시오.

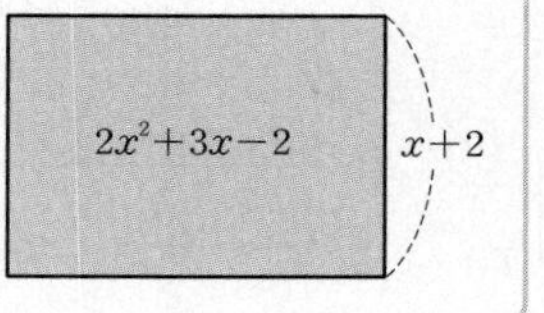

해법코드

도형의 넓이 또는 부피 구하는 공식을 이용하여 식을 세운 후, 식을 인수분해하여 다항식의 곱으로 나타낸다.

셀파 (직사각형의 넓이)=(가로의 길이)×(세로의 길이)

풀이 $2x^2+3x-2=(x+2)(2x-1)$

따라서 가로의 길이는 $2x-1$이므로 구하는 직사각형의 둘레의 길이는

$2\{(2x-1)+(x+2)\}=\mathbf{6x+2}$

확인 14 오른쪽 그림과 같은 사다리꼴의 넓이가 x^2+4x+4일 때, 이 사다리꼴의 높이를 구하시오.

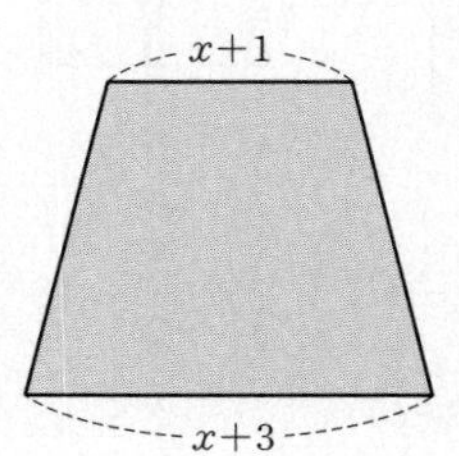

» My 셀파

(사다리꼴의 넓이)

$=\frac{1}{2}\times\{$(윗변의 길이)

+(아랫변의 길이)$\}\times$(높이)

임을 이용하여 식을 세운다.

대수 막대로 인수분해 공식 알아보기

❶ $a^2+2ab+b^2=(a+b)^2$

넓이가 a^2, b^2인 두 종류의 정사각형과 넓이가 ab인 직사각형 2개를 적당히 짜 맞추어 하나의 큰 정사각형을 만든다.

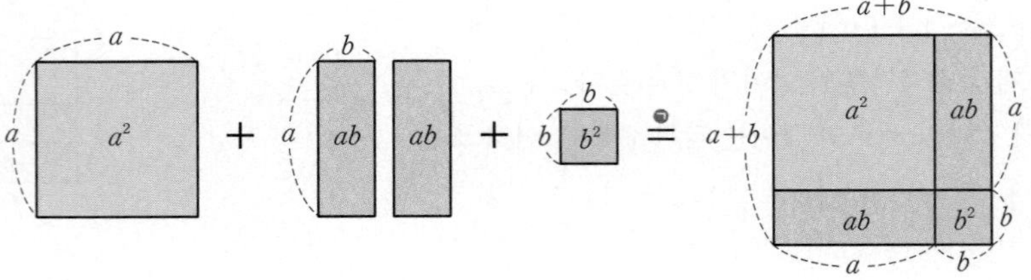

㉠ 등호의 왼쪽 그림에서 각 직사각형의 넓이의 합은
$a^2+ab+ab+b^2=a^2+2ab+b^2$
등호의 오른쪽 그림은 한 변의 길이가 $a+b$인 정사각형이므로 그 넓이는
$(a+b)\times(a+b)$, 즉 $(a+b)^2$
$\therefore a^2+2ab+b^2=(a+b)^2$

❷ $a^2-2ab+b^2=(a-b)^2$

넓이가 a^2인 정사각형 위에 넓이가 ab인 직사각형 2개를 겹치게 놓는다. 이때 겹치는 부분은 넓이가 b^2인 정사각형이 되게 한다.

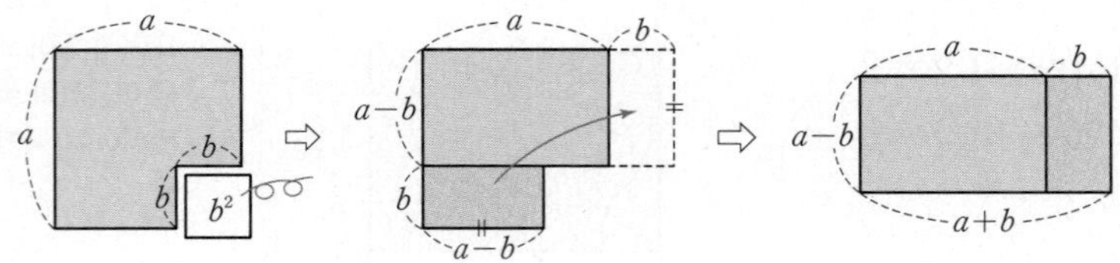

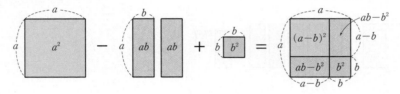

㉡ 첫 번째 그림의 넓이가 a^2인 정사각형에서 넓이가 b^2인 정사각형을 잘라 버린 후 남은 도형의 넓이는 a^2-b^2이다.

❸ $a^2-b^2=(a+b)(a-b)$

넓이가 a^2인 정사각형에서 넓이가 b^2인 정사각형을 잘라 버린 후 ㉡남은 부분에서 ㉢두 번째 그림처럼 생각하여 직사각형의 위치를 옮겨 ㉣세 번째 그림처럼 만든다.

㉢ 두 번째 그림에서 옮기려는 직사각형과 점선으로 표시한 직사각형의 한 변의 길이가 각각 $a-b$, b로 서로 같으므로 이동시켜 하나의 직사각형으로 만들 수 있다.

㉣ 세 번째 그림에서 직사각형의 넓이는 $(a+b)(a-b)$이고, 이것은 첫 번째 도형으로 만들었으므로 그 넓이가 같다.
$\therefore a^2-b^2=(a+b)(a-b)$

❹ $x^2+(a+b)x+ab=(x+a)(x+b)$

넓이가 x^2인 정사각형과 넓이가 ax, bx, ab인 직사각형을 적당히 짜 맞추어 하나의 큰 직사각형을 만든다.

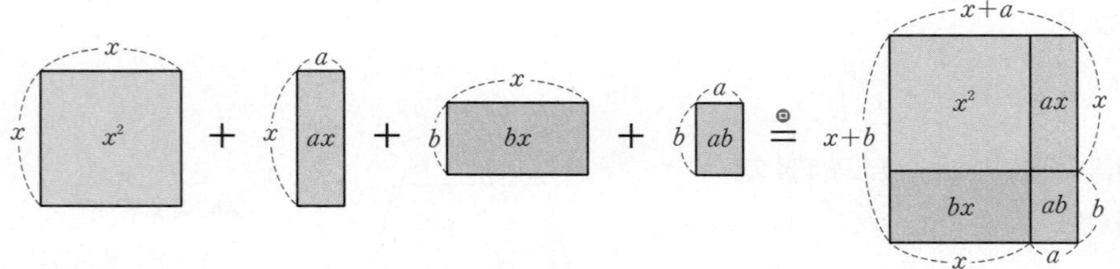

㉤ 등호의 왼쪽 그림에서 각 직사각형의 넓이의 합은
$x^2+ax+bx+ab$
$=x^2+(a+b)x+ab$
등호의 오른쪽 그림에서 가장 큰 직사각형은 가로, 세로의 길이가 각각 $x+a$, $x+b$이므로 그 넓이는 $(x+a)(x+b)$
$\therefore x^2+(a+b)x+ab$
$=(x+a)(x+b)$

- $a^2+2ab+b^2=(a+b)^2$, $a^2-2ab+b^2=(a-b)^2$
- $a^2-b^2=(a+b)(a-b)$, $x^2+(a+b)x+ab=(x+a)(x+b)$

실력 키우기

빠른 정답 224쪽 | 정답과 해설 38쪽

01 공통인수를 이용한 인수분해

다음 중 아래의 식에 대한 설명으로 옳지 않은 것은?

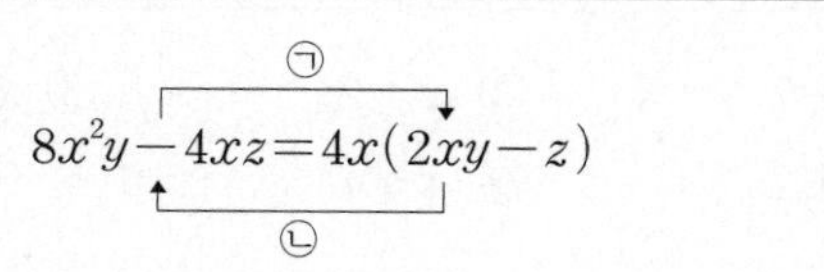

① ㉠의 과정을 인수분해한다고 한다.
② ㉡의 과정을 전개한다고 한다.
③ $4x$는 $8x^2y$, $-4xz$의 공통인수이다.
④ ㉡의 과정에서 결합법칙을 이용한다.
⑤ x, $4x$, $2xy-z$는 모두 $8x^2y-4xz$의 인수이다.

02 인수분해 공식 ① - $a^2\pm2ab+b^2$ 꼴

$ax^2-28x+b$를 인수분해하면 $(2x+c)^2$일 때, 상수 a, b, c에 대하여 $a+b+c$의 값을 구하시오.

03 완전제곱식이 되기 위한 조건

다음 이차식이 완전제곱식으로 인수분해되도록 □ 안에 알맞은 양수를 써넣을 때, □ 안의 수가 가장 큰 것은?

① $x^2+12x+\square$
② $4x^2-\square x+25$
③ $9x^2+\square x+1$
④ $x^2-14x+\square$
⑤ $x^2-\square x+81$

04 완전제곱식이 되기 위한 조건

$4x^2+(2a-6)xy+25y^2$이 완전제곱식이 되도록 하는 상수 a의 값을 모두 고르면? (정답 2개)

① -13 ② -7 ③ -2
④ 8 ⑤ 13

05 근호 안이 완전제곱식으로 인수분해되는 식 (서술형)

$a-b<0$, $ab<0$일 때,
$\sqrt{(3a)^2}+\sqrt{a^2-2ab+b^2}-\sqrt{(7b)^2}$을 간단히 하시오.

06 인수분해 공식 ② - a^2-b^2 꼴

$50x^2-2y^2$을 인수분해하면?

① $(25x+2y)(25x-2y)$
② $2(5x+y)(5x-y)$
③ $2(5x+2y)(5x-2y)$
④ $(5x-y)^2$
⑤ $-2(5x+y)^2$

07 인수분해 공식 ③ - $x^2+(a+b)x+ab$ 꼴

$(x+4)^2-x-6$을 인수분해하면 $(x+a)(x+b)$가 될 때, 상수 a, b에 대하여 $a+b$의 값은?

① 4 ② 6 ③ 7
④ 10 ⑤ 12

08 인수분해 공식 ④ - $acx^2+(ad+bc)x+bd$ 꼴

$12x^2+17x+a$를 인수분해하면 $(3x+5)(4x+b)$일 때, 상수 a, b에 대하여 ab의 값을 구하시오.

09 인수분해 공식 종합

다음 중 인수분해를 바르게 한 것은?

① $2x^2-4x+2=(2x-1)^2$
② $x^2-3y^2=(x+3y)(x-3y)$
③ $x^2+11x+30=(x+5)(x+6)$
④ $4x^2-24xy+12y^2=(2x-6)^2$
⑤ $ax-bx+y(a-b)=(a+b)(x-y)$

10 두 다항식의 공통인수 구하기

다음 중 두 다항식의 공통인수인 것은?

$$2x^2+2x-4,\ x^2-5x-14$$

① $x-7$ ② $x-2$ ③ $x-1$
④ $x+2$ ⑤ $x+7$

11 인수가 주어진 이차식의 미지수 구하기 (서술형)

두 다항식 $x^2+ax-36$, $3x^2-7x-b$의 공통인수가 $x-3$일 때, 상수 a, b에 대하여 $a+b$의 값을 구하시오.

12 계수 또는 상수항을 잘못 보고 인수분해한 경우 (서술형)

x^2의 계수가 1인 어떤 이차식을 A는 x의 계수를 잘못 보고 인수분해하여 $(x+3)(x-4)$가 되었고, B는 상수항을 잘못 보고 인수분해하여 $(x+6)(x-10)$이 되었다. 처음 이차식을 $(x+a)(x+b)$로 인수분해할 때, 상수 a, b에 대하여 $a-b$의 값을 구하시오. (단, $a>b$)

13 도형을 이용한 인수분해 공식

다음 그림의 직사각형을 겹치지 않게 이어 붙여 만든 새로운 정사각형의 한 변의 길이를 구하시오.

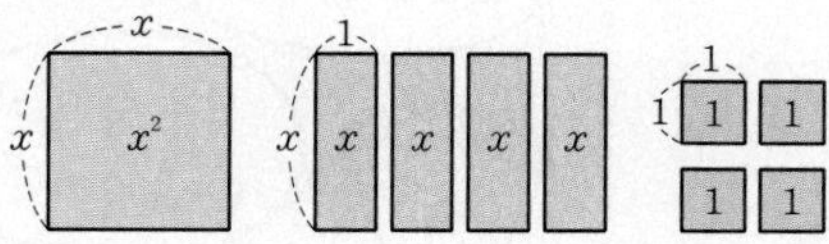

14 도형을 이용한 인수분해 공식

서술형

다음 그림에서 [그림 1]은 한 변의 길이가 a인 정사각형에서 한 변의 길이가 b인 정사각형을 잘라 낸 것이다. [그림 1]의 도형을 반으로 잘라 붙여서 [그림 2]와 같은 직사각형을 만들었을 때, 물음에 답하시오.

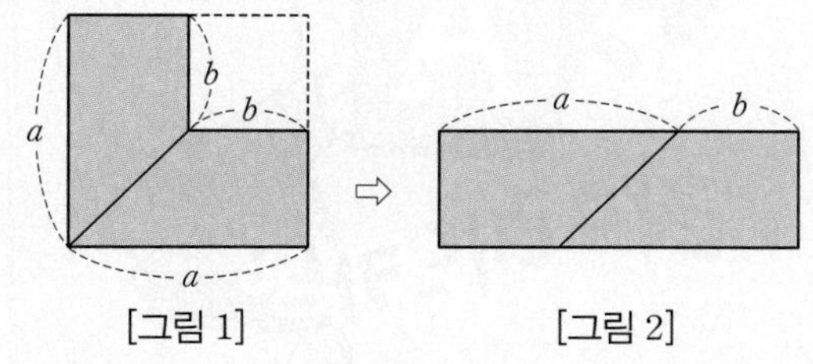

[그림 1] [그림 2]

(1) [그림 1]의 도형의 넓이를 a, b를 사용한 식으로 나타내시오.

(2) [그림 2]의 직사각형의 넓이를 두 다항식의 곱으로 나타내시오.

(3) (1), (2)에서 알 수 있는 인수분해 공식을 말하시오.

15 인수분해의 도형에의 활용

다음 그림에서 도형 A는 한 변의 길이가 $2x+3$인 정사각형에서 한 변의 길이가 2인 정사각형을 잘라 내고 남은 도형이고, 도형 B는 세로의 길이가 $2x+1$인 직사각형이다. 두 도형 A, B의 넓이가 같을 때, 직사각형 B의 가로의 길이를 구하시오.

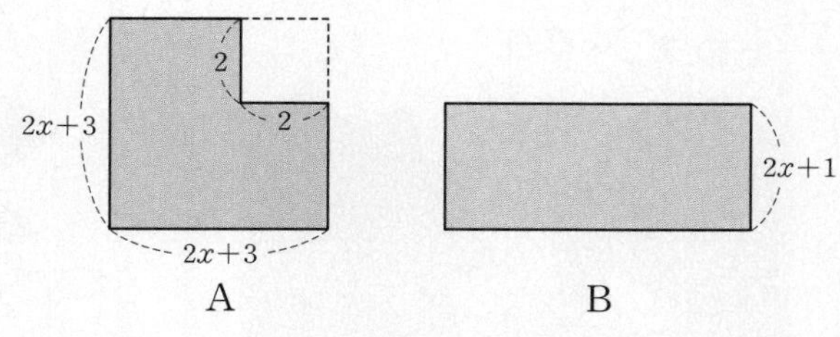

16 인수분해 공식 ③ - $x^2+(a+b)x+ab$ 꼴

융합형

다음 그림과 같이 A 주머니에는 1, 2, 3, 4, 5의 수가 하나씩 적혀 있는 5개의 공이 들어 있고, B 주머니에는 6, 7, 8, 9, 10의 수가 하나씩 적혀 있는 5개의 공이 들어 있다. 각 주머니에서 공을 한 개씩 꺼낼 때, A 주머니에서 꺼낸 공에 적혀 있는 수를 a, B 주머니에서 꺼낸 공에 적혀 있는 수를 b라 하자. 다항식 $x^2+cx+30$이 $(x+a)(x+b)$로 인수분해되도록 하는 상수 c의 값을 모두 구하시오.

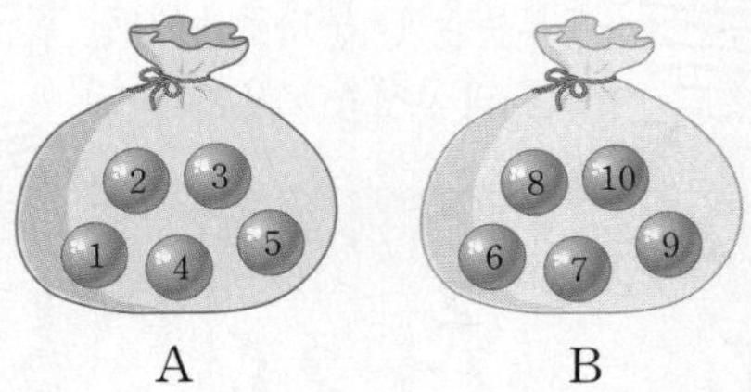

인수분해해야 할
다항식이 다양하네.
$2a$
$+5$
x^2y-7x^2
ax^2-4a
$x+$

공통인수만 찾으면
인수분해 공식으로
쉽게 해결할 수 있어.

자신만만하네.
식은 죽 먹기
라니까.

$(a+b)^2+2(a+b)+1$
이건 뭐냐?
공통부분이
하나의 식이다!

이게 필요하겠군.
척
A
레… 레드 카드?

공통부분을 한 문자로 치환한 후
인수분해 공식을 이용하면 돼.
$(A)^2+2(A)+1$
아~

A^2+2A+1
$=(A+1)^2$
A
$(a+b+1)^2$
인수분해를 한 뒤에
다시 원래 식을
대입하면 끝!

Ⅱ | 다항식의 곱셈과 인수분해

8 인수분해 공식의 활용

8 1. 여러 가지 식의 인수분해

1 공통인수가 있는 다항식의 인수분해

공통인수가 있으면 [ ]로 묶어 내고 인수분해 공식을 이용한다. | 공통인수

예 ax^2-4a
$=a(x^2-4)$ ← 공통인수로 묶는다.
$=a(x+2)(x-[\ ])$ ← 인수분해한다. | 2

주의 공통인수로 묶어 낼 때, 공통인수가 남지 않도록 묶어 내야 한다.

개념 다시 보기 
인수분해 공식
① $a^2+2ab+b^2=(a+b)^2$
$a^2-2ab+b^2=(a-b)^2$
② $a^2-b^2=(a+b)(a-b)$
③ $x^2+(a+b)x+ab$
$=(x+a)(x+b)$
④ $acx^2+(ad+bc)x+bd$
$=(ax+b)(cx+d)$

보기 $x^3y-7x^2y+12xy$를 인수분해하시오.

풀이 $x^3y-7x^2y+12xy=xy(x^2-7x+12)=\boldsymbol{xy(x-3)(x-4)}$
(공통인수로 묶는다. / 인수분해 공식을 이용한다.)

2 치환을 이용한 인수분해

(1) 한 문자로 치환하는 경우

공통부분을 한 문자로 [ ]한 후 인수분해 공식을 이용한다. | 치환

예[ㄱ] $(a+b)^2+2(a+b)+1$
$=A^2+2A+1$ ← $a+b=A$로 놓는다.
$=(A+1)^2$ ← 인수분해한다.
$=([\ ]+1)^2$ ← [ㄴ] A 대신 $a+b$를 대입한다. | $a+b$

(2) 두 문자로 치환하는 경우

각각의 식을 서로 다른 문자로 치환한 후 인수분해 공식을 이용한다.

예 $(x+4)^2-(y-4)^2$
$=A^2-B^2$ ← $x+4=A$, $y-4=B$로 놓는다.
$=(A+B)(A-B)$ ← 인수분해한다.
$=\{(x+4)+(y-4)\}\{(x+4)-(y-4)\}$ ← A 대신 [ ], B 대신 $y-4$를 대입한다. | $x+4$
$=(x+y)(x-y+[\ ])$ | 8

ㄱ $a+b$는 공통인수가 아니므로 $a+b$로 묶어 인수분해할 수는 없다.

ㄴ 치환하여 인수분해한 후에는 다시 원래의 식을 대입하여 정리한다.

● x에 대한 다항식을 인수분해한 결과도 x에 대한 다항식이어야 한다는 것을 잊지 않도록 한다.

보기 다음 식을 인수분해하시오.

(1) $(x-y)^2-2(x-y)+1$ (2) $(x-1)^2+2(x-1)(y+2)-3(y+2)^2$

풀이 (1) $(x-y)^2-2(x-y)+1=A^2-2A+1$ ← $x-y=A$로 놓는다.
$=(A-1)^2$ ← 인수분해한다.
$=\boldsymbol{(x-y-1)^2}$ ← A 대신 $x-y$를 대입한다.

(2) $(x-1)^2+2(x-1)(y+2)-3(y+2)^2$
$=A^2+2AB-3B^2$ ← $x-1=A$, $y+2=B$로 놓는다.
$=(A-B)(A+3B)$ ← 인수분해한다.
$=\{(x-1)-(y+2)\}\{(x-1)+3(y+2)\}$ ← A 대신 $x-1$, B 대신 $y+2$를 대입한다.
$=\boldsymbol{(x-y-3)(x+3y+5)}$

치환한 식을 다시 대입할 때, 괄호를 하고 대입하면 부호로 인한 실수를 줄일 수 있다.

따라 풀면서 개념 익히기

빠른 정답 224쪽 | 정답과 해설 40쪽

| 개념 체크 |

1-1 공통인수가 있는 다항식의 인수분해

다음 식을 인수분해하시오.

(1) $a^2b-6ab+9b$

(2) $(x+y)x^2-16(x+y)$

셀파 공통인수를 찾아 묶어 낸 후 인수분해 공식을 이용한다.

연구 (1) $a^2b-6ab+9b$

$=b(a^2-6a+9)$ ← 공통인수로 묶는다.

$=b(a-\square)^2$ ← 인수분해한다.

(2) $(x+y)x^2-16(x+y)$

$=(x+y)(x^2-\square)$ ← 공통인수로 묶는다.

$=(x+y)(x+\square)(x-\square)$ ← 인수분해한다.

| 따라 풀기 |

1-2 다음 식을 인수분해하시오.

(1) $5x^2-10xy+5y^2$

(2) $4a^2b-b^3$

(3) $2x^2y^2-4xy^2+2y^2$

(4) $3a^3b-12a^2b+9ab$

2-1 치환을 이용한 인수분해

다음 식을 인수분해하시오.

(1) $(x-3)^2-2(x-3)-8$

(2) $(2x+y)^2-(x-y)^2$

셀파 치환을 이용하여 인수분해한다.

연구 (1) $(x-3)^2-2(x-3)-8$

$=A^2-2A-8$ ← $x-3=A$로 놓는다.

$=(A+2)(A-\square)$ ← 인수분해한다.

$=\{(x-3)+2\}\{(x-3)-\square\}$ ← A 대신 $x-3$을 대입한다.

$=\square$

(2) $(2x+y)^2-(x-y)^2$

$=A^2-B^2$ ← $2x+y=A,\ x-y=B$로 놓는다.

$=(A+\square)(A-\square)$ ← 인수분해한다.

$=\{(2x+y)+(\square)\}\{(2x+y)-(\square)\}$ ← A 대신 $2x+y$, B 대신 $x-y$를 대입한다.

$=\square$

2-2 다음 식을 인수분해하시오.

(1) $(a+1)^2+3(a+1)-4$

(2) $(x+y)^2+2x+2y+1$

(3) $(a-3)^2-(b+4)^2$

(4) $(x+1)^2+7(x+1)(y-3)+10(y-3)^2$

- **공통인수가 있는 다항식의 인수분해** 공통인수로 묶어 낸 후 인수분해가 가능한 부분이 있으면 끝까지 인수분해한다.
- **치환을 이용한 인수분해** 치환하여 인수분해한 후 반드시 치환한 문자 대신 원래의 식을 대입한다. 원래의 식을 대입할 때 괄호를 이용하면 부호로 인한 실수를 줄일 수 있다.

3 항이 4개인 다항식의 인수분해

(1) 공통인수가 있는 경우

공통부분이 생기도록 (2항)+(2항)으로 묶어 인수분해한다.

예 $ax+bx+ay+by$
$=(ax+bx)+(ay+by)$ (2항)+(2항)으로 묶는다.
$=x(a+b)+y(a+b)$ 각 묶음 안에서 [   ]로 묶는다.
$=(a+b)(\quad)$ 인수분해한다.

공통인수
$x+y$

(2) 공통인수가 없는 경우

㉠(1항)+(3항) 또는 (3항)+(1항)으로 묶어 A^2-B^2 꼴로 만든 후 인수분해한다.

예 $x^2+2x+1-y^2$
$=(x^2+2x+1)-y^2$ (3항)+(1항)으로 묶는다.
㉡$=(x+1)^2-y^2$ [   ] 꼴로 만든다.
㉢$=\{(x+1)+\quad\}\{(x+1)-y\}$ 인수분해한다.
$=(x+y+1)(x-y+1)$

A^2-B^2
y

참고 항이 4개인 다항식을 인수분해할 때는 먼저 (2항)과 (2항)으로 묶어야 하는지, (3항)과 (1항)으로 묶어야 하는지 판단해야 한다.
만약 (2항)과 (2항)으로 정리한 다항식에서 공통인수가 없으면 인수분해를 할 수 없다. 이때는 주어진 식에서 완전제곱식이 되는 다항식이 있는지 찾아본다.

㉠ (1항)+(3항) 또는 (3항)+(1항)으로 묶으면 보통 (3항)은 완전제곱식이 된다.

보기 다음 식을 인수분해하시오.

(1) $xy+x+2y+2$　　(2) a^2-b^2+4b-4

풀이 (1) $xy+x+2y+2$
$=(xy+x)+(2y+2)$ (2항)+(2항)으로 묶는다.
$=x(y+1)+2(y+1)$ 각 묶음 안에서 공통인수로 묶는다.
$=\mathbf{(y+1)(x+2)}$ 인수분해한다.

(2) a^2-b^2+4b-4
$=a^2-(b^2-4b+4)$ (1항)+(3항)으로 묶는다.
$=a^2-(b-2)^2$ A^2-B^2 꼴로 만든다.
$=\{a+(b-2)\}\{a-(b-2)\}$ 인수분해한다.
$=\mathbf{(a+b-2)(a-b+2)}$

㉡ $(x+1)^2-y^2$은 A^2-B^2 꼴이므로 인수분해 공식 $A^2-B^2=(A+B)(A-B)$를 이용한다.

㉢ $(x+1+y)(x+1-y)$를 그대로 두어도 되지만 보통 상수항을 맨 뒤로 옮겨 $(x+y+1)(x-y+1)$로 정리한다.

㉣ 차수: 어떤 항에서 문자가 곱해진 개수

4 항이 5개 이상인 다항식의 인수분해

㉣차수가 가장 낮은 한 문자에 대하여 ㉤내림차순으로 정리한 후 인수분해한다.
이때 차수가 모두 같으면 어느 한 문자에 대하여 내림차순으로 정리한다.

예 $x^2+xy+x-y-2$
$=xy-y+x^2+x-2$ 차수가 가장 낮은 문자 [ ]에 대하여 내림차순으로 정리한다.
$=y(x-1)+(x-1)(x+2)$
$=(\quad)(x+y+2)$

y
$x-1$

㉤ 내림차순으로 정리: 한 문자에 대하여 차수가 높은 항부터 차수가 낮은 항의 순서로 정리하는 것

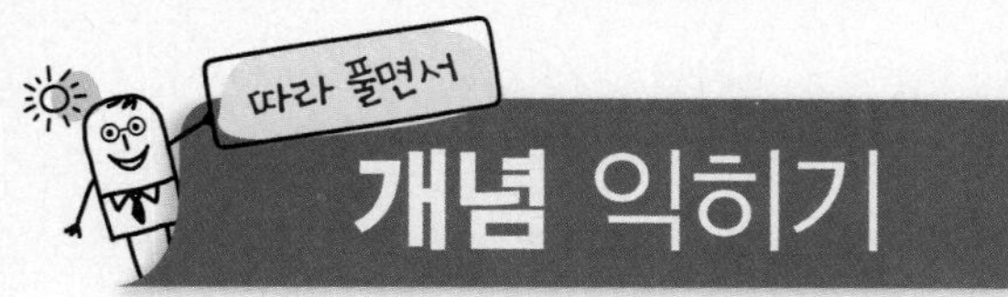

빠른 정답 224쪽 | 정답과 해설 40쪽

| 개념 체크 |

3-1 항이 4개인 다항식의 인수분해

다음 식을 인수분해하시오.

(1) $xy-xz+y-z$

(2) $9x^2-y^2-2y-1$

셀파 항이 4개인 경우 (2항)+(2항)으로 묶어 공통인수가 있는지 확인한다. 공통인수가 없으면 (1항)+(3항) 또는 (3항)+(1항) 으로 묶는다.

연구 (1) $xy-xz+y-z$

$=(xy-xz)+(y-z)$ ← (2항)+(2항)으로 묶는다.

$=\square(y-z)+(y-z)$ ← 각 묶음 안에서 공통인수로 묶는다.

$=(y-\square)(\square+1)$ ← 인수분해한다.

(2) $9x^2-y^2-2y-1$

$=9x^2-(y^2+2y+1)$ ← (1항)+(3항)으로 묶는다.

$=(\square)^2-(y+1)^2$ ← A^2-B^2 꼴로 만든다.

$=\{\square+(y+1)\}\{\square-(y+1)\}$ ← 인수분해한다.

$=(3x+y+1)(\square)$

| 따라 풀기 |

3-2 다음 식을 인수분해하시오.

(1) $a^2-ab+a-b$

(2) $ax-2ay+bx-2by$

(3) $x^2-4xy+4y^2-1$

(4) $a^2-b^2+8b-16$

4-1 항이 5개 이상인 다항식의 인수분해

$x^2+2xy-5x-4y+6$을 인수분해하시오.

셀파 차수가 가장 낮은 문자 y에 대하여 내림차순으로 정리한다.

연구 $x^2+2xy-5x-4y+6$

$=2xy-4y+x^2-5x+6$ ← 차수가 가장 낮은 문자 y에 대하여 내림차순으로 정리한다.

$=2y(\square)+(\square)(x-3)$

$=\square$

4-2 다음은 주어진 식을 인수분해하는 과정이다. $\square$ 안에 알맞은 것을 써넣으시오.

$x^2-y^2+6x+2y+8=x^2+6x-y^2+2y+8$

$=x^2+6x-(y^2-2y-8)$

$=x^2+6x-(y+2)(y-4)$

$=\{x+(\square)\}\{x-(\square)\}$

$=(\square)(\square)$

- **항이 4개인 다항식의 인수분해** 공통부분이 생기도록 (2항)+(2항)으로 묶어 인수분해한다. 이때 공통인수가 없으면 (1항)+(3항) 또는 (3항)+(1항)으로 묶는다.
- **항이 5개 이상인 다항식의 인수분해** 차수가 가장 낮은 한 문자에 대하여 내림차순으로 정리한 후 인수분해한다. 이때 차수가 같으면 어느 한 문자에 대하여 내림차순으로 정리해도 상관없다.

빠른 정답 224쪽 | 정답과 해설 41쪽

기본 01 공통인수가 있는 다항식의 인수분해

다음 식을 인수분해하시오.

(1) $9a^3b-25ab^3$ (2) $x^3y-3x^2y-10xy$

해법코드
1 공통인수로 묶는다.
2 인수분해 공식을 이용한다.

셀파 공통인수가 있는지 없는지를 먼저 확인하고 공통인수가 있으면 공통인수로 먼저 묶어 낸다.

풀이 (1) $9a^3b-25ab^3=ab(9a^2-25b^2)=ab\{(3a)^2-(5b)^2\}=\boldsymbol{ab(3a+5b)(3a-5b)}$

(2) $x^3y-3x^2y-10xy=xy(x^2-3x-10)=\boldsymbol{xy(x+2)(x-5)}$

확인 01 다음 식을 인수분해하시오.

(1) $2xy^2-2xy-24x$ (2) $6a^3-a^2b-2ab^2$

» My 셀파
(1) 공통인수는 $2x$이다.
(2) 공통인수는 a이다.

기본 02 치환을 이용한 인수분해 (1)

다음 식을 인수분해하시오.

(1) $5(x-3)^2-7(x-3)-6$ (2) $(x+y)(x+y-4)+3$

해법코드
1 공통부분을 한 문자로 치환한다.
2 치환한 식을 인수분해한다.
3 원래의 식을 다시 대입하여 간단히 한다.

셀파 공통부분을 문자 A로 치환한 후 인수분해한다.

풀이 (1) $x-3=A$로 놓으면

$$\begin{aligned}5(x-3)^2-7(x-3)-6&=5A^2-7A-6\\&\overset{❶}{=}\underline{(A-2)(5A+3)}\\&=\{(x-3)-2\}\{5(x-3)+3\}\\&=(x-3-2)(5x-15+3)\\&=\boldsymbol{(x-5)(5x-12)}\end{aligned}$$

❶ 치환하여 인수분해한 후 반드시 치환한 문자에 원래의 식을 대입하여 정리한다.

(2) $x+y=A$로 놓으면

$$\begin{aligned}(x+y)(x+y-4)+3&=A(A-4)+3=A^2-4A+3\\&=(A-1)(A-3)=\boldsymbol{(x+y-1)(x+y-3)}\end{aligned}$$

확인 02 다음 식을 인수분해하시오.

(1) $(a-2)^2-7(a-2)+12$ (2) $3(3x-4y)^2+18(3x-4y)+27$

(3) $(x+y)(x+y-3)-10$ (4) $(3a-2b-2)(3a-2b+3)+4$

» My 셀파
공통부분을 한 문자로 치환한다.

기본 03 치환을 이용한 인수분해 (2)

다음 식을 인수분해하시오.

(1) $(x-y)^2-(2y+z)^2$　　(2) $(a-2)^2-3(a-2)(b+1)-4(b+1)^2$

해법코드

(1) $x-y$를 A, $2y+z$를 B로 치환한다.

(2) $a-2$를 A, $b+1$을 B로 치환한다.

셀파 치환해야 하는 대상이 2개일 경우에는 각각 다른 문자로 치환한다.

풀이 (1) $x-y=A$, $2y+z=B$로 놓으면

$$\text{㉠}(x-y)^2-(2y+z)^2=A^2-B^2=\text{㉡}(A+B)(A-B)$$
$$=\{(x-y)+(2y+z)\}\{(x-y)-(2y+z)\}$$
$$=(x-y+2y+z)(x-y-2y-z)$$
$$=\boldsymbol{(x+y+z)(x-3y-z)}$$

(2) $a-2=A$, $b+1=B$로 놓으면

$$(a-2)^2-3(a-2)(b+1)-4(b+1)^2=A^2-3AB-4B^2=(A+B)(A-4B)$$
$$=\{(a-2)+(b+1)\}\{(a-2)-4(b+1)\}$$
$$=(a-2+b+1)(a-2-4b-4)$$
$$=\boldsymbol{(a+b-1)(a-4b-6)}$$

㉠ 제곱의 차 공식을 이용할 수 있는 형태이다. 좀 더 익숙해지면 굳이 치환하지 않고 바로 인수분해를 해도 된다.

㉡ A, B에 대하여 인수분해한 식에 A 대신 $x-y$, B 대신 $2y+z$를 대입한다.

확인 03 다음 식을 인수분해하시오.

(1) $(4a+3b)^2-(a-b)^2$

(2) $(2x+1)^2+(2x+1)(2y+6)+(y+3)^2$

» My 셀파

(1) $4a+3b$를 A, $a-b$를 B로 치환한다.

(2) $2x+1$을 A, $y+3$을 B로 치환한다.

기본 04 항이 4개인 다항식의 인수분해 – 두 항씩 묶기

다음 식을 인수분해하시오.

(1) ax^2-a-x^2+1　　(2) x^2-3x-y^2+3y

해법코드

1 (2항)+(2항)으로 묶는다.

2 각 묶음 안에서 공통인수를 찾는다.

3 공통인수를 이용하여 인수분해한다.

셀파 항이 4개인 다항식은 공통부분이 생기도록 두 항씩 묶어 낸 후 인수분해한다.

풀이 (1) $ax^2-a-x^2+1=a(x^2-1)-(x^2-1)$

$$=(x^2-1)(a-1)$$
$$=\boldsymbol{(x+1)(x-1)(a-1)}$$

(2) $x^2-3x-y^2+3y=x^2-y^2-3x+3y$

$$=(x+y)(x-y)-3(x-y)$$
$$=\boldsymbol{(x-y)(x+y-3)}$$

확인 04 다음 식을 인수분해하시오.

(1) x^3-x^2-x+1　　(2) $xy+1-x-y$

» My 셀파

공통인수가 있는 두 항씩 묶어 인수분해한다.

기본 05 항이 4개인 다항식의 인수분해 - A^2-B^2 꼴

다음 식을 인수분해하시오.

(1) $4x^2-y^2+4x+1$ (2) $4x^2-y^2+6y-9$

해법코드

1 완전제곱식으로 만들 수 있는 항 3개를 찾는다.
2 A^2-B^2 꼴로 나타낸다.
3 인수분해 공식을 이용한다.

셀파 완전제곱식이 되는 항 3개를 묶는다.

풀이 (1) $4x^2-y^2+4x+1=4x^2+4x+1-y^2$

$=(2x+1)^2-y^2$

$=(2x+1+y)(2x+1-y)$

$=\mathbf{(2x+y+1)(2x-y+1)}$

(2) $4x^2-y^2+6y-9=4x^2-(y^2-6y+9)$

$=(2x)^2-(y-3)^2$

$=\{2x+(y-3)\}\{2x-(y-3)\}$

$=\mathbf{(2x+y-3)(2x-y+3)}$

● 항을 적당히 이동시켜 완전제곱식이 되는 항 3개를 찾는다.

● (2항)과 (2항)으로 나누었을 때, 공통인수가 없으면 완전제곱식을 이루는 항 3개가 있는지 살펴본다.

확인 05 다음 식을 인수분해하시오.

(1) $1-x^2+2xy-y^2$ (2) $9x^2+4y^2-12xy-36$

» My 셀파
완전제곱식이 되는 항 3개를 묶는다.

발전 06 항이 5개 이상인 다항식의 인수분해

다음 식을 인수분해하시오.

(1) $x^2+4y^2-4xy-2yz+xz$ (2) $x^2+xy-2y^2-x+7y-6$

해법코드

항이 5개 이상이거나 문자가 여러 개이면
⇨ 차수가 가장 낮은 문자에 대하여 내림차순으로 정리한다.
이때 차수가 같으면 어느 한 문자에 대하여 내림차순으로 정리한다.

셀파 (1) 차수가 가장 낮은 문자 z에 대하여 내림차순으로 정리하고 인수분해한다.

풀이 (1) 차수가 가장 낮은 문자 z에 대하여 내림차순으로 정리하고 인수분해하면

$x^2+4y^2-4xy-2yz+xz=(x-2y)z+(x^2-4xy+4y^2)$

$=(x-2y)z+(x-2y)^2$

$=\mathbf{(x-2y)(x-2y+z)}$

(2) x, y의 차수가 같으므로 x에 대하여 내림차순으로 정리하면

$x^2+xy-2y^2-x+7y-6=x^2+(y-1)x-(2y^2-7y+6)$

$=x^2+(y-1)x-(y-2)(2y-3)$

$x \to -(y-2) \to -(y-2)x$
$x \to (2y-3) \to (2y-3)x$ (+
$(y-1)x$

$=\{x-(y-2)\}\{x+(2y-3)\}$

$=\mathbf{(x-y+2)(x+2y-3)}$

● $2y^2-7y+6=(y-2)(2y-3)$

$y \to -2 \to -4y$
$2y \to -3 \to -3y$ (+
$-7y$

확인 06 $x^2+xy+3x+y+2$가 각 항의 계수가 정수인 두 일차식의 곱으로 인수분해될 때, 두 일차식의 합을 구하시오. (단, 두 일차식의 x의 계수는 양수이다.)

» My 셀파
문자 y가 차수가 가장 낮으므로 y에 대하여 내림차순으로 정리하고 인수분해한다.

집중 연습

여러 가지 식의 인수분해

빠른 정답 224쪽 | 정답과 해설 42쪽

공통인수가 있는 다항식의 인수분해

1 다음 식을 인수분해하시오.

(1) $2ab^2-8ab+8a$

(2) $(x^2+1)(x-1)-5(x-1)$

(3) $(x+1)a^2+3(x+1)a-10(x+1)$

(4) $(3x+2y)(x+y)-(x-y)(x+y)$

치환을 이용한 인수분해

2 다음 식을 인수분해하시오.

(1) $(a+b)^2+4(a+b)-21$

(2) $(a+2b)(a+2b-6)-16$

(3) $(2x-3)^2-(x+3)^2$

(4) $2(x+2y)^2+(x+2y)(3x-y)-(3x-y)^2$

(5) $2(x+y)^2+5(x+y)(2y-x)-3(x-2y)^2$

항이 4개인 다항식의 인수분해

3 다음 식을 인수분해하시오.

(1) $ab+5a+b+5$

(2) $xy-4x+ay-4a$

(3) $ac+bd-ad-bc$

(4) $a^2+14a+49-b^2$

(5) $4x^2-y^2-10yz-25z^2$

(6) $2bc-b^2-c^2+a^2$

항이 5개 이상인 다항식의 인수분해

4 다음 식을 인수분해하시오.

(1) $2x^2+xy+x+3y-15$

(2) $x^2+xy-5x-2y+6$

(3) $2x^2-xy-y^2+y-7x+6$

(4) $a^2-4ab+4b^2-3a+6b$

8 2. 인수분해 공식의 활용

1 인수분해 공식을 이용한 수의 계산

큰 수나 복잡한 식을 계산할 때, 특정한 수를 문자로 생각하여 ㉠인수분해 공식을 이용하면 편리한 경우가 있다.

① $ma+mb=$ [$m(a+b)$]를 이용한다.

예 $7\times49+7\times51=7\times(49+51)=7\times100=700$

② $a^2+2ab+b^2=$ [$(a+b)^2$] 또는 $a^2-2ab+b^2=(a-b)^2$을 이용한다.

예 $17^2+2\times17\times3+3^2=(17+3)^2=20^2=400$

③ $a^2-b^2=(a+b)$ [$(a-b)$]를 이용한다.

예 $27^2-17^2=(27+17)(27-17)=44\times10=440$

㉠ 계산해야 하는 식의 형태에 따라 알맞은 인수분해 공식을 이용한다.
① 공통인수로 묶기 (분배법칙)
$ma+mb=m(a+b)$
$ma-mb=m(a-b)$
② 완전제곱식 이용
$a^2+2ab+b^2=(a+b)^2$
$a^2-2ab+b^2=(a-b)^2$
③ 제곱의 차 이용
$a^2-b^2=(a+b)(a-b)$

보기 인수분해 공식을 이용하여 다음을 계산하시오.

(1) $15\times94-15\times74$

(2) $15^2-2\times15\times5+5^2$

(3) 35^2-25^2

풀이 (1) 공통인수 15로 묶어 내면

$15\times94-15\times74=15\times(94-74)=15\times20=\mathbf{300}$

(2) 인수분해 공식 ㉡$a^2-2ab+b^2=(a-b)^2$을 이용하면

$15^2-2\times15\times5+5^2=(15-5)^2=10^2=\mathbf{100}$

(3) 인수분해 공식 ㉢$a^2-b^2=(a+b)(a-b)$를 이용하면

$35^2-25^2=(35+25)(35-25)=60\times10=\mathbf{600}$

㉡ $15=a$, $5=b$로 생각하면 $15^2-2\times15\times5+5^2=a^2-2ab+b^2$이므로 $a^2-2ab+b^2=(a-b)^2$을 이용할 수 있다.

㉢ $35=a$, $25=b$로 생각하면 $35^2-25^2=a^2-b^2$이므로 $a^2-b^2=(a+b)(a-b)$를 이용할 수 있다.

2 인수분해 공식을 이용한 식의 값

인수분해 공식을 이용하여 식을 간단히 한 후 주어진 수를 대입하여 계산하면 편리하다.

예 $x=99$일 때, x^2+2x+1의 값을 구해 보자.

1 x^2+2x+1을 인수분해하면 $x^2+2x+1=($ [x] $+1)^2$

2 $(x+1)^2$에 $x=99$를 대입하면 $($ [99] $+1)^2=100^2=10000$

직접 계산해서 구할 수도 있지만 인수분해 공식을 이용하여 계산하는 것이 더 편리해.

보기 $x=51$, $y=49$일 때, 인수분해 공식을 이용하여 x^2-y^2의 값을 구하시오.

풀이 $x^2-y^2=(x+y)(x-y)$

$=(51+49)(51-49)$ ← $x=51$, $y=49$를 대입한다.

$=100\times2=\mathbf{200}$

빠른 정답 224쪽 | 정답과 해설 44쪽

| 개념 체크 |

1-1 인수분해 공식을 이용한 수의 계산

인수분해 공식을 이용하여 다음을 계산하시오.

(1) 98^2-2^2　　(2) $13^2+2\times13\times7+7^2$

셀파 수를 문자로 생각하고 인수분해 공식을 이용한다.

연구 (1) 인수분해 공식 $a^2-b^2=\square$를 이용하면

98^2-2^2

$=(98+\square)(98-\square)$

$=\square\times\square=\square$

(2) 인수분해 공식 $a^2+2ab+b^2=\square$을 이용하면

$13^2+2\times13\times7+7^2$

$=(13+\square)^2$

$=\square^2=\square$

| 따라 풀기 |

1-2 다음 수를 계산할 때, 이용하면 편리한 인수분해 공식을 보기에서 찾고, 그 인수분해 공식을 이용하여 계산하시오.

보기
ㄱ $ma+mb=m(a+b)$
ㄴ $a^2+2ab+b^2=(a+b)^2$
ㄷ $a^2-2ab+b^2=(a-b)^2$
ㄹ $a^2-b^2=(a+b)(a-b)$

(1) 103^2-3^2

(2) $18^2-2\times18\times8+8^2$

2-1 인수분해 공식을 이용한 식의 값

다음 식의 값을 구하시오.

(1) $x=103$일 때, x^2-6x+9의 값

(2) $x=\sqrt{55}+1$, $y=\sqrt{55}-1$일 때, x^2-y^2의 값

셀파 주어진 값을 바로 대입하지 말고 주어진 식을 인수분해한 결과에 x의 값과 y의 값을 대입한다.

연구 (1) $x^2-6x+9=(x-\square)^2$ ← 인수분해

$=(103-\square)^2$ ← x의 값 대입

$=\square$

(2) $x^2-y^2=(x+y)(x-\square)$ ← 인수분해

$=2\sqrt{55}\times\square$ ← x, y의 값 각각 대입

$=\square$

2-2 다음은 인수분해 공식을 이용하여 식의 값을 구하는 과정이다. $\square$ 안에 알맞은 것을 써넣으시오.

(1) $x=94$일 때, $x^2+12x+36$의 값

⇨ $x^2+12x+36=(x+\square)^2$ ← 인수분해

$=(94+\square)^2$ ← x의 값 대입

$=\square$

(2) $x=\sqrt{2}+1$, $y=\sqrt{2}-1$일 때, $x^2-2xy+y^2$의 값

⇨ $x^2-2xy+y^2=(x-\square)^2$ ← 인수분해

$=\{(\sqrt{2}+1)-(\square)\}^2$ ← x, y의 값 각각 대입

$=\square$

수의 계산에 자주 이용되는 인수분해 공식
① $ma+mb=m(a+b)$
② $a^2+2ab+b^2=(a+b)^2$, $a^2-2ab+b^2=(a-b)^2$
③ $a^2-b^2=(a+b)(a-b)$

유형 익히기

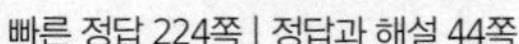

빠른 정답 224쪽 | 정답과 해설 44쪽

기본 01 인수분해 공식을 이용한 수의 계산

인수분해 공식을 이용하여 다음을 계산하시오.

(1) $\frac{1}{6}\times 51^2-\frac{1}{6}\times 45^2$ (2) $10.5^2+9\times 10.5+4.5^2$

해법코드
(1) 공통인수 $\frac{1}{6}$로 묶어 낸다.
(2) 완전제곱식을 이용하여 인수분해 한다.

셀파 수의 계산이 복잡하면 수를 문자로 생각하여 인수분해한다.

풀이 (1) $\frac{1}{6}\times 51^2-\frac{1}{6}\times 45^2=\frac{1}{6}\times(51^2-45^2)=\frac{1}{6}\times(51+45)(51-45)$

$=\frac{1}{6}\times 96\times 6=\mathbf{96}$

(2) $10.5^2+\overset{㉠}{9}\times 10.5+4.5^2\overset{㉡}{=}10.5^2+2\times 10.5\times 4.5+4.5^2$

$=(10.5+4.5)^2=15^2=\mathbf{225}$

㉠ $9=2\times 4.5$로 변형한다.

㉡ $10.5=a$, $4.5=b$로 놓으면
$10.5^2+2\times 10.5\times 4.5+4.5^2$
$=a^2+2ab+b^2$
$=(a+b)^2$

확인 01 다음 두 수 A, B에 대하여 AB의 값을 구하시오.

$$A=\sqrt{52^2-48^2},\quad B=\sqrt{0.36\times 0.23+0.36\times 0.77}$$

» My 셀파
인수분해 공식
$a^2-b^2=(a+b)(a-b)$,
$ma+mb=m(a+b)$
를 이용한다.

기본 02 인수분해 공식을 이용한 식의 값 (1)

$x=2+\sqrt{3}$, $y=2-\sqrt{3}$일 때, 다음 식의 값을 구하시오.

(1) $x^2y+xy^2+3x+3y$ (2) x^2-y^2+2x+1

해법코드
(1) (2항)+(2항)으로 묶어 인수분해 한다.
(2) (3항)+(1항)으로 묶어 인수분해 한다.

셀파 주어진 값을 바로 대입하지 말고 주어진 식을 인수분해한 결과에 대입한다.

풀이 (1) $\overset{㉠}{x^2y+xy^2+3x+3y}=xy(x+y)+3(x+y)=(x+y)(xy+3)$

이때 $x+y=2+\sqrt{3}+2-\sqrt{3}=4$, $xy=(2+\sqrt{3})(2-\sqrt{3})=1$이므로

(주어진 식)$=(x+y)(xy+3)=4\times(1+3)=\mathbf{16}$

(2) $\overset{㉡}{x^2-y^2+2x+1}=(x+1)^2-y^2=(x+1+y)(x+1-y)=(x+y+1)(x-y+1)$

이때 $x+y=4$, $x-y=2+\sqrt{3}-(2-\sqrt{3})=2\sqrt{3}$이므로

(주어진 식)$=(x+y+1)(x-y+1)$

$=(4+1)(2\sqrt{3}+1)=\mathbf{10\sqrt{3}+5}$

㉠ 항을 2개씩 묶는다.
$x^2y+xy^2+3x+3y$
$=(x^2y+xy^2)+(3x+3y)$
$=xy(x+y)+3(x+y)$

㉡ 항 3개와 항 1개로 묶는다.
x^2-y^2+2x+1
$=(x^2+2x+1)-y^2$
$=(x+1)^2-y^2$

확인 02 $x=\frac{2}{\sqrt{3}-1}$, $y=\frac{2}{\sqrt{3}+1}$일 때, x^3y-xy^3의 값을 구하시오.

» My 셀파
x, y의 분모를 각각 유리화한 후 주어진 식을 인수분해한 식에 대입한다.

기본 03 인수분해 공식을 이용한 식의 값 (2)

$x+y=\sqrt{2}+1$, $x-y=\sqrt{2}-1$일 때, x^2-y^2+2y-1의 값을 구하시오.

해법코드

값을 구하려는 식을 인수분해 공식을 이용하여 간단히 한 후 해당하는 값을 대입한다.

셀파 x, y의 값을 직접 구하지 말고 주어진 식을 인수분해한 결과에 $x+y$, $x-y$의 값을 각각 대입한다.

풀이

$$\begin{aligned} x^2-y^2+2y-1 &= x^2-(y^2-2y+1) \\ &= x^2-(y-1)^2 \\ &= \{x+(y-1)\}\{x-(y-1)\} \\ &= (x+y-1)(x-y+1) \\ &= (\sqrt{2}+1-1)(\sqrt{2}-1+1) \\ &= \sqrt{2}\times\sqrt{2}=\mathbf{2} \end{aligned}$$

($x+y=\sqrt{2}+1$, $x-y=\sqrt{2}-1$을 대입한다.)

확인 03 $x+y=8$, $x-y=5$일 때, $x^2-6x+9-y^2$의 값을 구하시오.

» My 셀파

값을 구하려는 식을 인수분해한 후 $x+y$, $x-y$의 값을 각각 대입한다.

발전 04 인수분해 공식의 도형에의 활용

오른쪽 그림과 같이 반지름의 길이가 각각 16.5 cm, 13.5 cm이고 중심이 같은 2개의 원이 있다. 이때 색칠한 부분의 넓이를 구하시오.

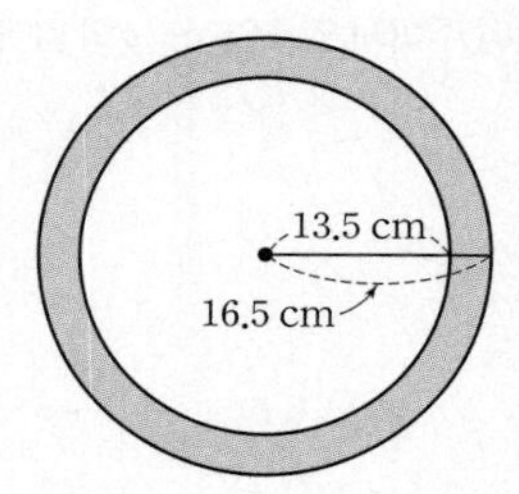

해법코드

반지름의 길이가 r인 원의 넓이는 πr^2이다.

셀파 (색칠한 부분의 넓이)=(큰 원의 넓이)−(작은 원의 넓이)

풀이

$$\begin{aligned} (\text{색칠한 부분의 넓이}) &= (\text{큰 원의 넓이})-(\text{작은 원의 넓이}) \\ &= \pi\times16.5^2-\pi\times13.5^2 \\ &= \pi\times(16.5^2-13.5^2) \\ &= \pi\times(16.5+13.5)(16.5-13.5) \\ &= \pi\times30\times3=\mathbf{90\pi\ (cm^2)} \end{aligned}$$

확인 04 오른쪽 그림과 같이 중심각의 크기가 144°인 부채꼴 모양의 부채가 있다. 큰 부채꼴의 반지름의 길이는 17.5 cm, 작은 부채꼴의 반지름의 길이는 7.5 cm일 때, 한지 부분의 넓이를 인수분해 공식을 이용하여 구하시오.

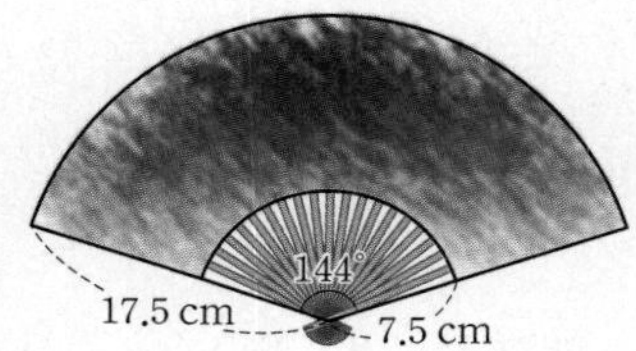

» My 셀파

반지름의 길이가 r이고 중심각의 크기가 $x°$인 부채꼴의 넓이는 $\pi\times r^2\times\dfrac{x}{360}$

인수분해와 식의 변형을 이용한 식의 값 구하기

Q $x+y=5$이고 $x^2y+xy^2+7x+7y=50$일 때, x^2+y^2의 값은 어떻게 구할까?

개념 다시 보기

곱셈 공식의 변형

- $x^2+y^2=(x+y)^2-2xy$
- $x^2+y^2=(x-y)^2+2xy$
- $(x-y)^2=(x+y)^2-4xy$
- $(x+y)^2=(x-y)^2+4xy$

A 곱셈 공식의 변형을 생각할 수 있다.

즉 x^2+y^2과 $x+y$를 모두 포함하고 있는 곱셈 공식 $(x+y)^2=x^2+2xy+y^2$에서 $x^2+y^2=(x+y)^2-2xy$이므로 x^2+y^2의 값을 구하려면 $x+y$의 값과 xy의 값이 필요하다. 이때 문제에서 $x+y$의 값이 주어져 있으므로 ㉠주어진 다른 한 식에서 xy의 값을 구하면 된다. 즉

$x^2y+xy^2+7x+7y=50$에서 좌변을 인수분해하면

$x^2y+xy^2+7x+7y=xy(x+y)+7(x+y)$

$=(x+y)(xy+7)$

이므로 $(x+y)(xy+7)=50$

이때 $x+y=5$이므로 $5(xy+7)=50$, $xy+7=10$ $\quad\therefore xy=3$

따라서 $x+y=5$, $xy=3$을 $x^2+y^2=(x+y)^2-2xy$에 대입하면

$x^2+y^2=(x+y)^2-2xy=5^2-2\times3=25-6=19$

참고 x^2+y^2의 값과 관련된 식의 값을 구하는 문제에서 $x+y$의 값이 주어져 있으면 xy의 값을 구하고, xy의 값이 주어져 있으면 $x+y$의 값 또는 $x-y$의 값을 구한다.

㉠ x의 값, y의 값을 모르는 상태에서 x^2+y^2의 값을 구하려면 반드시 $x+y$의 값과 xy의 값 또는 $x-y$의 값과 xy의 값이 필요하다. 주어진 문제에서는 $x+y$의 값이 주어져 있으므로 $x^2y+xy^2+7x+7y=50$에서 xy의 값을 구한다.

보기

$xy=4$이고 $x^2y-xy^2+2x-2y=36$일 때, x^2+y^2의 값을 구하시오.

풀이 $x^2y-xy^2+2x-2y=xy(x-y)+2(x-y)=(x-y)(xy+2)$

이므로 $(x-y)(xy+2)=36$

이때 $xy=4$이므로

$6(x-y)=36$ $\quad\therefore x-y=6$

따라서 $x^2+y^2=(x-y)^2+2xy$이므로

$x^2+y^2=(x-y)^2+2xy=6^2+2\times4=$**44**

- $x^2+y^2=(x+y)^2-2xy$ 또는 $x^2+y^2=(x-y)^2+2xy$ 임을 이용한다.
문제에 xy의 값이 주어져 있으므로 다른 한 식에서 $x+y$의 값 또는 $x-y$의 값을 구한다.

- $x+y$, xy의 값을 이용할 때, $x^2+y^2=(x+y)^2-2xy$
- $x-y$, xy의 값을 이용할 때, $x^2+y^2=(x-y)^2+2xy$

실력 키우기

빠른 정답 225쪽 | 정답과 해설 45쪽

01 공통인수가 있는 다항식의 인수분해

$(a-b)x^2+5(a-b)x+6a-6b$를 인수분해하면?

① $(a+b)(x+2)(x+3)$
② $(a+b)(x-2)(x-3)$
③ $(a-b)(x+2)(x+3)$
④ $(a-b)(x-2)(x-3)$
⑤ $(a-b)(x+1)(x+6)$

02 치환을 이용한 인수분해 (1) (서술형)

다음은 $2(a+1)^2-5(a+1)-3$을 인수분해하는 과정이다. 물음에 답하시오.

> $a+1=A$로 놓으면
> $2(a+1)^2-5(a+1)-3$ ㉠
> $=2A^2-5A-3$ ㉡
> $=(2A-1)(A+3)$ ㉢
> $=(2a+1)(a+4)$

(1) ㉠, ㉡, ㉢ 중에서 처음으로 잘못된 부분을 말하시오.

(2) 주어진 이차식을 바르게 인수분해하시오.

03 치환을 이용한 인수분해 (1)

$(x-y-2)(x-y+2)+3x-3y$를 인수분해하면 $(ax-y-1)(x-y+b)$일 때, 상수 a, b에 대하여 $a+b$의 값을 구하시오.

04 치환을 이용한 인수분해 (2)

$(2x-y)^2-16(x+3y)^2$을 인수분해하면 $-(6x+ay)(2x+by)$일 때, 양수 a, b에 대하여 $b-a$의 값을 구하시오.

05 항이 4개인 다항식의 인수분해 – 두 항씩 묶기

다음 중 x^2y+x^2-4y-4의 인수가 <u>아닌</u> 것을 모두 고르면? (정답 2개)

① x^2y　② $y+1$　③ $y-1$
④ $x+2$　⑤ x^2-4

06 항이 4개인 다항식의 인수분해 – 두 항씩 묶기 (서술형)

다음 괄호 안에 알맞은 식을 각각 A, B라 할 때, $A-B$를 간단히 하시오.

> $x^2-4x-y^2+4y=(x-y)(\ A\ )$
> $x^2-y^2-8x+16=(x+y-4)(\ B\ )$

07 여러 가지 식의 인수분해

다음 중 옳지 않은 것을 모두 고르면? (정답 2개)

① $(x-y)^2-2x+2y=(x-y)(x-y-2)$
② $x^2-16+25y^2-10xy=(x-5y+4)(x-5y-4)$
③ $(x-3)^2-4y^2=(x+2y-3)(x-2y-3)$
④ $x^3y-10x^2y+25xy=xy(x+5)(x-5)$
⑤ $x^4-16x^2=x^2(x+2)(x-2)$

08 항이 5개 이상인 다항식의 인수분해

$x^2+6x+2xy+y^2+6y-16$을 인수분해하면 $(x+ay-b)(x+cy+d)$일 때, 양수 a, b, c, d에 대하여 $a+b-c+d$의 값을 구하시오.

09 인수분해 공식을 이용한 수의 계산

인수분해 공식을 이용하여 $\sqrt{26^2-24^2}$을 계산하려고 할 때, 다음 중 어떤 공식을 이용하는 것이 가장 편리한가?

① $a^2+2ab+b^2=(a+b)^2$
② $a^2-2ab+b^2=(a-b)^2$
③ $a^2-b^2=(a+b)(a-b)$
④ $x^2+(a+b)x+ab=(x+a)(x+b)$
⑤ $acx^2+(ad+bc)x+bd=(ax+b)(cx+d)$

10 인수분해 공식을 이용한 수의 계산 (서술형)

다음을 계산하시오.

$$\frac{394^2+4\times394-12}{198^2-4}$$

11 인수분해 공식을 이용한 수의 계산

다음을 계산하시오.

$$\left(1-\frac{1}{2^2}\right)\left(1-\frac{1}{3^2}\right)\left(1-\frac{1}{4^2}\right)\cdots\left(1-\frac{1}{10^2}\right)$$

12 인수분해 공식을 이용한 식의 값(1)

$x=\sqrt{6}+\sqrt{2}$, $y=\sqrt{6}-\sqrt{2}$일 때, $\dfrac{x^2+2xy+y^2}{x^2-y^2}$의 값을 구하시오.

13 인수분해 공식을 이용한 식의 값(2)

$a+b=3$, $a-b=7$일 때, $a^3-b^3+a^2b-ab^2$의 값은?

① 63　② 42　③ 30
④ 21　⑤ 10

14 인수분해 공식을 이용한 식의 값 (서술형)

$3x+y=10$이고 $6x^2-xy-y^2=50$일 때, 다음 물음에 답하시오.

(1) $2x-y$의 값을 구하시오.

(2) x, y의 값을 각각 구하시오.

15 인수분해 공식의 도형에의 활용

다음 그림에서 두 도형 A, B의 넓이가 같을 때, 도형 B의 세로의 길이를 구하시오.

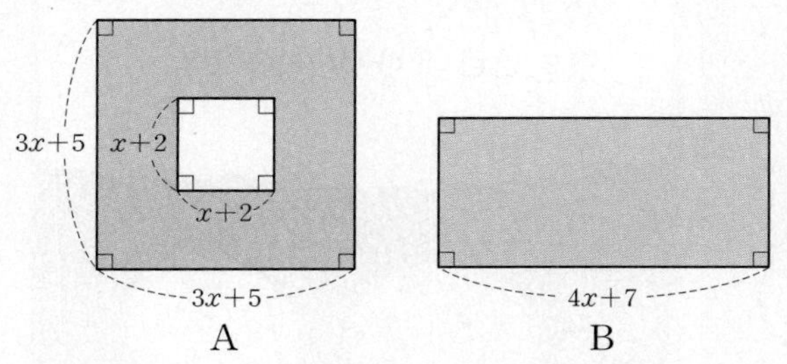

16 치환을 이용한 인수분해

$(x-1)(x+1)(x+3)(x+5)-9$를 인수분해하면 $(x+a)^2(x^2+bx-6)$일 때, 정수 a, b에 대하여 $a+b$의 값을 구하시오.

17 인수분해 공식을 이용한 수의 계산 (창의력)

2^8-1이 10과 20 사이의 소수 k로 나누어떨어질 때, 다음 물음에 답하시오.

(1) 인수분해 공식 $a^2-b^2=(a+b)(a-b)$를 이용하여 2^8-1을 소수의 곱으로 나타내시오.

(2) k의 값을 구하시오.

18 인수분해 공식을 이용한 식의 값

$a+b=4$이고 $ax+bx-ay-by=1$일 때, $x^2-2xy+y^2$의 값을 구하시오.

19 인수분해 공식의 도형에의 활용 (융합형)

다음 그림과 같이 높이가 20 cm인 원기둥에 원기둥 구멍이 뚫린 모양으로 종이를 감았다. 바깥쪽 원기둥의 밑면의 반지름의 길이가 15.5 cm, 종이가 감기지 않은 안쪽 원기둥의 밑면의 반지름의 길이가 4.5 cm일 때, 종이가 감긴 부분의 부피를 구하시오.

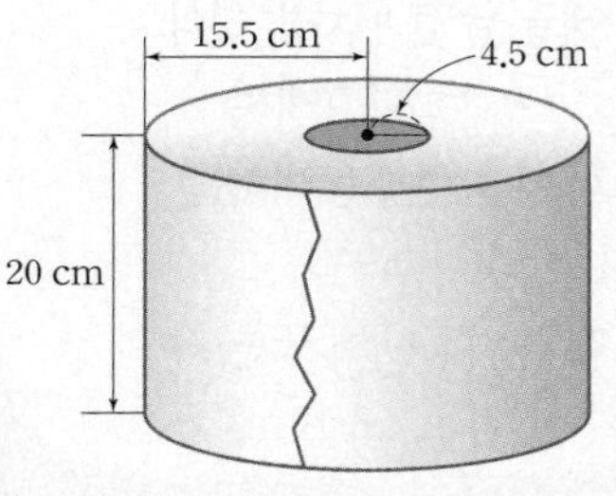

아아…
럴수럴수
이럴 수가!

왜? 왜? 왜?

인수분해로 이차방정식의 근을
구하는 데 성공했대!!!
속보입니다. 인수분해를 이용하
여 이차방정식의 근을 구하는 데
성공했습니다.
해냈어

와~~
만세~

헤헤…
근데 이차방정식
이 뭐야?
나만
모르나?

x에 대한 이차방정식은
(x에 대한 이차식)=0
꼴로 나타낸 방정식이야.
어..어…

예를 들면 이차방정식
$x^2+4x-12=0$에서
좌변을 인수분해하면
$(x+6)(x-2)=0$
따라서 $x=-6$ 또는 $x=2$
이렇게 구할 수
있다는 거야.

속보

제곱근, 완전제곱식을
이용해서 이차방정식을
풀 수 있단다~
저건 또 뭐야?
아!

III | 이차방정식

이차방정식의 풀이

| 개념 1 | 이차방정식과 그 해
| 개념 2 | 인수분해를 이용한 이차방정식의 풀이
| 개념 3 | 이차방정식의 중근
| 개념 4 | 제곱근, 완전제곱식을 이용한 이차방정식의 풀이

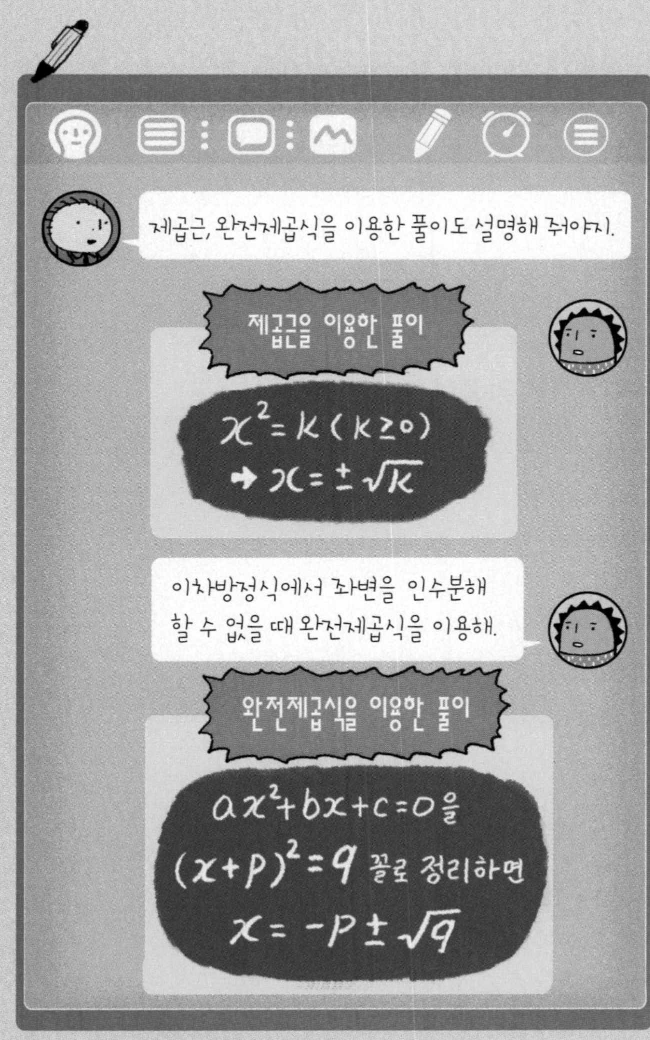

9 이차방정식의 풀이

1 이차방정식과 그 해

(1) **이차방정식** 방정식의 우변에 있는 모든 항을 좌변으로 ☐하여 정리한 식이 (x에 대한 이차식)$=0$ 꼴로 나타나는 방정식을 x에 대한 이차방정식이라 한다.

⇨ ㉠$ax^2+bx+c=0$ (a, b, c는 상수, a☐0)

$x(x+6)=72$ → 이항 → $x^2+6x-72=0$ (x에 대한 이차식)

예 • $x^2+2x-3=0$, $-x^2+1=0$ ⇨ 이차방정식이다.

• $2x-3=0$, $\frac{3}{x^2}=0$, x^2+2x+1 ⇨ 이차방정식이 아니다.

주의 이차항이 있다고 무조건 이차방정식인 것은 아니다.

예 $x^2+2x-3=x^2+1$을 정리하면 $2x-4=0$ (x에 대한 일차식) ⇨ 이차방정식이 아니다.

(2) **이차방정식의 해(근)** 이차방정식을 ☐이 되게 하는 ㉡x의 값

(3) **이차방정식을 푼다** 이차방정식의 해를 모두 구하는 것

이항 / ≠ / 참

개념 다시 보기

이항 등식의 성질을 이용하여 등식의 한 변에 있는 항을 그 항의 부호를 바꾸어 다른 변으로 옮기는 것

방정식 미지수의 값에 따라 참이 되기도 하고 거짓이 되기도 하는 등식

㉠ 이차방정식이 되려면 (이차항의 계수)$\neq 0$이어야 한다. 즉 $ax^2+bx+c=0$에서 b와 c는 0이어도 되지만 a는 반드시 0이 아니어야 한다.

• a, b, c는 상수이고 $a\neq 0$일 때
ax^2+bx+c ⇨ 이차식
$ax^2+bx+c=0$ ⇨ 이차방정식

보기 x의 값이 0, 1, 2일 때, 이차방정식 $x^2-3x+2=0$의 해를 구하시오.

풀이 $x^2-3x+2=0$에 $x=0$, 1, 2를 각각 대입하면 오른쪽 표와 같이 $x=1$, $x=2$일 때, 참이 되므로 이차방정식 $x^2-3x+2=0$의 해는

$x=1$ 또는 $x=2$

x의 값	좌변	우변	참, 거짓
0	$0^2-3\times0+2=2$	0	거짓
1	$1^2-3\times1+2=0$	0	참
2	$2^2-3\times2+2=0$	0	참

2 인수분해를 이용한 이차방정식의 풀이

(1) **$AB=0$의 성질** 두 수 또는 두 식 A, B에 대하여 ㉢$AB=0$이면 $A=0$ 또는 ☐이다.

(2) **인수분해를 이용한 이차방정식의 풀이**

1 ㉣이차방정식을 정리한다. ⇨ (x에 대한 ☐)$=0$

2 좌변을 인수분해한다. ⇨ $(ax-b)(cx-d)=0$

3 $AB=0$의 성질을 이용한다. ⇨ $ax-b=0$ 또는 $cx-d=0$

4 이차방정식의 해를 구한다. ⇨ $x=\frac{b}{a}$ 또는 $x=$☐

$B=0$ / 이차식 / $\frac{d}{c}$

㉡ x에 대한 이차방정식에서 x의 값의 범위가 주어지지 않으면 그 범위를 모든 실수로 생각한다.

㉢ $AB=0$이면 다음 세 가지 중 하나가 성립한다.
❶ $A=0$이고 $B\neq0$
❷ $A\neq0$이고 $B=0$
❸ $A=0$이고 $B=0$

보기 이차방정식 $x^2+4x=12$를 인수분해를 이용하여 푸시오.

풀이 1 (x에 대한 이차식)$=0$ 꼴로 정리한다. ⇨ $x^2+4x-12=0$

2 좌변을 인수분해한다. ⇨ $(x+6)(x-2)=0$

3 $AB=0$이면 $A=0$ 또는 $B=0$임을 이용한다. ⇨ $x+6=0$ 또는 $x-2=0$

4 해를 구한다. ⇨ **$x=-6$ 또는 $x=2$**

㉣ 우변은 0, 좌변의 이차항의 계수는 양수가 되도록 정리한다.

빠른 정답 225쪽 | 정답과 해설 48쪽

| 개념 체크 |

1-1 이차방정식과 그 해

1. 다음 식을 $ax^2+bx+c=0$ 꼴로 나타내고, x에 대한 이차방정식인지 판단하시오.

(1) $x^2-2=x$　　(2) $5+x^2=x^2+3x$

2. x의 값이 -1, 0, 1일 때, 이차방정식 $x^2+x-2=0$의 해를 구하시오.

셀파 1. $ax^2+bx+c=0$ 꼴에서 $a\neq0$이면 x에 대한 이차방정식이다.
2. x의 값을 $x^2+x-2=0$에 대입하여 등호가 성립하는 것을 찾는다.

연구 1. (1) $x^2-2=x$에서 $\square=0$
⇨ 이차방정식$\square$.
(2) $5+x^2=x^2+3x$에서 $\square=0$
⇨ 이차방정식$\square$.
2. 이차방정식 $x^2+x-2=0$에
$x=-1$을 대입하면 $(-1)^2+(-1)-2\neq0$
$x=0$을 대입하면 $0^2+0-2\ \square\ 0$
$x=1$을 대입하면 $1^2+1-2\ \square\ 0$
따라서 이차방정식 $x^2+x-2=0$의 해는 $x=\square$

2-1 인수분해를 이용한 이차방정식의 풀이

다음 이차방정식을 푸시오.

(1) $(x+1)(x-7)=0$　　(2) $x^2-x=6$

셀파 $AB=0$이면 $A=0$ 또는 $B=0$임을 이용한다.

연구 (1) $(x+1)(x-7)=0$에서 $x+1=0$ 또는 $\square=0$
$\therefore x=-1$ 또는 $x=\square$
(2) $x^2-x=6$을 정리하면 $x^2-x-6=0$
좌변을 인수분해하면 $(x+\square)(x-3)=0$
따라서 $x+\square=0$ 또는 $x-3=0$이므로
$x=\square$ 또는 $x=3$

| 따라 풀기 |

1-2 다음 보기에서 x에 대한 이차방정식인 것을 모두 고르시오.

| 보기 |
ㄱ. $x^2-x=-1$　　ㄴ. x^2-6x-3
ㄷ. $x(x-1)=0$　　ㄹ. $-2x^2=x-2x^2$

1-3 다음 [ ] 안의 수가 주어진 이차방정식의 해인 것에는 ○표, 아닌 것에는 ×표를 ( ) 안에 써넣으시오.

(1) $(x-1)(x+2)=0$　[-2]　(　　)

(2) $x^2-4x-12=0$　[2]　(　　)

(3) $2x^2+x-1=0$　[-1]　(　　)

2-2 다음 이차방정식을 푸시오.

(1) $2x(x-4)=0$

(2) $(3x+2)(2x-5)=0$

(3) $x^2-3x-4=0$

(4) $3x^2-5x-12=0$

• 우변의 모든 항을 좌변으로 이항하여 정리하였을 때, (x에 대한 이차식)$=0$ 꼴이면 x에 대한 이차방정식이다.
• 어떤 값을 이차방정식의 양변에 대입하였을 때, (좌변)$=$(우변)이면 그 값이 그 방정식의 해이다.
• **인수분해를 이용한 이차방정식의 풀이**
주어진 방정식을 $ax^2+bx+c=0\,(a\neq0)$꼴로 만든 후 좌변을 인수분해하여 '$AB=0$이면 $A=0$ 또는 $B=0$'임을 이용한다.

9 이차방정식의 풀이

3 이차방정식의 중근

(1) **이차방정식의 중근** 이차방정식의 두 해가 [ ] 되어 서로 같을 때, 이 해를 주어진 이차방정식의 중근이라 한다. 중복

예 이차방정식 $x^2+4x+4=0$에서 ㉠$(x+2)^2=0$ $\therefore x=-2$

(2) **중근을 가질 조건** 이차방정식이 ㉡(완전제곱식)$=0$ 꼴로 나타나면 이 이차방정식은 중근을 가진다.

참고 이차방정식 $x^2+ax+b=0$에서 $b=\left(\square\right)^2$이면 이차방정식은 중근을 가진다. $\frac{a}{2}$

㉠ $(x+2)^2=0$
⇨ $(x+2)(x+2)=0$
따라서 $x+2=0$ 또는 $x+2=0$이므로 이 이차방정식의 해는 $x=-2$ 또는 $x=-2$가 되어 서로 같다.

보기 이차방정식 $x^2+12x+k=0$이 중근을 가질 때, 상수 k의 값을 구하시오.

풀이 $x^2+12x+k=0$이 중근을 가지려면 좌변을 인수분해하였을 때 완전제곱식이 되어야 하므로

$k=\left(\frac{12}{2}\right)^2=6^2=\mathbf{36}$

㉡ 완전제곱식: 다항식의 제곱으로 된 식 또는 이 식에 상수를 곱한 식

예 $(x+2)^2$, $3\left(x+\frac{1}{2}\right)^2$

4 ㉢제곱근, 완전제곱식을 이용한 이차방정식의 풀이

(1) **제곱근을 이용한 이차방정식의 풀이**

① 이차방정식 $x^2=k(k\geq0)$의 해 ⇨ $x=$ [ ] $\pm\sqrt{k}$

예 $x^2=2$이면 $x=\pm\sqrt{2}$

② 이차방정식 $(x+p)^2=q(q\geq0)$의 해 ⇨ $x=$ [ ] $\pm\sqrt{q}$ $-p$

예 $(x+1)^2=2$이면 $x+1=\pm\sqrt{2}$ $\therefore x=-1\pm\sqrt{2}$

(2) **완전제곱식을 이용한 이차방정식의 풀이** 이차방정식 $ax^2+bx+c=0$의 좌변을 인수분해할 수 없을 때는 다음과 같이 완전제곱식으로 만든 후 제곱근을 이용하여 해를 구할 수 있다.

1 양변을 이차항의 계수로 나눈다. ⇨ $x^2+\frac{b}{a}x+\frac{c}{a}=0$

2 상수항을 [ ] 으로 이항한다. ⇨ $x^2+\frac{b}{a}x=-\frac{c}{a}$ 우변

3 양변에 $\left\{\frac{(x\text{의 계수})}{\square}\right\}^2$을 더한다. ⇨ $x^2+\frac{b}{a}x+\left(\frac{b}{2a}\right)^2=-\frac{c}{a}+\left(\frac{b}{2a}\right)^2$ 2

4 (완전제곱식)$=$(상수) 꼴로 고친다. ⇨ $\left(x+\frac{b}{2a}\right)^2=\frac{b^2-4ac}{4a^2}$

5 제곱근을 이용하여 해를 구한다 ⇨ $x=\frac{-b\pm\sqrt{b^2-4ac}}{2a}$

㉢ 제곱근: 어떤 수 x를 제곱하여 a가 될 때, 즉 $x^2=a$일 때, x를 a의 제곱근이라 한다.

예 x가 2의 제곱근
⇨ $x^2=2$
⇨ $x=\pm\sqrt{2}$

참고 이차방정식의 해의 개수
이차방정식 $(x-p)^2=q$에서
① $q>0$이면 해는 2개
⇨ $x=p\pm\sqrt{q}$
② $q=0$이면 해는 1개
⇨ $x=p$
③ $q<0$이면 해는 없다.

보기 이차방정식 $2x^2+8x-4=0$을 완전제곱식을 이용하여 푸시오.

풀이 1 양변을 이차항의 계수 2로 나눈다. ⇨ $x^2+4x-2=0$

2 상수항을 우변으로 이항한다. ⇨ $x^2+4x=2$

3 양변에 $\left\{\frac{(x\text{의 계수})}{2}\right\}^2$, 즉 $\left(\frac{4}{2}\right)^2=4$를 더한다. ⇨ $x^2+4x+4=2+4$

4 좌변을 완전제곱식으로 고친다. ⇨ $(x+2)^2=6$

5 제곱근을 이용하여 해를 구한다. ⇨ $x+2=\pm\sqrt{6}$ $\therefore \mathbf{x=-2\pm\sqrt{6}}$

| 개념 체크 |

3-1 이차방정식의 중근

다음 이차방정식을 푸시오.

(1) $2(x+4)^2=0$

(2) $x^2-10x+25=0$

(3) $49x^2+1=14x$

셀파 $A^2=0$이면 $A=0$이다.

연구 (1) $2(x+4)^2=0$에서 $x=\square$

(2) $x^2-10x+25=0$에서 $(x-\square)^2=0$

$\therefore x=\square$

(3) $49x^2+1=14x$에서 $49x^2-14x+1=0$

$(\square x-1)^2=0 \quad \therefore x=\square$

4-1 제곱근, 완전제곱식을 이용한 이차방정식의 풀이

1. 제곱근을 이용하여 다음 이차방정식을 푸시오.

(1) $x^2=4$ (2) $(3x-1)^2=5$

2. 완전제곱식을 이용하여 이차방정식 $x^2-8x-3=0$을 푸시오.

셀파 이차방정식 $ax^2+bx+c=0(a\neq0)$에서 좌변이 인수분해되지 않으면 $(x+p)^2=q(q\geq0)$ 꼴로 고쳐서 해를 구한다.

연구 **1.** (1) $x^2=4$에서 $x=\square$

(2) $(3x-1)^2=5$에서 $3x-1=\pm\square$

$3x=1\pm\square \quad \therefore x=\square$

2. $x^2-8x-3=0$에서 $x^2-8x=3$

$x^2-8x+\square=3+\square$

$(x-4)^2=\square$

$\therefore x=\square$

| 따라 풀기 |

3-2 다음에 주어진 이차방정식이 중근을 가지면 ○표, 갖지 않으면 ×표를 ( ) 안에 써넣으시오.

(1) $(x-2)^2=4$ ( )

(2) $x(x-2)=-1$ ( )

3-3 이차방정식을 푸시오.

(1) $(x+3)^2=0$ (2) $3(2x-5)^2=0$

(3) $x^2-12x+36=0$ (4) $16x^2+8x+1=0$

4-2 제곱근을 이용하여 다음 이차방정식을 푸시오.

(1) $x^2=10$ (2) $3x^2-15=0$

(3) $(x-3)^2=5$ (4) $(2x-3)^2-7=0$

4-3 다음 이차방정식을 $(x+p)^2=q$ 꼴로 나타내고, 해를 모두 구하시오.

(1) $x^2-2x-4=0$ (2) $x^2-10x+7=0$

(3) $-x^2-8x+3=0$ (4) $3x^2+12x-3=0$

이차방정식 $ax^2+bx+c=0(a\neq0)$에서

- 좌변을 인수분해할 수 있으면 ⇨ 인수분해를 이용하여 이차방정식을 푼다.
- 좌변을 인수분해할 수 없으면 ⇨ $(x+p)^2=q(q\geq0)$ 꼴로 바꾸어 이차방정식을 푼다.

이차방정식의 풀이

빠른 정답 225쪽 | 정답과 해설 49쪽

인수분해를 이용한 이차방정식의 풀이

1 다음 이차방정식을 푸시오.

(1) $x^2-25=0$

(2) $x^2-2x-8=0$

(3) $x^2+11x+30=0$

(4) $3x^2+5x-2=0$

(5) $6x^2+x-1=0$

(6) $4x^2-12x+9=0$

(7) $9x^2+24x+16=0$

제곱근을 이용한 이차방정식의 풀이

2 다음 이차방정식을 푸시오.

(1) $x^2-12=0$

(2) $\frac{1}{2}x^2-10=0$

(3) $(x-2)^2=10$

(4) $2(x-5)^2=1$

완전제곱식을 이용한 이차방정식의 풀이

3 다음 물음에 답하시오. (단, a, b는 상수)

(1) ① $x^2+2x-1=0$을 $(x+a)^2=b$ 꼴로 나타내시오.

② ①을 이용하여 $x^2+2x-1=0$을 푸시오.

(2) ① $x^2-4x+1=0$을 $(x+a)^2=b$ 꼴로 나타내시오.

② ①을 이용하여 $x^2-4x+1=0$을 푸시오.

(3) ① $x^2+6x-4=0$을 $(x+a)^2=b$ 꼴로 나타내시오.

② ①을 이용하여 $x^2+6x-4=0$을 푸시오.

(4) ① $2x^2-8x+5=0$을 $(x+a)^2=b$ 꼴로 나타내시오.

② ①을 이용하여 $2x^2-8x+5=0$을 푸시오.

(5) ① $5x^2-10x+2=0$을 $(x+a)^2=b$ 꼴로 나타내시오.

② ①을 이용하여 $5x^2-10x+2=0$을 푸시오.

기본 01 이차방정식 찾기

다음 중 x에 대한 이차방정식인 것은?

① $4(x-2)+x^2$ ② $a^2+a-x=1$ ③ $2x^2+1=2(x^2-1)$
④ $x^3+2=x(x^2+x)$ ⑤ $5x+x(x+1)+x^2=2x^2$

해법코드

x에 대한 이차방정식인지 알아보려면
❶ 등식인지
❷ 미지수 x가 있는지
❸ 미지수 x의 차수가 2인지
를 차례대로 확인한다.

셀파 우변의 모든 항을 좌변으로 이항하여 정리하였을 때, $ax^2+bx+c=0$(a, b, c는 상수, $a\neq0$) 꼴인 것을 찾는다.

풀이 ① $4(x-2)+x^2$은 등식이 아니므로 방정식이 아니다.
② $a^2+a-x=1$에서 ㉠ $-x+a^2+a-1=0$ ⇨ x에 대한 일차방정식이다.
③ $2x^2+1=2(x^2-1)$에서 $2x^2+1=2x^2-2$ $\quad\therefore 3=0$
⇨ 미지수가 없으므로 방정식이 아니다.
④ $x^3+2=x(x^2+x)$에서 $x^3+2=x^3+x^2$ $\quad\therefore -x^2+2=0$
⇨ x에 대한 이차방정식이다.
⑤ $5x+x(x+1)+x^2=2x^2$에서 $6x=0$ ⇨ x에 대한 일차방정식이다.
따라서 x에 대한 이차방정식인 것은 ④이다.

㉠ 문자 a에 대해서는 이차식이지만 문자 x에 대해서는 일차식이다.
● (x에 대한 이차식)$=0$ 꼴로 정리할 수 있는 식이 x에 대한 이차방정식이다.

눈으로만 보고 섣부르게 판단하지 말고 반드시 우변의 모든 항을 좌변으로 이항하여 (이차식)$=0$ 꼴인지 확인해야 돼.

확인 01 다음 중 x에 대한 이차방정식인 것은?

① x^2-2x-5 ② $2x^2=2x^2+2$ ③ $3x^2+4x-1=x+3x^2$
④ $\frac{1}{2}x^2=5x-6$ ⑤ $x^2-3x=(x+2)(x-1)$

» My 셀파
우변의 모든 항을 좌변으로 이항하여 정리하였을 때 $ax^2+bx+c=0$ $(a\neq0)$ 꼴인 것을 찾는다.

기본 02 이차방정식이 되기 위한 조건

방정식 $(3x-1)(x-2)=kx^2+2$가 x에 대한 이차방정식이 되도록 하는 상수 k의 조건을 구하시오.

해법코드

x에 대한 이차방정식이면 x^2의 계수가 0이 아니다.

셀파 $ax^2+bx+c=0$ 꼴로 바꾼 후 $a\neq0$을 생각한다.

풀이 $(3x-1)(x-2)=kx^2+2$에서 $3x^2-7x+2=kx^2+2$
$3x^2-7x+2-kx^2-2=0$ $\quad\therefore (3-k)x^2-7x=0$
이 방정식이 x에 대한 이차방정식이 되려면 x^2의 계수가 0이 아니어야 하므로
$3-k\neq0$ $\quad\therefore$ $\boldsymbol{k\neq3}$

참고
$(3-k)x^2-7x=0$에서 $k=3$이면 $-7x=0$이 되어 x에 대한 일차방정식이 된다.

확인 02 방정식 $(a+1)x^2-2x=3x^2+x-1$이 x에 대한 이차방정식이 되도록 하는 상수 a의 조건을 구하시오.

» My 셀파
$ax^2+bx+c=0$이 x에 대한 이차방정식이려면 $a\neq0$이어야 한다.

기본 03 이차방정식의 해

다음 이차방정식 중 $x=2$를 해로 갖는 것을 모두 고르면? (정답 2개)

① $x^2=1$ ② $x^2-2x=0$ ③ $x^2-4x=-2$
④ $(x+2)(x-2)=0$ ⑤ $5=-x^2+2x$

해법코드

$x=m$이 이차방정식 $ax^2+bx+c=0$의 해이다.
⇨ $x=m$을 $ax^2+bx+c=0$에 대입하면 등식이 성립한다.
⇨ $am^2+bm+c=0$

셀파 각 방정식에 $x=2$를 대입하였을 때, 등식이 성립하는 것을 찾는다.

풀이 ① $x^2=1$에 $x=2$를 대입하면 $2^2=4\neq1$
② $x^2-2x=0$에 $x=2$를 대입하면 $2^2-2\times2=0$
③ $x^2-4x=-2$에 $x=2$를 대입하면 $2^2-4\times2=-4\neq-2$
④ $(x+2)(x-2)=0$에 $x=2$를 대입하면 $(2+2)\times(2-2)=0$
⑤ $5=-x^2+2x$에 $x=2$를 대입하면 $5\neq-2^2+2\times2=0$
따라서 $x=2$를 해로 갖는 이차방정식은 ②, ④이다.

❶ 등식이 성립하는지만 확인하면 되므로 괄호를 전개할 필요 없이 x에 2를 바로 대입한다.

확인 03 다음 이차방정식 중 [ ] 안의 수가 주어진 이차방정식의 해인 것은?

① $x^2+x-1=0$ [1] ② $x^2-4x-12=0$ [2]
③ $2x^2+x-1=0$ [−1] ④ $2x^2+8x+6=0$ [−2]
⑤ $x(x-1)=3$ [1]

» My 셀파
[ ] 안의 수를 각 방정식의 x에 대입하여 등식이 성립하는지 확인한다.

기본 04 한 근이 주어질 때, 미지수의 값 구하기

이차방정식 $x^2-ax+a+2=0$의 한 근이 $x=2$일 때, 상수 a의 값을 구하시오.

해법코드

$x=p$가 이차방정식의 해이다.
⇨ $x=p$를 이차방정식에 대입하면 등식이 성립한다.

셀파 이차방정식의 한 근이 주어지면 그 근을 이차방정식에 대입하여 미지수의 값을 구한다.

풀이 이차방정식 $x^2-ax+a+2=0$의 한 근이 $x=2$이므로
$x^2-ax+a+2=0$에 $x=2$를 대입하면 $2^2-a\times2+a+2=0$
$6-a=0$ $\therefore a=\mathbf{6}$

참고 $a=6$을 주어진 이차방정식에 대입하면 $x^2-6x+8=0$이다.
이때 $(x-2)(x-4)=0$에서 $x=2$ 또는 $x=4$이므로 $a=6$은 바르게 구한 값이다.

확인 04 다음 조건을 만족하는 상수 a의 값을 구하시오.

(1) 이차방정식 $ax^2-7x+3=0$의 한 근이 $x=3$이다.

(2) 이차방정식 $2x^2+(a+2)x-2a=0$의 한 근이 $x=-2$이다.

» My 셀파
(1) $ax^2-7x+3=0$에 $x=3$을 대입한다.
(2) $2x^2+(a+2)x-2a=0$에 $x=-2$를 대입한다.

기본 05 $AB=0$의 성질을 이용한 이차방정식의 풀이

다음 이차방정식 중 해가 $x=-4$ 또는 $x=\frac{1}{2}$인 것은?

① $(x-4)(2x+1)=0$ ② $(x-4)(2x-1)=0$ ③ $(x+4)(2x+1)=0$
④ $(x+4)(2x-1)=0$ ⑤ $-3(x-4)(2x-1)=0$

해법코드
두 수 또는 두 식 A, B에 대하여 $AB=0$이면 $A=0$ 또는 $B=0$임을 이용한다.

셀파 $(ax-b)(cx-d)=0$ ⇨ $ax-b=0$ 또는 $cx-d=0$ ⇨ $x=\frac{b}{a}$ 또는 $x=\frac{d}{c}$

풀이 ① $x-4=0$ 또는 $2x+1=0$이므로 $x=4$ 또는 $x=-\frac{1}{2}$

② $x-4=0$ 또는 $2x-1=0$이므로 $x=4$ 또는 $x=\frac{1}{2}$

③ $x+4=0$ 또는 $2x+1=0$이므로 $x=-4$ 또는 $x=-\frac{1}{2}$

④ $x+4=0$ 또는 $2x-1=0$이므로 $x=-4$ 또는 $x=\frac{1}{2}$

⑤ $x-4=0$ 또는 $2x-1=0$이므로 $x=4$ 또는 $x=\frac{1}{2}$

따라서 해가 $x=-4$ 또는 $x=\frac{1}{2}$인 이차방정식은 ④이다.

확인 05 이차방정식 $(x-7)(x+4)=0$의 두 근을 각각 a, b라 할 때, a^2-b^2의 값을 구하시오. (단, $a>b$)

» My 셀파
$x-7=0$ 또는 $x+4=0$임을 이용한다.

기본 06 인수분해를 이용한 이차방정식의 풀이

다음 이차방정식을 푸시오.

(1) $2x^2-10=x(x-3)$ (2) $3x^2+x-1=3(-x+1)$

해법코드
1 $ax^2+bx+c=0(a\neq0)$ 꼴로 정리한다.
2 좌변을 인수분해한다.
3 $AB=0$이면 $A=0$ 또는 $B=0$임을 이용하여 이차방정식의 해를 구한다.

셀파 이차방정식을 (일차식)×(일차식)$=0$ 꼴로 만든다.

풀이 (1) $2x^2-10=x(x-3)$에서 $2x^2-10=x^2-3x$

$x^2+3x-10=0$, $(x-2)(x+5)=0$

따라서 $x-2=0$ 또는 $x+5=0$이므로 $\mathbf{x=2}$ **또는** $\mathbf{x=-5}$

(2) $3x^2+x-1=3(-x+1)$에서 $3x^2+x-1=-3x+3$

$3x^2+4x-4=0$, $(x+2)(3x-2)=0$

따라서 $x+2=0$ 또는 $3x-2=0$이므로 $\mathbf{x=-2}$ **또는** $\mathbf{x=\frac{2}{3}}$

● $3x^2+4x-4$

x ╲╱ 2 ⟶ $6x$
$3x$ ╱╲ -2 ⟶ $-2x$ (+
$4x$

$\therefore 3x^2+4x-4=(x+2)(3x-2)$

우변이 0이 되도록 고친 후 인수분해를 해야 해.

확인 06 다음 이차방정식을 푸시오.

(1) $x^2+5x+3=-1$ (2) $x(2x-1)=6$

» My 셀파
우변의 항을 좌변으로 이항한 후 좌변을 인수분해한다.

기본 07 한 근이 주어질 때, 다른 한 근 구하기

이차방정식 $ax^2-5x+2=0$의 한 근이 $x=1$일 때, 상수 a의 값과 다른 한 근을 구하시오.

해법코드

1 주어진 근을 방정식에 대입하여 미지수의 값을 구한다.
2 완성된 이차방정식을 풀어 다른 한 근을 구한다.

셀파 주어진 근을 이차방정식에 대입하여 상수 a의 값을 먼저 구한다.

풀이 $ax^2-5x+2=0$에 $x=1$을 대입하면 $a-5+2=0$

$a-3=0 \quad \therefore \boldsymbol{a=3}$

즉 주어진 이차방정식은 ㉠ $3x^2-5x+2=0$이므로

$(x-1)(3x-2)=0 \quad \therefore x=1$ 또는 $x=\frac{2}{3}$

따라서 다른 한 근은 $\boldsymbol{x=\frac{2}{3}}$이다.

㉠ $3x^2-5x+2$

$x \to -1 \longrightarrow -3x$
$3x \to -2 \longrightarrow -2x\ (+$
$-5x$

$\therefore 3x^2-5x+2$
$=(x-1)(3x-2)$

확인 07 이차방정식 $x^2+ax+2a-2=0$의 한 근이 $x=-1$일 때, 상수 a의 값과 다른 한 근을 구하시오.

» My 셀파

$x^2+ax+2a-2=0$에 $x=-1$을 대입한다.
이때 대입하는 수가 음수이면 반드시 괄호를 사용한다.

기본 08 한 근이 다른 이차방정식의 근일 때, 미지수의 값 구하기

이차방정식 $3x^2-11x-4=0$의 두 근 중 큰 근이 이차방정식 $x^2+(a-3)x+8=0$의 한 근일 때, 상수 a의 값을 구하시오.

해법코드

이차방정식 $ax^2+bx+c=0$의 한 근이 이차방정식 $a'x^2+b'x+c'=0$의 한 근이면
1 $ax^2+bx+c=0$의 근을 구한다.
2 1에서 구한 근 중 조건을 만족하는 것을 $a'x^2+b'x+c'=0$에 대입하여 미지수의 값을 구한다.

셀파 미지수 a가 없는 이차방정식을 풀어 미지수가 있는 이차방정식의 해를 찾는다.

풀이 ㉠ $3x^2-11x-4=0$에서 $(x-4)(3x+1)=0$

$x-4=0$ 또는 $3x+1=0 \quad \therefore x=4$ 또는 $x=-\frac{1}{3}$

따라서 이차방정식 $x^2+(a-3)x+8=0$의 한 근이 $x=4$이므로 → $4>-\frac{1}{3}$이므로 두 근 중 큰 근은 $x=4$이다.

$4^2+(a-3)\times4+8=0$

$4a=-12 \quad \therefore a=\boldsymbol{-3}$

㉠ $3x^2-11x-4$

$x \to -4 \longrightarrow -12x$
$3x \to 1 \longrightarrow x\ (+$
$-11x$

$\therefore 3x^2-11x-4$
$=(x-4)(3x+1)$

확인 08 이차방정식 $x^2-3x-10=0$의 두 근 중 작은 근이 이차방정식 $x^2-2x+a=0$의 한 근일 때, 상수 a의 값을 구하시오.

» My 셀파

먼저 이차방정식 $x^2-3x-10=0$의 해를 구하여 조건을 만족하는 해를 찾는다.

기본 09 중근을 갖는 이차방정식

다음 이차방정식 중 중근을 갖는 것은?

① $(x+1)^2=1$ ② $x^2-1=0$ ③ $3(x+1)^2=12$
④ $x^2-4x-5=0$ ⑤ $x^2=6x-9$

해법코드
중근을 갖는 이차방정식은 $a(x-p)^2=0(a\neq0)$ 꼴이고 이때 중근은 $x=p$이다.

셀파 이차방정식이 중근을 가진다. ⇨ 이차방정식이 (완전제곱식)$=0$ 꼴로 인수분해된다.

풀이 ①ⓐ $(x+1)^2=1$에서 $x^2+2x=0$, $x(x+2)=0$ ∴ $x=-2$ 또는 $x=0$
② $x^2-1=0$에서 $(x+1)(x-1)=0$ ∴ $x=-1$ 또는 $x=1$
③ⓑ $3(x+1)^2=12$에서 $x^2+2x-3=0$, $(x+3)(x-1)=0$ ∴ $x=-3$ 또는 $x=1$
④ $x^2-4x-5=0$에서 $(x+1)(x-5)=0$ ∴ $x=-1$ 또는 $x=5$
⑤ $x^2=6x-9$에서 $x^2-6x+9=0$, $(x-3)^2=0$ ∴ $x=3$
따라서 중근을 갖는 이차방정식은 ⑤이다.

ⓐ $(x+1)^2=1$에서
$x^2+2x+1=1$
∴ $x^2+2x=0$

ⓑ $3(x+1)^2=12$에서 양변을 3으로 나누면 $(x+1)^2=4$
$x^2+2x+1=4$
∴ $x^2+2x-3=0$

확인 09 다음 이차방정식 중 중근을 갖는 것은?

① $(x+4)(x-4)=0$ ② $x^2-4x+3=0$ ③ $x^2-49=0$
④ $x^2=4x$ ⑤ $x^2-10x+25=0$

» My 셀파
이차방정식을 풀어 중근을 갖는 것을 찾는다.
● (이차식)$=0$ 꼴로 정리한 후 이차식이 완전제곱식 꼴로 인수분해되는 것을 찾아도 된다.

기본 10 이차방정식이 중근을 가질 조건

이차방정식 $2x^2+8x+k-7=0$이 중근을 가지도록 하는 상수 k의 값을 구하시오.

해법코드
주어진 이차방정식이 (완전제곱식)$=0$ 꼴이면 중근을 가진다.

셀파 이차방정식 $x^2+ax+b=0$이 중근을 가질 조건 ⇨ $b=\left(\frac{a}{2}\right)^2$

풀이 $2x^2+8x+k-7=0$의 ⓐ양변을 2로 나누면 $x^2+4x+\frac{k-7}{2}=0$

이 이차방정식이 중근을 가지려면 $\left\{\frac{(x\text{의 계수})}{2}\right\}^2=(\text{상수항})$이어야 하므로

$\left(\frac{4}{2}\right)^2=\frac{k-7}{2}$, $4=\frac{k-7}{2}$

$k-7=8$ ∴ $\mathbf{k=15}$

ⓐ x^2의 계수가 1이 아닌 경우에는 x^2의 계수를 1로 만든 후 이차방정식이 중근을 가질 조건을 이용한다.

확인 10 이차방정식 $x^2-4kx+k+3=0$이 중근을 가지도록 하는 상수 k의 값을 모두 구하시오.

» My 셀파
주어진 이차방정식이 중근을 가진다.
⇨ $x^2-4kx+k+3=0$의 좌변에서 $\left\{\frac{(x\text{의 계수})}{2}\right\}^2=(\text{상수항})$ 이다.

기본 11 두 이차방정식의 공통인 근

두 이차방정식 $x^2+6x-16=0$, $5x^2-7x-6=0$에서 공통인 근을 구하시오.

해법코드

두 이차방정식을 각각 풀어 두 방정식에 공통으로 들어 있는 근을 구한다.

셀파 인수분해를 이용하여 두 이차방정식의 해를 각각 구한다.

풀이 $x^2+6x-16=0$에서 $(x+8)(x-2)=0$

$\therefore x=-8$ 또는 $x=2$

㉠ $5x^2-7x-6=0$에서 $(x-2)(5x+3)=0$

$\therefore x=2$ 또는 $x=-\frac{3}{5}$

따라서 두 이차방정식의 공통인 근은 $\boldsymbol{x=2}$

㉠ $5x^2-7x-6$

$$\begin{array}{lll} x & -2 \longrightarrow & -10x \\ 5x & 3 \longrightarrow & 3x\ (+ \\ & & -7x \end{array}$$

$\therefore 5x^2-7x-6$
$=(x-2)(5x+3)$

확인 11 다음 두 이차방정식의 공통인 근이 $x=-1$일 때, $a+b$의 값을 구하시오. (단, a, b는 상수)

$$x^2+ax-3=0,\ 2x^2-x+b=0$$

» My 셀파

$x=-1$을 두 이차방정식에 각각 대입한다.

기본 12 제곱근을 이용한 이차방정식의 풀이

이차방정식 $3(x-2)^2-15=0$의 해가 $x=a\pm b\sqrt{5}$일 때, 유리수 a, b에 대하여 $a+b$의 값을 구하시오.

해법코드

- $x^2=k(k>0) \Rightarrow x=\pm\sqrt{k}$
- $(x+p)^2=q(q>0)$
  $\Rightarrow x=-p\pm\sqrt{q}$

셀파 $(x-p)^2=q(q>0)$ 꼴로 나타낸다.

풀이 $3(x-2)^2-15=0$에서 $3(x-2)^2=15$

양변을 3으로 나누면 $(x-2)^2=5$

$x-2=\pm\sqrt{5}$ $\quad\therefore$ ㉠ $x=2\pm\sqrt{5}$

따라서 $a=2$, $b=1$이므로 $a+b=\mathbf{3}$

㉠ $x=2\pm\sqrt{5}=2\pm1\times\sqrt{5}$이므로 $a=2$, $b=1$

확인 12 제곱근을 이용하여 다음 이차방정식을 푸시오.

(1) $(4x-3)^2=12$

(2) $2(x+3)^2-9=0$

» My 셀파

(2) 먼저 $2(x+3)^2=9$의 양변을 2로 나눈다.

기본 13 이차방정식 $(x+p)^2=q$가 근을 가질 조건

다음 중 이차방정식 $(x-a)^2=b$가 해를 가질 조건은?

① $a>0$　② $a<0$　③ $a=0$　④ $b\geq 0$　⑤ $b<0$

셀파 어떤 수의 제곱은 양수 또는 0임을 이용한다.

풀이 (i) $b>0$일 때, $x-a=\pm\sqrt{b}$　$\therefore x=a\pm\sqrt{b}$

(ii) $b=0$일 때, $(x-a)^2=0$　$\therefore x=a$

(iii) $b<0$일 때, 제곱하여 음이 되는 수는 없으므로 해는 없다.

(i)~(iii)에서 주어진 이차방정식이 해를 가질 조건은 $b\geq 0$이므로 ④이다.

해법코드

이차방정식 $(x+p)^2=q$가

❶ 서로 다른 두 근을 가질 조건 ⇨ $q>0$

❷ 중근을 가질 조건 ⇨ $q=0$

❸ 근을 갖지 않을 조건 ⇨ $q<0$

⇨ ❶, ❷에서 근을 가질 조건: $q\geq 0$

확인 13 다음 중 이차방정식 $2(x+2)^2=k+3$이 서로 다른 두 근을 갖도록 하는 정수 k의 값이 될 수 없는 것을 모두 고르면? (정답 2개)

① -5　② -3　③ -1　④ 1　⑤ 3

» My 셀파

$(x+p)^2=q$에서 $q>0$이면 서로 다른 두 근을 가진다.

기본 14 완전제곱식의 꼴로 나타내기

이차방정식 $4x^2-4x-3=0$을 $(x+p)^2=q$ 꼴로 나타낼 때, 상수 p, q에 대하여 $2p+q$의 값을 구하시오.

셀파 먼저 x^2의 계수가 1이 되도록 양변을 x^2의 계수로 나눈다.

풀이 $4x^2-4x-3=0$의 양변을 x^2의 계수인 4로 나누면 $x^2-x-\frac{3}{4}=0$

상수항을 우변으로 이항하면 $x^2-x=\frac{3}{4}$

양변에 $\left(\frac{-1}{2}\right)^2=\frac{1}{4}$을 더하면 $x^2-x+\frac{1}{4}=\frac{3}{4}+\frac{1}{4}$

$\therefore \left(x-\frac{1}{2}\right)^2=1$

따라서 $p=-\frac{1}{2}$, $q=1$이므로 $2p+q=2\times\left(-\frac{1}{2}\right)+1=\mathbf{0}$

해법코드

이차방정식 $ax^2+bx+c=0$을 완전제곱식의 꼴로 나타내는 순서

1 양변을 x^2의 계수로 나눈다.

2 상수항을 우변으로 이항한다.

3 양변에 $\left\{\frac{(x\text{의 계수})}{2}\right\}^2$을 더한다.

4 (완전제곱식)=(상수) 꼴로 나타낸다.

확인 14 이차방정식 $3x^2-12x+1=0$을 $(x-p)^2=q$ 꼴로 나타낼 때, 상수 p, q에 대하여 $p+3q$의 값을 구하시오.

» My 셀파

먼저 x^2의 계수를 1로 만든 후 (완전제곱식)=(상수) 꼴로 나타낸다.

기본 15 완전제곱식을 이용한 이차방정식의 풀이

이차방정식 $2x^2-4x-3=0$의 해가 $x=a\pm\frac{\sqrt{b}}{2}$일 때, 유리수 a, b의 값을 각각 구하시오.

해법코드

주어진 이차방정식을 $(x-p)^2=q$ 꼴로 나타낸다. 이때 $x=p\pm\sqrt{q}$

셀파 이차방정식의 좌변을 완전제곱식으로, 우변을 상수항으로 고친다.

풀이 $2x^2-4x-3=0$의 양변을 2로 나누면 $x^2-2x-\frac{3}{2}=0$, $x^2-2x=\frac{3}{2}$

양변에 $\left\{\frac{(x\text{의 계수})}{2}\right\}^2$, 즉 $\left(\frac{-2}{2}\right)^2=1$을 더하면 $x^2-2x+1=\frac{3}{2}+1$

$(x-1)^2=\frac{5}{2}$, $x-1=\pm\sqrt{\frac{5}{2}}=\pm\frac{\sqrt{10}}{2}$ ㉠

$\therefore x=1\pm\frac{\sqrt{10}}{2}$

따라서 $\boldsymbol{a=1}$, $\boldsymbol{b=10}$

㉠ 분모를 유리화한다.

$\Rightarrow \sqrt{\frac{5}{2}}=\frac{\sqrt{5}}{\sqrt{2}}=\frac{\sqrt{5}\times\sqrt{2}}{\sqrt{2}\times\sqrt{2}}=\frac{\sqrt{10}}{2}$

참고 이차방정식 $ax^2+bx+c=0$의 좌변이 인수분해되지 않으면 $(x+p)^2=q$ 꼴로 고쳐서 해를 구한다.

확인 15 완전제곱식을 이용하여 다음 이차방정식을 푸시오.

(1) $x^2+\frac{1}{2}x-2=0$ (2) $\frac{1}{2}x^2+x-5=0$

» My 셀파

(1) 양변에 $\left\{\frac{(x\text{의 계수})}{2}\right\}^2$을 더한다.

(2) 이차항의 계수를 1로 만든다.

발전 16 한 근이 문자로 주어질 때, 식의 값 구하기

이차방정식 $x^2-4x+1=0$의 한 근을 $x=\alpha$라 할 때, 다음 식의 값을 구하시오.

(1) $3\alpha^2-12\alpha$ (2) $\frac{2\alpha}{\alpha^2+1}$ (3) $\alpha^2+\frac{1}{\alpha^2}$

해법코드

$x^2-4x+1=0$의 한 근이 $x=\alpha$이다.
$\Rightarrow$ $x^2-4x+1=0$에 $x=\alpha$를 대입하면 등식이 성립한다.
$\Rightarrow \alpha^2-4\alpha+1=0$

셀파 이차방정식에 $x=\alpha$를 대입한 식을 문제에서 주어진 식이 나오도록 변형한다.

풀이 (1) $x^2-4x+1=0$의 한 근이 $x=\alpha$이므로 $\alpha^2-4\alpha+1=0$, $\alpha^2-4\alpha=-1$

$\therefore 3\alpha^2-12\alpha=3(\alpha^2-4\alpha)=3\times(-1)=\boldsymbol{-3}$

(2) $\alpha^2-4\alpha+1=0$에서 $\alpha^2+1=4\alpha$

$\therefore \frac{2\alpha}{\alpha^2+1}=\frac{2\alpha}{4\alpha}=\boldsymbol{\frac{1}{2}}$

(3) $\alpha^2-4\alpha+1=0$에서 ㉠ $\alpha\neq0$이므로 양변을 α로 나누면 $\alpha-4+\frac{1}{\alpha}=0$, $\alpha+\frac{1}{\alpha}=4$

㉡ 이 식의 양변을 제곱하면 $\alpha^2+2+\frac{1}{\alpha^2}=16$ $\therefore \alpha^2+\frac{1}{\alpha^2}=\boldsymbol{14}$

㉠ $x^2-4x+1=0$에 $x=0$을 대입하면 $1\neq0$이므로 $\alpha\neq0$이다.

㉡ $\left(\alpha+\frac{1}{\alpha}\right)^2$
$=\alpha^2+2\times\alpha\times\frac{1}{\alpha}+\left(\frac{1}{\alpha}\right)^2$
$=\alpha^2+2+\frac{1}{\alpha^2}$

확인 16 이차방정식 $x^2-5x+3=0$의 한 근을 $x=\alpha$라 할 때, 다음 중 옳지 않은 것을 모두 고르면? (정답 2개)

① $\alpha^2-5\alpha+3=0$ ② $4+5\alpha-\alpha^2=0$ ③ $2\alpha^2-10\alpha=-6$

④ $3\alpha^2-15\alpha+10=5$ ⑤ $\alpha+\frac{3}{\alpha}=5$

» My 셀파

$x^2-5x+3=0$의 한 근이 $x=\alpha$이다.
$\Rightarrow$ $x^2-5x+3=0$에 $x=\alpha$를 대입하면 등식이 성립한다.
$\Rightarrow \alpha^2-5\alpha+3=0$

실력 키우기

빠른 정답 225쪽 | 정답과 해설 52쪽

01 이차방정식 찾기

다음 중 x에 대한 이차방정식인 것은?

① x^2+2x+3　　② $4x^2=(2x+1)^2$
③ $x^3+2x-3=0$　　④ $9x^2+x=3(x+1)^2$
⑤ $x^2+3x=(x+2)(x-3)$

02 이차방정식이 되기 위한 조건

다음 중 방정식 $4x^2-x+5=m(x-2)^2$이 x에 대한 이차방정식이 되도록 하는 상수 m의 값이 될 수 없는 것은?

① -4　　② -2　　③ 0
④ 2　　⑤ 4

03 이차방정식의 해

다음 이차방정식 중 $x=-1$을 해로 갖는 것을 모두 고르면? (정답 2개)

① $x^2=2$　　② $(x-1)^2=0$
③ $x^2-2x-3=0$　　④ $(x+1)(x-1)=0$
⑤ $x^2-8x-7=0$

04 한 근이 주어질 때, 미지수의 값 구하기 (서술형)

이차방정식 $ax^2+bx+3=0$의 해가 $x=-1$ 또는 $x=-3$일 때, 다음 물음에 답하시오. (단, a, b는 상수)

(1) a, b에 대한 연립방정식을 세우시오.

(2) a, b의 값을 구하시오.

(3) $4a-b$의 값을 구하시오.

05 $AB=0$의 성질을 이용한 이차방정식의 풀이

다음 중 해가 나머지 넷과 다른 하나는?

① $(2x-1)(3x+2)=0$
② $(1-2x)(2+3x)=0$
③ $(2-4x)\left(\frac{2}{3}+x\right)=0$
④ $(4x-2)(6x-4)=0$
⑤ $\left(x-\frac{1}{2}\right)\left(x+\frac{2}{3}\right)=0$

06 인수분해를 이용한 이차방정식의 풀이

이차방정식 $(x+6)(x-2)=7x-8$을 풀면?

① $x=-6$ 또는 $x=2$
② $x=-2$ 또는 $x=6$
③ $x=-4$ 또는 $x=1$
④ $x=-1$ 또는 $x=4$
⑤ $x=2$ 또는 $x=\frac{8}{7}$

07 한 근이 다른 이차방정식의 근일 때, 미지수의 값 구하기

이차방정식 $x^2+4x-12=0$의 두 근 중 음수인 근이 이차방정식 $x^2+ax+a-6=0$의 한 근일 때, 상수 a의 값을 구하시오.

08 중근을 갖는 이차방정식

다음 **보기**에서 중근을 갖는 이차방정식은 모두 몇 개인지 구하시오.

보기

㉠ $x^2-9=0$	㉡ $4x^2+4x+1=0$
㉢ $x^2=-x$	㉣ $2x^2+2=4x$
㉤ $x^2-25=10x$	㉥ $2(x-3)^2=5$

09 이차방정식이 중근을 가질 조건 (서술형)

이차방정식 $x^2-6x+2k+1=0$이 중근을 가질 때, 이차방정식 $(k-3)x^2+(k-1)x-18=0$에서 두 근의 차를 구하시오. (단, k는 상수)

10 두 이차방정식의 공통인 근

두 이차방정식 $x^2+3x-4=0$, $3x^2+14x+8=0$을 동시에 만족하는 x의 값이 $2x^2+ax-2+a=0$의 한 근일 때, 상수 a의 값을 구하시오.

11 제곱근을 이용한 이차방정식의 풀이

이차방정식 $(x+a)^2=b$를 제곱근을 이용하여 풀었더니 해가 $x=2\pm\sqrt{3}$이었다. 유리수 a, b에 대하여 $a+b$의 값은?

① 1　② 2　③ 3　④ 4　⑤ 5

12 이차방정식 $(x+p)^2=q$가 근을 가질 조건 (서술형)

이차방정식 $3(x-5)^2=k-2$가 중근 $x=a$를 가질 때, $a-k$의 값을 구하시오. (단, k는 상수)

13 완전제곱식의 꼴로 나타내기

이차방정식 $4x^2-8x+1=0$을 $(x+p)^2=q$ 꼴로 나타낼 때, $4pq$의 값을 구하시오. (단, p, q는 상수)

14 완전제곱식을 이용한 이차방정식의 풀이

다음은 완전제곱식을 이용하여 이차방정식 $3x^2-15x+6=0$의 해를 구하는 과정이다. ①~⑤에 들어갈 수로 옳지 않은 것은?

$$3x^2-15x+6=0$$
$$x^2-5x+\boxed{①}=0$$
$$x^2-5x+\boxed{②}=-\boxed{①}+\boxed{②}$$
$$(x-\boxed{③})^2=\boxed{④}$$
$$\therefore x=\boxed{⑤}$$

① 2 ② $\frac{25}{4}$ ③ $\frac{5}{4}$

④ $\frac{17}{4}$ ⑤ $\frac{5\pm\sqrt{17}}{2}$

15 한 근이 주어질 때, 미지수의 값 구하기 (서술형)

이차방정식 $x^2+ax-2=0$의 한 근이 $x=2$이고 다른 한 근은 이차방정식 $x^2+bx-3=0$의 근일 때, $a+b$의 값을 구하시오. (단, a, b는 상수)

16 이차방정식이 중근을 가질 조건 (창의·융합)

한 개의 주사위를 두 번 던져서 첫 번째에 나온 눈의 수를 a, 두 번째에 나온 눈의 수를 b라 할 때, 이차방정식 $x^2+2ax+b=0$이 중근을 가질 확률을 구하시오.

17 인수분해를 이용한 이차방정식의 풀이 (융합형)

일차방정식 $2x+my-2=0$의 그래프가 점 $(m^2, m-1)$을 지나고 제3사분면을 지나지 않을 때, 상수 m의 값을 구하시오.

18 한 근이 문자로 주어질 때, 식의 값 구하기

이차방정식 $x^2-5x+1=0$의 한 근을 $x=\alpha(\alpha>1)$라 할 때, 다음 식의 값을 구하시오.

(1) $\alpha^2-5\alpha$

(2) $\alpha+\frac{1}{\alpha}$

(3) $\alpha-\frac{1}{\alpha}$

(4) $(\alpha^2-5\alpha-1)\left(\alpha-\frac{1}{\alpha}\right)$

뭐? 그래 알았어.
당장 구하러 갈게.

스승님. 지금 당장
출발하겠습니다.

지금 네 실력으로는
충분하지 않아.
이걸 가져가라.
고맙습니다.
스승님!

당장 구해 주마!
쾅

방정식연구회
빨리 좀
구해 줘요.

이차방정식이 이렇게
다양할 줄이야…….
끄~응
아! 스승님이
주신 비법이 있지.

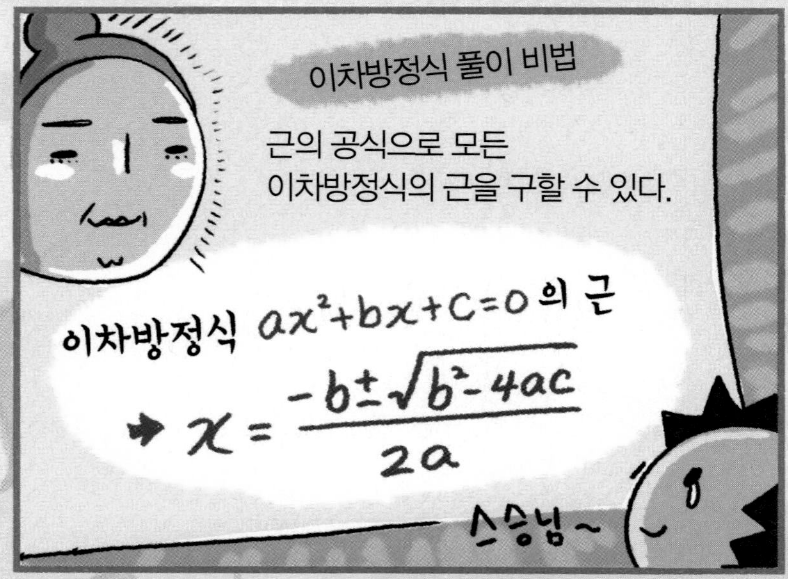
이차방정식 풀이 비법
근의 공식으로 모든
이차방정식의 근을 구할 수 있다.
이차방정식 $ax^2+bx+c=0$ 의 근
→ $x=\frac{-b\pm\sqrt{b^2-4ac}}{2a}$
스승님~

근의 공식으로
다 구했어!

Ⅲ | 이차방정식

이차방정식의 근의 공식과 활용

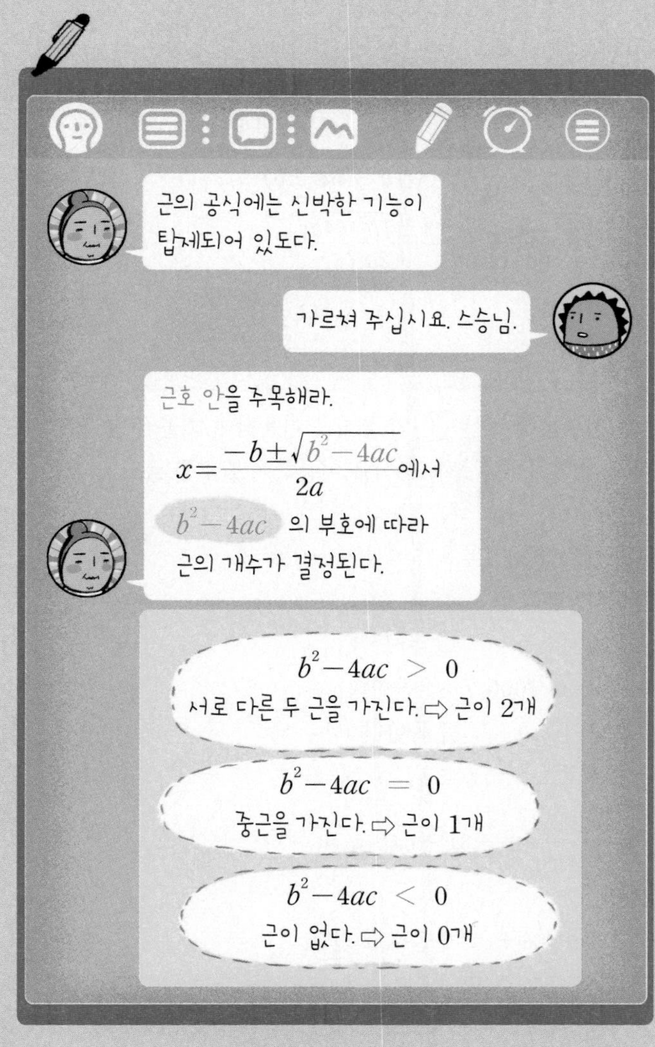

10 1. 이차방정식의 근의 공식

1 이차방정식의 근의 공식

x에 대한 이차방정식 $ax^2+bx+c=0\,(a\neq0)$의 근

⇨ $x=\dfrac{-b\pm\sqrt{b^2-4ac}}{\square}$ (단, ㉠ $b^2-4ac\geq0$) 　2a

예) $x^2+3x+1=0$에서 $a=1$, $b=3$, $c=1$이므로

$x=\dfrac{-3\pm\sqrt{3^2-\square\times1\times1}}{2\times1}=\dfrac{-3\pm\sqrt{5}}{2}$ 　4

참고) x의 계수가 짝수인 ㉡ 이차방정식 $ax^2+2b'x+c=0\,(a\neq0)$의 근은

$x=\dfrac{-b'\pm\sqrt{b'^2-ac}}{\square}$ (단, $b'^2-ac\geq0$) 　a

- 이차방정식의 풀이
  ① 인수분해가 되면 인수분해 이용
  ② 인수분해가 안 되면 근의 공식 이용

㉠ 음수의 제곱근은 없으므로 $b^2-4ac<0$이면 해가 없다.

설명) 이차방정식의 근의 공식의 유도 과정은 완전제곱식을 이용한 이차방정식의 풀이 방법과 같다.

$ax^2+bx+c=0\,(a\neq0)$의 양변을 a로 나누면 $x^2+\dfrac{b}{a}x+\dfrac{c}{a}=0$, $x^2+\dfrac{b}{a}x=-\dfrac{c}{a}$

좌변을 완전제곱식으로 고치면 $x^2+\dfrac{b}{a}x+\left(\dfrac{b}{2a}\right)^2=-\dfrac{c}{a}+\left(\dfrac{b}{2a}\right)^2$, 즉 $\left(x+\dfrac{b}{2a}\right)^2=\dfrac{b^2-4ac}{4a^2}$

제곱근을 구하면 $x+\dfrac{b}{2a}=\pm\sqrt{\dfrac{b^2-4ac}{4a^2}}$ (단, $b^2-4ac\geq0$)

해를 구하면 $x=-\dfrac{b}{2a}\pm\sqrt{\dfrac{b^2-4ac}{4a^2}}=\dfrac{-b\pm\sqrt{b^2-4ac}}{2a}$

㉡ $x=\dfrac{-2b'\pm\sqrt{(2b')^2-4ac}}{2a}$
$=\dfrac{-2b'\pm\sqrt{4b'^2-4ac}}{2a}$
$=\dfrac{-2b'\pm2\sqrt{b'^2-ac}}{2a}$
$=\dfrac{-b'\pm\sqrt{b'^2-ac}}{a}$

2 복잡한 이차방정식의 풀이

다음과 같이 식을 정리한 후 인수분해 또는 $\square$의 공식을 이용하여 해를 구한다. 　근

(1) **괄호가 있는 이차방정식** ㉢ 분배법칙이나 ㉣ 곱셈 공식을 이용하여 괄호를 풀고 $ax^2+bx+c=0$ 꼴로 정리한다.

예) $(x+1)(x-7)=-15$ ⇨ $x^2-6x-7=-15$ ⇨ $x^2-6x+8=0$

(2) **계수가 소수 또는 분수인 이차방정식**

양변에 적당한 수를 곱하여 계수를 $\square$로 바꾼다. 　정수

① 계수가 소수: 양변에 10, 100, 1000, ⋯을 곱한다.

② 계수가 분수: 양변에 분모의 $\square$를 곱한다. 　최소공배수

예) ① $0.1x^2-0.3x-0.2=0 \xrightarrow{\text{양변에 }\times10} x^2-3x-2=0$

② $\dfrac{1}{4}x^2-\dfrac{1}{2}x-\dfrac{1}{3}=0 \xrightarrow{\text{양변에 }\times\square} 3x^2-6x-4=0$ 　12

(3) **공통부분이 있는 이차방정식**

(공통부분)$=A$로 놓고 $aA^2+bA+c=0$ 꼴로 고친다.

예) $(x-1)^2-2(x-1)-15=0 \xrightarrow{x-1=A\text{로 놓으면}} A^2-2A-15=0$

㉢ 분배법칙

$a(b+c)=ab+ac$

이때 부호에 주의한다.

$-(a+b)=-a-b$ (○)

$-(a+b)=-a+b$ (×)

㉣ 곱셈 공식

① $(a+b)^2=a^2+2ab+b^2$
　$(a-b)^2=a^2-2ab+b^2$

② $(a+b)(a-b)=a^2-b^2$

③ $(x+a)(x+b)=x^2+(a+b)x+ab$

④ $(ax+b)(cx+d)=acx^2+(ad+bc)x+bd$

주의) 이차방정식에서 (공통부분)$=A$로 놓고 푼 경우에 A의 값이 주어진 이차방정식의 해라고 착각하지 않도록 한다.

빠른 정답 226쪽 | 정답과 해설 56쪽

| 개념 체크 |

1-1 이차방정식의 근의 공식

근의 공식을 이용하여 이차방정식 $2x^2-3x-1=0$을 푸시오.

셀파 주어진 이차방정식에서 a, b, c의 값을 찾아 근의 공식에 각각 대입한다.

연구 근의 공식에 $a=2, b=-3, c=-1$을 각각 대입하면

$$x=\frac{-(\square)\pm\sqrt{(\square)^2-4\times2\times(-1)}}{2\times2}$$

$$=\square$$

2-1 복잡한 이차방정식의 풀이

다음 이차방정식을 푸시오.

(1) $(x+2)^2=x+5$

(2) $0.1x^2-0.2x-1.5=0$

(3) $\frac{1}{6}x^2-\frac{2}{3}x+\frac{1}{4}=0$

셀파 $ax^2+bx+c=0$ (a, b, c는 정수) 꼴로 고친다.
⇨ 인수분해 또는 근의 공식을 이용하여 해를 구한다.

연구 (1) 괄호를 풀고 정리하면 $\square=0$
$\therefore x=\square$

(2) 양변에 $\square$을 곱하면 $\square=0$
$\therefore x=-3$ 또는 $x=\square$

(3) 양변에 분모의 최소공배수 $\square$를 곱하면
$\square=0$
$\therefore x=\square$

| 따라 풀기 |

1-2 근의 공식을 이용하여 다음 이차방정식을 푸시오.

(1) $x^2-x-5=0$

(2) $2x^2+5x+1=0$

(3) $x^2-2x-5=0$

(4) $3x^2+4x-1=0$

2-2 다음 이차방정식을 푸시오.

(1) $(x+2)(x-2)=20$

(2) $x^2+18=6(4-x)$

(3) $0.2x^2+0.6x-1=0$

(4) $0.3x^2+0.4x=0.5$

(5) $\frac{1}{2}x^2+\frac{5}{6}x+\frac{1}{3}=0$

(6) $\frac{1}{2}x^2-\frac{2}{5}x-1=0$

양변에 같은 수를 곱할 때는 모든 항에 빠짐없이 곱해야 해.
괄호를 이용하여 각 변의 모든 항을 묶어 놓고 곱하면 항을 빠먹는 실수를 없앨 수 있어.

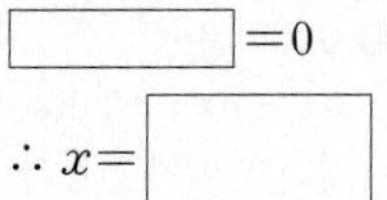

- 이차방정식 $ax^2+bx+c=0\,(a\neq0)$의 근은 $x=\frac{-b\pm\sqrt{b^2-4ac}}{2a}$ (단, $b^2-4ac\geq0$)
- 괄호가 있는 이차방정식은 괄호를 풀고, 계수가 소수 또는 분수인 이차방정식은 양변에 적당한 수를 곱하여 계수를 정수로 바꾼다.

3 이차방정식의 근의 개수

x에 대한 이차방정식 $ax^2+bx+c=0$의 근의 개수는 근의 공식 $x=\frac{-b\pm\sqrt{b^2-4ac}}{2a}$에서 ㉠$b^2-4ac$의 부호에 따라 결정된다.

(1) b^2-4ac ☐ 0이면 서로 다른 두 근을 가진다. ⇨ 근이 2개 $>$

(2) $b^2-4ac=0$이면 한 근(중근)을 가진다. ⇨ 근이 ☐개 1

(3) b^2-4ac ☐ 0이면 근이 없다. ⇨ 근이 0개 $<$

참고 x의 계수가 짝수인 이차방정식 $ax^2+2b'x+c=0(a\neq0)$에서 근의 개수를 판별할 때는 b^2-4ac 대신 b'^2-ac를 이용해도 된다.

● 이차방정식 $ax^2+bx+c=0$에서 $x=\frac{-b\pm\sqrt{b^2-4ac}}{2a}$이므로

(1) $b^2-4ac>0$ ⇨ $x=\frac{-b\pm\sqrt{b^2-4ac}}{2a}$ ⇨ 서로 다른 두 근

(2) $b^2-4ac=0$ ⇨ $x=-\frac{b}{2a}$ ⇨ 한 근

(3) $b^2-4ac<0$ ⇨ 음수의 제곱근은 없으므로 해가 없다.

보기 이차방정식 $2x^2+x-3=0$의 근은 모두 몇 개인지 구하시오.

풀이 $2x^2+x-3=0$에서 $a=2$, $b=1$, $c=-3$이므로

$b^2-4ac=1^2-4\times2\times(-3)=25>0$

따라서 이차방정식 $2x^2+x-3=0$의 근은 **2**개이다.

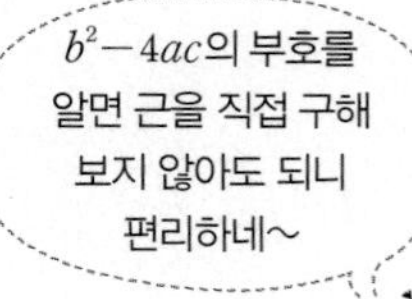

b^2-4ac의 부호를
알면 근을 직접 구해
보지 않아도 되니
편리하네~

㉠ b^2-4ac를 판별식이라 하고, 영문자 D로 나타내기도 한다. 즉 $D=b^2-4ac$

4 이차방정식 구하기

(1) 두 근이 α, β이고 x^2의 계수가 a인 이차방정식

⇨ $a(x-\alpha)(x-\beta)=0$

예 두 근이 1, 2이고 x^2의 계수가 3인 이차방정식은 $3(x-1)(x-2)=0$

$3(x^2$ ☐ $x+2)=0$ ∴ $3x^2-9x+6=0$ -3

(2) α를 ㉡중근으로 갖고 x^2의 계수가 a인 이차방정식

⇨ $a(x-\alpha)^2=0$ ← (완전제곱식)$=0$

예 $\frac{1}{2}$을 중근으로 갖고 x^2의 계수가 4인 이차방정식은 $4\left(x-\square\right)^2=0$ $\frac{1}{2}$

$4\left(x^2-x+\frac{1}{4}\right)=0$ ∴ $4x^2-4x+1=0$

참고 ㉢계수가 유리수인 이차방정식에서 한 근이 $p+q\sqrt{m}$이면 다른 한 근은 $p-q\sqrt{m}$이다. (단, p, q는 유리수, $\sqrt{m}$은 무리수)

예 이차방정식 $x^2-4x-3=0$의 한 근이 $2+\sqrt{7}$이면 방정식의 모든 계수가 유리수이므로 다른 한 근은 ☐이다. $2-\sqrt{7}$

㉡ 이차방정식의 두 근이 서로 같을 때, 그 근을 중근이라 한다. 이차방정식이 중근을 가지면 좌변의 이차식이 완전제곱식, 즉 $a(\quad)^2=0(a\neq0)$ 꼴이다.

● $a\neq0$일 때 $a(x-\alpha)(x-\alpha)=0$ (중복) ∴ $a(x-\alpha)^2=0$

㉢ 이차방정식 $ax^2+bx+c=0$(a, b, c는 유리수, $a\neq0$)의 두 근은 $x=\frac{-b+\sqrt{b^2-4ac}}{2a}$ 또는 $x=\frac{-b-\sqrt{b^2-4ac}}{2a}$

즉 두 근은 무리수 부분의 부호만 다르다.

따라서 계수가 유리수인 이차방정식의 한 근이 $p+q\sqrt{m}$이면 다른 한 근은 $p-q\sqrt{m}$이다.

보기 다음 이차방정식을 $ax^2+bx+c=0$ 꼴로 나타내시오.

(1) 두 근이 2, -3이고 x^2의 계수가 2인 이차방정식

(2) 4를 중근으로 갖고 x^2의 계수가 1인 이차방정식

풀이 (1) $2(x-2)\{x-(-3)\}=0$이므로 $2(x-2)(x+3)=0$

$2(x^2+x-6)=0$ ∴ $\mathbf{2x^2+2x-12=0}$

(2) $(x-4)^2=0$이므로 $\mathbf{x^2-8x+16=0}$

빠른 정답 226쪽 | 정답과 해설 57쪽

| 개념 체크 |

3-1 이차방정식의 근의 개수

다음 이차방정식의 근의 개수를 구하시오.

(1) $x^2-2x-5=0$　　(2) $2x^2+x+5=0$

셀파 이차방정식 $ax^2+bx+c=0$에서 b^2-4ac의 부호를 조사한다.

연구 (1) $a=1$, $b=-2$, $c=-5$이므로

$b^2-4ac>0$

따라서 근의 개수는 □이다.

(2) $a=2$, $b=1$, $c=5$이므로

b^2-4ac □ 0

따라서 근의 개수는 □이다.

| 따라 풀기 |

3-2 주어진 이차방정식을 $ax^2+bx+c=0$이라 할 때, 다음 표를 완성하시오.

이차방정식	b^2-4ac의 값	근의 개수
(1) $x^2-5x+3=0$		
(2) $x^2+6x+9=0$		
(3) $x^2+2x+2=0$		
(4) $x(3x-5)=4$		

4-1 이차방정식 구하기

다음 이차방정식을 $ax^2+bx+c=0$ 꼴로 나타내시오.

(1) 두 근이 -1, 3이고 x^2의 계수가 4인 이차방정식

(2) 6을 중근으로 갖고 x^2의 계수가 $\frac{1}{2}$인 이차방정식

셀파 두 근이 α, β이고 x^2의 계수가 a인 이차방정식

⇨ $a(x-\alpha)(x-\beta)=0$

연구 (1) $4(x+1)($□$)=0$이므로 $4(x^2-2x-$□$)=0$

$\therefore 4x^2-8x-$□$=0$

(2) $\frac{1}{2}(x-$□$)^2=0$이므로 $\frac{1}{2}x^2-$□$x+18=0$

4-2 다음 □ 안에 알맞은 양수를 써넣고, 조건을 만족하는 이차방정식을 $ax^2+bx+c=0$ 꼴로 나타내시오.

(1) 두 근이 2, 5이고 x^2의 계수가 2인 이차방정식

⇨ □$(x-2)(x-$□$)=0$ ⇨ ________

(2) 두 근이 1, -6이고 x^2의 계수가 1인 이차방정식

⇨ $(x-$□$)(x+$□$)=0$ ⇨ ________

(3) -2를 중근으로 갖고 x^2의 계수가 3인 이차방정식

⇨ □$(x+$□$)^2=0$ ⇨ ________

- 이차방정식 $ax^2+bx+c=0\,(a\neq0)$에서 근의 개수는 b^2-4ac의 부호에 따라 결정된다.
  ① $b^2-4ac>0$ ⇨ 근이 2개　② $b^2-4ac=0$ ⇨ 근이 1개　③ $b^2-4ac<0$ ⇨ 근이 0개
- 두 근이 α, β이고 x^2의 계수가 a인 이차방정식 ⇨ $a(x-\alpha)(x-\beta)=0$
- α를 중근으로 갖고 x^2의 계수가 a인 이차방정식 ⇨ $a(x-\alpha)^2=0$

유형 익히기

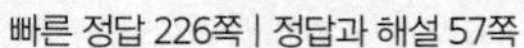

빠른 정답 226쪽 | 정답과 해설 57쪽

기본 01 이차방정식의 근의 공식

이차방정식 $2x^2-5x-4=0$의 근이 $x=\dfrac{A\pm\sqrt{B}}{4}$일 때, A, B의 값을 각각 구하시오.

(단, A, B는 유리수)

셀파 인수분해할 수 없으면 근의 공식을 이용하여 이차방정식의 해를 구한다.

풀이 근의 공식에 $a=2$, $b=-5$, $c=-4$를 각각 대입하면

$$x=\frac{-(-5)\pm\sqrt{(-5)^2-4\times2\times(-4)}}{2\times2}=\frac{5\pm\sqrt{57}}{4}$$

$\therefore$ $\boldsymbol{A=5,\ B=57}$

해법코드

- 이차방정식 $ax^2+bx+c=0$의 근은
  $x=\dfrac{-b\pm\sqrt{b^2-4ac}}{2a}$
  (단, $b^2-4ac\ge0$)
- 이차방정식 $ax^2+2b'x+c=0$의 근은
  $x=\dfrac{-b'\pm\sqrt{b'^2-ac}}{a}$
  (단, $b'^2-ac\ge0$)

확인 01

1. 이차방정식 $3x^2+7x+3=0$의 근이 $x=\dfrac{A\pm\sqrt{B}}{6}$일 때, 유리수 A, B에 대하여 $A+B$의 값을 구하시오.

2. 이차방정식 $x^2+8x+k+1=0$의 근이 $x=-4\pm2\sqrt{2}$일 때, 상수 k의 값을 구하시오.

» My 셀파

1. 근의 공식에 해당하는 a, b, c의 값을 각각 찾아 근의 공식에 대입한다.

2. 근의 공식을 이용하여 해를 구한 후 주어진 해와 비교하여 미지수의 값을 구한다.

기본 02 괄호가 있는 이차방정식의 풀이

다음 이차방정식을 푸시오.

(1) $3x^2=(x+2)(x-3)+7$ (2) $(2x-1)(x-4)=-3x+1$

셀파 괄호를 풀어 $ax^2+bx+c=0$ 꼴로 정리한 후 푼다.

풀이 (1) 괄호를 풀면 $3x^2=x^2-x-6+7$

$2x^2+x-1=0$, $(x+1)(2x-1)=0$

$\therefore$ $\boldsymbol{x=-1}$ **또는** $\boldsymbol{x=\dfrac{1}{2}}$

(2) 괄호를 풀면 $2x^2-9x+4=-3x+1$

$2x^2-6x+3=0$

$\therefore$ $\boldsymbol{x}=\dfrac{-(-3)\pm\sqrt{(-3)^2-2\times3}}{2}=\boldsymbol{\dfrac{3\pm\sqrt{3}}{2}}$

해법코드

괄호가 있으면 분배법칙, 곱셈 공식 등을 이용하여 괄호를 풀어 $ax^2+bx+c=0$ 꼴로 정리한다. 이때 좌변을 인수분해할 수 있으면 인수분해를 이용하여 풀고, 인수분해할 수 없으면 근의 공식을 이용한다.

x의 계수가 짝수일 때의 근의 공식에서 $a=2$, $b'=-3$, $c=3$ 인 경우이다.

확인 02 이차방정식 $(3x-2)(3x+2)=(x-2)^2$의 두 근의 합을 구하시오.

» My 셀파

곱셈 공식을 이용하여 괄호를 풀고 $ax^2+bx+c=0$ 꼴로 정리한 후 푼다.

기본 03 계수가 소수 또는 분수인 이차방정식의 풀이

다음 이차방정식을 푸시오.

(1) $0.25x^2+0.3x+0.09=0$　　(2) $\frac{1}{3}x^2-\frac{1}{5}x=\frac{3}{10}$

해법코드

(1) 계수가 소수이면 양변에 10, 100, 1000, … 중 적당한 수를 곱한다.
(2) 계수가 분수이면 양변에 분모의 최소공배수를 곱한다.

셀파 양변에 적당한 수를 곱하여 계수를 정수로 바꾼다.

풀이 (1) ㉠양변에 100을 곱하면 $25x^2+30x+9=0$

$(5x+3)^2=0$　　$\therefore x=-\frac{3}{5}$

(2) 양변에 분모 3, 5, 10의 최소공배수 30을 곱하면 $10x^2-6x=9$

$10x^2-6x-9=0$

$$\therefore x=\frac{-(-3)\pm\sqrt{(-3)^2-10\times(-9)}}{10}=\frac{3\pm\sqrt{99}}{10}=\mathbf{\frac{3\pm3\sqrt{11}}{10}}$$

㉠ 각 계수의 소수점 아래 자리의 수가 다른 경우에는 소수점 아래 자리의 수가 가장 많은 계수를 기준으로 10의 거듭제곱을 곱해야 이차방정식의 계수가 모두 정수가 된다.

확인 03 다음 이차방정식을 푸시오.

(1) $0.15x^2+0.65x+0.45=0$　　(2) $\frac{3}{2}x^2-\frac{3}{4}x-\frac{1}{2}=0$

» My 셀파

주어진 이차방정식의 양변에 적당한 수를 곱하여 계수를 정수로 바꾼 후 푼다.

기본 04 공통부분이 있는 이차방정식의 풀이

이차방정식 $(x-2)^2-3(x-2)+2=0$을 푸시오.

해법코드

1 $x-2=A$로 놓는다.
2 A의 값을 구한다.
3 x의 값을 구한다.

셀파 공통부분을 문자 A로 치환하고 A에 대한 이차방정식을 푼다.

풀이 $x-2=A$로 놓으면 ㉠$A^2-3A+2=0$

$(A-1)(A-2)=0$　　$\therefore$ ㉡$A=1$ 또는 $A=2$

즉 $x-2=1$ 또는 $x-2=2$

$\therefore$ **$x=3$ 또는 $x=4$**

㉠ $A^2-3A+2=0$은 A에 대한 이차방정식이다.

다른 풀이 $(x-2)^2-3(x-2)+2=0$을 전개하면 $x^2-4x+4-3x+6+2=0$

$x^2-7x+12=0$, $(x-3)(x-4)=0$

$\therefore x=3$ 또는 $x=4$

㉡ $x-2$를 치환한 A의 값을 구하는 것이 아니다.
따라서 이 문제의 해를 '1 또는 2'로 답하지 않도록 한다.

확인 04 다음 이차방정식을 푸시오.

(1) $(x+1)^2-2(x+1)-15=0$

(2) $(2x+1)^2-4(2x+1)+3=0$

A로 치환했을 때 A의 값이 아니라 x의 값을 구해야 한다는 거 잊지 마.

» My 셀파

(1) $x+1=A$로 놓는다.
(2) $2x+1=A$로 놓는다.

복잡한 이차방정식의 풀이

빠른 정답 226쪽 | 정답과 해설 58쪽

이차방정식의 풀이 순서

[1] 계수를 정수로 고친다.

[2] 괄호를 푼다.

[3] $ax^2+bx+c=0$ 꼴로 정리한다.

[4] 좌변을 ┌ 인수분해할 수 있으면 ⇨ 인수분해 이용
└ 인수분해할 수 없으면 ⇨ 근의 공식 이용

$\frac{x(x-3)}{4}=\frac{1}{2}$) 양변에 분모의 최소공배수 4를 곱한다.

$x(x-3)=2$) 괄호를 푼다.

$x^2-3x=2$) 이항하여 정리한다.

$x^2-3x-2=0$

$\therefore x=\frac{-(-3)\pm\sqrt{(-3)^2-4\times1\times(-2)}}{2\times1}=\frac{3\pm\sqrt{17}}{2}$

이차방정식의 근의 공식

1 근의 공식을 이용하여 다음 이차방정식을 푸시오.

(1) $x^2-5x-24=0$

(2) $x^2+6x-3=0$

(3) $2x^2-x-5=0$

(4) $2x^2+2x-3=0$

(5) $3x^2+5x=-1$

(6) $5x^2=1-4x$

복잡한 이차방정식의 풀이

2 다음 이차방정식을 푸시오.

(1) $(x-1)^2=2x+4$

(2) $(x+3)(x-1)=4-2x^2$

(3) $0.3x^2+x+0.5=0$

(4) $0.01x^2-0.1x+0.25=0$

(5) $\frac{1}{4}x^2+x-\frac{5}{8}=0$

(6) $\frac{1}{2}x^2-\frac{4}{3}x-\frac{7}{6}=0$

(7) $0.6x^2-\frac{x^2-x}{5}=1$

(8) $\frac{1}{6}x^2+\frac{3}{2}x=1.5$

(9) $\frac{(x+2)(x+5)}{4}=\frac{x(2x-3)}{2}$

(10) $\frac{x(x+1)}{5}+\frac{7-x}{4}=0.3(x^2-x)+1.6$

공통부분이 있는 이차방정식의 풀이

3 다음 이차방정식을 푸시오.

(1) $(x+5)^2-4(x+5)+4=0$

(2) $3(x+2)^2+8(x+2)-3=0$

(3) $5(x-3)^2-21(x-3)+4=0$

(4) $\frac{(3x-2)^2}{3}-\frac{3x-2}{6}-1=0$

기본 05 이차방정식의 근의 개수

다음 이차방정식 중 서로 다른 두 근을 갖는 것은?

① $x^2+3x+5=0$　② $x^2-8x+16=0$　③ $2x^2-3x+4=0$
④ $3x^2+2x-1=0$　⑤ $x^2=-3(2x+3)$

해법코드
이차방정식 $ax^2+bx+c=0$의 근의 개수는 b^2-4ac의 부호에 따라 결정된다.
- $b^2-4ac>0$ ⇨ 서로 다른 두 근 ⇨ 근이 2개
- $b^2-4ac=0$ ⇨ 한 근 (중근) ⇨ 근이 1개
- $b^2-4ac<0$ ⇨ 근이 없다. ⇨ 근이 0개

셀파 이차방정식 $ax^2+bx+c=0$에서 $b^2-4ac>0$이면 서로 다른 두 근을 가진다.

풀이 ① $3^2-4\times1\times5=-11<0$이므로 근이 없다.
② $(-8)^2-4\times1\times16=0$이므로 한 근(중근)을 가진다.
③ $(-3)^2-4\times2\times4=-23<0$이므로 근이 없다.
④ $2^2-4\times3\times(-1)=16>0$이므로 서로 다른 두 근을 가진다.
⑤ $x^2=-3(2x+3)$에서 $x^2+6x+9=0$
이때 $6^2-4\times1\times9=0$이므로 한 근(중근)을 가진다.
따라서 서로 다른 두 근을 갖는 이차방정식은 ④이다.

참고 ②, ④, ⑤와 같이 x의 계수가 짝수인 이차방정식 $ax^2+2b'x+c=0$의 근의 개수를 판별할 때는 b^2-4ac 대신 b'^2-ac를 이용해도 된다.

확인 05 다음 이차방정식 중 근이 없는 것을 모두 고르면? (정답 2개)

① $x^2+1=0$　② $x^2-8x=0$　③ $x^2-4x+4=0$
④ $2x^2-4x-2=0$　⑤ $x^2+2x+3=0$

» My 셀파
이차방정식 $ax^2+bx+c=0$에서 $b^2-4ac<0$이면 근이 없다.

기본 06 이차방정식이 중근을 가질 조건

이차방정식 $x^2+(k+6)x+8k=0$이 중근을 갖도록 하는 상수 k의 값을 모두 구하시오.

해법코드
이차방정식 $ax^2+bx+c=0$이 중근을 가지려면 $b^2-4ac=0$이어야 한다.

셀파 $b^2-4ac=0$임을 이용하여 방정식을 세운다.

풀이 이차방정식 $x^2+(k+6)x+8k=0$이 중근을 가지려면
$(k+6)^2-4\times1\times8k=0$
$k^2+12k+36-32k=0$, $k^2-20k+36=0$
$(k-2)(k-18)=0$　$\therefore$ **$k=2$ 또는 $k=18$**

확인 (i) $k=2$일 때, $x^2+8x+16=0$
$(x+4)^2=0$　$\therefore x=-4$ (중근)
(ii) $k=18$일 때, $x^2+24x+144=0$
$(x+12)^2=0$　$\therefore x=-12$ (중근)

확인 06 이차방정식 $x^2-(k+1)x+2k-1=0$이 중근을 갖도록 하는 모든 상수 k의 값의 합을 구하시오.

» My 셀파
이차방정식 $ax^2+bx+c=0$이 중근을 가질 조건 $b^2-4ac=0$을 이용하여 방정식을 세운다.

기본 07 근의 개수에 따른 미지수의 값의 범위 구하기

이차방정식 $x^2-5x+m-1=0$이 서로 다른 두 근을 갖도록 하는 상수 m의 값의 범위를 구하시오.

셀파 이차방정식 $ax^2+bx+c=0$이 서로 다른 두 근을 가질 조건 ⇨ $b^2-4ac>0$

풀이 이차방정식 $x^2-5x+m-1=0$이 서로 다른 두 근을 가지려면

$(-5)^2-4\times1\times(m-1)>0$이므로 $29-4m>0$

$-4m>-29$ $\quad\therefore \boldsymbol{m<\frac{29}{4}}$

해법코드

이차방정식 $ax^2+bx+c=0$이

- 서로 다른 두 근을 가지면 ⇨ $b^2-4ac>0$
- 중근을 가지면 ⇨ $b^2-4ac=0$
- 근이 없으면 ⇨ $b^2-4ac<0$

확인 07

1. 이차방정식 $x^2-6x-3+k=0$의 근이 없을 때, 상수 k의 값의 범위를 구하시오.

2. 이차방정식 $(k-2)x^2+4x-1=0$이 근을 갖도록 하는 상수 k의 값의 범위를 구하시오.

» My 셀파

1. 이차방정식 $ax^2+bx+c=0$의 근이 없을 조건 $b^2-4ac<0$을 이용한다.
2. 이차방정식 $ax^2+bx+c=0$이 근을 가질 조건 $b^2-4ac\geq0$을 이용한다. 이때 x^2의 계수는 0이 아니어야 하므로 $k\neq2$임에 주의한다.

기본 08 이차방정식 구하기

이차방정식 $2x^2+ax+b=0$의 두 근이 -2, 4일 때, 상수 a, b에 대하여 $a-b$의 값을 각각 구하시오.

셀파 주어진 이차방정식이 $2x^2+ax+b=0$이므로 x^2의 계수가 2이다.

풀이 x^2의 계수가 2이고 -2, 4를 두 근으로 하는 이차방정식은

㉠ $2(x+2)(x-4)=0$, $2(x^2-2x-8)=0$

$\therefore 2x^2-4x-16=0$

따라서 $a=-4$, $b=-16$이므로

$a-b=-4-(-16)=\mathbf{12}$

해법코드

(1) x^2의 계수가 a이고 두 근이 α, β인 이차방정식 ⇨ $a(x-\alpha)(x-\beta)=0$

(2) α를 중근으로 갖고 x^2의 계수가 a인 이차방정식 ⇨ $a(x-\alpha)^2=0$

㉠ $2\{x-(-2)\}(x-4)=0$에서 $2(x+2)(x-4)=0$

확인 08

1. 이차방정식 $3x^2+ax+b=0$의 두 근이 1, $-\frac{1}{3}$일 때, 상수 a, b의 값을 각각 구하시오.

2. 이차방정식 $9x^2+ax+b=0$이 중근 $x=-\frac{2}{3}$를 가질 때, 상수 a, b에 대하여 $a+b$의 값을 구하시오.

» My 셀파

1. x^2의 계수가 3이고 두 근이 1, $-\frac{1}{3}$인 이차방정식을 구한다.
2. x^2의 계수가 9이고 중근이 $x=-\frac{2}{3}$인 이차방정식을 구한다.

발전 09 무리수인 한 근이 주어진 이차방정식

이차방정식 $x^2+ax+b=0$의 한 근이 $3-2\sqrt{7}$일 때, 다음을 구하시오. (단, a, b는 유리수)

(1) 다른 한 근　　(2) a, b의 값

해법코드
계수가 유리수인 이차방정식에서 한 근이 $p+q\sqrt{m}$이면 다른 한 근은 $p-q\sqrt{m}$이다.
(단, p, q는 유리수, $\sqrt{m}$은 무리수)

셀파 이차방정식의 계수가 모두 유리수이므로 무리수인 한 근을 이용하여 다른 한 근을 구한다.

풀이 (1) 이차방정식 $x^2+ax+b=0$의 계수가 모두 유리수이고,
한 근이 $3-2\sqrt{7}$이므로 다른 한 근은 $3+2\sqrt{7}$이다.
(2) 두 근이 $3-2\sqrt{7}$, $3+2\sqrt{7}$이고 x^2의 계수가 1인 이차방정식은
㉠$\{x-(3-2\sqrt{7})\}\{x-(3+2\sqrt{7})\}=0$, $x^2-6x-19=0$
$\therefore$ **$a=-6$, $b=-19$**

㉠ $\{x-(3-2\sqrt{7})\}\{x-(3+2\sqrt{7})\}$
$=x^2-(3-2\sqrt{7}+3+2\sqrt{7})x+(3-2\sqrt{7})(3+2\sqrt{7})$
$=x^2-6x+(9-28)$
$=x^2-6x-19$

다른 풀이 (2) 한 근이 $3-2\sqrt{7}$이므로 $x=3-2\sqrt{7}$
$x-3=-2\sqrt{7}$이므로 양변을 제곱하면 $(x-3)^2=(-2\sqrt{7})^2$
$x^2-6x+9=28$　　$\therefore x^2-6x-19=0$
$\therefore a=-6$, $b=-19$

확인 09 이차방정식 $x^2+ax+b=0$의 한 근이 $4+\sqrt{2}$일 때, 다음을 구하시오. (단, a, b는 유리수)

(1) 다른 한 근　　(2) a, b의 값

» My 셀파
이차방정식 $x^2+ax+b=0$의 계수가 모두 유리수이므로 무리수인 한 근을 이용하여 다른 한 근을 구한다.

발전 10 잘못 보고 푼 이차방정식

이차방정식 $x^2+ax+b=0$을 푸는데 서준이는 x의 계수를 잘못 보고 풀어 $x=2$ 또는 $x=7$의 해를 얻었고, 아영이는 상수항을 잘못 보고 풀어 $x=1$ 또는 $x=7$의 해를 얻었다. 이때 $b-a$의 값을 구하시오. (단, a, b는 상수)

해법코드
이차방정식 $x^2+ax+b=0$에서
① x의 계수를 잘못 본 경우
⇨ 상수항 b는 제대로 보았다.
② 상수항을 잘못 본 경우
⇨ x의 계수 a는 제대로 보았다.

셀파 서준이와 아영이가 얻은 근을 이용하여 잘못 본 이차방정식을 각각 구한 후 처음 이차방정식의 x의 계수와 상수항을 구한다.

풀이 2, 7을 두 근으로 하고 x^2의 계수가 1인 이차방정식은
$(x-2)(x-7)=0$　　$\therefore x^2-9x+14=0$
이때 서준이는 상수항은 제대로 보았으므로 처음 이차방정식의 상수항은 14이다.
1, 7을 두 근으로 하고 x^2의 계수가 1인 이차방정식은
$(x-1)(x-7)=0$　　$\therefore x^2-8x+7=0$
이때 아영이는 x의 계수는 제대로 보았으므로 처음 이차방정식의 x의 계수는 -8이다.
따라서 처음 이차방정식은 $x^2-8x+14=0$이므로 $a=-8$, $b=14$
$\therefore b-a=14-(-8)=$**22**

확인 10 이차방정식 $x^2+ax+b=0$을 푸는데 용민이는 x의 계수를 잘못 보고 풀어 $x=-3$ 또는 $x=4$의 해를 얻었고, 희진이는 상수항을 잘못 보고 풀어 $x=-7$ 또는 $x=3$의 해를 얻었다. 이때 처음 이차방정식의 해를 구하시오. (단, a, b는 상수)

» My 셀파
용민이는 상수항을 제대로 보았고, 희진이는 x의 계수를 제대로 보았다.

10 2. 이차방정식의 활용

1 이차방정식의 활용 문제 해결 방법

이차방정식의 활용 문제는 다음과 같은 순서로 해결한다.

1 미지수 정하기 ⇨ 문제의 뜻을 파악하고 구하려는 것을 미지수 x로 놓는다.

2 방정식 세우기 ⇨ 문제의 뜻에 맞게 x에 대한 [ ]을 세운다. 이차방정식

3 방정식 풀기 ⇨ 이차방정식을 풀어서 x의 값을 구한다.

4 확인하기 ⇨ 구한 해가 ㉠문제의 뜻에 맞는지 [ ]한다. 확인

주의 3에서 구한 해가 모두 답이 되는 것은 아니므로 이차방정식의 해를 구한 후 해가 문제의 뜻에 맞는지 반드시 확인해야 한다.

Q 활용 문제의 뜻을 파악할 때는 어떤 내용을 고려해야 할까?

A ① 구하려는 것이 무엇인지?
② 알고 있는 수량이 무엇인지?
③ 구하려는 것과 알고 있는 수량 사이에는 어떤 등식이 성립하는지?
를 고려하는 것이 중요하다.

보기 어떤 자연수에 2를 더한 다음 제곱한 수가(①) 어떤 자연수의 9배보다 4만큼 크다고(②) 할 때, 어떤 자연수를 구하시오.

풀이 1 미지수 정하기 ⇨ 어떤 자연수를 x라 하자.

2 방정식 세우기 ⇨ $(x+2)^2=9x+4$ ← ①=②

3 방정식 풀기 ⇨ $x^2+4x+4=9x+4$, $x^2-5x=0$

$x(x-5)=0$ $\quad\therefore x=0$ 또는 $x=5$

그런데 ㉡x는 자연수이므로 $x=\mathbf{5}$

4 확인하기 ⇨ $(5+2)^2=49$, $9\times5+4=49$가 되어 문제의 뜻에 맞다.

㉠ 시간, 속력, 거리, 길이, 넓이, 부피 등은 양수가 되어야 하고, 개수, 나이 등은 자연수가 되어야 한다.

㉡ x는 자연수이므로 0은 자연수 조건에 어긋난다.

2 여러 가지 이차방정식의 활용 문제

(1) 연속하는 수에 대한 문제

① 연속하는 두 정수: x, [ ] 또는 $x-1$, x로 놓는다. $x+1$

② 연속하는 세 정수: $x-1$, [ ], $x+1$ 또는 x, $x+1$, $x+2$로 놓는다. x

(2) 식이 주어진 문제

주어진 식을 이용하여 이차방정식을 세운다.

① 1부터 n까지의 자연수의 합: $\dfrac{n(n+1)}{2}$

② n각형의 대각선의 개수: $\dfrac{n(n-[\ ])}{2}$ 3

(3) 도형에 대한 문제

① (삼각형의 넓이)$=\dfrac{1}{2}\times$([ ]의 길이)$\times$(높이) 밑변

② (직사각형의 넓이)$=$(가로의 길이)$\times$(세로의 길이)

③ (사다리꼴의 넓이)$=\dfrac{1}{2}\times\{$(윗변의 길이)$+$(아랫변의 길이)$\}\times$(높이)

④ (원의 넓이)$=\pi\times$([ ]의 길이)^2 반지름

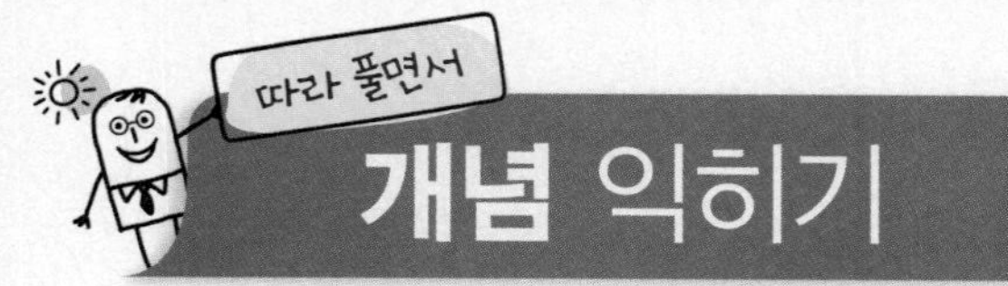

빠른 정답 226쪽 | 정답과 해설 61쪽

| 개념 체크 |

1-1 여러 가지 이차방정식의 활용 문제 (1)

연속하는 두 자연수가 있다. 작은 수를 제곱한 것의 3배가 큰 수를 제곱한 것의 2배보다 10만큼 클 때, 이 두 자연수를 구하시오.

셀파 연속하는 두 자연수를 x, $x+1$로 놓는다.

연구 [1] 미지수 정하기 ⇨ 연속하는 두 자연수 중 작은 수를 x라 하면 큰 수는 $\square$이다.

[2] 방정식 세우기 ⇨ $3x^2=2(\square)^2+10$

[3] 방정식 풀기 ⇨ 괄호를 풀고 정리하면 $x^2-4x-\square=0$

$(x+\square)(x-6)=0$

$\therefore x=\square$ 또는 $x=6$

그런데 x는 자연수이므로 $x=6$

따라서 두 자연수는 6, 7이다.

[4] 확인하기 ⇨ $3\times 6^2=108$, $2\times 7^2+10=108$이 되어 문제의 뜻에 맞다.

2-1 여러 가지 이차방정식의 활용 문제 (2)

둘레의 길이가 20 cm이고, 넓이가 24 cm^2인 직사각형의 가로의 길이를 구하시오.
(단, 가로의 길이가 세로의 길이보다 더 길다.)

셀파 (직사각형의 둘레의 길이)$=2\times${(가로의 길이)+(세로의 길이)}

연구 [1] 직사각형의 가로의 길이를 x cm라 하면 세로의 길이는 ($\square$) cm이다.

[2] 직사각형의 넓이가 24 cm^2이므로 $x(\square)=24$

[3] 괄호를 풀고 정리하면 $x^2-\square x+24=0$

$(x-\square)(x-6)=0$ $\therefore x=\square$ 또는 $x=6$

따라서 가로의 길이가 세로의 길이보다 더 길다고 했으므로 직사각형의 가로의 길이는 6 cm이다.

| 따라 풀기 |

1-2 연속하는 두 자연수의 제곱의 합이 145일 때, 다음 물음에 답하시오.

(1) 연속하는 두 자연수 중 작은 수를 x로 놓고, x에 대한 방정식을 세우시오.

(2) (1)에서 세운 방정식을 푸시오.

(3) 연속하는 두 자연수를 구하시오.

2-2 가로의 길이보다 세로의 길이가 5만큼 더 긴 직사각형의 넓이가 84일 때, 다음 물음에 답하시오.

(1) 가로의 길이를 x로 놓고 x에 대한 방정식을 세우시오.

(2) (1)에서 세운 방정식을 푸시오.

(3) 세로의 길이를 구하시오.

이차방정식의 활용 문제 해결 방법
[1] 미지수 정하기 ⇨ [2] 방정식 세우기 ⇨ [3] 방정식 풀기 ⇨ [4] 확인하기

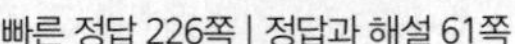

빠른 정답 226쪽 | 정답과 해설 61쪽

기본 01 수에 대한 문제

연속하는 세 자연수가 있다. 가장 큰 수의 제곱이 다른 두 수의 곱의 2배보다 20만큼 작을 때, 이 세 자연수의 합을 구하시오.

셀파 (가장 큰 수의 제곱)$=2\times$(다른 두 수의 곱)-20

풀이 연속하는 세 자연수를 $x-1$, x, $x+1$이라 하면 (단, $x-1>0$) → $x>1$

(가장 큰 수의 제곱)$=2\times$(다른 두 수의 곱)-20이므로

$(x+1)^2=2x(x-1)-20$

$x^2+2x+1=2x^2-2x-20$, $x^2-4x-21=0$

$(x+3)(x-7)=0$ $\therefore x=-3$ 또는 $x=7$

이때 x는 $x>1$인 자연수이므로 $x=7$

따라서 연속하는 세 자연수는 6, 7, 8이므로 그 합은 $6+7+8=\mathbf{21}$

해법코드

① 연속하는 세 자연수
⇨ 1씩 차이가 난다.
⇨ 세 자연수를 $x-1$, x, $x+1$로 놓는다.

② 연속하는 세 짝수(홀수)
⇨ 2씩 차이가 난다.
⇨ 세 짝수(홀수)를 $x-2$, x, $x+2$로 놓는다.

확인 01 연속하는 세 짝수가 있다. 가장 큰 짝수의 제곱은 나머지 두 짝수의 제곱의 합보다 48만큼 작다고 할 때, 이 세 짝수를 구하시오.

» My 셀파
연속하는 세 짝수를 $x-2$, x, $x+2$로 놓고, 방정식을 세운다.

기본 02 식이 주어진 문제

1부터 n까지의 자연수의 합은 $\frac{n(n+1)}{2}$이다. 이 합이 105가 되려면 1부터 얼마까지의 자연수를 더해야 하는지 구하시오.

해법코드
주어진 식을 이용하여 이차방정식을 세운다.

셀파 $\frac{n(n+1)}{2}=105$

풀이 1부터 n까지의 자연수의 합이 105이므로 $\frac{n(n+1)}{2}=105$

$n(n+1)=210$, $n^2+n-210=0$

$(n+15)(n-14)=0$ $\therefore n=-15$ 또는 $n=14$

이때 n은 자연수이므로 $n=\mathbf{14}$

참고 이차방정식의 활용 문제에서 반드시 x에 대한 식을 세우는 것은 아니다. 주어진 조건이 n에 대한 식이면 n에 대한 이차방정식을 푸는 것으로 생각한다.

확인 02 n각형의 대각선의 개수가 $\frac{n(n-3)}{2}$일 때, 대각선의 개수가 65인 다각형을 구하시오.

» My 셀파
이차방정식 $\frac{n(n-3)}{2}=65$를 푼다.
이때 n은 자연수이다.

기본 03 **분배에 대한 문제**

어느 유치원에서 어린이들에게 사탕 143개를 남김없이 똑같이 나누어 줄 때, 한 어린이가 받는 사탕의 개수가 전체 어린이의 수보다 2만큼 많다고 한다. 이때 어린이는 모두 몇 명인지 구하시오.

해법코드
전체 어린이의 수를 x명이라 하고, 전체 사탕의 개수는 일정하다는 것을 이용하여 방정식을 세운다.

셀파 (전체 어린이의 수)×(한 어린이가 받는 사탕의 개수)=(전체 사탕의 개수)

풀이 전체 어린이의 수를 x명이라 하면 한 어린이가 받는 사탕의 개수는 $x+2$이다.
이때 ❶ $x(x+2)=143$이므로 $x^2+2x-143=0$
$(x+13)(x-11)=0$ $\quad\therefore x=-13$ 또는 $x=11$
그런데 x는 자연수이므로 $x=11$
따라서 어린이는 모두 **11명**이다.

❶ 문제의 내용 'x명에게 각각 $(x+2)$개씩 나누어 준 사탕은 모두 143개'를 식으로 나타낸 것이다.

확인 03 어느 반 학생들에게 공책 238권을 똑같이 나누어 주려고 한다. 한 학생이 받는 공책 수가 반 학생 수보다 3만큼 작다고 할 때, 한 학생이 받는 공책은 몇 권인지 구하시오.
(단, 나누어 주고 남은 공책은 없다.)

» My 셀파
반 학생 수를 x명이라 하면 한 학생이 받는 공책은 $(x-3)$권이다.

기본 04 **쏘아 올린 물체에 대한 문제**

지면에서 초속 40 m로 똑바로 위로 쏘아 올린 공의 t초 후의 높이를 h m라 하면 $h=40t-5t^2$인 관계가 성립한다고 한다. 이 공의 높이가 75 m가 되는 것은 쏘아 올린 지 몇 초 후인지 구하시오.

해법코드
지면에서 쏘아 올린 공의 t초 후의 높이는 $(40t-5t^2)$ m이다.
따라서 (높이)$=40t-5t^2$에 주어진 높이 75를 대입해 본다.

셀파 (높이)=(시간에 대한 이차식)을 이용하여 이차방정식을 세운다.

풀이 공을 지면에서 초속 40 m로 쏘아 올렸을 때,
t초 후의 공의 높이가 75 m이므로
$75=40t-5t^2$, $t^2-8t+15=0$
$(t-3)(t-5)=0$ $\quad\therefore t=3$ 또는 $t=5$
따라서 공의 높이가 75 m가 되는 것은 공을 쏘아 올린 지
❶ **3**초 후 또는 **5**초 후이다.

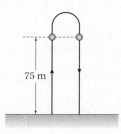

75 m

❶ 쏘아 올린 공의 높이가 75 m인 경우는 공이 올라갈 때와 내려올 때 두 번 생긴다.
따라서 둘 다 답이 된다.

확인 04 지면으로부터 80 m 높이의 건물 옥상에서 초속 30 m로 똑바로 위로 쏘아 올린 물 로켓의 t초 후의 높이는 $(80+30t-5t^2)$ m이다. 이 물 로켓이 지면에 떨어지는 것은 쏘아 올린 지 몇 초 후인지 구하시오.

» My 셀파
쏘아 올린 물 로켓이 지면에 떨어졌을 때 물 로켓의 높이는 0 m이다.

기본 05 도형에 대한 문제 (1) – 변의 길이를 줄이거나 늘인 도형

오른쪽 그림과 같이 가로, 세로의 길이가 각각 20 cm, 18 cm인 직사각형에서 가로의 길이는 매초 1 cm씩 줄어들고, 세로의 길이는 매초 2 cm씩 늘어나고 있다. 이때 변화되는 직사각형의 넓이가 처음 직사각형의 넓이와 같아지는 것은 몇 초 후인지 구하시오.

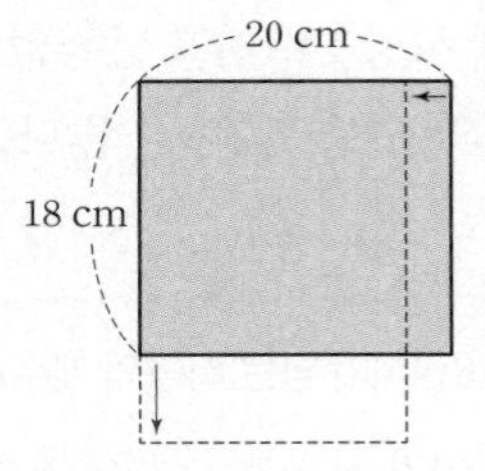

해법코드
(거리)=(속력)×(시간)이므로 x초 동안 가로의 길이는 x cm만큼 줄어들고, 세로의 길이는 $2x$ cm만큼 늘어난다.

셀파 x초 후의 직사각형의 가로, 세로의 길이를 각각 x를 사용하여 나타낸다.

풀이 x초 후에 변화된 직사각형의 넓이가 처음 직사각형의 넓이와 같아진다고 하자.
이때 x초 후의 직사각형의 가로의 길이는 $(20-x)$ cm, 세로의 길이는 $(18+2x)$ cm이므로 x초 후의 직사각형의 넓이는 $(20-x)(18+2x)$ (cm^2)
ㄱ처음 직사각형의 넓이는 360 cm^2이므로 $(20-x)(18+2x)=360$, $2x^2-22x=0$
$2x(x-11)=0$ $\quad \therefore x=0$ 또는 $x=11$
따라서 변화되는 직사각형의 넓이가 처음 직사각형의 넓이와 같아지는 것은 **11**초 후이다.
($\because$ ㄴ$0<x<20$)

ㄱ 처음 직사각형의 넓이는 $20\times18=360$ (cm^2)

ㄴ 변의 길이는 양수이므로 $20-x>0 \quad \therefore x<20$
이때 시간은 양수이므로 $0<x<20$

확인 05 가로의 길이가 세로의 길이보다 6 cm 더 긴 직사각형이 있다. 이 직사각형에서 가로의 길이는 4 cm만큼 줄이고, 세로의 길이는 2배로 늘였더니 그 넓이가 처음 직사각형의 넓이보다 3 cm^2 만큼 늘어났다. 처음 직사각형의 가로의 길이를 구하시오.

» My 셀파
처음 직사각형의 가로의 길이를 x cm라 하면 세로의 길이는 $(x-6)$ cm이다.

기본 06 도형에 대한 문제 (2) – 도로를 만든 경우

가로, 세로의 길이가 각각 24 m, 20 m인 직사각형 모양의 땅에 오른쪽 그림과 같이 폭이 일정한 도로를 만들었다. 도로를 제외한 땅의 넓이가 320 m^2일 때, 도로의 폭을 구하시오.

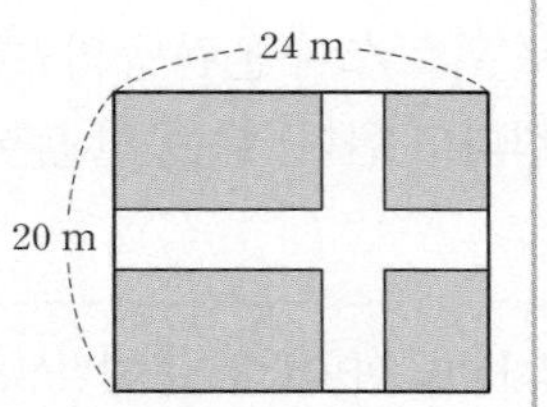

해법코드
떨어져 있는 도형을 이동하여 붙여서 생각한다.

셀파 도로로 나누어진 4개의 땅을 이동하여 붙여서 하나의 직사각형으로 만든다.

풀이 도로의 폭을 x m라 하면 도로를 제외한 땅의 넓이는 가로의 길이가 $(24-x)$ m, 세로의 길이가 $(20-x)$ m인 직사각형의 넓이와 같으므로
$(24-x)(20-x)=320$, $x^2-44x+160=0$
$(x-4)(x-40)=0$ $\quad \therefore x=4$ 또는 $x=40$
따라서 도로의 폭은 **4 m**이다. ($\because$ ㄱ$0<x<20$)

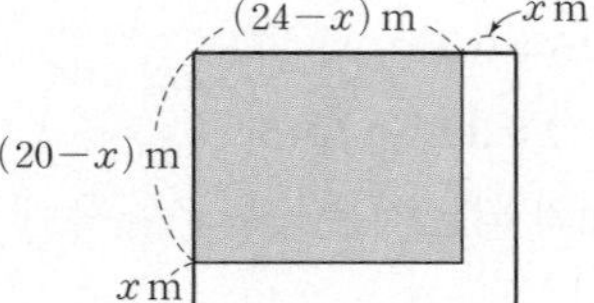

ㄱ (i) $24-x>0$에서 $x<24$
(ii) $20-x>0$에서 $x<20$
(i), (ii)를 공통으로 만족해야 하므로 $x<20$
이때 도로의 폭은 양수이므로 $0<x<20$

확인 06 가로의 길이와 세로의 길이의 비가 2 : 1인 직사각형 모양의 꽃밭에 오른쪽 그림과 같이 폭이 2 m로 일정한 길을 만들었다. 길을 제외한 꽃밭의 넓이가 30 m^2일 때, 꽃밭의 가로의 길이를 구하시오.

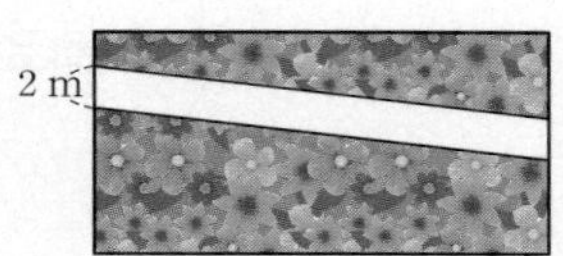

» My 셀파
가로의 길이와 세로의 길이의 비가 2 : 1이므로 꽃밭의 세로의 길이를 x m, 가로의 길이를 $2x$ m로 놓는다.

실력 키우기

빠른 정답 226쪽 | 정답과 해설 62쪽

01 이차방정식의 근의 공식

다음은 근의 공식을 유도하는 과정이다. ①~⑤ 중 알맞지 않은 것은?

> 이차방정식 $ax^2+bx+c=0$의 양변을 a로 나누고
> 상수항을 우변으로 이항하면 $x^2+\frac{b}{a}x=-\frac{c}{a}$
> 좌변을 완전제곱식으로 고치면
> $x^2+\frac{b}{a}x+\boxed{①}=-\frac{c}{a}+\boxed{①}$
> $(x+\boxed{②})^2=\frac{\boxed{③}}{4a^2}$
> $x+\frac{b}{2a}=\pm\frac{1}{2a}\times\boxed{④}$ (단, $b^2-4ac\geq 0$)
> $\therefore\ x=\boxed{⑤}$

① $\left(\frac{b}{2a}\right)^2$ ② $\frac{b}{2a}$ ③ b^2-4ac
④ $b-ac$ ⑤ $\frac{-b\pm\sqrt{b^2-4ac}}{2a}$

02 이차방정식의 근의 공식

이차방정식 $3x^2-4x+a=0$의 해가 $x=\frac{b\pm\sqrt{19}}{3}$일 때, $a+b$의 값은? (단, a, b는 유리수)

① -5 ② -3 ③ 0
④ 3 ⑤ 5

03 괄호가 있는 이차방정식의 풀이

이차방정식 $6x^2-3+4x=8(x-1)(x+1)$의 두 근 중 큰 근을 α라 할 때, $2\alpha-2$의 값을 구하시오.

04 계수가 소수 또는 분수인 이차방정식의 풀이

이차방정식 $\frac{x^2}{5}-\frac{x^2-x-2}{2}=\frac{3}{10}x+0.8$의 근이 $x=\frac{A\pm\sqrt{B}}{3}$일 때, A, B의 값을 각각 구하시오. (단, A, B는 유리수)

05 공통부분이 있는 이차방정식의 풀이 (서술형)

이차방정식 $2\left(x+\frac{1}{2}\right)^2-5\left(x+\frac{1}{2}\right)-3=0$의 두 근을 각각 α, β라 할 때, $\alpha-\beta$의 값을 구하시오. (단, $\alpha>\beta$)

06 공통부분이 있는 이차방정식의 풀이

$(x-y)(x-y-1)=12$일 때, $x-y$의 값을 구하시오. (단, $x>y$)

07 이차방정식의 근의 개수

다음 이차방정식 중 근의 개수가 나머지 넷과 다른 하나는?

① $2x^2-1=0$ ② $2x^2-5x+1=0$
③ $x^2-4x-1=0$ ④ $x^2+6x+5=0$
⑤ $9x^2-6x+1=0$

08 이차방정식이 중근을 가질 조건

x에 대한 이차방정식 $x^2-8x+k=0$이 중근을 가질 때, x에 대한 이차방정식 $(k-9)x^2-2x=k-11$을 푸시오.

(단, k는 상수)

09 근의 개수에 따른 미지수의 값의 범위 구하기

이차방정식 $x^2-2x+2+k=0$이 해를 갖도록 하는 상수 k의 값의 범위를 구하시오.

10 이차방정식 구하기 (서술형)

이차방정식 $x^2+5x+4=0$의 두 근을 $\alpha, \beta(\alpha<\beta)$라 할 때, $\alpha-1, \beta-1$을 두 근으로 하고 x^2의 계수가 3인 이차방정식을 $ax^2+bx+c=0$ 꼴로 나타내시오.

11 무리수인 한 근이 주어진 이차방정식

이차방정식 $x^2+mx+n=0$의 한 근이 $\frac{1}{3-2\sqrt{2}}$일 때, 다른 한 근을 구하시오. (단, m, n은 유리수)

12 잘못 보고 푼 이차방정식 (서술형)

이차방정식 $x^2+ax+b=0$을 푸는데 지훈이는 상수항을 잘못 보고 풀어 $x=-3$ 또는 $x=1$의 해를 얻었고, 유리는 x의 계수를 잘못 보고 풀어 $x=-2$ 또는 $x=4$의 해를 얻었다. 이때 $x^2+ax+b=0$의 해를 구하시오.

13 이차방정식의 활용 (창의력)

실수 a, b에 대하여 $a\bigstar b=ab+a+b$로 나타낼 때, $(x-2)\bigstar(x+1)=4x+1$이 성립하는 모든 실수 x의 값의 합을 구하시오.

14 이차방정식의 활용 – 수에 대한 문제

연속하는 두 홀수의 제곱의 합이 394일 때, 이 두 홀수의 합을 구하시오.

15 이차방정식의 활용 – 실생활에 대한 문제

동생과 형의 나이의 차는 4세이고 동생의 나이의 제곱의 2배는 형의 나이의 제곱보다 4세만큼 더 많을 때, 동생의 나이를 구하시오.

16 이차방정식의 활용 – 쏘아 올린 물체에 대한 문제

지면에서 초속 60 m로 똑바로 쏘아 올린 물체의 t초 후의 높이가 $(60t-5t^2)$ m일 때, 이 물체가 지면으로부터 높이가 160 m 이상인 지점을 지나는 것은 몇 초 동안인지 구하시오.

17 이차방정식의 활용 – 도형에 대한 문제 서술형

오른쪽 그림과 같이 폭이 40 cm인 철판의 양쪽을 같은 높이로 바닥과 직각이 되도록 접어 올려서 물받이를 만들려고 한다. 다음 물음에 답하시오.

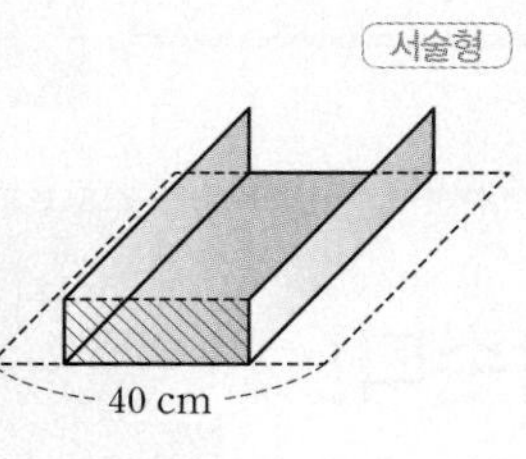

(1) 물받이의 높이를 x cm라 할 때, 빗금 친 부분의 넓이를 x에 대한 이차식으로 나타내시오.

(2) 빗금 친 부분의 넓이가 192 cm^2일 때, 물받이의 높이를 구하시오.

18 이차방정식의 활용 창의력

다음 표에서 가로, 세로, 대각선에 있는 세 식의 합이 같을 때, 자연수 x, a의 값을 각각 구하시오.

15		a
x^2	$2x+7$	
11		3

19 이차방정식의 활용 – 도형에 대한 문제

오른쪽 그림과 같이 가로, 세로의 길이가 각각 30 cm, 20 cm인 직사각형 ABCD에서 점 P는 점 A를 출발하여 점 D까지 변 AD 위를 1초에 3 cm씩 이동하고, 점 Q는 점 D를 출발하여 점 C까지 변 DC 위를 1초에 2 cm씩 이동한다. 두 점 P, Q가 동시에 출발한 지 몇 초 후에 삼각형 PQD의 넓이가 72 cm^2가 되는지 구하시오.

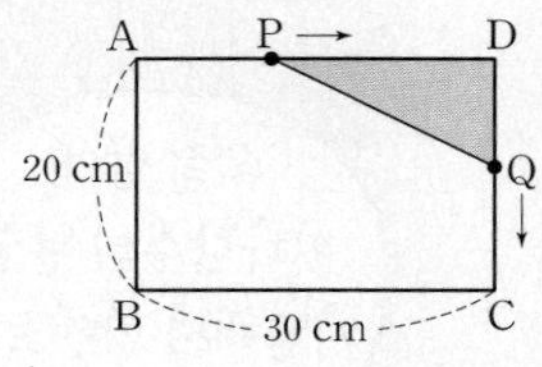

20 이차방정식의 활용 – 도형에 대한 문제 융합형

조선 시대의 수학자 홍정하(1684?)가 쓴 "구일집"에는 다음과 같은 문제가 실려 있다. 문제를 읽고 물음에 답하시오.

> 크고 작은 두 개의 정사각형이 있는데 두 정사각형의 넓이의 합은 468평방자이고 큰 정사각형의 한 변의 길이는 작은 정사각형의 한 변의 길이보다 6자만큼 길다. 두 정사각형의 각 변의 길이는 얼마인가?

(1) 큰 정사각형의 한 변의 길이를 x자라 할 때, 작은 정사각형의 길이를 x를 사용하여 나타내시오.

(2) 두 정사각형의 한 변의 길이를 각각 구하시오.

오늘 밤에
이차함수의 날을
기념해서 이벤트가
열린대.
이차함수?

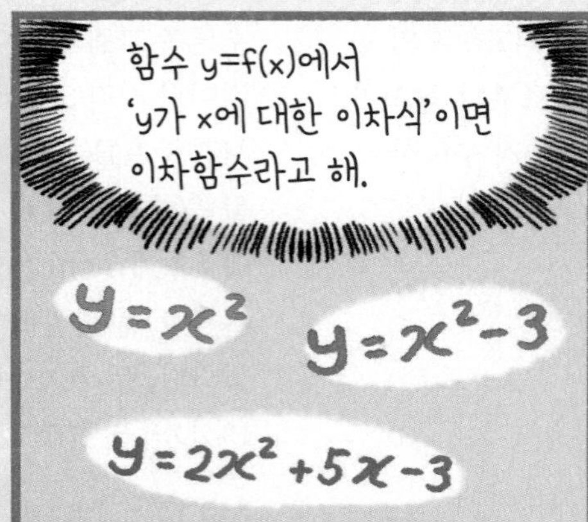
함수 y=f(x)에서
'y가 x에 대한 이차식'이면
이차함수라고 해.
$y=x^2$
$y=x^2-3$
$y=2x^2+5x-3$

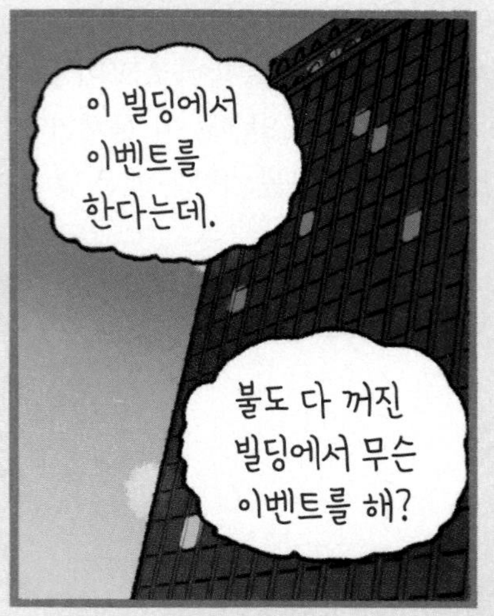
이 빌딩에서
이벤트를
한다는데.
불도 다 꺼진
빌딩에서 무슨
이벤트를 해?

그러게…
잠깐, 저거 봐!
빌딩에 불이
들어왔어.

이차함수다!
$y=2x^2$

저게 끝이 아냐.
불빛이 변하고 있어.
와~
이차함수
$y=2x^2$의 그래프야!
찰칵

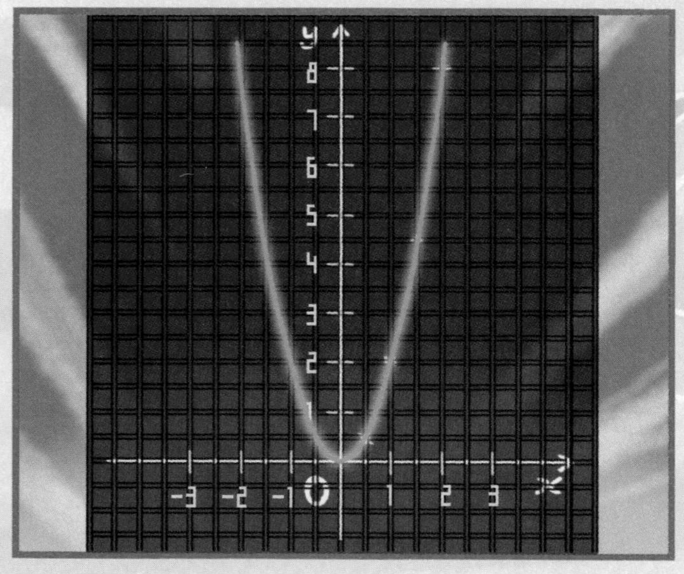
y
8
7
6
5
4
3
2
1
-3 -2 -1 0 1 2 3 x

IV | 이차함수

이차함수 $y=ax^2$의 그래프

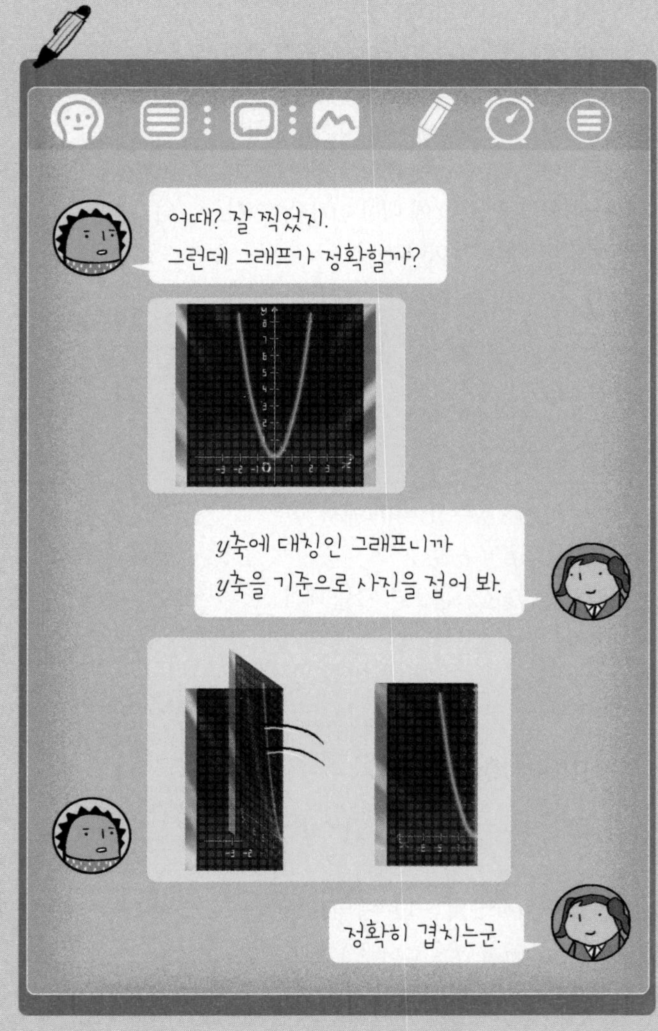

1. 이차함수

1 이차함수의 뜻

함수 $y=f(x)$에서 y가 x에 대한 [ ]

$y=ax^2+bx+c$ (a, b, c는 상수, ㉠ $a\neq0$)

로 나타날 때, 이 함수를 x에 대한 이차함수라 한다.

예 • $y=x^2$, $y=-x^2+3$, $y=2x^2+3x-1$ ⇨ 이차함수이다.

• $y=-3x+2$, $y=\frac{7}{x^2}$, $y=x^3+x^2-1$ ⇨ 이차함수가 아니다.

(x^2이 분모에 있으므로 이차함수가 아니다.)

참고 $a\neq0$일 때

이차식	이차 [ ]	이차함수
ax^2+bx+c	$ax^2+bx+c=0$	$y=ax^2+bx+c$

이차식

방정식

개념 다시 보기

• **함수** 두 변수 x, y에 대하여 x의 값이 변함에 따라 y의 값이 하나씩 정해지는 대응 관계가 있을 때, y를 x의 함수라 한다.

• **일차함수** y가 x에 대한 일차식 $y=ax+b$(a, b는 상수, $a\neq0$)로 나타날 때, 이 함수를 x에 대한 일차함수라 한다.

보기 두 변수 x, y 사이의 관계식이 다음과 같을 때, y가 x에 대한 이차함수인지 말하시오.

(1) $y=x^2-3$ (2) $y=-x+2$ (3) $y=2x^2+5x-3$ (4) $y=-\frac{2}{x^2}$

풀이 (1) $y=$(x에 대한 이차식)이므로 y는 x에 대한 이차함수이다.

(2) $y=$(x에 대한 일차식)이므로 y는 x에 대한 일차함수이다. 즉 이차함수가 아니다.

(3) $y=$(x에 대한 이차식)이므로 y는 x에 대한 이차함수이다.

(4) x^2이 분모에 있으므로 이차함수가 아니다.

㉠ $y=ax^2+bx+c$에서 $b=0$ 또는 $c=0$이어도 이차함수이지만 $a=0$이면 이차함수가 아니다.

2 이차함수의 함숫값

이차함수 $f(x)=ax^2+bx+c$(a, b, c는 상수, $a\neq0$)에서

$x=k$일 때의 함숫값 $f(k)$는 $f(k)=ak^2+bk+c$

예 이차함수 $f(x)=x^2+3x+1$에 대하여 $f(-2)$는 $x=-2$일 때의 [ ]이므로

$f(-2)=(-2)^2+3\times([\ \ ])+1=4-6+1=-1$

($x=-2$를 대입) ($x=-2$일 때의 함숫값)

함숫값

-2

개념 다시 보기

함숫값 함수 $y=f(x)$에서 x의 값이 정해지면 그에 따라 정해지는 y의 값

보기 이차함수 $f(x)=x^2+x-7$에 대하여 다음을 구하시오.

(1) $f(-1)$ (2) $f\left(\frac{1}{2}\right)$

풀이 (1) $f(x)$에 x 대신 -1을 대입하면 $f(-1)=(-1)^2+(-1)-7=1-1-7=\mathbf{-7}$

(2) $f(x)$에 x 대신 $\frac{1}{2}$을 대입하면 $f\left(\frac{1}{2}\right)=\left(\frac{1}{2}\right)^2+\frac{1}{2}-7=\frac{1}{4}+\frac{1}{2}-7=\mathbf{-\frac{25}{4}}$

참고

함수 $y=f(x)$에서

$f(a)$ ⇨ $x=a$일 때의 함숫값

⇨ $x=a$일 때의 y의 값

⇨ $f(x)$에 x 대신 a를 대입하여 얻은 값

빠른 정답 227쪽 | 정답과 해설 65쪽

| 개념 체크 |

1-1 이차함수의 뜻

다음 중 y가 x에 대한 이차함수인 것을 모두 찾으시오.

(1) $y=2x+1$ (2) $y=x^2+2$

(3) $y=x^2-(x+x^2)$ (4) $y=(x+1)(x+2)$

셀파 $y=ax^2+bx+c$(a, b, c는 상수, $a\neq0$) 꼴이면 y는 x에 대한 이차함수이다.

연구 (1) $y=$(x에 대한 일차식)이므로 y는 x에 대한 일차함수이다.

(2) $y=$(x에 대한 ☐)이므로 y는 x에 대한 이차함수이다.

(3) 우변의 괄호를 풀어 정리하면 $y=$☐
즉 y는 x에 대한 ☐이다.

(4) 우변의 괄호를 풀어 정리하면 $y=$☐
즉 y는 x에 대한 ☐이다.

| 따라 풀기 |

1-2 다음 중 y가 x에 대한 이차함수인 것에는 ○표, 아닌 것에는 ×표를 ( ) 안에 써넣으시오.

(1) $y=-\frac{x^2}{3}+5$ ( )

(2) $y=\frac{1}{x^2}+2$ ( )

(3) $y=x(x-2)-x^2$ ( )

(4) $y=-2x^3-3$ ( )

2-1 이차함수의 함숫값

이차함수 $f(x)=3x^2-2x+1$에 대하여 다음을 구하시오.

(1) $x=1$일 때의 함숫값

(2) $x=-2$일 때의 함숫값

셀파 $x=a$일 때의 함숫값
⇨ $f(x)$의 식에 x 대신 a를 대입하여 계산한다.

연구 (1) $f(1)=3\times$☐$^2-2\times$☐$+1=$☐

(2) $f(-2)=3\times($☐$)^2-2\times($☐$)+1=$☐

2-2 이차함수 $f(x)=2x^2+x-3$에 대하여 다음을 구하시오.

(1) $f(2)$

(2) $f(-3)$

(3) $f(2)+f(-3)$

음수를 대입할 때는
반드시 괄호를 사용해야 돼.

- y가 x에 대한 이차함수이면 $y=ax^2+bx+c$(a, b, c는 상수, $a\neq0$) 꼴이다.
- 이차함수 $y=f(x)$에서 $f(a)$ ⇨ $x=a$일 때의 함숫값 ⇨ $x=a$일 때의 y의 값 ⇨ $f(x)$에 x 대신 a를 대입하여 얻은 값

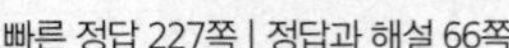

빠른 정답 227쪽 | 정답과 해설 66쪽

기본 01 이차함수 찾기

다음 중 y가 x에 대한 이차함수인 것을 모두 고르면? (정답 2개)

① $y=2x^2(x+1)-2x^3$　② $y=-x^3+4x^2-1$

③ $y=x^2-x(x-1)$　④ $y=\dfrac{1}{4x^2-1}$

⑤ $y=\dfrac{1}{2}(1-x)(3-x)$

해법코드

우변의 괄호를 풀어 동류항끼리 계산한다. 이때 식의 최고차항이 x^2항이면 이차함수이다.

● $y=$(x에 대한 식)에서 우변에 x^2항이 보인다고 무조건 이차함수라고 생각하지 않도록 한다.

셀파 $y=$(x에 대한 이차식)인 것을 찾는다.

풀이 ① $y=2x^2(x+1)-2x^3=2x^2$ ⇨ y는 x에 대한 이차함수이다.

② $y=-x^3+4x^2-1$ ⇨ 우변의 최고차항이 x^3항이므로 이차함수가 아니다.

③ $y=x^2-x(x-1)=x$ ⇨ y는 x에 대한 일차함수이다.

④ $y=\dfrac{1}{4x^2-1}$ ⇨ x^2이 분모에 있으므로 이차함수가 아니다.

⑤ $y=\dfrac{1}{2}(1-x)(3-x)=\dfrac{1}{2}x^2-2x+\dfrac{3}{2}$ ⇨ y는 x에 대한 이차함수이다.

따라서 y가 x에 대한 이차함수인 것은 ①, ⑤이다.

확인 01

1. 다음 중 y가 x에 대한 이차함수인 것을 모두 고르면? (정답 2개)

① $y=\dfrac{1}{x^2}$　② $y=x(x+1)-x^2$

③ $y=-\dfrac{(x-1)^2}{4}$　④ $y=2(x+2)^2-x^3$

⑤ $y=-\left(x-\dfrac{1}{2}\right)^2-1$

» My 셀파

1. 우변의 괄호를 풀어 동류항끼리 계산한다. 이때 $y=ax^2+bx+c\,(a\neq0)$ 꼴이면 y는 x에 대한 이차함수이다.

2. 다음 중 y가 x에 대한 이차함수인 것은?

① 한 개에 300원 하는 지우개 x개의 가격 y원

② 반지름의 길이가 x cm인 원의 둘레의 길이 y cm

③ 가로의 길이가 x cm이고 세로의 길이가 $(x+1)$ cm인 직사각형의 둘레의 길이 y cm

④ 밑변의 길이가 x cm이고 높이가 $2x$ cm인 삼각형의 넓이 y cm^2

⑤ 시속 x km로 700 km를 이동하는 데 걸린 시간 y시간

2. x와 y 사이의 관계식을 구하였을 때, $y=ax^2+bx+c\,(a\neq0)$ 꼴로 나타나면 y는 x에 대한 이차함수이다.

기본 02 **이차함수가 되기 위한 조건**

$y=2x^2-3x-kx^2+k$가 x에 대한 이차함수가 되도록 하는 상수 k의 조건을 구하시오.

해법코드
$y=ax^2+bx+c$가 x에 대한 이차함수이려면
⇨ (x^2의 계수)$\neq 0$, 즉 $a\neq 0$

셀파 우변을 동류항끼리 정리하였을 때, 이차항의 계수가 0이 아니어야 한다.

풀이 $y=2x^2-3x-kx^2+k$에서 $y=(2-k)x^2-3x+k$
이때 x^2의 계수가 0이 아니어야 하므로 $2-k\neq 0$ $\quad\therefore$ $\boldsymbol{k\neq 2}$
→ 이차함수이기 위한 조건

확인 02 $y=3x^2-kx(x-1)+2$가 x에 대한 이차함수일 때, 다음 중 상수 k의 값이 될 수 없는 것은?

① -3 ② -1 ③ 0
④ 1 ⑤ 3

» My 셀파
$y=ax^2+bx+c$가 x에 대한 이차함수가 되기 위한 조건
⇨ x^2의 계수, 즉 a가 0이 아니어야 한다.

기본 03 **이차함수의 함숫값**

이차함수 $f(x)=ax^2+5x+2$에서 $f(4)=-10$일 때, $f(2)$의 값을 구하시오. (단, a는 상수)

해법코드
이차함수 $f(x)=ax^2+bx+c$에서 $x=p$일 때, 함숫값 구하기
⇨ $f(x)$에 $x=p$를 대입한다.
⇨ $f(p)=ap^2+bp+c$

셀파 $f(4)=-10$을 이용하여 상수 a의 값을 먼저 구한다.

풀이 $f(x)=ax^2+5x+2$에서 $f(4)=-10$이므로
$f(4)=a\times 4^2+5\times 4+2=16a+22=-10$
$16a=-32$ $\quad\therefore a=-2$
따라서 $f(x)=-2x^2+5x+2$이므로
$f(2)=-2\times 2^2+5\times 2+2=-8+10+2=\mathbf{4}$

확인 03 **1.** 이차함수 $f(x)=-x^2+4x+6$에서 $f(2)-f(0)$의 값을 구하시오.

» My 셀파
1. $f(2)$, $f(0)$의 값을 각각 구한다.

2. 이차함수 $f(x)=-2x^2+x-k$에서 $f(3)=-12$일 때, 다음을 구하시오. (단, k는 상수)

(1) k의 값 (2) $f(-1)$의 값

2. 이차함수 $y=f(x)$에서 $f(a)=b$이다. ⇨ $y=f(x)$에 x 대신 a를 대입하고 y 대신 b를 대입하면 등식이 성립한다.

11

2. 이차함수 $y=ax^2$의 그래프

1 이차함수 $y=x^2$의 그래프

(1) 원점 O(0, ☐)을 지나고 아래로 볼록한 곡선이다.
(2) ㉠ y축에 대칭이다.
(3) $x<0$일 때, x의 값이 증가하면 y의 값은 감소한다.
$x>0$일 때, x의 값이 증가하면 y의 값도 ☐한다.
(4) ㉡ 원점을 제외한 부분은 모두 x축보다 ☐쪽에 있다.

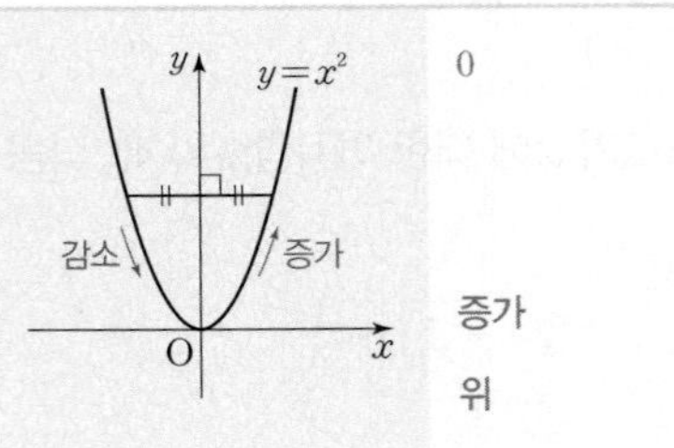

0
증가
위

㉠ 그래프가 y축에 대칭이면 y축을 기준으로 그래프를 접었을 때, 완전히 포개진다.

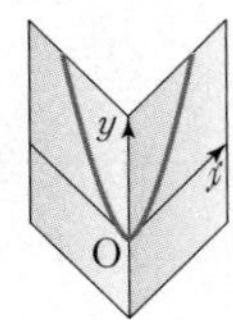

설명 이차함수 $y=x^2$에서 정수 x의 값에 대응하는 y의 값을 구하여 표로 나타내면 다음과 같다.

x	…	-3	-2	-1	0	1	2	3	…
y	…	9	4	1	0	1	4	9	…

위의 표에서 x와 y의 값의 순서쌍 (x, y)를 좌표로 하는 점을 좌표평면 위에 나타내면 [그림 1]과 같다. 이때 [그림 2]와 같이 x의 값 사이의 간격을 점점 작게 하여 ㉢ x의 값이 모든 실수가 되도록 하면 이차함수 $y=x^2$의 그래프는 [그림 3]과 같이 매끄러운 곡선이 된다.

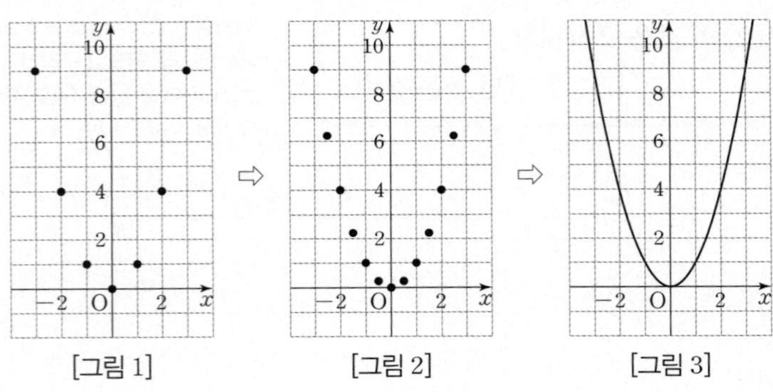

[그림 1] [그림 2] [그림 3]

[그림 3]에서 알 수 있듯이 이차함수 $y=x^2$의 그래프는 원점을 지나고 아래로 볼록하며 y축에 대칭인 곡선이야.

㉡ 임의의 실수 x에 대하여 $x^2\geq 0$이므로 $y=x^2$의 그래프는 x축의 아래쪽에는 그려지지 않는다.

㉢ 이차함수 $y=f(x)$에서 x의 값이 구체적으로 주어지지 않으면 x의 값은 모든 실수로 생각한다.

2 이차함수 $y=-x^2$의 그래프

(1) 원점 O(0, 0)을 지나고 위로 볼록한 곡선이다.
(2) ☐축에 대칭이다.
(3) $x<0$일 때, x의 값이 증가하면 y의 값도 증가한다.
$x>0$일 때, x의 값이 증가하면 y의 값은 ☐한다.
(4) ㉣ 원점을 제외한 부분은 모두 x축보다 ☐쪽에 있다.
(5) 이차함수 $y=x^2$의 그래프와 ㉤ x축에 서로 대칭이다.

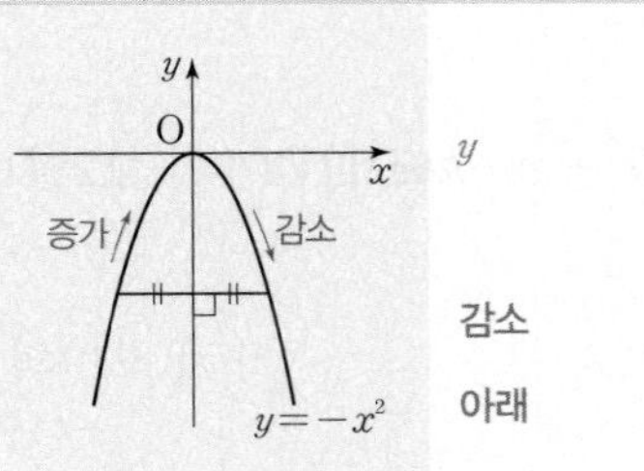

y
감소
아래

㉣ 임의의 실수 x에 대하여 $x^2\geq 0$이므로 $-x^2\leq 0$
따라서 $y=-x^2$의 그래프는 x축의 위쪽에는 그려지지 않는다.

㉤ 그래프가 x축에 대칭이면 x축을 기준으로 그래프를 접었을 때, 완전히 포개진다.

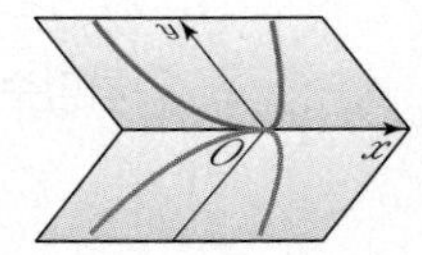

● x의 값이 같을 때, $y=-x^2$의 함숫값은 $y=x^2$의 함숫값과 절댓값이 같고 부호가 반대이므로 $y=-x^2$의 그래프는 $y=x^2$의 그래프와 x축에 서로 대칭이다.

빠른 정답 227쪽 | 정답과 해설 66쪽

| 개념 체크 |

1-1 이차함수 $y=x^2$의 그래프

다음 **보기**에서 이차함수 $y=x^2$에 대한 설명으로 옳은 것을 모두 고르시오.

| 보기 |
ㄱ 점 $(-1, 1)$을 지난다.
ㄴ 제3사분면, 제4사분면을 지난다.
ㄷ x의 값이 1에서 3까지 증가할 때, y의 값도 증가한다.

셀파 이차함수 $y=x^2$의 그래프의 성질을 생각해 본다.

연구 ㄱ $y=x^2$에 $x=-1$을 대입하면 $y=$□
ㄴ 이차함수 $y=x^2$의 그래프는 원점을 지나고 □로 볼록한 곡선이므로 제1사분면, 제□사분면을 지난다.
ㄷ x의 값이 1에서 3까지 증가할 때, y의 값은 1에서 □까지 □한다.

2-1 이차함수 $y=-x^2$의 그래프

이차함수 $y=-x^2$의 그래프를 그리시오.

셀파 몇 개의 순서쌍을 좌표로 하는 점을 찍고 매끄러운 곡선으로 연결한다.

연구 x의 값이 $-3, -2, -1, 0, 1, 2, 3$일 때, y의 값을 구하면 다음 표와 같다.

x	-3	-2	-1	0	1	2	3
y	-9	□	-1	0	-1	-4	□

위의 표에서 얻어지는 순서쌍 (x, y)를 좌표로 하는 점을 좌표평면 위에 나타내면 오른쪽 그림과 같다.
따라서 x의 값이 실수일 때, 이차함수 $y=-x^2$의 그래프는 오른쪽 그림과 같이 이 점들을 모두 지나는 □이다.

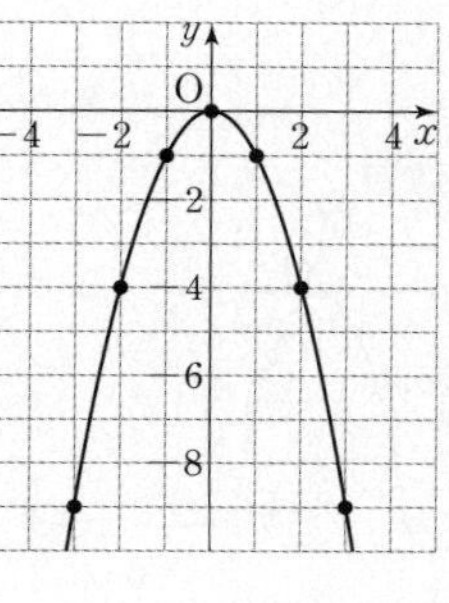

| 따라 풀기 |

1-2 다음은 이차함수 $y=x^2$의 그래프에 대한 설명이다. ( ) 안에 주어진 것 중 옳은 것에 ○표를 하시오.

(1) 원점을 지나고 (위, 아래)로 볼록한 곡선이다.

(2) (x축, y축)에 대칭이다.

(3) $x<0$일 때, x의 값이 증가하면 y의 값은 (증가, 감소)한다.

(4) $x>0$일 때, x의 값이 증가하면 y의 값은 (증가, 감소)한다.

2-2 다음은 이차함수 $y=-x^2$의 그래프에 대한 설명이다. ( ) 안에 주어진 것 중 옳은 것에 ○표를 하시오.

(1) 원점을 지나고 (위, 아래)로 볼록한 곡선이다.

(2) (x축, y축)에 대칭이다.

(3) $x<0$일 때, x의 값이 증가하면 y의 값은 (증가, 감소)한다.

(4) $x>0$일 때, x의 값이 증가하면 y의 값은 (증가, 감소)한다.

- 이차함수 $y=x^2$의 그래프는 원점을 지나고 아래로 볼록한 곡선이며 y축에 대칭이다.
- 이차함수 $y=-x^2$의 그래프는 원점을 지나고 위로 볼록한 곡선이며 y축에 대칭이다.

2. 이차함수 $y=ax^2$의 그래프

3 이차함수 $y=ax^2(a>0)$의 그래프 그리기

$a>0$일 때, 이차함수 $y=ax^2$의 그래프는 이차함수 $y=x^2$의 그래프 위의 각 점에 대하여 y좌표를 ☐배로 하는 점을 잡아서 그린 것과 같다. a

예 두 이차함수 $y=x^2$, $y=2x^2$에 대하여 x의 값에 대응하는 y의 값을 각각 구하면 다음 표와 같다.

x	$\cdots$	-3	-2	-1	0	1	2	3	$\cdots$
x^2	$\cdots$	9	4	1	0	1	4	9	$\cdots$
㉠$2x^2$	$\cdots$	18	8	2	0	2	8	18	$\cdots$

(각 값에 $\times 2$)

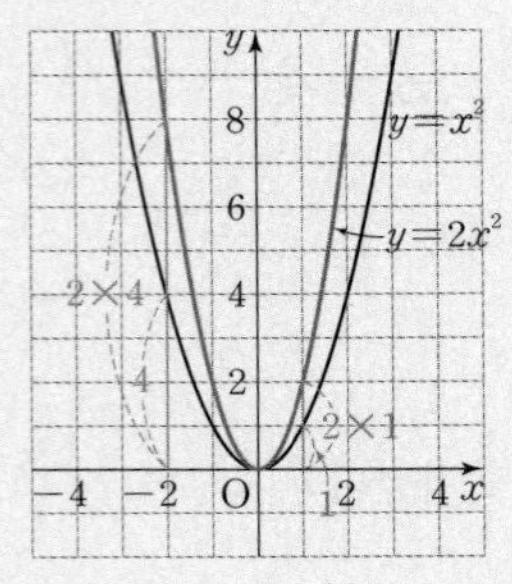

따라서 이차함수 $y=2x^2$의 그래프는 이차함수 $y=x^2$의 그래프 위의 각 점에 대하여 y좌표를 ☐배로 하는 점을 잡아 그릴 수 있다. 2

참고 $a>0$일 때, 이차함수 $y=-ax^2$의 그래프는 이차함수 $y=ax^2$의 그래프 위의 각 점에 대하여 ☐축에 대칭인 점을 잡아서 그린 것이다. x

예 이차함수 $y=-x^2$의 그래프는 이차함수 $y=x^2$의 그래프 위의 각 점에 대하여 x축에 대칭인 점을 잡아 그릴 수 있다.

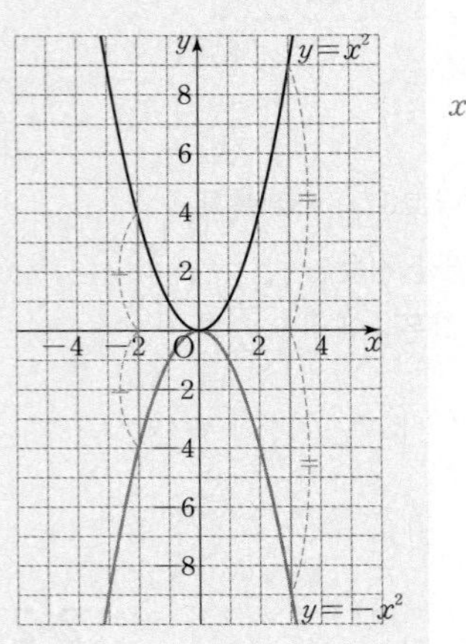

㉠ 같은 x의 값에 대하여 $2x^2$의 값은 항상 x^2의 값의 2배이다.

4 이차함수 $y=ax^2$의 그래프의 성질

(1) **포물선** 이차함수 $y=ax^2$의 그래프와 같은 모양의 곡선

① 축: 포물선은㉡선대칭도형이고, 그 대칭축을 포물선의 축이라 한다.

② 꼭짓점: 포물선과 ☐의 교점을 포물선의 꼭짓점이라 한다. 축

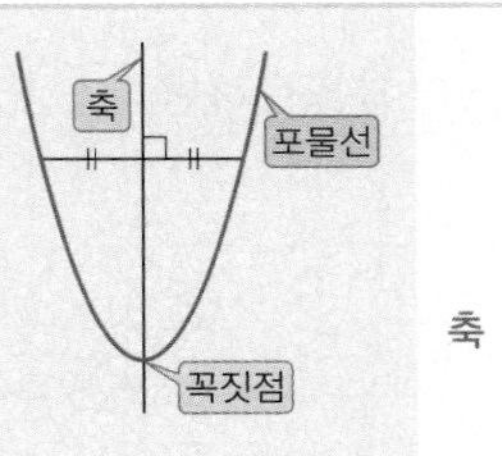

(2) **이차함수 $y=ax^2$의 그래프의 성질**

$a>0$: $y=ax^2$, 감소, 증가

$a<0$: 증가, 감소, $y=ax^2$

① 원점을 꼭짓점으로 한다.

⇨ 꼭짓점의 좌표: $(0, 0)$

② y축을 축으로 하는 포물선이다.

⇨ 축의 방정식: $x=$☐ 0

③ $a>0$이면 ☐로 볼록하고 아래

$a<0$이면 위로 볼록하다.

④㉢a의 절댓값이 클수록 그래프의 폭이 좁아진다.

⑤ 이차함수 $y=-ax^2$의 그래프와 x축에 서로 대칭이다.

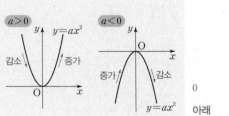

㉡ 선대칭도형: 어떤 직선을 접는 선으로 하여 접었을 때 완전히 포개지는 도형

㉢ 다음 그림에서 x^2의 계수의 절댓값이 클수록 그래프의 폭이 좁아짐을 확인할 수 있다.

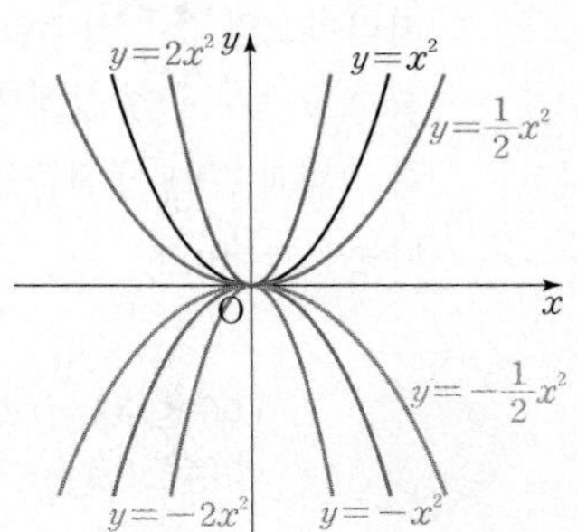

| 개념 체크 |

3-1 이차함수 $y=ax^2$의 그래프 그리기

이차함수 $y=x^2$의 그래프를 이용하여 이차함수 $y=\frac{1}{2}x^2$의 그래프를 오른쪽 좌표평면 위에 그리시오.

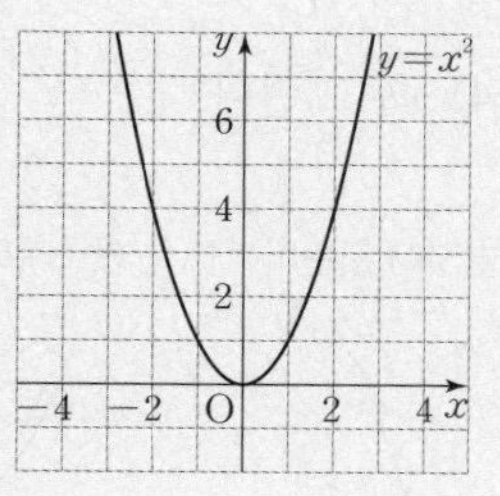

셀파 이차함수 $y=ax^2$의 그래프는 이차함수 $y=x^2$의 그래프 위의 각 점에 대하여 y좌표를 a배로 하는 점을 연결하여 그리면 된다.

연구 이차함수 $y=\frac{1}{2}x^2$의 그래프는 $y=x^2$의 그래프 위의 각 점에 대하여 y좌표를 ☐배로 하는 점을 지나는 곡선이다.

| 따라 풀기 |

3-2 이차함수 $y=2x^2$의 그래프를 이용하여 다음 이차함수의 그래프를 오른쪽 좌표평면 위에 그리시오.

(1) $y=4x^2$

(2) $y=-2x^2$

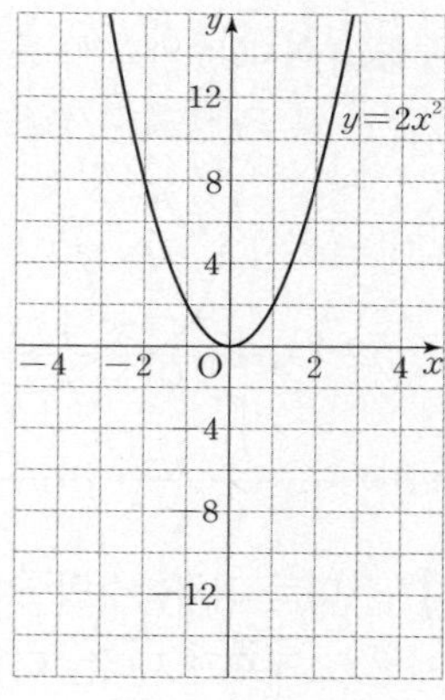

4-1 이차함수 $y=ax^2$의 그래프의 성질

그래프가 다음을 만족하는 이차함수를 **보기**에서 모두 고르시오.

보기

㉠ $y=\frac{1}{2}x^2$	㉡ $y=-2x^2$	㉢ $y=-\frac{2}{3}x^2$
㉣ $y=3x^2$	㉤ $y=-\frac{1}{2}x^2$	㉥ $y=4x^2$

(1) 아래로 볼록한 그래프

(2) 폭이 가장 좁은 그래프

(3) x축에 서로 대칭인 두 그래프

셀파 $y=ax^2$에서 그래프의 모양을 결정하는 것은 a의 값이다.

연구 $y=ax^2$에서

(1) 아래로 볼록한 그래프는 a☐0이다.

(2) a의 절댓값이 ☐수록 그래프의 폭이 좁아진다.

(3) x축에 서로 대칭인 두 그래프는 a의 절댓값이 같고 부호가 서로 ☐이다.

4-2 다음은 이차함수 $y=-\frac{2}{3}x^2$에 대한 설명이다. ☐ 안에 알맞은 것을 써넣으시오.

(1) 꼭짓점의 좌표는 (☐, ☐)이다.

(2) 축의 방정식은 ☐이다.

(3) 그래프는 ☐로 볼록하다.

(4) $x<0$일 때, x의 값이 증가하면 y의 값은 ☐한다.

(5) $x>0$일 때, x의 값이 증가하면 y의 값은 ☐한다.

- 이차함수 $y=ax^2(a>0)$의 그래프는 이차함수 $y=x^2$의 그래프 위의 각 점에 대하여 y좌표를 a배로 하는 점을 잡아서 그린 것과 같다.
- 이차함수 $y=-ax^2$의 그래프는 $y=ax^2$의 그래프와 x축에 서로 대칭이다.
- 이차함수 $y=ax^2$에서 a의 부호는 그래프의 볼록한 방향을 결정하고, a의 절댓값은 그래프의 폭을 결정한다.

빠른 정답 227쪽 | 정답과 해설 67쪽

이차함수 $y=ax^2$의 그래프를 간단히 그리는 방법

1 a의 부호를 보고 그래프의 모양을 결정한다.

2 꼭짓점의 좌표를 찍는다.

3 그래프가 지나는 다른 한 점을 나타내고 곡선을 y축에 대칭이 되도록 그린다.

주의 이차함수의 그래프를 그릴 때, 다음에 주의하면서 그린다.

① 그래프를 꺾지 않는다.

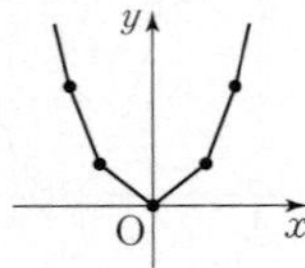

② 그래프의 끝을 모으거나 벌리지 않는다.

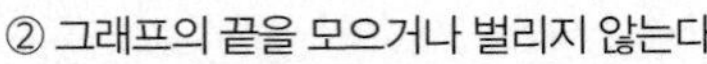

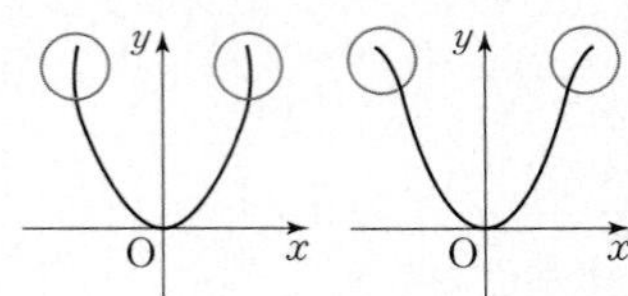

③ y축에 대칭이 되게 그린다.

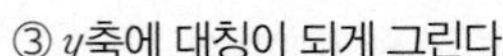

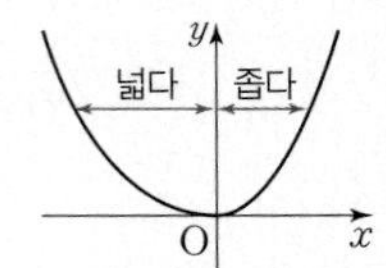

1 다음 이차함수의 그래프를 그리시오. (단, 꼭짓점의 좌표와 그래프가 지나는 다른 한 점의 좌표를 반드시 표시한다.)

(1) $y=\frac{1}{4}x^2$

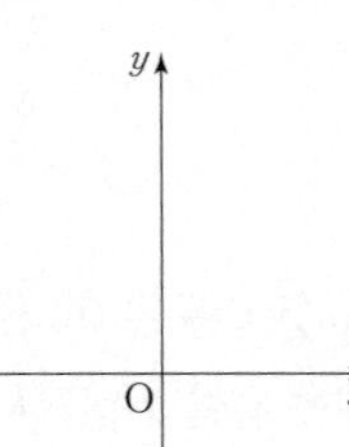

(2) $y=-\frac{1}{4}x^2$

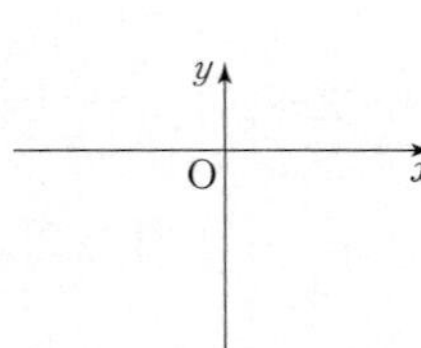

(3) $y=\frac{2}{3}x^2$

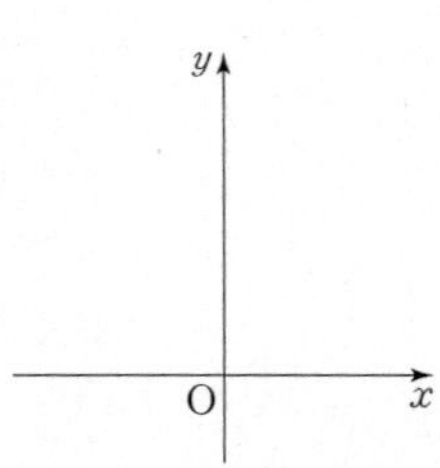

(4) $y=-\frac{1}{3}x^2$

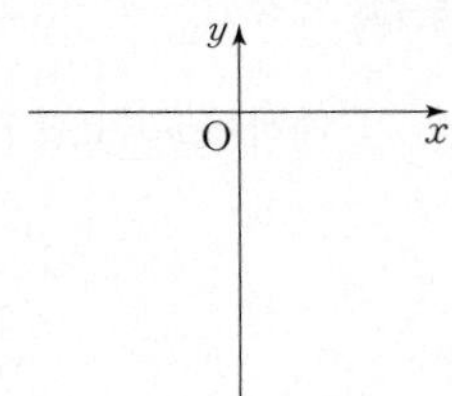

(5) $y=3x^2$

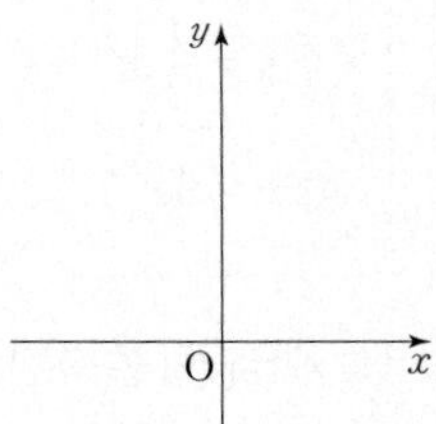

(6) $y=-\frac{3}{2}x^2$

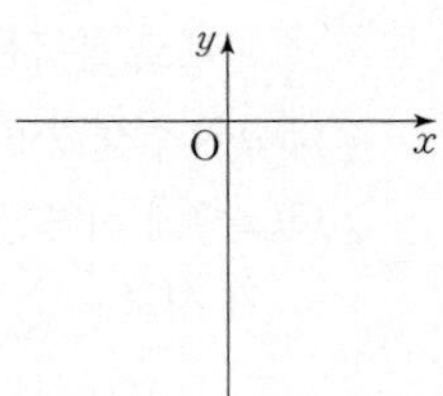

빠른 정답 227쪽 | 정답과 해설 68쪽

기본 01 이차함수 $y=ax^2$의 그래프가 지나는 점

다음 중 이차함수 $y=\frac{1}{2}x^2$의 그래프 위의 점이 아닌 것은?

① $(-4, 8)$　② $\left(-1, -\frac{1}{2}\right)$　③ $\left(1, \frac{1}{2}\right)$
④ $(2, 2)$　⑤ $(4, 8)$

해법코드
점 (p, q)가 이차함수 $y=ax^2$의 그래프 위에 있다.
⇨ 이차함수 $y=ax^2$의 그래프가 점 (p, q)를 지난다.
⇨ $y=ax^2$에 $x=p$, $y=q$를 대입하면 등식이 성립한다.
⇨ $q=ap^2$

셀파 $y=\frac{1}{2}x^2$에 각 보기의 점의 좌표를 대입하였을 때 등식이 성립하면 그 점은 이차함수 $y=\frac{1}{2}x^2$의 그래프 위의 점이다.

풀이 ① $8=\frac{1}{2}\times(-4)^2$　② $-\frac{1}{2}\neq\frac{1}{2}\times(-1)^2$　③ $\frac{1}{2}=\frac{1}{2}\times1^2$
④ $2=\frac{1}{2}\times2^2$　⑤ $8=\frac{1}{2}\times4^2$
따라서 이차함수 $y=\frac{1}{2}x^2$의 그래프 위의 점이 아닌 것은 ②이다.

확인 01 이차함수 $y=ax^2$의 그래프가 두 점 $(1, 2)$, $(2, b)$를 지날 때, $b-a$의 값을 구하시오. (단, a는 상수)

» My 셀파
$y=ax^2$에 $x=1$, $y=2$를 대입하여 상수 a의 값을 먼저 구한다.

기본 02 이차함수 $y=ax^2$의 그래프의 성질

이차함수 $y=5x^2$의 그래프에 대한 다음 설명 중 옳지 않은 것을 모두 고르면? (정답 2개)

① 아래로 볼록한 포물선이다.
② 점 $(-1, 5)$를 지난다.
③ y축에 대칭인 포물선이다.
④ x의 값이 증가하면 y의 값도 증가한다.
⑤ $y=-5x^2$의 그래프와 y축에 서로 대칭이다.

해법코드
$y=ax^2\,(a\neq0)$의 그래프의 성질
- $a>0$이면 아래로 볼록
  $a<0$이면 위로 볼록
- 꼭짓점의 좌표: $(0, 0)$
- 축의 방정식: $x=0$ (y축)
- $y=-ax^2$의 그래프와 x축에 서로 대칭

셀파 이차함수 $y=ax^2$의 그래프 ⇨ 원점이 꼭짓점이고 y축이 축인 포물선이다.

풀이 ① $y=5x^2$에서 $5>0$이므로 아래로 볼록한 포물선이다.
② $y=5x^2$에 $x=-1$을 대입하면 $y=5\times(-1)^2=5$
즉 이차함수 $y=5x^2$의 그래프는 점 $(-1, 5)$를 지난다.
④ $y=5x^2$에서 $5>0$이므로 $x<0$일 때는 x의 값이 증가하면 y의 값은 감소한다.
⑤ $y=5x^2$의 그래프는 $y=-5x^2$의 그래프와 x축에 서로 대칭이다.
따라서 옳지 않은 것은 ④, ⑤이다.

참고 이차함수 $y=5x^2$의 그래프를 그리면 다음과 같다.

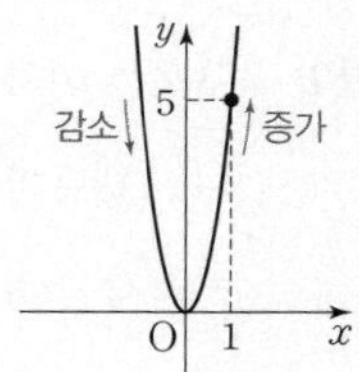

확인 02 다음 중 이차함수 $y=-3x^2$의 그래프에 대한 설명으로 옳은 것은?

① 꼭짓점의 좌표는 $(1, -3)$이다.
② 아래로 볼록한 포물선이다.
③ x축에 대칭이다.
④ 제1, 2사분면을 지난다.
⑤ $x>0$일 때, x의 값이 증가하면 y의 값은 감소한다.

» My 셀파
$y=ax^2$에서 $a<0$인 경우이므로 그래프는 꼭짓점이 원점이고 위로 볼록한 포물선이다.

기본 03 이차함수 $y=ax^2$의 그래프의 폭

세 이차함수 $y=x^2$, $y=ax^2$, $y=\frac{1}{2}x^2$의 그래프가 오른쪽 그림과 같을 때, 상수 a의 값의 범위를 구하시오.

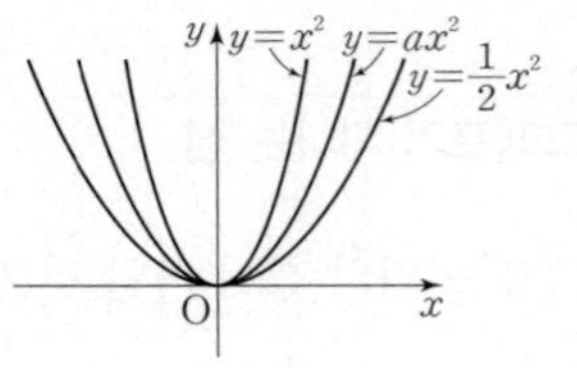

해법코드

이차함수 $y=ax^2$의 그래프에서 a의 절댓값이 클수록 그래프의 폭은 좁아진다.

셀파 $y=ax^2$에서 a의 절댓값을 비교한다.

풀이 이차함수 $y=ax^2$의 그래프는 ㉠$y=x^2$의 그래프보다 폭이 넓고 ㉡$y=\frac{1}{2}x^2$의 그래프보다 폭이 좁으므로 $\mathbf{\frac{1}{2}<a<1}$이다.

㉠ a는 1보다 작다. 즉 $a<1$

㉡ a는 $\frac{1}{2}$보다 크다. 즉 $a>\frac{1}{2}$

확인 03

세 이차함수 $y=ax^2$, $y=-2x^2$, $y=-\frac{2}{3}x^2$의 그래프가 오른쪽 그림과 같을 때, 다음 중 상수 a의 값이 될 수 있는 것은?

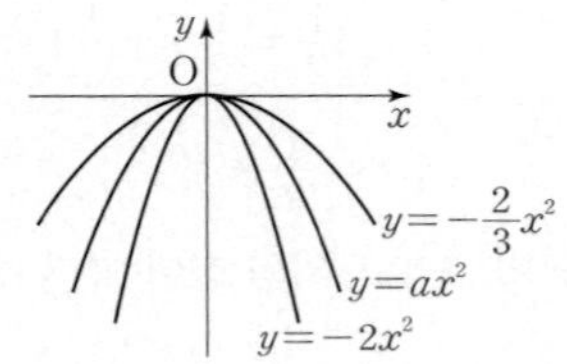

① -3 ② $-\frac{5}{2}$ ③ -1

④ $-\frac{1}{2}$ ⑤ $-\frac{1}{3}$

» My 셀파

$|a|$의 값은 $|-2|$보다 작고 $\left|-\frac{2}{3}\right|$보다 큰 범위에 속하면 된다. 이때 a는 음수임에 주의한다.

기본 04 이차함수 $y=ax^2$의 식 구하기

오른쪽 그림과 같이 원점을 꼭짓점으로 하고, 점 $\left(\frac{1}{2}, 2\right)$를 지나는 포물선을 그래프로 하는 이차함수의 식을 구하시오.

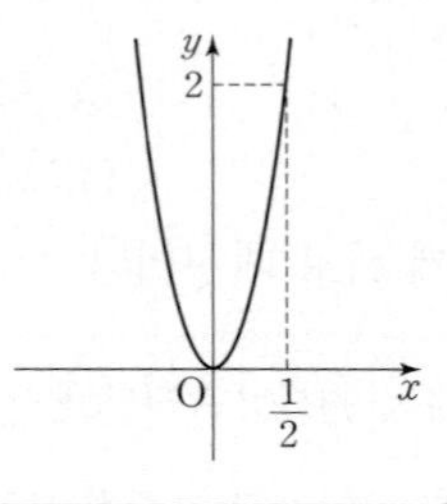

해법코드

1 원점을 꼭짓점으로 하는 포물선을 그래프로 이차함수의 식을 $y=ax^2$으로 놓는다.

2 지나는 점의 좌표를 이용하여 상수 a의 값을 구한다.

셀파 원점을 꼭짓점으로 하는 포물선을 그래프로 하는 이차함수의 식은 $y=ax^2$으로 놓는다.

풀이 구하는 이차함수의 식을 $y=ax^2(a\neq0)$으로 놓으면

이 그래프가 ㉠점 $\left(\frac{1}{2}, 2\right)$를 지나므로 $2=a\times\left(\frac{1}{2}\right)^2$, $\frac{1}{4}a=2$ $\therefore a=8$

따라서 구하는 이차함수의 식은 $\mathbf{y=8x^2}$이다.

㉠ $y=ax^2$에 $x=\frac{1}{2}$, $y=2$를 대입한다.

확인 04

이차함수 $y=f(x)$의 그래프가 오른쪽 그림과 같을 때, $f(6)$의 값을 구하시오.

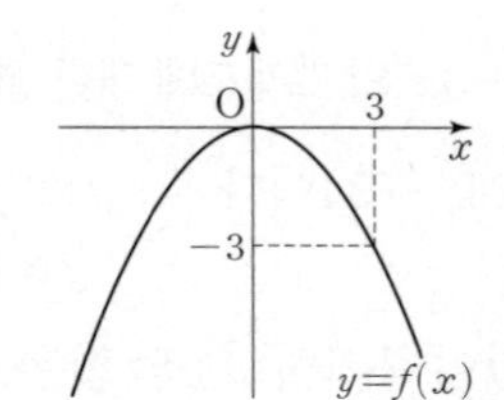

» My 셀파

꼭짓점이 원점인 이차함수의 그래프이므로 식을 $y=ax^2(a\neq0)$으로 놓는다.

실력 키우기

01 이차함수 찾기

다음 중 이차함수인 것을 모두 고르면? (정답 2개)

① $y=2x-1$

② $y=-\frac{x^2}{4}+3$

③ $y=\frac{3}{x^2}$

④ $y=x(x-1)$

⑤ $y=2x^2-2x(x+1)$

02 이차함수 찾기

다음 중 y가 x에 대한 이차함수인 것은?

① 한 개에 x원 하는 공책 5권의 가격 y원

② 둘레의 길이가 x인 정사각형의 넓이 y

③ 한 모서리의 길이가 x인 정육면체의 부피 y

④ 시속 4 km로 x시간 동안 간 거리 y km

⑤ 윗변의 길이가 x, 아랫변의 길이가 $x+2$, 높이가 4인 사다리꼴의 넓이 y

03 이차함수가 되기 위한 조건 서술형

함수 $y=k(k-1)x^2+3x-2x^2$이 x에 대한 이차함수가 되도록 하는 상수 k의 조건을 구하시오.

04 이차함수의 함숫값 창의·융합

오른쪽 그림과 같이 x를 입력하면 y가 출력되는 기계가 있다. 이 기계에서 출력된 y의 값이 6일 때, 입력한 x의 값을 구하시오. (단, $x>0$)

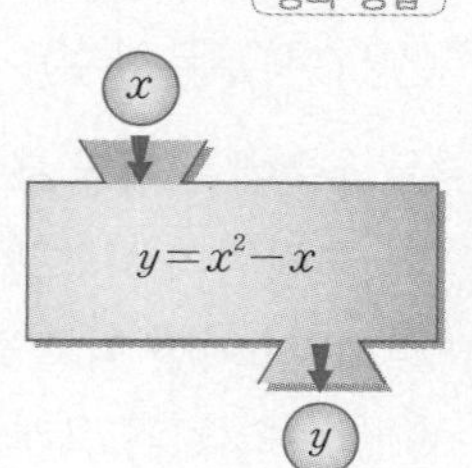

05 이차함수의 함숫값

이차함수 $f(x)=-x^2+3x+a$에서 $f(1)=3$일 때, $f(-2)$의 값을 구하시오. (단, a는 상수)

06 이차함수 $y=ax^2$의 그래프가 지나는 점

이차함수 $y=ax^2$의 그래프가 두 점 $(2, 2)$, $(-4, b)$를 지날 때, ab의 값을 구하시오. (단, a는 상수)

07 이차함수 $y=ax^2$의 그래프의 성질

다음 중 이차함수 $y=ax^2$의 그래프에 대한 설명으로 옳은 것은? (단, a는 상수)

① x축에 대칭인 포물선이다.
② 꼭짓점의 좌표는 $(1, a)$이다.
③ $a>0$이면 위로 볼록하다.
④ $y=2ax^2$의 그래프보다 폭이 넓다.
⑤ $a<0$이면 그래프가 x축보다 위쪽에 그려진다.

08 이차함수 $y=ax^2$의 그래프의 성질

다음 중 아래 **보기**의 이차함수의 그래프에 대한 설명으로 옳지 않은 것은?

보기

㉠ $y=\frac{1}{3}x^2$ ㉡ $y=-4x^2$
㉢ $y=4x^2$ ㉣ $y=-\frac{1}{5}x^2$

① 아래로 볼록한 포물선은 ㉠, ㉢이다.
② ㉡과 ㉢은 폭이 같다.
③ 폭이 가장 넓은 그래프는 ㉣이다.
④ ㉡과 ㉢은 x축에 서로 대칭이다.
⑤ 제1사분면과 제2사분면을 지나는 그래프는 ㉡, ㉣이다.

09 두 이차함수 $y=ax^2$, $y=-ax^2$의 그래프의 관계

다음 **보기**의 이차함수 중 그 그래프가 x축에 서로 대칭인 것끼리 짝 지으시오.

보기

㉠ $y=\frac{1}{5}x^2$ ㉡ $y=-\frac{5}{2}x^2$ ㉢ $y=\frac{3}{4}x^2$
㉣ $y=-\frac{3}{4}x^2$ ㉤ $y=-x^2$ ㉥ $y=\frac{5}{2}x^2$

10 두 이차함수 $y=ax^2$, $y=-ax^2$의 그래프의 관계 (서술형)

이차함수 $y=-3x^2$의 그래프와 x축에 서로 대칭인 그래프가 점 $(a-1, -a+1)$을 지날 때, 모든 a의 값의 합을 구하시오.

11 이차함수 $y=ax^2$의 그래프의 폭

다음 이차함수 중 그래프가 아래로 볼록하면서 폭이 가장 넓은 것은?

① $y=-4x^2$ ② $y=-\frac{1}{4}x^2$
③ $y=\frac{3}{4}x^2$ ④ $y=x^2$
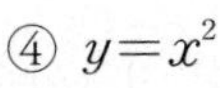
⑤ $y=2x^2$

12 이차함수 $y=ax^2$의 그래프의 폭

이차함수 $y=4ax^2$의 그래프가 아래 그림과 같을 때, 다음 중 상수 a의 값이 될 수 있는 것은?

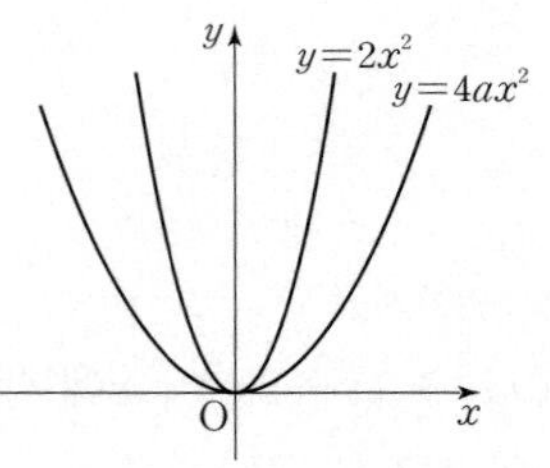

① 2 ② 1 ③ $\frac{3}{4}$
④ $\frac{1}{2}$ ⑤ $\frac{1}{4}$

13 이차함수 $y=ax^2$의 식 구하기

이차함수의 그래프가 원점을 꼭짓점으로 하고 두 점 $(3, 3)$, $(-6, k)$를 지난다. 이때 k의 값을 구하시오.

14 이차함수 $y=ax^2$의 식 구하기

오른쪽 그림과 같이 원점을 꼭짓점으로 하고 점 $\left(\frac{1}{2}, 1\right)$을 지나는 이차함수의 그래프와 x축에 서로 대칭인 그래프를 나타내는 이차함수의 식을 구하시오.

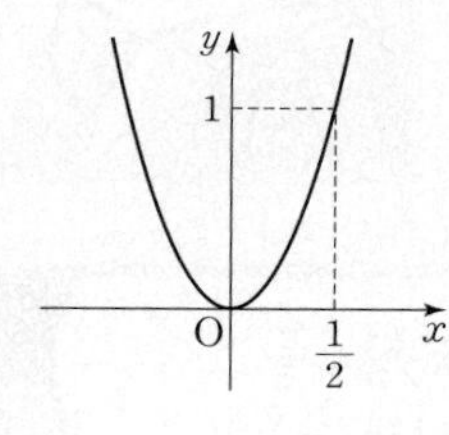

15 이차함수 $y=ax^2$의 그래프가 지나는 점

서술형

오른쪽 그림은 네 이차함수 $y=-x^2$, $y=-\frac{1}{4}x^2$, $y=\frac{1}{2}x^2$, $y=2x^2$의 그래프를 한 좌표평면 위에 나타낸 것이다. 포물선 ㉠이 점 $(a, 2)$를 지날 때, 양수 a의 값을 구하시오.

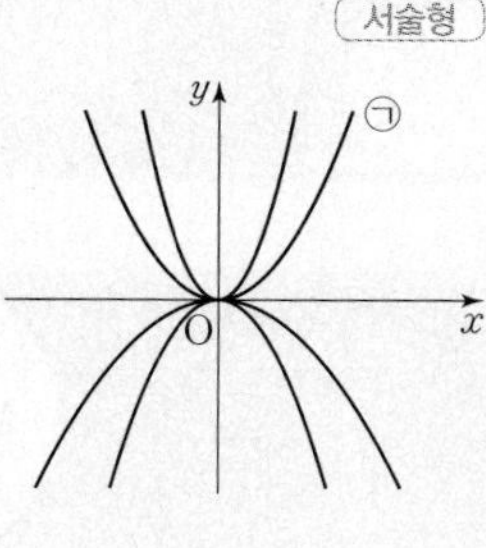

16 이차함수 $y=ax^2$의 그래프와 직선

서술형

아래 그림과 같이 직선 $y=16$이 y축과 만나는 점을 P, 두 이차함수 $y=x^2$, $y=ax^2$의 그래프와 제1사분면에서 만나는 점을 각각 Q, R라 하자. $\overline{PQ}=\overline{QR}$일 때, 다음 물음에 답하시오.

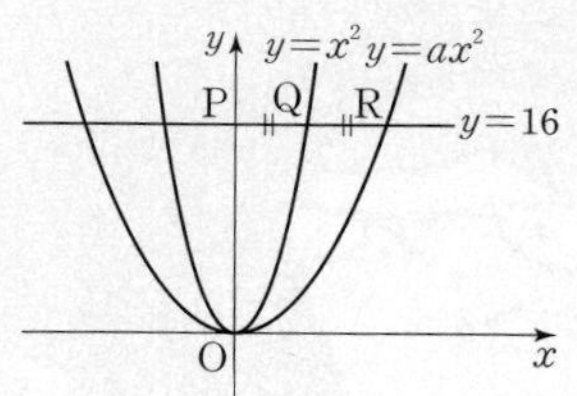

(1) 점 Q의 좌표를 구하시오.

(2) 점 R의 좌표를 구하시오.

(3) 상수 a의 값을 구하시오.

17 이차함수 $y=ax^2$의 그래프와 사각형

아래 그림과 같이 이차함수 $y=\frac{1}{2}x^2$의 그래프 위에 두 점 A, D가 있고, 이차함수 $y=-x^2$의 그래프 위에 두 점 B, C가 있다. □ABCD는 정사각형이고 각 변은 x축 또는 y축에 각각 평행할 때, 점 D의 x좌표를 다음 순서대로 구하시오.

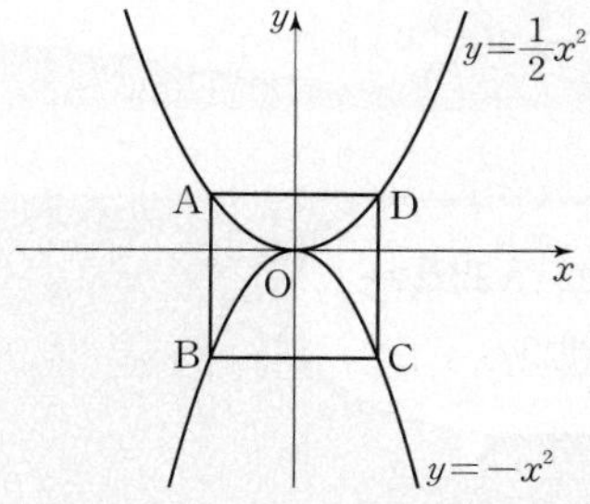

(1) 점 D의 x좌표를 a라 할 때, 점 A, B, C, D의 좌표를 각각 a를 사용하여 나타내시오.

(2) 점 D의 x좌표를 구하시오.

함수 이벤트를 본
시민들 반응이 어때?
반응이 뜨겁습니다. 이제는
$y=2(x-3)^2$의 그래프도
그려 달라고 난리입니다.
회 장

그래? 그렇다면 보여 줘야지.
그런데 $y=2x^2$의 그래프를
이용할 방법이 있을까?
방법을
꼭 찾겠습니다.
톡
톡

톡 톡
나 좀 도와줘. 회장님이
$y=2x^2$의 그래프를 이용하여
$y=2(x-3)^2$의 그래프를
그려 보래.
$y=2x^2$의 그래프를
x축의 방향으로 3만큼
평행이동시키면 되잖아요.

이차함수를
분석했습니다.
$y=2x^2$
꼭짓점의 좌표 : (0, 0)
축의 방정식 : $x=0$
$y=2(x-3)^2$
꼭짓점의 좌표 : (3, 0)
축의 방정식 : $x=3$

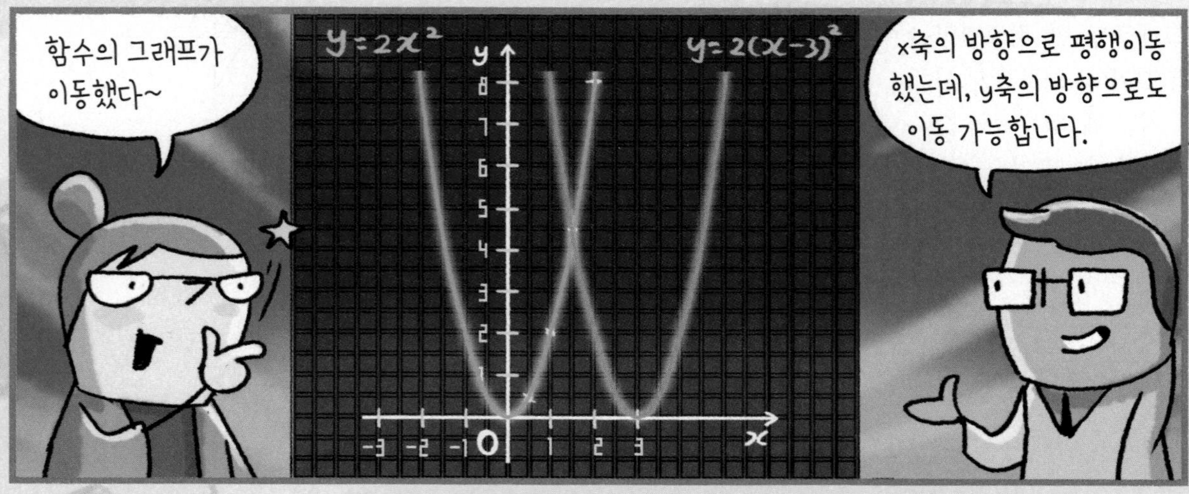
함수의 그래프가
이동했다~
$y=2x^2$
$y=2(x-3)^2$
x축의 방향으로 평행이동
했는데, y축의 방향으로도
이동 가능합니다.

12

Ⅳ | 이차함수

이차함수 $y=a(x-p)^2+q$의 그래프

| 개념 1 | 이차함수 $y=ax^2+q(a\neq0)$의 그래프
| 개념 2 | 이차함수 $y=a(x-p)^2(a\neq0)$의 그래프
| 개념 3 | 이차함수 $y=a(x-p)^2+q(a\neq0)$의 그래프
| 개념 4 | 이차함수 $y=a(x-p)^2+q$에서 a, p, q의 부호

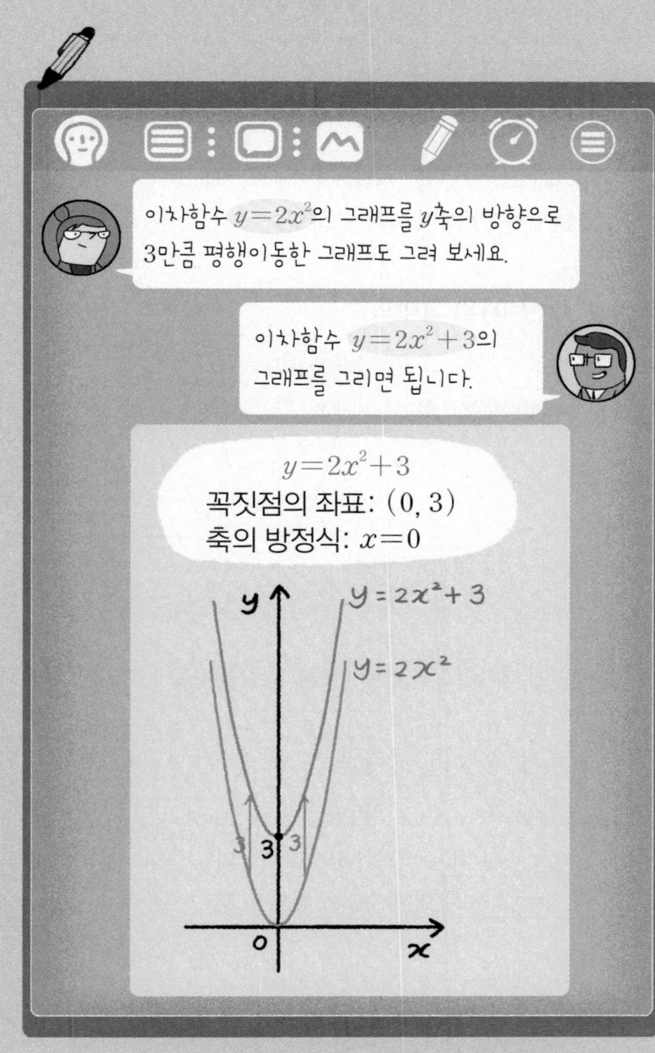

12 이차함수 $y=a(x-p)^2+q$의 그래프

1 이차함수 $y=ax^2+q(a\neq0)$의 그래프

이차함수 $y=ax^2+q$의 그래프는

(1) 이차함수 $y=ax^2$의 그래프를 ㉠y축의 방향으로 q만큼 평행이동한 것이다.

(2) 꼭짓점의 좌표는 $(0, \square)$이다.

(3) 축의 방정식은 $x=\square$(y축)이다.

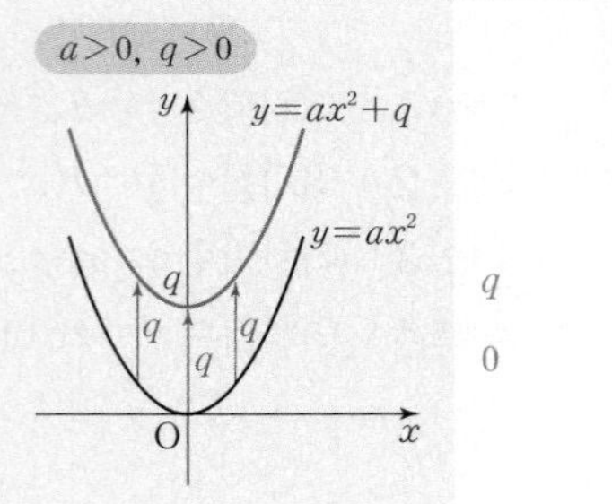

q

0

개념 다시 보기

- 이차함수 $y=ax^2(a\neq0)$의 그래프
  ① 꼭짓점의 좌표: $(0, 0)$
  ② 축의 방정식: $x=0$(y축)
  ③ $a>0$이면 아래로 볼록한 포물선이고, $a<0$이면 위로 볼록한 포물선이다.
- 평행이동 한 도형을 일정한 방향으로 일정한 거리만큼 이동하는 것

설명 두 이차함수 $y=x^2$, $y=x^2-3$에 대하여 x의 값에 따른 y의 값을 표로 나타내면 다음과 같다.

x	⋯	-3	-2	-1	0	1	2	3	⋯
x^2	⋯	9	4	1	0	1	4	9	⋯
x^2-3	⋯	6	1	-2	-3	-2	1	6	⋯

⇨ 위의 표에서 x의 값이 같을 때, $y=x^2-3$의 함숫값이 $y=x^2$의 함숫값보다 항상 3만큼 작다는 것을 알 수 있다.

따라서 이차함수 $y=x^2-3$의 그래프는 오른쪽 그림과 같이 $y=x^2$의 그래프를 y축의 방향으로 -3만큼 평행이동하여 그릴 수 있다.

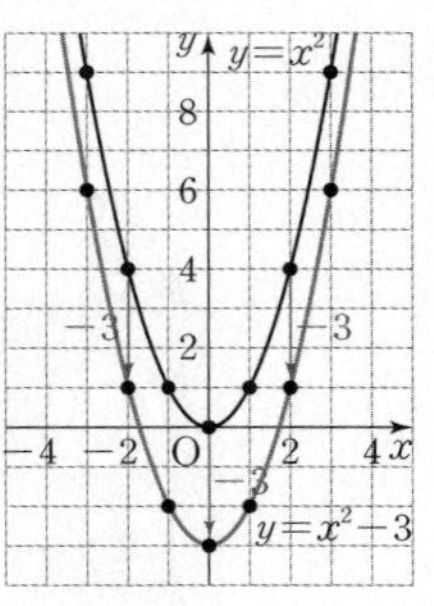

참고 그래프를 평행이동하면 그래프의 모양은 변하지 않고 위치만 바뀐다. 따라서 이차함수의 그래프를 평행이동하더라도 모양과 폭을 결정하는 x^2의 계수 a는 변하지 않는다.

2 이차함수 $y=a(x-p)^2\ (a\neq0)$의 그래프

이차함수 $y=a(x-p)^2$의 그래프는

(1) 이차함수 $y=ax^2$의 그래프를 ㉡x축의 방향으로 p만큼 평행이동한 것이다.

(2) 꼭짓점의 좌표는 $\square$이다.

(3) 축의 방정식은 $x=p$이다.

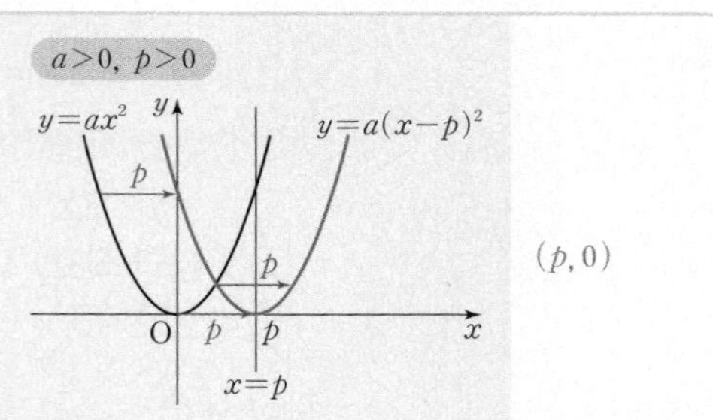

$(p, 0)$

㉠ ① $q>0$이면 그래프가 y축의 양의 방향(위쪽)으로 이동
② $q<0$이면 그래프가 y축의 음의 방향(아래쪽)으로 이동

㉡ ① $p>0$이면 그래프가 x축의 양의 방향(오른쪽)으로 이동
② $p<0$이면 그래프가 x축의 음의 방향(왼쪽)으로 이동

설명 두 이차함수 $y=x^2$, $y=(x+2)^2$에 대하여 x의 값에 따른 y의 값을 표로 나타내면 다음과 같다.

x	⋯	-3	-2	-1	0	1	2	3	⋯
x^2	⋯	9	4	1	0	1	4	9	⋯
$(x+2)^2$	⋯	1	0	1	4	9	16	25	⋯

⇨ 위의 표에서 ㉢x의 값이 -1, 0, 1, 2일 때, $y=x^2$의 함숫값과 x의 값이 -3, -2, -1, 0일 때, $y=(x+2)^2$의 함숫값이 같다는 것을 알 수 있다.

따라서 이차함수 $y=(x+2)^2$의 그래프는 오른쪽 그림과 같이 $y=x^2$의 그래프를 x축의 방향으로 -2만큼 평행이동하여 그릴 수 있다.

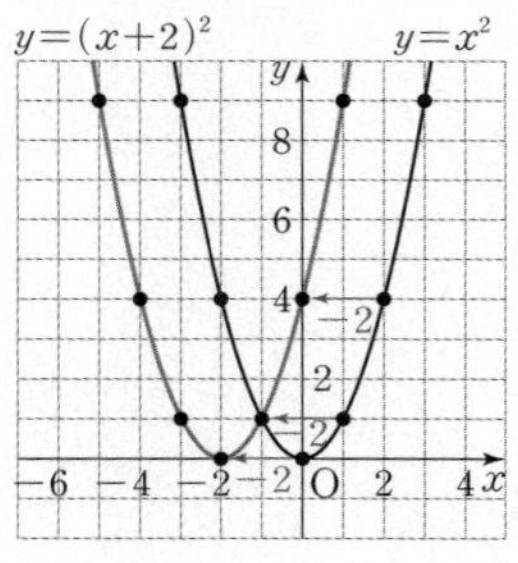

㉢ $y=x^2$의 함숫값을 왼쪽으로 2칸씩 이동하면 $y=(x+2)^2$의 함숫값과 같다.

빠른 정답 228쪽 | 정답과 해설 72쪽

| 개념 체크 |

1-1 이차함수 $y=ax^2+q(a\neq0)$의 그래프

이차함수 $y=\frac{1}{2}x^2$의 그래프를 이용하여 이차함수 $y=\frac{1}{2}x^2-1$의 그래프를 오른쪽 좌표평면 위에 그리고, 꼭짓점의 좌표와 축의 방정식을 각각 구하시오.

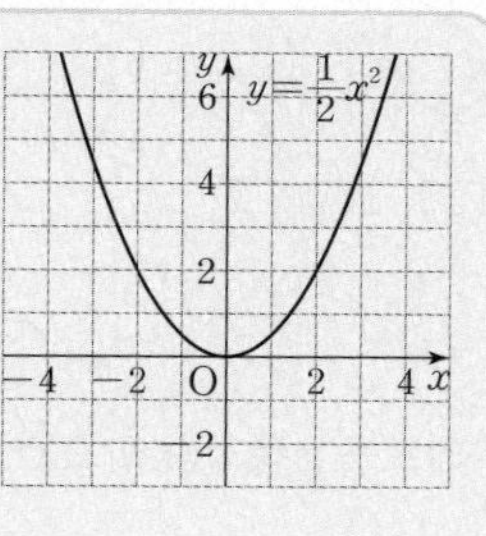

셀파 이차함수 $y=ax^2+q$의 그래프는 이차함수 $y=ax^2$의 그래프를 y축의 방향으로 q만큼 평행이동한 것이다.

연구 이차함수 $y=\frac{1}{2}x^2-1$의 그래프는 이차함수 $y=\frac{1}{2}x^2$의 그래프를 y축의 방향으로 □만큼 평행이동한 것이다.
⇨ 꼭짓점의 좌표: $(0, -1)$, 축의 방정식: $x=$□

| 따라 풀기 |

1-2 다음 이차함수의 그래프를 y축의 방향으로 [ ] 안의 수만큼 평행이동한 그래프를 나타내는 이차함수의 식을 구하시오.

(1) $y=\frac{1}{3}x^2$ [1]　　(2) $y=-4x^2$ [−2]

1-3 이차함수 $y=-\frac{2}{3}x^2$의 그래프를 이용하여 다음 이차함수의 그래프를 오른쪽 좌표평면 위에 그리고, 꼭짓점의 좌표와 축의 방정식을 각각 구하시오.

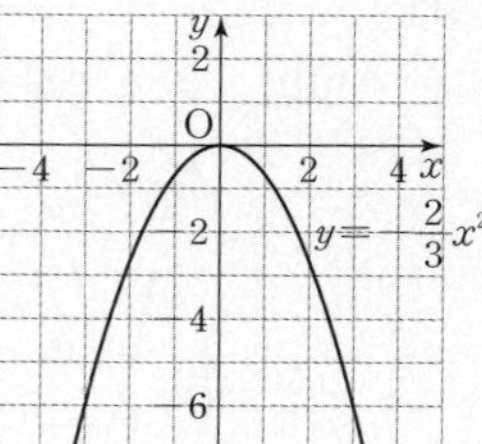

(1) $y=-\frac{2}{3}x^2+2$

(2) $y=-\frac{2}{3}x^2-3$

2-1 이차함수 $y=a(x-p)^2(a\neq0)$의 그래프

이차함수 $y=2x^2$의 그래프를 이용하여 이차함수 $y=2(x-1)^2$의 그래프를 오른쪽 좌표평면 위에 그리고, 꼭짓점의 좌표와 축의 방정식을 각각 구하시오.

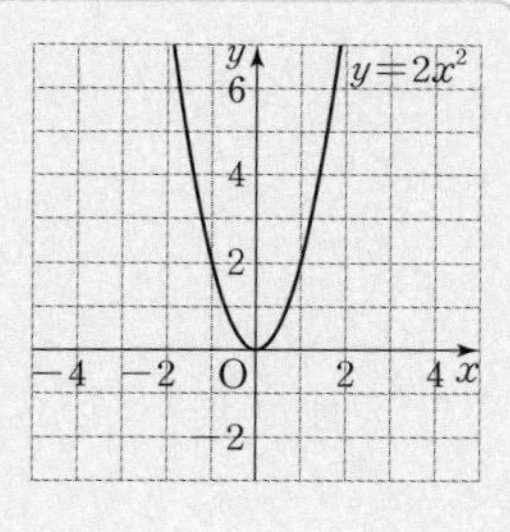

셀파 이차함수 $y=a(x-p)^2$의 그래프는 이차함수 $y=ax^2$의 그래프를 x축의 방향으로 p만큼 평행이동한 것이다.

연구 이차함수 $y=2(x-1)^2$의 그래프는 이차함수 $y=2x^2$의 그래프를 □축의 방향으로 1만큼 평행이동한 것이다.
⇨ 꼭짓점의 좌표: $(1, 0)$, 축의 방정식: $x=$□

2-2 다음 이차함수의 그래프를 x축의 방향으로 [ ] 안의 수만큼 평행이동한 그래프를 나타내는 이차함수의 식을 구하시오.

(1) $y=\frac{1}{2}x^2$ [5]　　(2) $y=-3x^2$ [−4]

2-3 이차함수 $y=-x^2$의 그래프를 이용하여 다음 이차함수의 그래프를 오른쪽 좌표평면 위에 그리고, 꼭짓점의 좌표와 축의 방정식을 각각 구하시오.

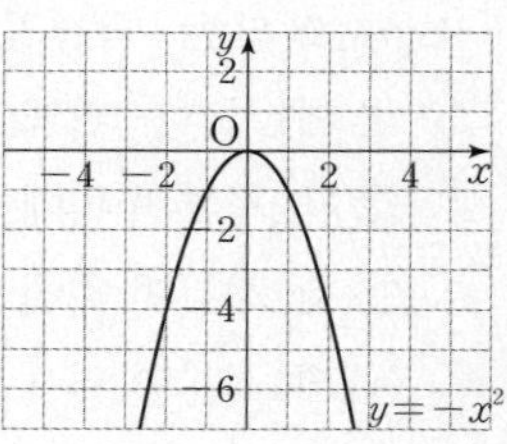

(1) $y=-(x+3)^2$

(2) $y=-(x-2)^2$

- **이차함수 $y=ax^2+q(a\neq0)$의 그래프** 이차함수 $y=ax^2$의 그래프를 y축의 방향으로 q만큼 평행이동한 것이다.
  ① 꼭짓점의 좌표: $(0, q)$　② 축의 방정식: $x=0$
- **이차함수 $y=a(x-p)^2(a\neq0)$의 그래프** 이차함수 $y=ax^2$의 그래프를 x축의 방향으로 p만큼 평행이동한 것이다.
  ① 꼭짓점의 좌표: $(p, 0)$　② 축의 방정식: $x=p$

3 이차함수 $y=a(x-p)^2+q(a\neq0)$의 그래프

이차함수 $y=a(x-p)^2+q$의 그래프는

(1) 이차함수 $y=ax^2$의 그래프를 x축의 방향으로 p만큼, y축의 방향으로 □만큼 평행이동한 것이다. q

(2) ㉠꼭짓점의 좌표는 (p, q)이다.

(3) 축의 방정식은 $x=$□이다. p

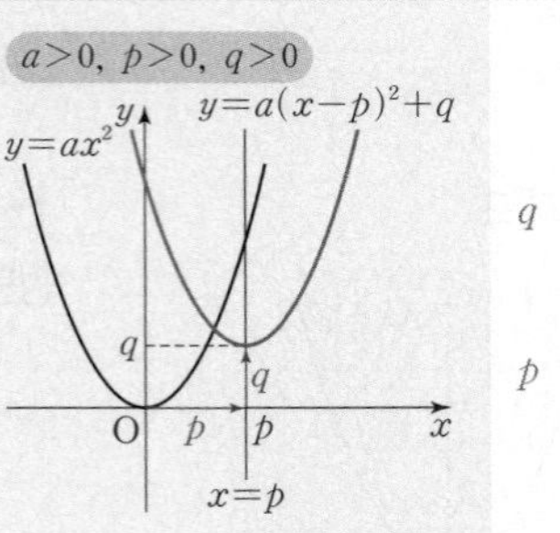

참고 이차함수 $y=a(x-p)^2+q$의 그래프에서 그래프의 모양은 a가 결정하고, 꼭짓점의 위치는 p, q가 결정한다.

설명 이차함수 $y=(x+2)^2-3$의 그래프는 아래 그림과 같이 $y=x^2$의 그래프를 x축의 방향으로 -2만큼, y축의 방향으로 -3만큼 평행이동한 것임을 알 수 있다.

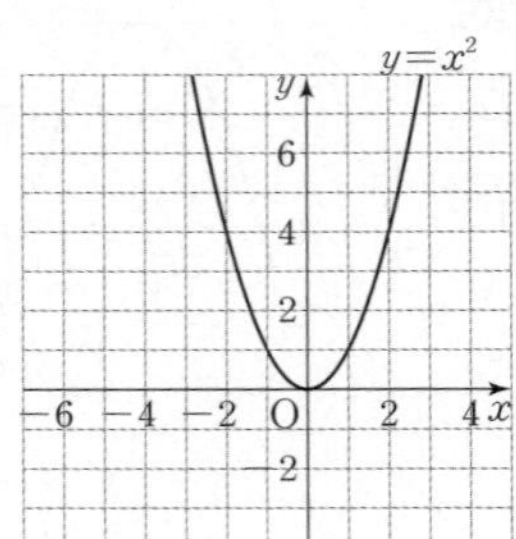

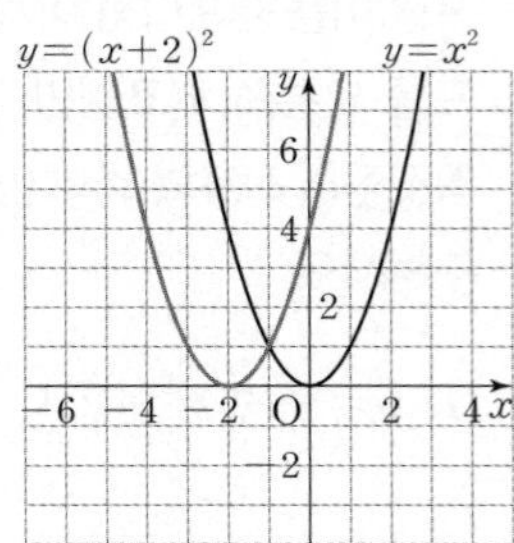

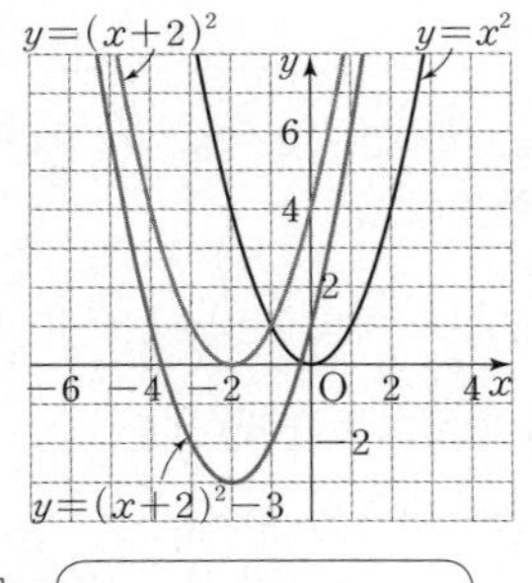

$y=x^2$ → (x축의 방향으로 -2만큼 평행이동) → $y=(x+2)^2$ → (y축의 방향으로 -3만큼 평행이동) → $y=(x+2)^2-3$

$y=x^2$	$y=(x+2)^2$	$y=(x+2)^2-3$
① 꼭짓점의 좌표: $(0, 0)$	① 꼭짓점의 좌표: $(-2, 0)$	① 꼭짓점의 좌표: $(-2, -3)$
② 축의 방정식: $x=0$	② 축의 방정식: $x=-2$	② 축의 방정식: $x=-2$

㉠ $y=a(x-p)^2+q$의 그래프에서 꼭짓점의 좌표는 다음과 같이 생각할 수도 있다.
$(0, 0)$ ← $y=ax^2$의 그래프의 꼭짓점의 좌표
⇩ x축의 방향으로 p만큼 평행이동
$(0+p, 0)$, 즉 $(p, 0)$
⇩ y축의 방향으로 q만큼 평행이동
$(p, 0+q)$, 즉 (p, q)

4 이차함수 $y=a(x-p)^2+q$에서 a, p, q의 부호

(1) **a의 부호** 그래프의 모양을 보고 판단한다.

① 아래로 볼록(∪)하면 ⇨ $a>0$

② 위로 볼록(∩)하면 ⇨ a□0 $<$

(2) **p, q의 부호** 꼭짓점이 놓인 ㉡사분면에 따라 결정된다.

① 제1사분면 위에 있으면 ⇨ $p>0,\ q>0$

② 제2사분면 위에 있으면 ⇨ p□$0,\ q>0$ $<$

③ 제3사분면 위에 있으면 ⇨ $p<0,\ q<0$

④ 제4사분면 위에 있으면 ⇨ p□$0,\ q<0$ $>$

㉡

제2사분면 $(-, +)$	제1사분면 $(+, +)$
제3사분면 $(-, -)$	제4사분면 $(+, -)$

보기 오른쪽 그림에서 각 그래프의 식이 $y=a(x-p)^2+q$ 꼴일 때, a, p, q의 부호를 구하시오.

(1) 그래프가 ㉠일 때　　(2) 그래프가 ㉡일 때

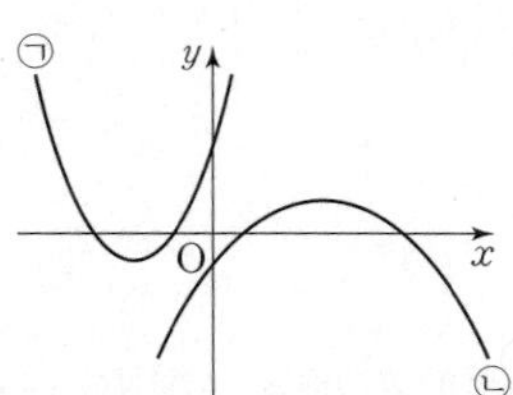

풀이 (1) 그래프가 아래로 볼록하므로 $\boldsymbol{a>0}$
꼭짓점 (p, q)가 제3사분면 위에 있으므로 $\boldsymbol{p<0,\ q<0}$

(2) 그래프가 위로 볼록하므로 $\boldsymbol{a<0}$
꼭짓점 (p, q)가 제1사분면 위에 있으므로 $\boldsymbol{p>0,\ q>0}$

빠른 정답 228쪽 | 정답과 해설 72쪽

| 개념 체크 |

3-1 이차함수 $y=a(x-p)^2+q$의 그래프

이차함수 $y=2x^2$의 그래프를 이용하여 이차함수 $y=2(x+1)^2+1$의 그래프를 오른쪽 좌표평면 위에 그리고, 꼭짓점의 좌표와 축의 방정식을 각각 구하시오.

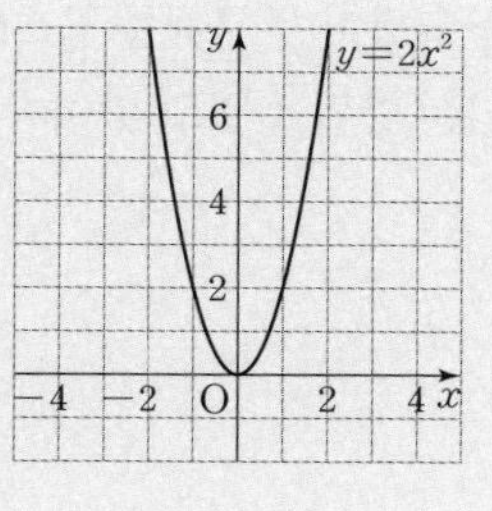

셀파 이차함수 $y=a(x-p)^2+q$의 그래프는 이차함수 $y=ax^2$의 그래프를 x축의 방향으로 p만큼, y축의 방향으로 q만큼 평행이동한 것이다.

연구 이차함수 $y=2(x+1)^2+1$의 그래프는 $y=2x^2$의 그래프를 x축의 방향으로 ☐만큼, y축의 방향으로 1만큼 평행이동한 것이다.

⇨ 꼭짓점의 좌표: ☐, 축의 방정식: $x=$☐

4-1 이차함수 $y=a(x-p)^2+q$에서 a, p, q의 부호

이차함수 $y=a(x-p)^2+q$의 그래프가 오른쪽 그림과 같을 때, 상수 a, p, q의 부호를 각각 구하시오.

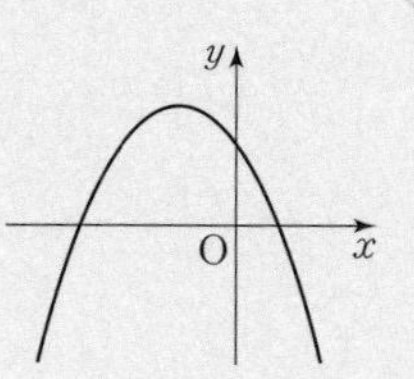

셀파 a의 부호는 그래프의 모양에 따라 결정되고, p, q의 부호는 꼭짓점이 있는 사분면에 따라 결정된다.

연구 그래프의 모양이 위로 볼록하므로 a ☐ 0

꼭짓점 (p, q)가 제2사분면 위에 있으므로 p ☐ 0, q ☐ 0

| 따라 풀기 |

3-2 다음 이차함수의 그래프를 x축과 y축의 방향으로 [ ] 안의 수만큼 차례대로 평행이동한 그래프를 나타내는 이차함수의 식을 구하시오.

(1) $y=\frac{2}{3}x^2$ [$-3, -5$]

(2) $y=-4x^2$ [$-1, 2$]

3-3 이차함수 $y=-2x^2$의 그래프를 이용하여 다음 이차함수의 그래프를 오른쪽 좌표평면 위에 그리고, 꼭짓점의 좌표와 축의 방정식을 각각 구하시오.

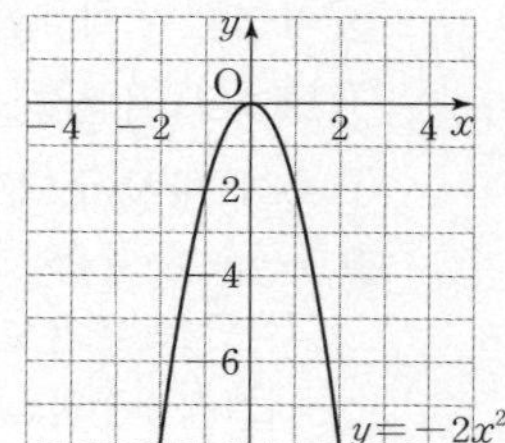

(1) $y=-2(x-2)^2+1$

(2) $y=-2(x+1)^2-3$

4-2 이차함수 $y=a(x-p)^2+q$의 그래프가 다음 그림과 같을 때, ☐ 안에 $>$, $=$, $<$ 중 알맞은 것을 써넣으시오.

(1)

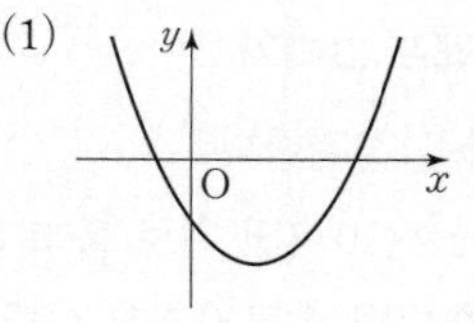

⇨ a ☐ 0, p ☐ 0, q ☐ 0

(2)

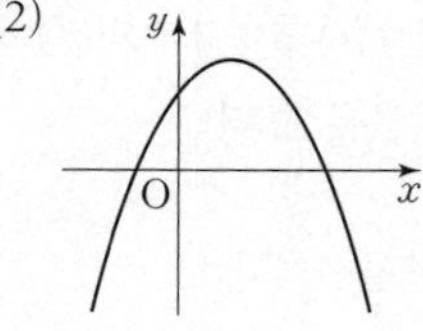

⇨ a ☐ 0, p ☐ 0, q ☐ 0

• **이차함수 $y=a(x-p)^2+q(a\neq0)$의 그래프** 이차함수 $y=ax^2$의 그래프를 x축의 방향으로 p만큼, y축의 방향으로 q만큼 평행이동한 것이다.

① 꼭짓점의 좌표: (p, q) ② 축의 방정식: $x=p$

• 이차함수 $y=a(x-p)^2+q$의 그래프에서 a의 부호는 그래프의 모양을 결정하고, p, q의 부호는 꼭짓점이 있는 사분면을 결정한다.

개념 더 알아보기

셀파 특강

이차함수 $y=a(x-p)^2+q$의 그래프를 간단히 그리는 방법

Q 이차함수 $y=a(x-p)^2+q$의 그래프를 그릴 때, 항상 평행이동하여 그려야 할까?

A 지금까지는 평행이동을 이용하여 이차함수의 그래프를 그렸지만 ㉠문제를 풀 때마다 그럴 수는 없다. 다음과 같이 간단하게 그래프를 그리는 방법을 알고 있어야 문제를 풀 때 편리하다.

㉠ 이차함수 $y=a(x-p)^2+q$의 그래프의 성질에 관한 문제를 보다 쉽게 해결하기 위해서는 그래프가 필요하다.

1 이차함수 $y=ax^2+q$, $y=a(x-p)^2$의 그래프 그리기

1 a의 부호에 따라 그래프의 모양을 결정한다.
⇨ $a>0$이면 아래로 볼록 (∪), $a<0$이면 위로 볼록 (∩)

2 꼭짓점의 좌표를 구하여 좌표평면 위에 꼭짓점을 나타낸다.

3 그래프 위의 한 점의 좌표를 나타낸다.

4 축에 대칭이 되도록 포물선을 그린다.

예 (1) $y=3x^2-2$의 그래프 그리기

1 ㉡그래프의 모양은 아래로 볼록한 포물선이다.
2 꼭짓점의 좌표는 $(0,\ -2)$이다.
3 그래프가 점 $(1,\ 1)$을 지난다.
4 축 $x=0$(y축)에 대칭이 되도록 그래프를 그리면 오른쪽 그림과 같다.

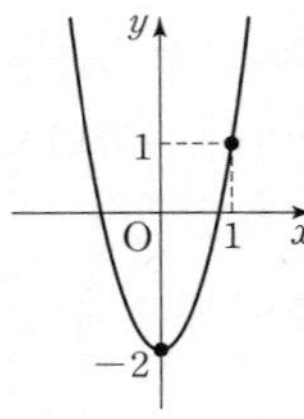

㉡ x^2의 계수가 $3>0$이므로 아래로 볼록한 포물선이다.

(2) $y=-3(x-1)^2$의 그래프 그리기

1 ㉢그래프의 모양은 위로 볼록한 포물선이다.
2 꼭짓점의 좌표는 $(1,\ 0)$이다.
3 그래프가 점 $(0,\ -3)$을 지난다.
4 축 $x=1$에 대칭이 되도록 그래프를 그리면 오른쪽 그림과 같다.

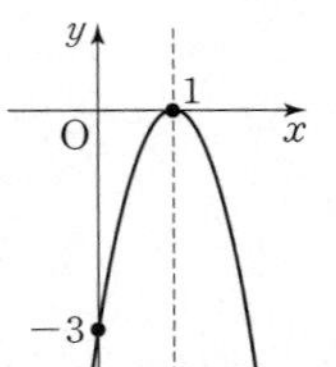

㉢ x^2의 계수가 $-3<0$이므로 위로 볼록한 포물선이다.

2 이차함수 $y=a(x-p)^2+q$의 그래프 그리기

1 a의 부호에 따라 그래프의 모양을 결정한다.
⇨ $a>0$이면 아래로 볼록 (∪), $a<0$이면 위로 볼록 (∩)

2 꼭짓점의 좌표를 구하여 좌표평면 위에 꼭짓점을 나타낸다.

3 y축과의 교점의 좌표를 나타낸다. ⇨ 이차함수의 식에 $x=0$을 대입한다.

4 축($x=p$)에 대칭이 되도록 포물선을 그린다.

예 $y=3(x+1)^2+2$의 그래프 그리기

1 그래프의 모양은 아래로 볼록한 포물선이다.
2 꼭짓점의 좌표는 $(-1,\ 2)$이다.
3 ㉣그래프가 점 $(0,\ 5)$를 지난다.
4 축 $x=-1$에 대칭이 되도록 그래프를 그리면 오른쪽 그림과 같다.

㉣ $y=3(x+1)^2+2$에 $x=0$을 대입하면
$y=3\times(0+1)^2+2=3+2=5$
따라서 점 $(0,\ 5)$를 지난다.

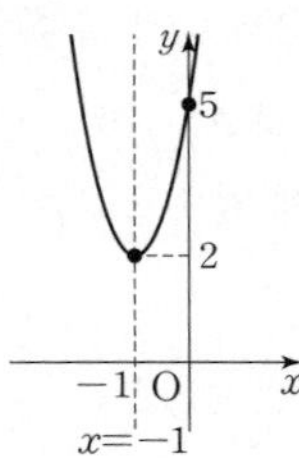

이차함수 $y=a(x-p)^2+q$의 그래프는 a의 부호로 그래프의 모양을 결정하고 꼭짓점과 그래프가 지나는 다른 한 점을 이용하여 간단히 그릴 수 있다.

이차함수 $y=a(x-p)^2+q$의 그래프 그리기

빠른 정답 228쪽 | 정답과 해설 73쪽

이차함수 $y=ax^2+q$, $y=a(x-p)^2$의 그래프

1 다음 이차함수의 그래프를 그리시오. (단, 꼭짓점의 좌표와 그래프가 지나는 다른 한 점의 좌표를 반드시 표시한다.)

(1) $y=\frac{1}{3}x^2-5$

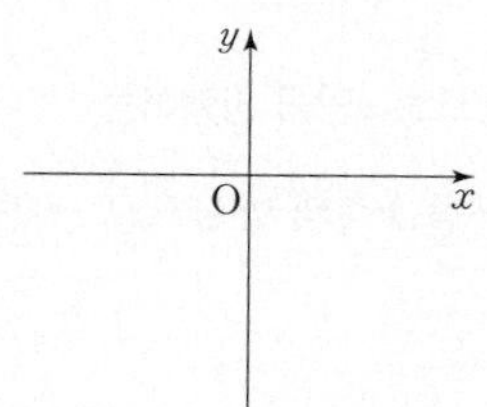

(2) $y=-3x^2+2$

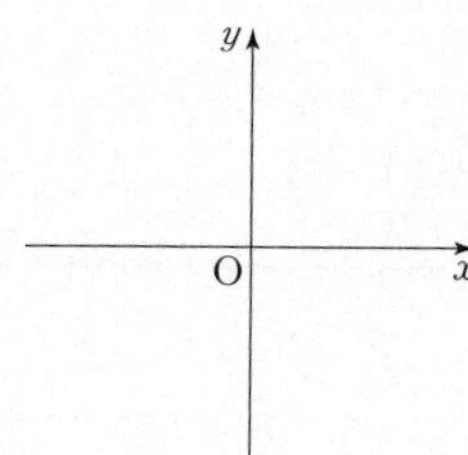

(3) $y=\frac{1}{2}(x-3)^2$

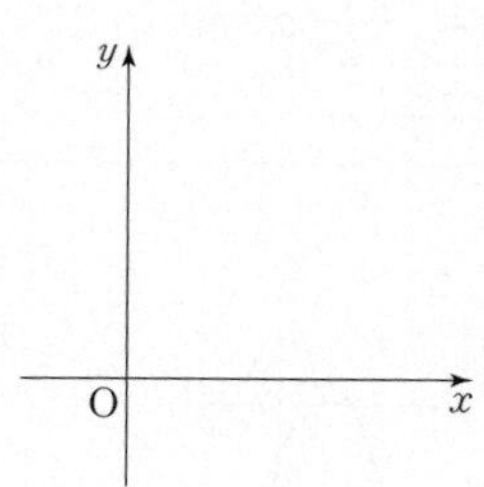

(4) $y=-\frac{3}{4}(x+1)^2$

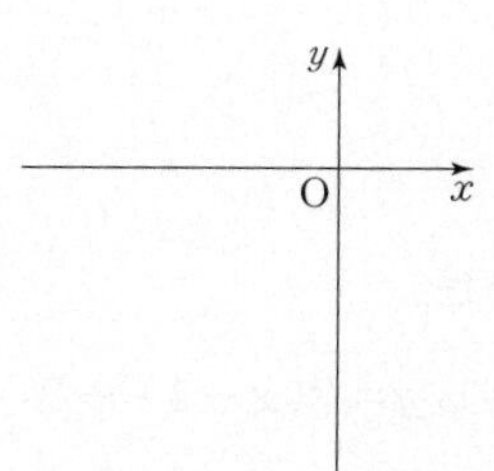

이차함수 $y=a(x-p)^2+q$의 그래프

2 다음 이차함수의 그래프를 그리시오. (단, 꼭짓점의 좌표와 y축과 만나는 점의 좌표를 반드시 표시한다.)

(1) $y=\frac{1}{2}(x+2)^2-1$

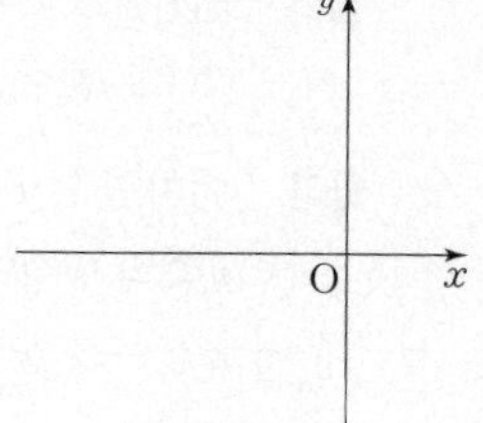

(2) $y=-\frac{1}{4}(x-2)^2-1$

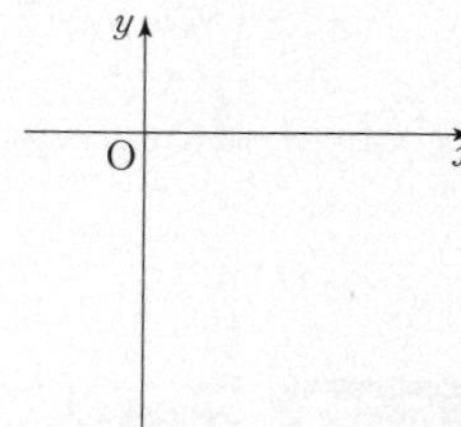

(3) $y=(x-1)^2+2$

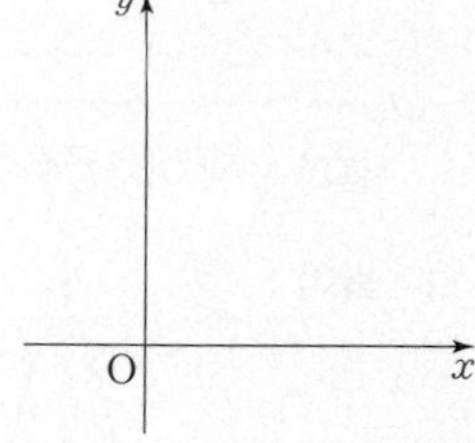

(4) $y=-(x+1)^2+2$

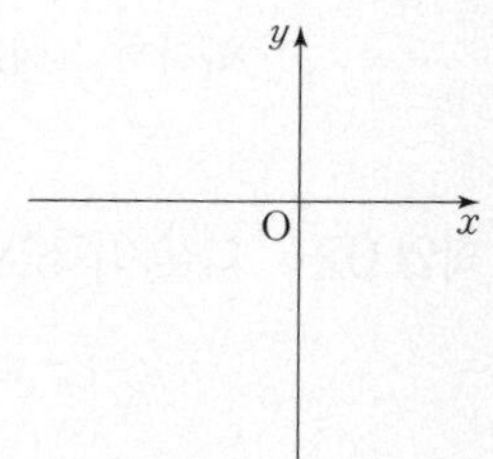

기본 01 이차함수 $y=ax^2$의 그래프의 평행이동

이차함수 $y=-3(x+2)^2+4$의 그래프는 $y=ax^2$의 그래프를 x축의 방향으로 p만큼, y축의 방향으로 q만큼 평행이동한 것과 같다. 이때 $a+p+q$의 값을 구하시오. (단, a는 상수)

셀파 이차함수 $y=a(x-p)^2+q$의 그래프
⇨ 이차함수 $y=ax^2$의 그래프를 x축의 방향으로 p만큼, y축의 방향으로 q만큼 평행이동

풀이 이차함수 $y=-3(x+2)^2+4$의 그래프는 $y=-3x^2$의 그래프를 x축의 방향으로 -2만큼, y축의 방향으로 4만큼 평행이동한 것이므로
$a=-3$, $p=-2$, $q=4$ $\qquad\therefore a+p+q=\mathbf{-1}$

해법코드
그래프를 평행이동하면 그래프의 모양은 변하지 않고 위치만 바뀐다.
(1) $y=a(x-p)^2$의 그래프
⇨ $y=ax^2$의 그래프를 x축의 방향으로 p만큼 평행이동
(2) $y=ax^2+q$의 그래프
⇨ $y=ax^2$의 그래프를 y축의 방향으로 q만큼 평행이동
(3) $y=a(x-p)^2+q$의 그래프
⇨ $y=ax^2$의 그래프를 x축의 방향으로 p만큼, y축의 방향으로 q만큼 평행이동

확인 01 이차함수 $y=\frac{2}{3}x^2$의 그래프를 평행이동하여 완전히 포갤 수 있는 그래프의 식을 **보기**에서 모두 고르시오.

보기
㉠ $y=\frac{2}{3}(x-3)^2$ ㉡ $y=\frac{3}{2}x^2-1$
㉢ $y=2+\frac{2}{3}x^2$ ㉣ $y=-\frac{2}{3}(x+1)^2-3$

» My 셀파
이차함수의 그래프를 평행이동하여 완전히 포갤 수 있으려면 x^2의 계수가 같아야 한다.

기본 02 이차함수 $y=a(x-p)^2+q$의 그래프가 지나는 사분면

다음 **보기**의 이차함수 중 그 그래프가 모든 사분면을 지나는 것을 고르시오.

보기
㉠ $y=-2x^2+1$ ㉡ $y=(x-2)^2$ ㉢ $y=-(x+2)^2+1$
㉣ $y=\frac{1}{2}(x+2)^2-1$ ㉤ $y=2(x+2)^2+1$ ㉥ $y=-\frac{1}{2}(x-1)^2-1$

셀파 각 이차함수의 그래프의 모양과 꼭짓점, 축의 방정식을 확인한다.

풀이 ㉠
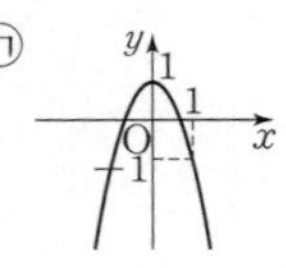
㉡
㉢
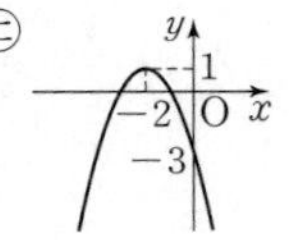
㉣
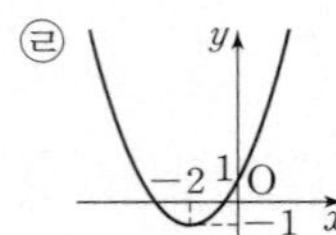
㉤
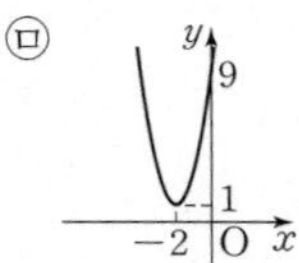
㉥
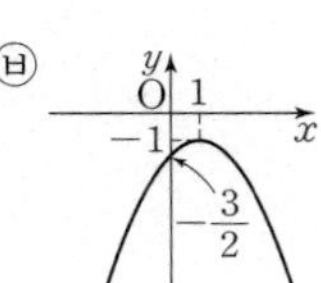

따라서 그래프가 모든 사분면을 지나는 것은 ㉠이다.

해법코드
이차함수 $y=a(x-p)^2+q$의 그래프 그리기
1 그래프의 모양 결정
⇨ $a>0$: ∪, $a<0$: ∩
2 꼭짓점 (p, q)를 찍는다.
3 그래프가 지나는 다른 한 점을 찍는다.
4 축 $x=p$에 대칭이 되도록 그린다.

참고 각 이차함수의 그래프가 지나는 사분면
㉠ 제1, 2, 3, 4사분면
㉡ 제1, 2사분면
㉢ 제2, 3, 4사분면
㉣ 제1, 2, 3사분면
㉤ 제1, 2사분면
㉥ 제3, 4사분면

확인 02 다음 이차함수의 그래프가 지나지 않는 사분면을 모두 구하시오.
(1) $y=-x^2+3$ (2) $y=2(x-1)^2$ (3) $y=3(x-1)^2-2$

» My 셀파
그래프를 그려 본다.

기본 03 이차함수 $y=ax^2+q$의 그래프의 성질

이차함수 $y=-x^2+6$의 그래프에 대한 다음 설명 중 옳지 않은 것을 모두 고르면? (정답 2개)

① 위로 볼록한 포물선이다.
② 꼭짓점의 좌표는 $(6, 0)$이다.
③ 축의 방정식은 $x=0$이다.
④ $y=-\frac{1}{2}x^2$의 그래프보다 폭이 좁다.
⑤ $y=-x^2$의 그래프를 x축의 방향으로 6만큼 평행이동한 것이다.

해법코드

이차함수 $y=ax^2+q$의 그래프는 $y=ax^2$의 그래프를 y축의 방향으로 q만큼 평행이동한 것이다.
⇨ 꼭짓점의 좌표: $(0, q)$
축의 방정식: $x=0$

셀파 $y=-x^2 \xrightarrow[\text{6만큼 평행이동}]{y\text{축의 방향으로}} y=-x^2+6$

풀이 ① x^2의 계수가 -1로 음수이므로 위로 볼록한 포물선이다.
② 꼭짓점의 좌표는 $(0, 6)$이다.
④ x^2의 계수의 절댓값을 비교하면 $\left|-\frac{1}{2}\right|<|-1|$이므로
$y=-\frac{1}{2}x^2$의 그래프보다 폭이 좁다.
⑤ $y=-x^2$의 그래프를 y축의 방향으로 6만큼 평행이동한 것이다.
따라서 옳지 않은 것은 ②, ⑤이다.

이차함수의 그래프를 평행이동하더라도 그래프의 모양은 변하지 않으므로 폭도 변함없다. 따라서 그래프의 폭을 비교할 때는 평행이동과 상관없이 x^2의 계수의 절댓값을 비교하면 된다.

확인 03 이차함수 $y=2x^2-3$의 그래프에 대한 다음 설명 중 옳지 않은 것은?

① 아래로 볼록한 포물선이다.
② 축의 방정식은 $x=-3$이다.
③ 꼭짓점의 좌표는 $(0, -3)$이다.
④ 제1, 2, 3, 4사분면을 모두 지난다.
⑤ $y=2x^2$의 그래프를 y축의 방향으로 -3만큼 평행이동한 것이다.

» My 셀파
이차함수 $y=2x^2-3$의 그래프는 $y=2x^2$의 그래프를 y축의 방향으로 -3만큼 평행이동한 것이다.

기본 04 이차함수 $y=ax^2+q$의 그래프가 지나는 점

이차함수 $y=3x^2$의 그래프를 y축의 방향으로 -5만큼 평행이동하면 점 $(-2, k)$를 지난다. 이때 k의 값을 구하시오.

해법코드

그래프가 점 (a, b)를 지난다.
⇨ $x=a$, $y=b$를 그래프의 식에 대입하면 등식이 성립한다.

셀파 $y=3x^2 \xrightarrow[-5\text{만큼 평행이동}]{y\text{축의 방향으로}} y=3x^2-5$

풀이 $y=3x^2$의 그래프를 y축의 방향으로 -5만큼 평행이동한 그래프의 식은 $y=3x^2-5$
이 그래프가 점 $(-2, k)$를 지나므로 $x=-2$, $y=k$를 $y=3x^2-5$에 대입하면
$k=3\times(-2)^2-5=\mathbf{7}$

참고 이차함수 $y=ax^2$의 그래프를 y축의 방향으로 q만큼 평행이동하면 y 대신 $y-q$를 대입한다.
⇨ $y=3x^2$에 y 대신 $y-(-5)$, 즉 $y+5$를 대입하면
$y+5=3x^2 \quad \therefore y=3x^2-5$

확인 04 이차함수 $y=-\frac{1}{3}x^2$의 그래프를 y축의 방향으로 q만큼 평행이동하면 점 $(3, -5)$를 지난다. 이때 q의 값을 구하시오.

» My 셀파
평행이동한 그래프의 식을 구한 후 그 식에 $x=3$, $y=-5$를 대입한다.

기본 05 이차함수 $y=a(x-p)^2$의 그래프의 성질

이차함수 $y=\frac{1}{2}(x+3)^2$의 그래프에 대한 다음 설명 중 옳지 않은 것은?

① 위로 볼록한 포물선이다.
② 축의 방정식은 $x=-3$이다.
③ 꼭짓점의 좌표는 $(-3, 0)$이다.
④ 제1, 2사분면을 지난다.
⑤ $y=\frac{1}{2}x^2$의 그래프를 x축의 방향으로 -3만큼 평행이동한 것이다.

해법코드
이차함수 $y=a(x-p)^2$의 그래프는 $y=ax^2$의 그래프를 x축의 방향으로 p만큼 평행이동한 것이다.
⇨ 꼭짓점의 좌표: $(p, 0)$
축의 방정식: $x=p$

셀파 $y=\frac{1}{2}x^2 \xrightarrow[-3\text{만큼 평행이동}]{x\text{축의 방향으로}} y=\frac{1}{2}(x+3)^2$

풀이 ① x^2의 계수가 $\frac{1}{2}$로 양수이므로 아래로 볼록한 포물선이다.

② $y=\frac{1}{2}(x+3)^2=\frac{1}{2}\{x-(-3)\}^2$이므로 축의 방정식은 $x=-3$이다.

④ 이차함수 $y=\frac{1}{2}(x+3)^2$의 그래프는 오른쪽 그림과 같으므로 제1, 2사분면을 지난다.

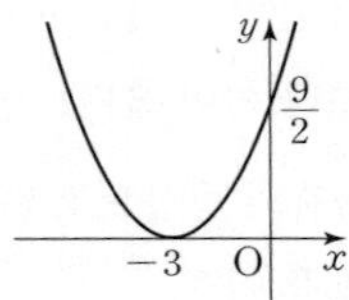

따라서 옳지 않은 것은 ①이다.

확인 05 이차함수 $y=-3(x+1)^2$의 그래프에 대한 다음 설명 중 옳은 것은?

① 아래로 볼록한 포물선이다.
② 축의 방정식은 $x=1$이다.
③ 꼭짓점의 좌표는 $(1, 0)$이다.
④ $y=3x^2$의 그래프와 폭이 같다.
⑤ $x>-1$일 때, x의 값이 증가하면 y의 값도 증가한다.

» My 셀파
이차함수 $y=-3(x+1)^2$의 그래프는 $y=-3x^2$의 그래프를 x축의 방향으로 -1만큼 평행이동한 것이다.

기본 06 이차함수 $y=a(x-p)^2$의 그래프가 지나는 점

이차함수 $y=-\frac{3}{2}x^2$의 그래프를 x축의 방향으로 p만큼 평행이동하면 점 $(3, -6)$을 지난다. 이때 p의 값을 모두 구하시오.

해법코드
평행이동한 그래프의 식에 점 $(3, -6)$의 좌표를 대입하여 p의 값을 구한다.

셀파 $y=ax^2 \xrightarrow[p\text{만큼 평행이동}]{x\text{축의 방향으로}} y=a(x-p)^2$

풀이 $y=-\frac{3}{2}x^2$의 그래프를 x축의 방향으로 p만큼 평행이동한 그래프의 식은

$y=-\frac{3}{2}(x-p)^2$

이 그래프가 점 $(3, -6)$을 지나므로 $x=3$, $y=-6$을 $y=-\frac{3}{2}(x-p)^2$에 대입하면

$-6=-\frac{3}{2}\times(3-p)^2$, $(3-p)^2=4$, $p^2-6p+5=0$

$(p-1)(p-5)=0 \quad \therefore$ **$p=1$ 또는 $p=5$**

참고 이차함수 $y=ax^2$의 그래프를 x축의 방향으로 p만큼 평행이동하면 x 대신 $x-p$를 대입한다.
⇨ $y=-\frac{3}{2}x^2$에 x 대신 $x-p$를 대입하면 $y=-\frac{3}{2}(x-p)^2$

확인 06 이차함수 $y=-3x^2$의 그래프를 x축의 방향으로 p만큼 평행이동하면 축의 방정식이 $x=-4$이고, 점 $(-1, k)$를 지난다. 이때 k의 값을 구하시오.

» My 셀파
이차함수 $y=a(x-p)^2$의 그래프의 축의 방정식은 $x=p$이다.

기본 07 이차함수 $y=a(x-p)^2+q$의 그래프의 성질

이차함수 $y=-2(x+1)^2+3$의 그래프에 대한 다음 설명 중 옳은 것은?

① 꼭짓점의 좌표는 $(1, 3)$이다.
② 제1사분면은 지나지 않는다.
③ y축과 점 $(0, 1)$에서 만난다.
④ 축의 방정식은 $x=1$이다.
⑤ $x<-1$일 때, x의 값이 증가하면 y의 값은 감소한다.

해법코드

이차함수 $y=a(x-p)^2+q$의 그래프는 $y=ax^2$의 그래프를 x축의 방향으로 p만큼, y축의 방향으로 q만큼 평행이동한 것이다.
⇨ 꼭짓점의 좌표: (p, q)
축의 방정식: $x=p$

셀파 $y=-2x^2 \xrightarrow[y\text{축의 방향으로 }3\text{만큼 평행이동}]{x\text{축의 방향으로 }-1\text{만큼}} y=-2(x+1)^2+3$

풀이 ① ㉠꼭짓점의 좌표는 $(-1, 3)$이다.
② $y=-2(x+1)^2+3$의 그래프는 오른쪽 그림과 같으므로
제1, 2, 3, 4사분면, 즉 모든 사분면을 지난다.
③ $x=0$일 때, $y=-2\times(0+1)^2+3=1$이므로
y축과 점 $(0, 1)$에서 만난다.
④ 축의 방정식은 $x=-1$이다.
⑤ $x<-1$일 때, x의 값이 증가하면 y의 값도 증가한다.
따라서 옳은 것은 ③이다.

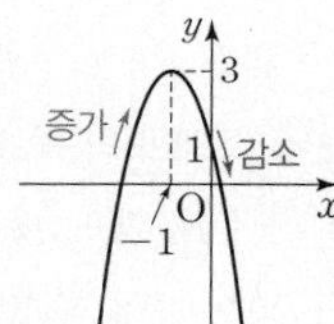

㉠ $y=-2(x+1)^2+3$
$=-2\{x-(-1)\}^2+3$

확인 07 이차함수 $y=-\frac{1}{2}(x-4)^2-1$의 그래프에 대한 다음 설명 중 옳은 것을 모두 고르면? (정답 2개)

① 아래로 볼록한 포물선이다.
② 축의 방정식은 $x=-4$이다.
③ 꼭짓점의 좌표는 $(4, -1)$이다.
④ 모든 사분면을 지난다.
⑤ $x>4$일 때, x의 값이 증가하면 y의 값은 감소한다.

» My 셀파

이차함수 $y=-\frac{1}{2}(x-4)^2-1$의 그래프는 $y=-\frac{1}{2}x^2$의 그래프를 x축의 방향으로 4만큼, y축의 방향으로 -1만큼 평행이동한 것이다.

기본 08 이차함수 $y=a(x-p)^2+q$의 그래프가 지나는 점

이차함수 $y=3x^2$의 그래프를 x축의 방향으로 1만큼, y축의 방향으로 q만큼 평행이동하면 점 $(2, -1)$을 지난다. 이때 q의 값을 구하시오.

해법코드

평행이동한 그래프의 식에 점 $(2, -1)$의 좌표를 대입하여 q의 값을 구한다.

셀파 $y=3x^2 \xrightarrow[y\text{축의 방향으로 }q\text{만큼 평행이동}]{x\text{축의 방향으로 }1\text{만큼}} y=3(x-1)^2+q$

풀이 $y=3x^2$의 그래프를 x축의 방향으로 1만큼, y축의 방향으로 q만큼 평행이동한 그래프의 식은 $y=3(x-1)^2+q$
이 그래프가 점 $(2, -1)$을 지나므로 $x=2$, $y=-1$을 $y=3(x-1)^2+q$에 대입하면
$-1=3\times(2-1)^2+q$, $-1=3+q$ $\quad\therefore q=\mathbf{-4}$

참고 이차함수 $y=ax^2$의 그래프를 x축의 방향으로 p만큼, y축의 방향으로 q만큼 평행이동하면 x 대신 $x-p$, y 대신 $y-q$를 대입한다.
⇨ $y=3x^2$에 x 대신 $x-1$, y 대신 $y-q$를 대입하면
$y-q=3(x-1)^2$
$\therefore y=3(x-1)^2+q$

확인 08 이차함수 $y=-2x^2$의 그래프를 x축의 방향으로 1만큼, y축의 방향으로 -2만큼 평행이동하면 점 $(2, k)$를 지난다. 이때 k의 값을 구하시오.

» My 셀파

평행이동한 그래프의 식을 구한 후 그 식에 $x=2$, $y=k$를 대입한다.

기본 09 이차함수 $y=a(x-p)^2+q$의 그래프의 평행이동

이차함수 $y=(x-1)^2+2$의 그래프를 x축의 방향으로 m만큼, y축의 방향으로 n만큼 평행이동하였더니 $y=(x+2)^2-3$의 그래프가 되었다. 이때 m, n의 값을 각각 구하시오.

해법코드

이차함수 $y=a(x-p)^2+q$의 그래프를 x축의 방향으로 m만큼, y축의 방향으로 n만큼 평행이동한 그래프의 식
⇨ x 대신 $x-m$, y 대신 $y-n$을 대입한다.

셀파 $y=a(x-p)^2+q \xrightarrow[y\text{축의 방향으로 } n\text{만큼 평행이동}]{x\text{축의 방향으로 } m\text{만큼}} y=a(x-m-p)^2+q+n$

풀이 이차함수 $y=(x-1)^2+2$의 그래프를 x축의 방향으로 m만큼, y축의 방향으로 n만큼 평행이동한 그래프의 식은 $y=(x-m-1)^2+2+n$

이 식이 $y=(x+2)^2-3$과 일치하므로 $-m-1=2$, $2+n=-3$

$\therefore$ $\boldsymbol{m=-3,\ n=-5}$

다른 풀이 이차함수 $y=(x-1)^2+2$의 그래프의 꼭짓점 $(1, 2)$를 x축의 방향으로 m만큼, y축의 방향으로 n만큼 평행이동하면 $(1+m, 2+n)$

이 점이 이차함수 $y=(x+2)^2-3$의 꼭짓점 $(-2, -3)$과 일치하므로

$1+m=-2$, $2+n=-3$

$\therefore$ $m=-3$, $n=-5$

확인 09 이차함수 $y=-2(x-4)^2-1$의 그래프를 x축의 방향으로 1만큼, y축의 방향으로 -3만큼 평행이동한 그래프에서 꼭짓점의 좌표는 (a, b)이고 축의 방정식은 $x=c$이다. 이때 a, b, c의 값을 각각 구하시오.

» My 셀파

$y=-2(x-4)^2-1$에 x 대신 $x-1$, y 대신 $y+3$을 대입하여 평행이동한 그래프의 식을 구한다.

기본 10 이차함수 $y=a(x-p)^2+q$의 식 구하기

이차함수 $y=a(x-p)^2+q$의 그래프에서 꼭짓점의 좌표는 $(-3, 2)$이다. 이 그래프가 점 $(1, 18)$을 지날 때, 상수 a, p, q의 값을 각각 구하시오.

해법코드

$y=a(x-p)^2+q$의 그래프에서
① 꼭짓점의 좌표: (p, q)
② 축의 방정식: $x=p$

셀파 주어진 꼭짓점의 좌표로 p, q의 값을 구한 후 다른 한 점의 좌표를 이용하여 a의 값을 구한다.

풀이 이차함수 $y=a(x-p)^2+q$의 그래프에서 꼭짓점의 좌표 (p, q)가 $(-3, 2)$이므로

$\boldsymbol{p=-3,\ q=2}$

$y=a(x+3)^2+2$의 그래프가 점 $(1, 18)$을 지나므로

$x=1$, $y=18$을 $y=a(x+3)^2+2$에 대입하면

$18=a\times(1+3)^2+2$, $18=16a+2$

$16a=16$ $\quad\therefore$ $\boldsymbol{a=1}$

이차함수	꼭짓점의 좌표	축의 방정식
$y=ax^2$	$(0, 0)$	$x=0$
$y=ax^2+q$	$(0, q)$	
$y=a(x-p)^2$	$(p, 0)$	$x=p$
$y=a(x-p)^2+q$	(p, q)	

확인 10 이차함수 $y=a(x+b)^2+1$의 그래프는 직선 $x=3$을 축으로 하고, 점 $(4, -1)$을 지난다. 이때 상수 a, b의 값을 각각 구하시오.

» My 셀파

이차함수 $y=a(x+b)^2+1$의 그래프에서 축의 방정식은 $x=-b$이다.

기본 11 이차함수의 그래프에서 증가, 감소하는 범위

다음 이차함수의 그래프에서 x의 값이 증가할 때, y의 값은 감소하는 x의 값의 범위를 구하시오.

(1) $y=(x-2)^2+3$ (2) $y=-(x+2)^2+1$

해법코드

이차함수 $y=a(x-p)^2+q$의 그래프에서 증가, 감소하는 범위는 먼저 x^2의 계수의 부호로 그래프의 개형을 그려 본 후, 축 $x=p$를 기준으로 생각한다.

셀파 이차함수 $y=a(x-p)^2+q$의 그래프의 증가, 감소 ⇨ $x=p$의 좌우에서 바뀐다.

풀이 (1) $y=(x-2)^2+3$에서 x^2의 계수가 양수이므로 그래프는 아래로 볼록하고 축의 방정식은 $x=2$이다.
따라서 그래프가 오른쪽 그림과 같으므로 x의 값이 증가할 때, y의 값은 감소하는 x의 값의 범위는 $\boldsymbol{x<2}$

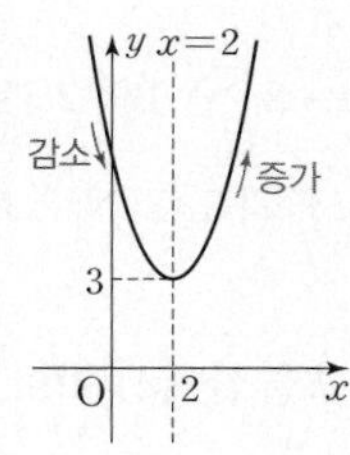

(2) $y=-(x+2)^2+1$에서 x^2의 계수가 음수이므로 그래프는 위로 볼록하고 축의 방정식은 $x=-2$이다.
따라서 그래프가 오른쪽 그림과 같으므로 x의 값이 증가할 때, y의 값은 감소하는 x의 값의 범위는 $\boldsymbol{x>-2}$

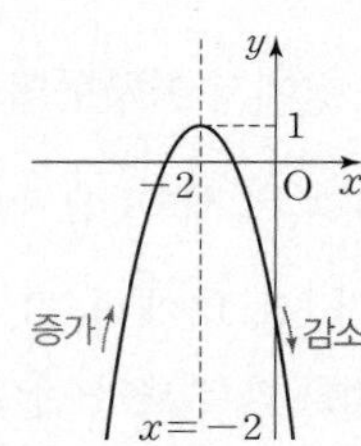

확인 11 이차함수 $y=-\frac{3}{2}x^2$의 그래프를 x축의 방향으로 3만큼, y축의 방향으로 -1만큼 평행이동한 그래프에서 x의 값이 증가할 때, y의 값도 증가하는 x의 값의 범위를 구하시오.

» My 셀파
평행이동한 그래프를 그려 본다.

발전 12 이차함수 $y=a(x-p)^2+q$의 그래프에서 a, p, q의 부호

이차함수 $y=a(x-p)^2+q$의 그래프가 오른쪽 그림과 같을 때, 상수 a, p, q의 부호를 각각 구하시오.

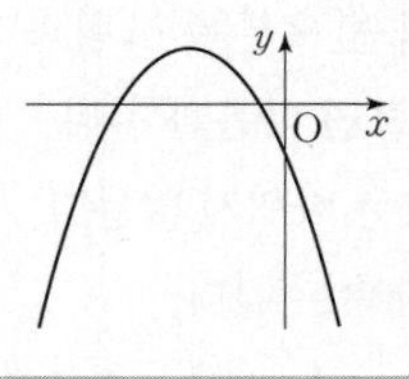

해법코드

이차함수 $y=a(x-p)^2+q$의 그래프
① 그래프의 볼록한 방향
⇨ a의 부호로 결정된다.
② 꼭짓점의 위치
⇨ p, q의 부호로 결정된다.

셀파 그래프의 볼록한 방향을 확인하고 꼭짓점의 위치를 찾아본다.

풀이 그래프가 위로 볼록하므로 $\boldsymbol{a<0}$
꼭짓점 (p, q)가 제2사분면 위에 있으므로 $\boldsymbol{p<0,\ q>0}$

확인 12 이차함수 $y=a(x+p)^2+q$의 그래프가 오른쪽 그림과 같을 때, 다음 물음에 답하시오. (단, a, p, q는 상수)

(1) a, p, q의 부호를 각각 구하시오.

(2) 이차함수 $y=q(x+a)^2-p$의 그래프가 지나는 사분면을 모두 구하시오.

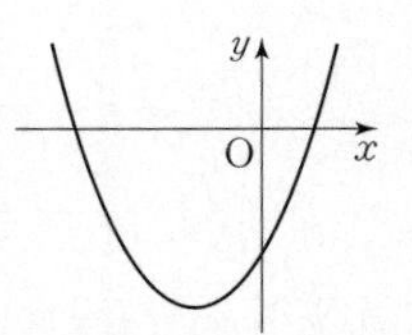

» My 셀파
이차함수 $y=a(x+p)^2+q$의 그래프에서 꼭짓점의 좌표는 $(-p, q)$이다.

개념 더 알아보기

셀파 특강

이차함수 $y=a(x-p)^2+q$의 그래프의 대칭이동

Q **예를 들어 이차함수 $y=\frac{1}{2}(x-3)^2+1$의 그래프를 x축에 ㉠대칭이동한 그래프의 식은 어떻게 구할까?**

A 이차함수 $y=\frac{1}{2}(x-3)^2+1$의 그래프를 x축에 대칭이동하면 오른쪽 그림과 같고, 두 그래프를 살펴보면 다음과 같다.

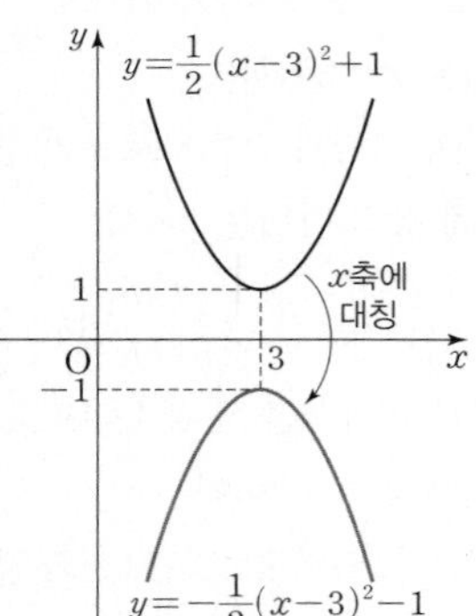

① 아래로 볼록한 포물선에서 위로 볼록한 포물선으로 바뀌었다.

⇨ 두 그래프의 식에서 이차항의 계수의 부호가 반대이다. 즉 x^2의 계수: $\frac{1}{2} \to -\frac{1}{2}$

② 꼭짓점의 좌표가 $(3, 1)$에서 $(3, -1)$로 바뀌었다.

⇨ 꼭짓점의 y좌표의 부호가 반대이다.

따라서 x축에 대칭이동한 그래프의 식은 $y=-\frac{1}{2}(x-3)^2-1$이 된다.

㉠ 어떤 것을 기준으로 접었을 때, 겹쳐지는 것을 대칭이라 한다. x축, y축을 기준으로 각각 접어 보면 대칭인 점의 좌표의 부호가 바뀌는 것을 알 수 있다.

● 점 $P(a, b)$와 대칭인 점의 좌표

(1) x축에 대칭인 점의 좌표
⇨ $Q(a, -b)$

(2) y축에 대칭인 점의 좌표
⇨ $R(-a, b)$

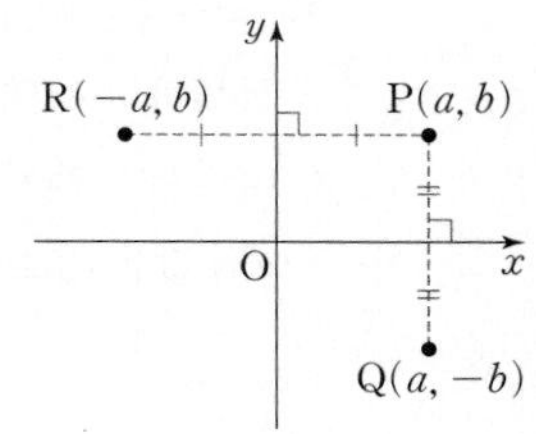

Q **그럼 이차함수 $y=\frac{1}{2}(x-3)^2+1$의 그래프를 y축에 대칭이동한 그래프의 식은 어떻게 구할까?**

A 이차함수 $y=\frac{1}{2}(x-3)^2+1$의 그래프를 y축에 대칭이동하면 오른쪽 그림과 같고, 두 그래프를 살펴보면 다음과 같다.

① 그래프의 모양은 바뀌지 않는다.

⇨ 이차항의 계수는 같다.

즉 x^2의 계수: $\frac{1}{2} \to \frac{1}{2}$

② 꼭짓점의 좌표가 $(3, 1)$에서 $(-3, 1)$로 바뀌었다.

⇨ 꼭짓점의 x좌표의 부호가 반대이다.

따라서 y축에 대칭이동한 그래프의 식은 $y=\frac{1}{2}(x+3)^2+1$이 된다.

참고 이차함수 $y=a(x-p)^2+q$의 그래프의 대칭이동

(1) x축에 대칭이동

① x^2의 계수: $a \to -a$

② 꼭짓점의 좌표: $(p, q) \to (p, -q)$

⇨ x축에 대칭인 그래프의 식은 $y=-a(x-p)^2-q$

(2) y축에 대칭이동

① x^2의 계수는 변함없다.

② 꼭짓점의 좌표: $(p, q) \to (-p, q)$

⇨ y축에 대칭인 그래프의 식은 $y=a(x+p)^2+q$

Note

• 이차함수 $y=a(x-p)^2+q$의 그래프를 x축에 대칭이동한 그래프의 식 ⇨ $y=-a(x-p)^2-q$

• 이차함수 $y=a(x-p)^2+q$의 그래프를 y축에 대칭이동한 그래프의 식 ⇨ $y=a(x+p)^2+q$

실력 키우기

빠른 정답 228쪽 | 정답과 해설 76쪽

01 이차함수 $y=ax^2$의 그래프의 평행이동

다음 이차함수의 그래프 중 이차함수 $y=3(x-2)^2-5$의 그래프를 평행이동하여 포갤 수 없는 것을 모두 고르면? (정답 2개)

① $y=3x^2-\frac{1}{4}$ ② $y=3(x+1)^2$

③ $y=-3x^2$ ④ $y=3\left(x-\frac{1}{2}\right)^2+5$

⑤ $y=\frac{1}{3}(x-2)^2-3$

02 이차함수 $y=ax^2$의 그래프의 평행이동

이차함수 $y=-\frac{1}{2}x^2$의 그래프를 x축의 방향으로 p만큼, y축의 방향으로 3만큼 평행이동한 그래프를 나타내는 이차함수의 식이 $y=a(x+2)^2-q$와 같을 때, $ap+q$의 값을 구하시오. (단, a, q는 상수)

03 이차함수 $y=a(x-p)^2+q$의 그래프가 지나는 사분면

다음 이차함수의 그래프 중 모든 사분면을 지나는 것은?

① $y=-x^2-3$ ② $y=(x+2)^2$

③ $y=\frac{1}{3}(x+3)^2+1$ ④ $y=2(x+1)^2-5$

⑤ $y=-3(x-1)^2-2$

04 이차함수 $y=ax^2+q$의 그래프

오른쪽 그림은 이차함수 $y=-x^2$의 그래프를 y축의 방향으로 평행이동한 것이다. 이 그래프가 점 $(-1, k)$를 지날 때, k의 값을 구하시오.

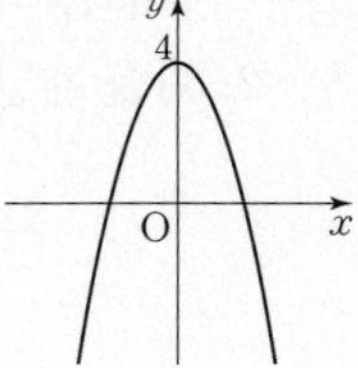

05 이차함수 $y=a(x-p)^2$의 그래프 서술형

이차함수 $y=ax^2$의 그래프를 x축의 방향으로 p만큼 평행이동한 그래프에서 꼭짓점의 좌표는 $(-2, 0)$이고, 그 그래프는 점 $(1, 3)$을 지난다. 이때 상수 a의 값을 구하시오.

06 이차함수 $y=a(x-p)^2$의 그래프의 성질

다음 **보기**에서 이차함수 $y=a(x-3)^2$의 그래프에 대한 설명으로 옳은 것을 모두 고르시오.

보기

ㄱ. $y=ax^2$의 그래프를 평행이동한 그래프이다.
ㄴ. $a=2$이면 위로 볼록한 포물선이다.
ㄷ. 꼭짓점의 좌표는 $(0, 0)$이다.
ㄹ. $a<0$이면 $x>3$일 때, x의 값이 증가하면 y의 값은 감소한다.

07 이차함수 $y=a(x-p)^2+q$의 그래프

이차함수 $y=a(x-p)^2+q$의 그래프는 축의 방정식이 $x=-4$이고, 꼭짓점의 y좌표가 -5이다. 이 그래프가 점 $(-2, 3)$을 지날 때, 상수 a, p, q의 값을 각각 구하시오.

08 이차함수 $y=a(x-p)^2+q$의 그래프

서술형

이차함수 $y=-\frac{3}{4}(x-p)^2+3p$의 그래프의 꼭짓점이 직선 $y=-x+4$ 위에 있을 때, 상수 p의 값을 구하시오.

09 이차함수 $y=a(x-p)^2+q$의 그래프의 성질

다음 중 이차함수 $y=-5(x-4)^2+2$의 그래프에 대한 설명으로 옳은 것은?

① 아래로 볼록한 포물선이다.
② 꼭짓점의 좌표는 $(2, 4)$이다.
③ y축과 만나는 점의 좌표는 $(0, 2)$이다.
④ 축의 방정식은 $x=4$이다.
⑤ $y=-5x^2$의 그래프를 x축의 방향으로 -4만큼, y축의 방향으로 2만큼 평행이동한 그래프이다.

10 이차함수 $y=a(x-p)^2+q$의 그래프의 평행이동

이차함수 $y=a(x-2)^2+b$의 그래프를 x축의 방향으로 3만큼, y축의 방향으로 -1만큼 평행이동하였더니 $y=-(x+c)^2+3$의 그래프와 일치하였다. 이때 상수 a, b, c에 대하여 $a-b-c$의 값을 구하시오.

11 이차함수 $y=a(x-p)^2+q$의 식 구하기

서술형

이차함수 $y=a(x-p)^2+q$의 그래프가 오른쪽 그림과 같을 때, apq의 값을 구하시오. (단, a, p, q는 상수)

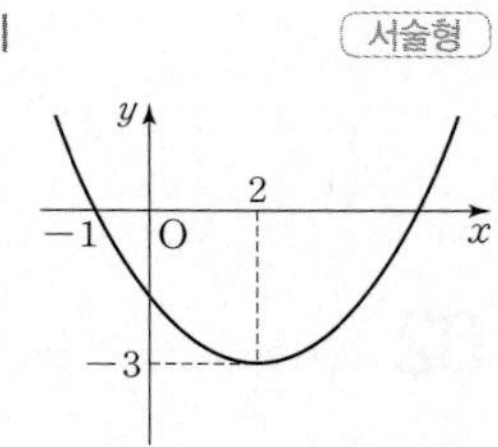

12 이차함수의 그래프에서 증가, 감소하는 범위

다음 이차함수의 그래프 중 $x>-3$일 때, x의 값이 증가하면 y의 값은 감소하는 것은?

① $y=-2x^2+3$
② $y=(x+3)^2$
③ $y=-\frac{1}{2}(x+3)^2-2$
④ $y=\frac{1}{3}(x-3)^2+4$
⑤ $y=-(x+2)^2+1$

13 이차함수 $y=a(x-p)^2+q$의 그래프에서 a, p, q의 부호

이차함수 $y=a(x-p)^2+q$의 그래프가 오른쪽 그림과 같을 때, a, p, q의 부호로 알맞은 것은?

(단, a, p, q는 상수)

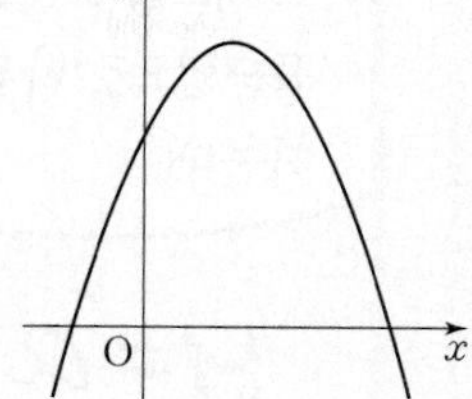

① $a<0, p>0, q>0$
② $a<0, p<0, q>0$
③ $a>0, p<0, q>0$
④ $a>0, p>0, q<0$
⑤ $a>0, p<0, q<0$

14 이차함수 $y=a(x-p)^2+q$의 그래프에서 a, p, q의 부호 (융합형)

일차함수 $y=ax+b$의 그래프가 오른쪽 그림과 같을 때, 다음 중 이차함수 $y=a(x-b)^2$의 그래프의 개형으로 알맞은 것은?

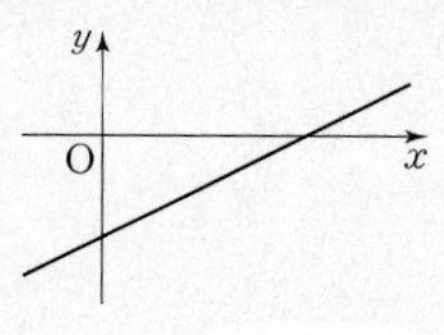

①

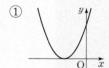

②
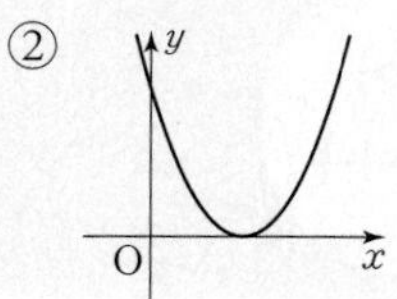

③

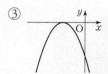

④
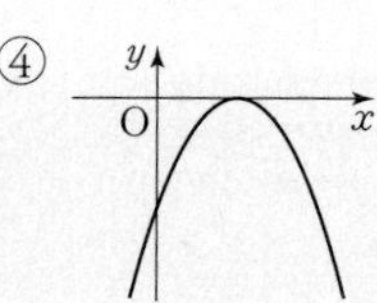

⑤

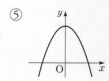

15 이차함수 $y=a(x-p)^2+q$의 그래프의 활용 (서술형)

오른쪽 그림과 같이 이차함수 $y=-(x-2)^2+1$의 그래프와 x축이 만나는 두 점을 각각 A, B라 하고, 이 그래프의 꼭짓점을 C라 할 때, 삼각형 ABC의 넓이를 구하시오.

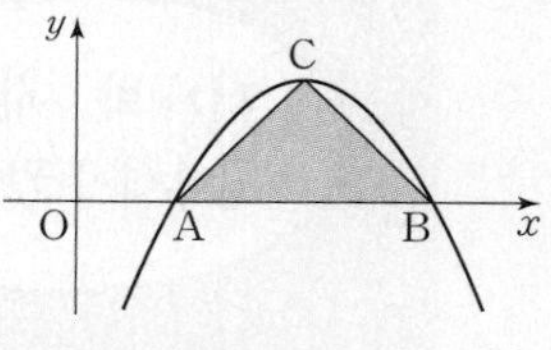

16 이차함수 $y=a(x-p)^2$의 그래프의 활용 (창의력)

오른쪽 그림과 같은 두 이차함수 $y=\frac{1}{2}(x+3)^2$, $y=\frac{1}{2}(x-2)^2$의 그래프 위의 두 점 A, B에 대하여 선분 AB가 x축과 평행할 때, $\overline{AB}$의 길이를 구하시오.

(단, 두 점 A, B는 각 포물선의 축의 왼쪽에 있다.)

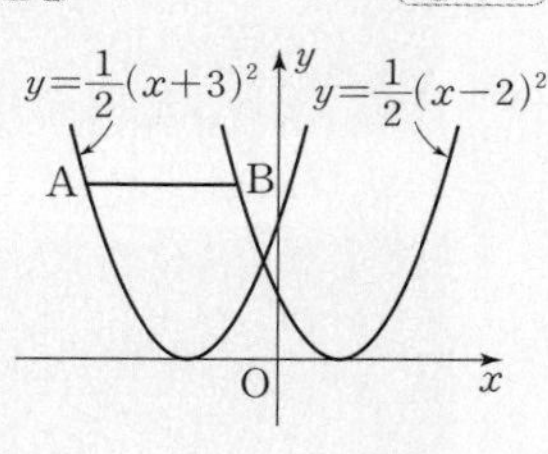

17 이차함수 $y=ax^2+q$의 그래프의 활용

오른쪽 그림과 같이 두 점 A, B는 이차함수 $y=-x^2+6$의 그래프 위에 있고, 두 점 C, D는 이차함수 $y=x^2-6$의 그래프 위에 있다. □ABCD가 정사각형일 때, 이 정사각형의 넓이를 구하시오. (단, 점 A는 제1사분면 위의 점이고, $\overline{AB}$는 x축에 평행하다.)

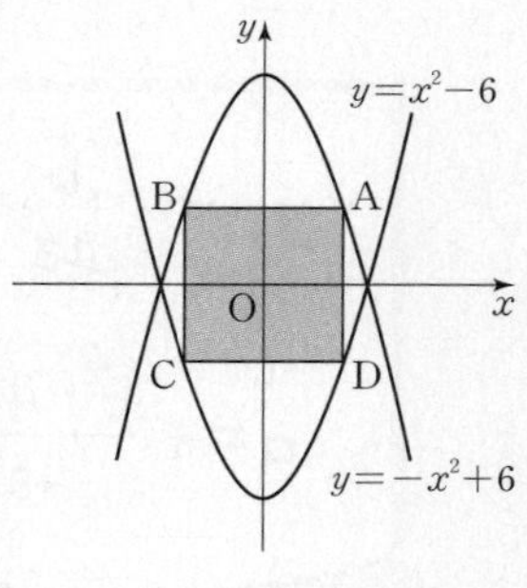

저기 봐. 새로운
함수식이 떴다!
$y=ax^2+bx+c$
이번 그래프도
기대가 되는데.
$y=ax^2+bx+c$
이 꼴은 이차함수의
일반형이잖아.

그래프를 그리려면
표준형으로 바꿔야
하는데.
$y=a(x-p)^2+q$
이 꼴이 표준형 ↗

함수식이
변하고 있어.

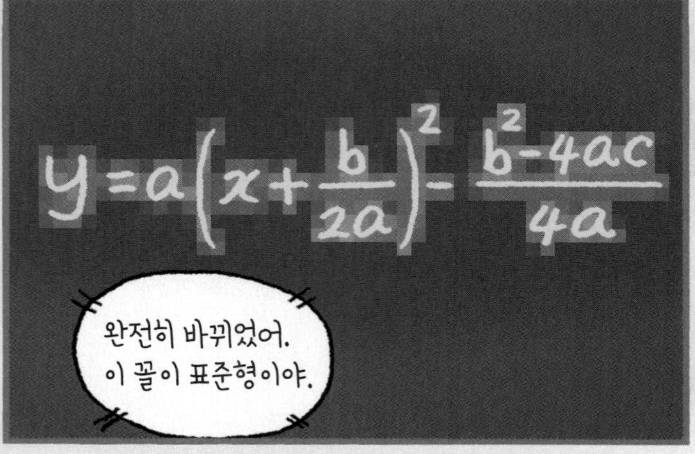
$y=a\left(x+\frac{b}{2a}\right)^2-\frac{b^2-4ac}{4a}$
완전히 바뀌었어.
이 꼴이 표준형이야.

$p=-\frac{b}{2a}$
$q=-\frac{b^2-4ac}{4a}$
꼭짓점의 좌표가
(p, q)라는 건
나도 알고 있지.
(P, q)

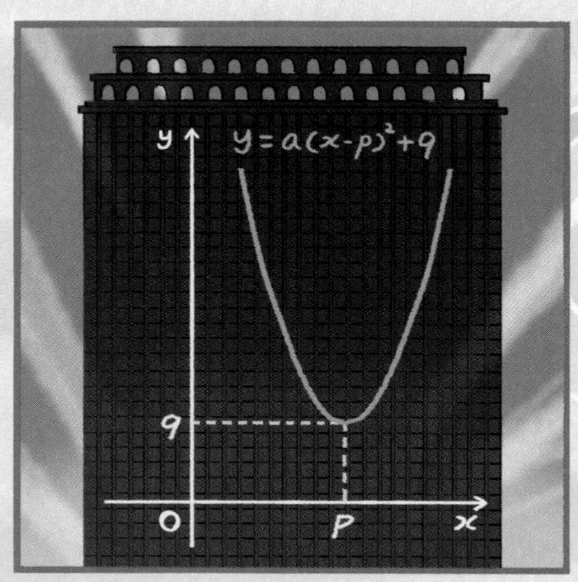
$y=a(x-p)^2+q$
y
q
O
P
x

13

IV | 이차함수

이차함수 $y=ax^2+bx+c$의 그래프

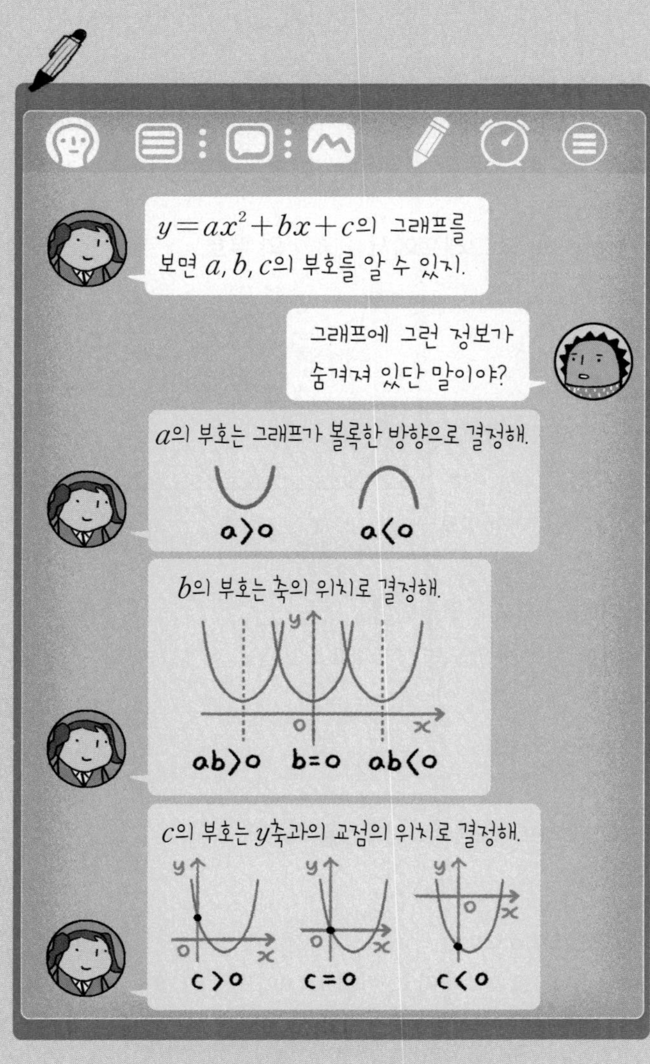

13 1. 이차함수 $y=ax^2+bx+c$의 그래프

1 이차함수 $y=ax^2+bx+c$의 그래프

이차함수 $y=ax^2+bx+c$의 그래프는 $y=a(x-p)^2+q$ 꼴로 고쳐서 그릴 수 있다. ⇨ ㉠$y=ax^2+bx+c=a\left(x+\frac{b}{2a}\right)^2-\frac{b^2-4ac}{4a}$

① 꼭짓점의 좌표: $\left(\square, -\frac{b^2-4ac}{4a}\right)$ $-\frac{b}{2a}$

② 축의 방정식: $x=-\frac{b}{2a}$ ③ ㉡y축과의 교점의 좌표: $(0, \square)$ c

● $y=ax^2+bx+c$ 꼴을 이차함수의 일반형이라 하고, $y=a(x-p)^2+q$ 꼴을 이차함수의 표준형이라 한다.

보기 이차함수 $y=x^2-2x+3$의 그래프를 그리시오.

풀이 $y=x^2-2x+3=(x^2-2x+1-1)+3=(x-1)^2+2$

⇨ 꼭짓점의 좌표: $(1, 2)$

축의 방정식: $x=1$

y축과의 교점의 좌표: $(0, 3)$

따라서 $y=x^2-2x+3$의 그래프는 오른쪽 그림과 같다.

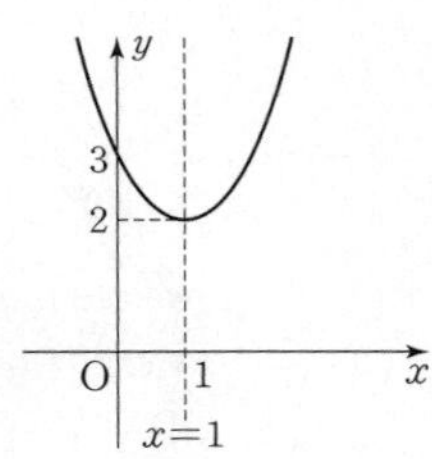

㉠ $y=ax^2+bx+c$
$=a\left(x^2+\frac{b}{a}x\right)+c$
$=a\left\{x^2+\frac{b}{a}x+\left(\frac{b}{2a}\right)^2-\left(\frac{b}{2a}\right)^2\right\}+c$
$=a\left(x+\frac{b}{2a}\right)^2-\frac{b^2-4ac}{4a}$

2 이차함수 $y=ax^2+bx+c$의 그래프에서 a, b, c의 부호

(1) **a의 부호** 그래프가 볼록한 방향을 보고 결정한다.

① 아래로 볼록(∪) ⇨ $a>0$

② 위로 볼록(∩) ⇨ $a\square 0$ $<$

(2) **b의 부호** ㉢축의 위치를 보고 결정한다.

① 축이 y축의 왼쪽에 있으면 ⇨ $ab\square 0$ $>$

② 축이 y축의 오른쪽에 있으면 ⇨ $ab<0$

③ 축이 y축이면 ⇨ $b=\square$ 0

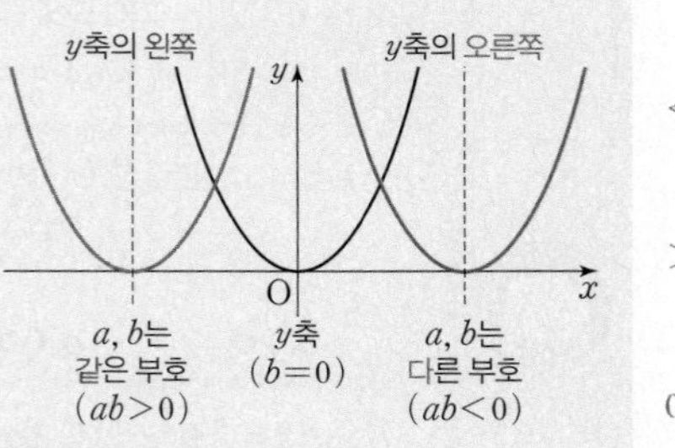

(3) **c의 부호** y축과의 교점의 위치를 보고 결정한다.

① y축과의 교점이 원점보다 위쪽에 있으면 ⇨ $c>0$

② y축과의 교점이 원점보다 $\square$쪽에 있으면 ⇨ $c<0$ 아래

③ y축과의 교점이 원점이면 ⇨ $c=0$

㉡ $y=ax^2+bx+c$에 $x=0$을 대입하면
$y=a\times0^2+b\times0+c=c$

● 그래프와 x축과의 교점의 x좌표는 $y=0$을 대입하여 구한다.

보기 이차함수 $y=ax^2+bx+c$의 그래프가 오른쪽 그림과 같을 때, a, b, c의 부호를 각각 구하시오.

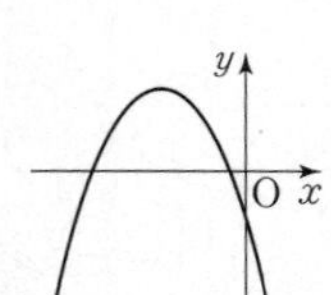
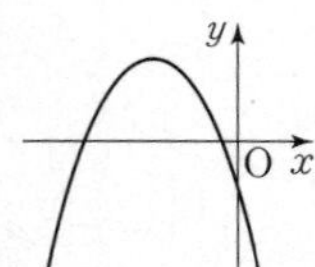

풀이 그래프가 위로 볼록하므로 $\boldsymbol{a<0}$

축이 y축의 왼쪽에 있으므로 $ab>0$이고, 이때 $a<0$이므로 $\boldsymbol{b<0}$

또 y축과의 교점이 원점보다 아래쪽에 있으므로 $\boldsymbol{c<0}$

㉢ 이차함수 $y=ax^2+bx+c$의 그래프에서 축의 방정식은 $x=-\frac{b}{2a}$

① 축이 y축의 왼쪽에 있으면 $-\frac{b}{2a}<0, \frac{b}{a}>0$, 즉 $ab>0$
⇨ a, b는 같은 부호

② 축이 y축의 오른쪽에 있으면 $-\frac{b}{2a}>0, \frac{b}{a}<0$, 즉 $ab<0$
⇨ a, b는 다른 부호

| 개념 체크 |

1-1 이차함수 $y=ax^2+bx+c$의 그래프

이차함수 $y=2x^2-4x+3$을 $y=a(x-p)^2+q$ 꼴로 나타내고, 그 그래프를 그리시오.

셀파 꼭짓점의 좌표, 축의 방정식, y축과의 교점을 이용하여 그래프를 그린다.

연구 $y=2x^2-4x+3=2(x-1)^2+\square$

⇨ 꼭짓점의 좌표는 $(1, \square)$

축의 방정식은 $x=\square$

y축과의 교점의 좌표는 $(0, \square)$

따라서 이차함수 $y=2x^2-4x+3$의 그래프는 오른쪽 그림과 같다.

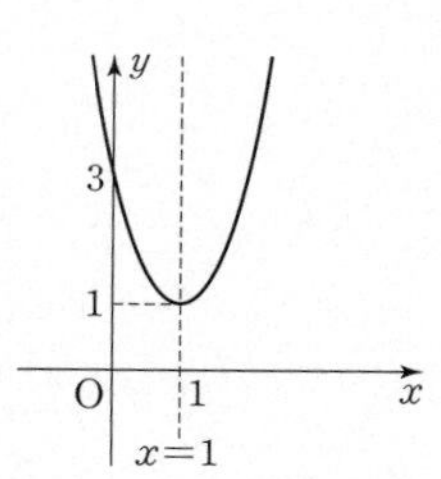

| 따라 풀기 |

1-2 다음 이차함수를 $y=a(x-p)^2+q$ 꼴로 나타내고, 그 그래프를 아래의 좌표평면 위에 그리시오.

(1) $y=\frac{1}{3}x^2-2x-1$ ⇨ ________________

(2) $y=-2x^2-8x-6$ ⇨ ________________

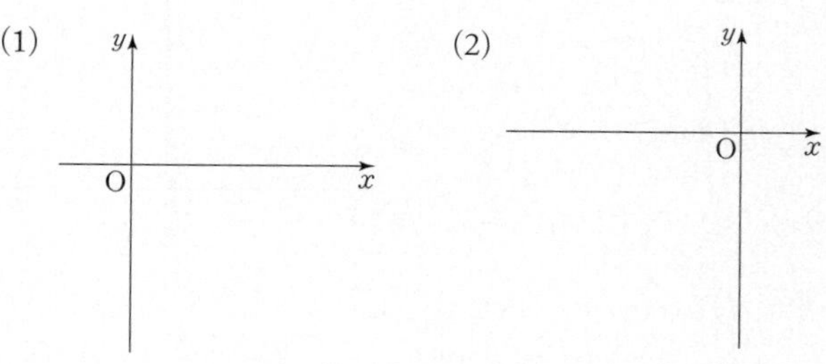

2-1 이차함수 $y=ax^2+bx+c$의 그래프에서 a, b, c의 부호

이차함수 $y=ax^2+bx+c$의 그래프가 오른쪽 그림과 같을 때, a, b, c의 부호를 각각 구하시오.

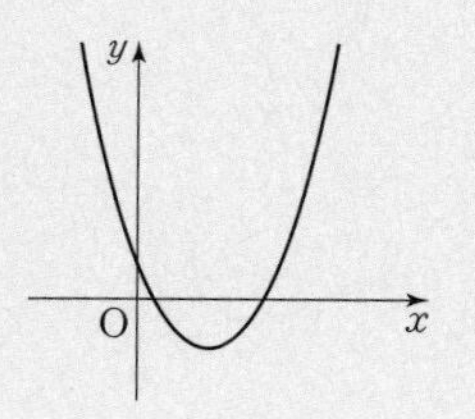

셀파 이차함수 $y=ax^2+bx+c$에서 먼저 a의 부호를 판정한 후 b의 부호를 판정한다.

연구 그래프가 아래로 볼록하므로 $a\square 0$

축이 y축의 오른쪽에 있으므로

$ab\square 0$ $\quad\therefore b\square 0$

y축과의 교점이 원점보다 위쪽에 있으므로 $c\square 0$

2-2 이차함수 $y=ax^2+bx+c$의 그래프가 다음 그림과 같을 때, $\square$ 안에 $>$, $=$, $<$ 중 알맞은 것을 써넣으시오.

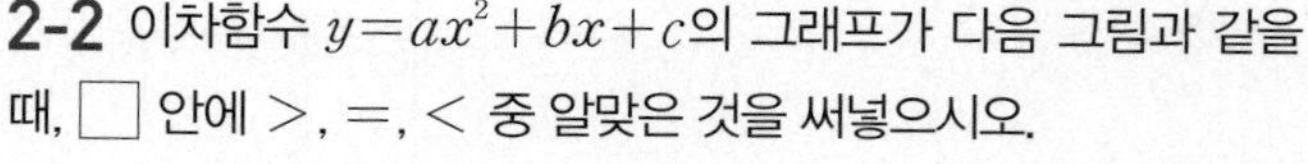

(1)

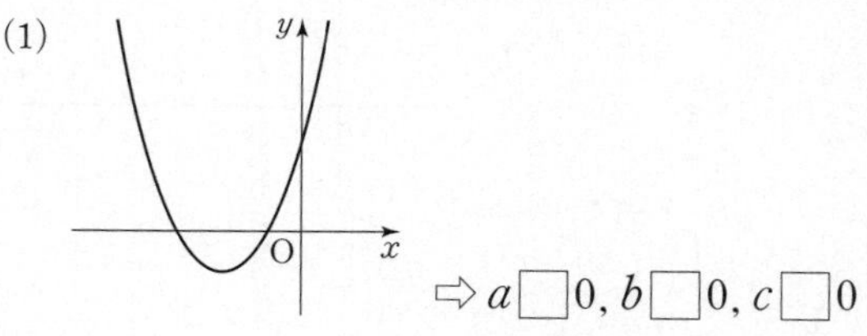

⇨ $a\square 0$, $b\square 0$, $c\square 0$

(2)

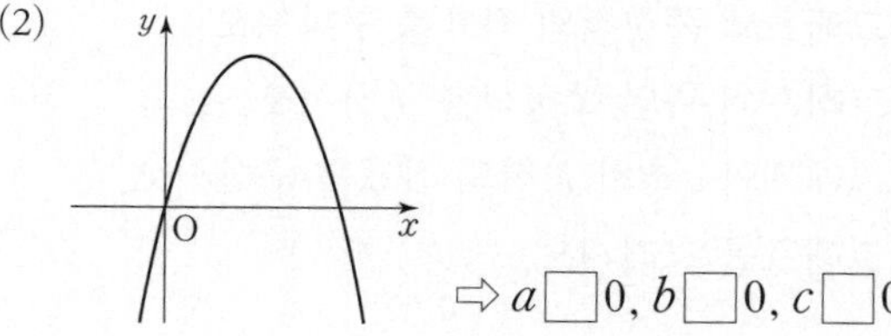

⇨ $a\square 0$, $b\square 0$, $c\square 0$

- 이차함수 $y=ax^2+bx+c$의 그래프는 $y=a(x-p)^2+q$ 꼴로 고쳐서 그릴 수 있다.
- 이차함수 $y=ax^2+bx+c$의 그래프에서
'a의 부호 ⇨ 그래프의 볼록한 방향, b의 부호 ⇨ 축의 위치, c의 부호 ⇨ y축과의 교점의 위치'를 보고 결정한다.

1 다음 이차함수를 $y=a(x-p)^2+q$ 꼴로 고치고, 물음에 답하시오.

(1) $y=x^2+2x+3$ ⇨ ____________

① 그래프의 꼭짓점의 좌표를 구하시오.
② 그래프의 축의 방정식을 구하시오.
③ 그래프와 y축의 교점의 좌표를 구하시오.
④ 그래프를 그리시오.

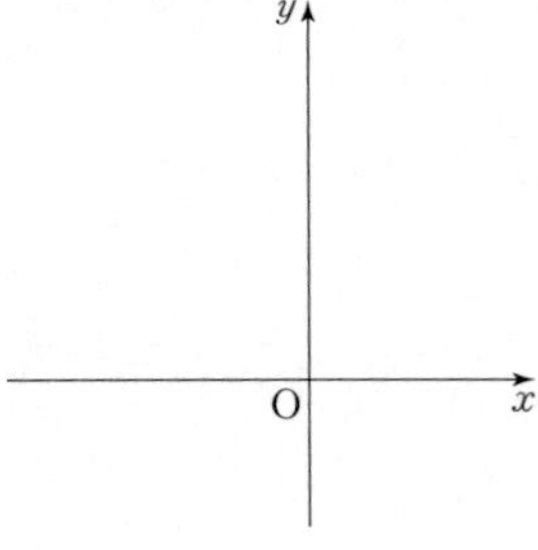

(2) $y=2x^2-8x+6$ ⇨ ____________

① 그래프의 꼭짓점의 좌표를 구하시오.
② 그래프의 축의 방정식을 구하시오.
③ 그래프와 y축의 교점의 좌표를 구하시오.
④ 그래프를 그리시오.

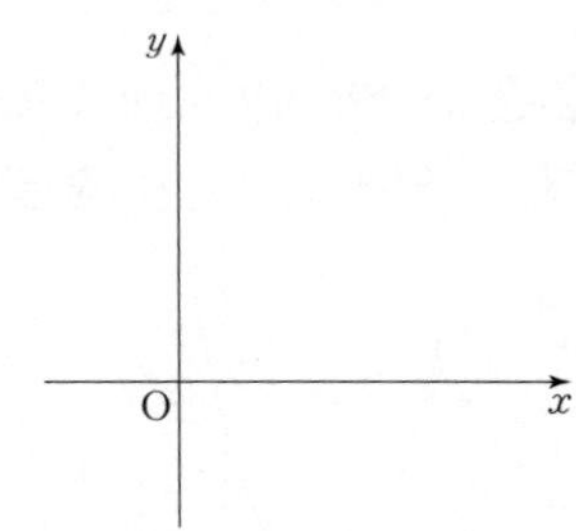

(3) $y=\frac{1}{2}x^2-x+1$ ⇨ ____________

① 그래프의 꼭짓점의 좌표를 구하시오.
② 그래프의 축의 방정식을 구하시오.
③ 그래프와 y축의 교점의 좌표를 구하시오.
④ 그래프를 그리시오.

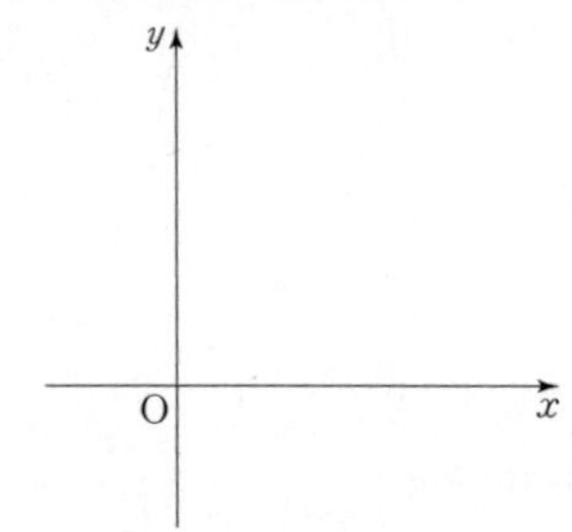

(4) $y=-x^2-4x-5$ ⇨ ____________

① 그래프의 꼭짓점의 좌표를 구하시오.
② 그래프의 축의 방정식을 구하시오.
③ 그래프와 y축의 교점의 좌표를 구하시오.
④ 그래프를 그리시오.

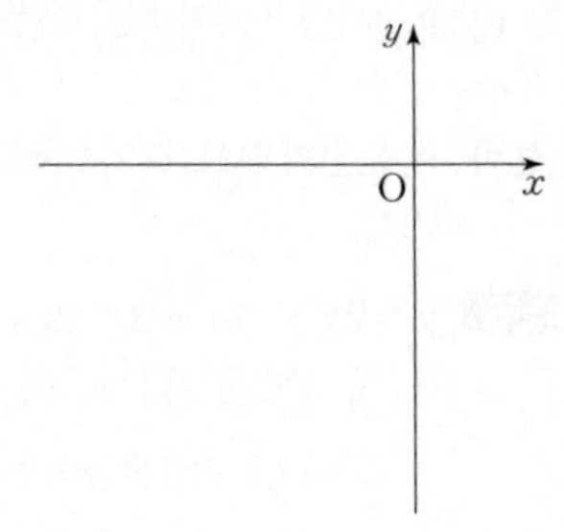

(5) $y=-2x^2+6x$ ⇨ ____________

① 그래프의 꼭짓점의 좌표를 구하시오.
② 그래프의 축의 방정식을 구하시오.
③ 그래프와 y축의 교점의 좌표를 구하시오.
④ 그래프를 그리시오.

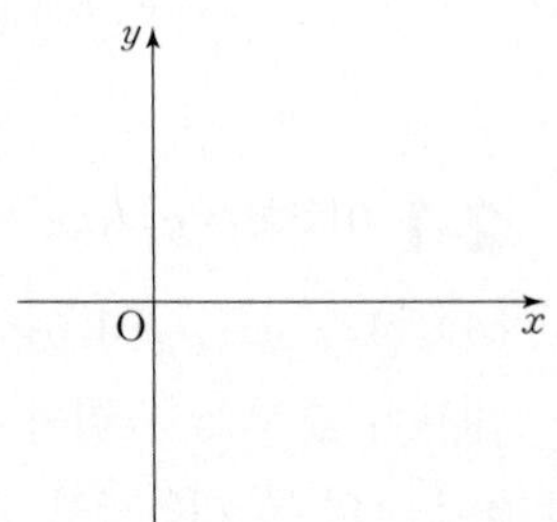

(6) $y=-\frac{1}{3}x^2+2x+2$ ⇨ ____________

① 그래프의 꼭짓점의 좌표를 구하시오.
② 그래프의 축의 방정식을 구하시오.
③ 그래프와 y축의 교점의 좌표를 구하시오.
④ 그래프를 그리시오.

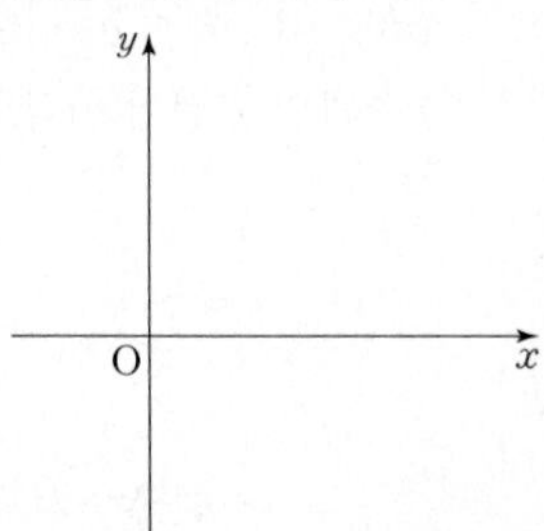

기본 01 $y=ax^2+bx+c$의 그래프의 꼭짓점의 좌표와 축의 방정식

이차함수 $y=2x^2+2mx+n$의 그래프에서 꼭짓점의 좌표가 $\left(\frac{3}{2}, -\frac{3}{2}\right)$일 때, 상수 m, n의 값을 각각 구하시오.

셀파 $y=2x^2+2mx+n$을 $y=a(x-p)^2+q$ 꼴로 고친다.

풀이 $y=2x^2+2mx+n=2\left(x^2+mx+\frac{m^2}{4}-\frac{m^2}{4}\right)+n$ → $\left\{\frac{(x\text{의 계수})}{2}\right\}^2$, 즉 $\left(\frac{m}{2}\right)^2$을 더하고 뺀다.

$=2\left(x^2+mx+\frac{m^2}{4}\right)-\frac{m^2}{2}+n$

$=2\left(x+\frac{m}{2}\right)^2-\frac{m^2}{2}+n$

이 그래프의 꼭짓점의 좌표는 $\left(-\frac{m}{2}, -\frac{m^2}{2}+n\right)$이고, 이것이 $\left(\frac{3}{2}, -\frac{3}{2}\right)$과 같으므로

$-\frac{m}{2}=\frac{3}{2}$, ㉠ $-\frac{m^2}{2}+n=-\frac{3}{2}$ $\quad\therefore$ $\boldsymbol{m=-3, n=3}$

해법코드
이차함수 $y=ax^2+bx+c$의 그래프에서 꼭짓점의 좌표와 축의 방정식을 구할 때는 이차함수의 식을 $y=a(x-p)^2+q$ 꼴로 변형한다.
① 꼭짓점의 좌표: (p, q)
② 축의 방정식: $x=p$

㉠ $-\frac{m^2}{2}+n=-\frac{3}{2}$에 $m=-3$을 대입하면
$-\frac{9}{2}+n=-\frac{3}{2}$
$\therefore n=-\frac{3}{2}+\frac{9}{2}=\frac{6}{2}=3$

확인 01 이차함수 $y=\frac{1}{2}x^2+2px+10$의 그래프에서 축의 방정식이 $x=6$일 때, 상수 p의 값을 구하시오.

» My 셀파
$y=\frac{1}{2}x^2+2px+10$을 $y=a(x-m)^2+n$ 꼴로 고쳤을 때 $x=m$이 축의 방정식이다.

기본 02 $y=ax^2+bx+c$의 그래프가 x축, y축과 만나는 점

이차함수 $y=x^2-3x-4$의 그래프가 x축과 만나는 두 점의 x좌표가 p, q이고, y축과 만나는 점의 y좌표가 r일 때, $p+q+r$의 값을 구하시오.

셀파 x축과 만나는 점 ⇨ $y=0$을 대입한다. 또 y축과 만나는 점 ⇨ $x=0$을 대입한다.

풀이 $y=x^2-3x-4$에 $y=0$을 대입하면 $x^2-3x-4=0$

$(x+1)(x-4)=0$ $\quad\therefore x=-1$ 또는 $x=4$

$\therefore p=-1, q=4$ 또는 $p=4, q=-1$

또 $y=x^2-3x-4$에 $x=0$을 대입하면 $y=-4$ $\quad\therefore r=-4$

$\therefore p+q+r=\boldsymbol{-1}$

해법코드
이차함수 $y=ax^2+bx+c$의 그래프가
① x축과 만나는 점의 x좌표
⇨ $y=0$을 대입하여 이차방정식 $ax^2+bx+c=0$을 푼다.
② y축과 만나는 점의 y좌표
⇨ $x=0$을 대입하여 y의 값을 구한다.

확인 02 이차함수 $y=-\frac{1}{2}x^2-x+4$의 그래프와 x축이 만나는 두 점을 A, B라 할 때, 선분 AB의 길이를 구하시오.

» My 셀파
주어진 이차함수의 식에 $y=0$을 대입하여 $-\frac{1}{2}x^2-x+4=0$의 이차방정식을 푼다.

기본 03 $y=ax^2+bx+c$의 그래프 그리기

다음 중 이차함수 $y=x^2-4x+2$의 그래프는?

①

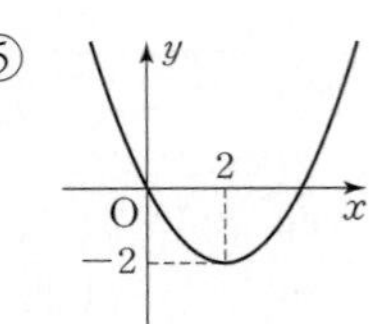

③

④

⑤

해법코드

이차함수 $y=ax^2+bx+c$의 그래프 그리기

1 그래프의 모양을 확인한다.
⇨ $a>0$이면 아래로 볼록, $a<0$이면 위로 볼록

2 $y=a(x-p)^2+q$ 꼴로 고쳐서 꼭짓점의 좌표를 구한다.
⇨ (p, q)

3 y축과의 교점의 좌표를 구한다.
⇨ $(0, c)$

셀파 그래프의 모양과 꼭짓점의 좌표, y축과 만나는 점의 좌표를 확인한다.

풀이 1 x^2의 계수가 1로 양수이므로 아래로 볼록한 포물선이다. → 위로 볼록한 포물선인 ①, ②는 답에서 제외시킨다.

2 $y=x^2-4x+2=(x-2)^2-2$이므로 꼭짓점의 좌표는 $(2, -2)$이다.

3 $y=x^2-4x+2$에 $x=0$을 대입하면 $y=2$이므로 y축과의 교점의 좌표는 $(0, 2)$이다.

따라서 1, 2, 3에서 구하는 그래프는 ③이다.

$y=x^2-4x+2$
$=(x^2-4x+4-4)+2$
$=(x-2)^2-2$

확인 03 이차함수 $y=-2x^2+8x-4$의 그래프가 지나지 않는 사분면을 구하시오.

» My 셀파
그래프의 모양, 꼭짓점의 좌표, y축과의 교점의 좌표를 확인한다.

기본 04 $y=ax^2+bx+c$의 그래프에서 증가, 감소하는 범위

이차함수 $y=3x^2-6x+2$의 그래프에서 x의 값이 증가할 때 y의 값은 감소하는 x의 값의 범위를 구하시오.

해법코드

주어진 이차함수의 식을 $y=a(x-p)^2+q$ 꼴로 고쳐서 그래프를 그린 후 축의 방정식 $x=p$를 기준으로 증가, 감소하는 범위를 찾는다.

셀파 증가, 감소하는 범위는 그래프의 축을 기준으로 생각한다.

풀이 $y=3x^2-6x+2=3(x-1)^2-1$이므로 그래프를 그리면 오른쪽 그림과 같다.
따라서 $\boldsymbol{x<1}$일 때, x의 값이 증가하면 y의 값은 감소한다.

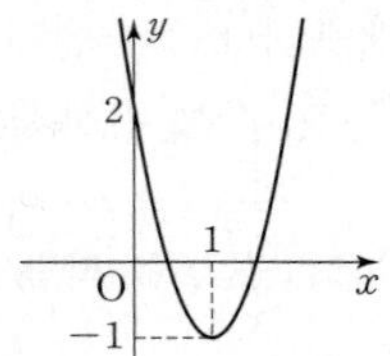

$y=3x^2-6x+2$
$=3(x^2-2x+1-1)+2$
$=3(x-1)^2-1$
⇨ • 꼭짓점의 좌표: $(1, -1)$
• 축의 방정식: $x=1$
• y축과의 교점의 좌표: $(0, 2)$

• Lecture

(x^2의 계수)>0 ⇨ 감 증 ⇨ 축의 왼쪽: x의 값 증가 ⇨ y의 값 감소
축의 오른쪽: x의 값 증가 ⇨ y의 값 증가

(x^2의 계수)<0 ⇨ 증 감 ⇨ 축의 왼쪽: x의 값 증가 ⇨ y의 값 증가
축의 오른쪽: x의 값 증가 ⇨ y의 값 감소

확인 04 이차함수 $y=\frac{1}{4}x^2+2kx+1$의 그래프는 $x>4$이면 x의 값이 증가할 때 y의 값도 증가하고, $x<4$이면 x의 값이 증가할 때 y의 값은 감소한다. 이때 상수 k의 값을 구하시오.

» My 셀파
$y=a(x-p)^2+q$ 꼴로 고쳐서 축의 방정식을 구한다.

기본 05 $y=ax^2+bx+c$의 그래프의 성질

다음 중 이차함수 $y=-\frac{1}{5}x^2+2x+1$의 그래프에 대한 설명으로 옳지 않은 것은?

① 꼭짓점의 좌표는 $(5, 6)$이다. ② 직선 $x=5$에 대칭이다.
③ x축과 만나지 않는다. ④ 모든 사분면을 지난다.
⑤ $y=-\frac{1}{5}x^2$의 그래프를 평행이동하여 완전히 포갤 수 있다.

해법코드
- 꼭짓점의 좌표, 축의 방정식을 구할 때 ⇨ $y=a(x-p)^2+q$ 꼴로 변형한다.
- x축과의 교점의 x좌표를 구할 때 ⇨ 이차방정식 $ax^2+bx+c=0$의 해를 구한다.
- 그래프가 지나는 사분면과 증가, 감소하는 범위를 구할 때 ⇨ 그래프를 그린다.

셀파 이차함수 $y=-\frac{1}{5}x^2+2x+1$의 그래프를 그려 본다.

풀이 ㉠ $y=-\frac{1}{5}x^2+2x+1=-\frac{1}{5}(x-5)^2+6$

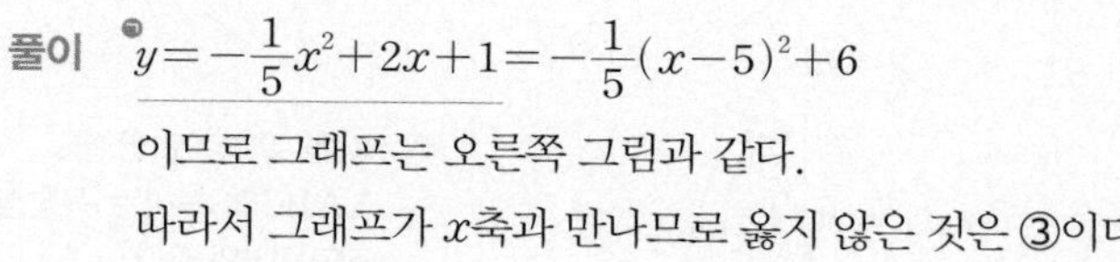

이므로 그래프는 오른쪽 그림과 같다.
따라서 그래프가 x축과 만나므로 옳지 않은 것은 ③이다.

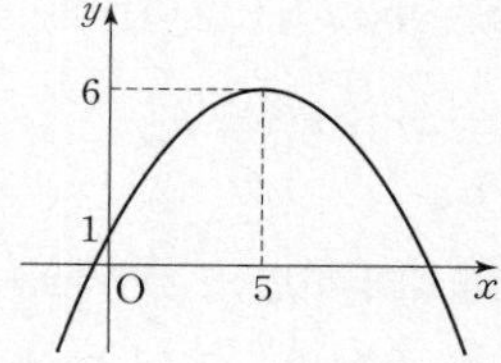
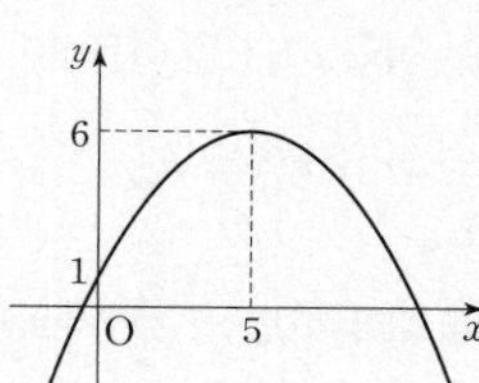

㉠ $y=-\frac{1}{5}x^2+2x+1$
$=-\frac{1}{5}(x^2-10x+25-25)+1$
$=-\frac{1}{5}(x-5)^2+6$

확인 05 이차함수 $y=x^2-3x+1$의 그래프에 대한 설명으로 옳은 것을 보기에서 모두 고르시오.

보기
㉠ $y=-2x^2$의 그래프보다 폭이 넓다.
㉡ 꼭짓점의 좌표는 $\left(-\frac{3}{2}, -\frac{5}{4}\right)$이다.
㉢ 제3사분면을 지나지 않는다.

» My 셀파
이차함수 $y=x^2-3x+1$을 $y=a(x-p)^2+q$ 꼴로 고친 후 그래프를 그려 본다.

기본 06 $y=ax^2+bx+c$의 그래프의 평행이동

이차함수 $y=\frac{1}{2}x^2-2x+1$의 그래프를 x축의 방향으로 -1만큼, y축의 방향으로 3만큼 평행이동하면 $y=ax^2+bx+c$의 그래프와 일치한다. 이때 상수 a, b, c에 대하여 $a+b+c$의 값을 구하시오.

해법코드
이차함수 $y=ax^2+bx+c$의 평행이동은 이차함수의 식을 $y=a(x-p)^2+q$ 꼴로 고친 후 생각한다.

셀파 $y=\frac{1}{2}x^2-2x+1$을 $y=a(x-p)^2+q$ 꼴로 변형한다.

풀이 $y=\frac{1}{2}x^2-2x+1=\frac{1}{2}(x-2)^2-1$

이때 $y=\frac{1}{2}(x-2)^2-1$의 그래프를 x축의 방향으로 -1만큼, y축의 방향으로 3만큼 평행이동한 그래프의 식은 $y=\frac{1}{2}(x+1-2)^2-1+3$, 즉 $y=\frac{1}{2}(x-1)^2+2$

$\therefore y=\frac{1}{2}x^2-x+\frac{5}{2}$

따라서 $a=\frac{1}{2}$, $b=-1$, $c=\frac{5}{2}$이므로 $a+b+c=\mathbf{2}$

참고
$y=a(x-p)^2+q$의 그래프를 x축의 방향으로 m만큼, y축의 방향으로 n만큼 평행이동한 그래프의 식은 $y=a(x-m-p)^2+q+n$

확인 06 이차함수 $y=-3x^2-6x-1$의 그래프를 x축의 방향으로 m만큼, y축의 방향으로 n만큼 평행이동하면 이차함수 $y=-3x^2+12x-7$의 그래프와 일치한다. 이때 상수 m, n의 값을 각각 구하시오.

» My 셀파
이차함수 $y=-3x^2-6x-1$을 $y=a(x-p)^2+q$ 꼴로 고친 후 평행이동한다.

발전 07 이차함수의 그래프와 도형의 넓이

해법코드

오른쪽 그림과 같이 이차함수 $y=-x^2+4x+5$의 그래프의 꼭짓점을 A, x축과 만나는 두 점을 B, C라 하자. 이때 삼각형 ABC의 넓이를 구하시오.

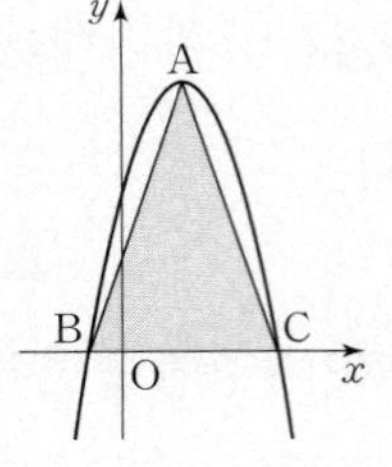

① 꼭짓점의 좌표
⇨ $y=a(x-p)^2+q$ 꼴로 변형하여 구한다.
② x축과 만나는 두 점의 좌표
⇨ $ax^2+bx+c=0$의 해를 이용하여 구한다.

셀파 꼭짓점의 좌표와 x축과 만나는 점의 x좌표를 이용하여 삼각형의 넓이를 구한다.

풀이 $y=-x^2+4x+5=-(x-2)^2+9$이므로

꼭짓점 A의 좌표는 A$(2, 9)$

$y=-x^2+4x+5$에 $y=0$을 대입하면 $-x^2+4x+5=0$

$x^2-4x-5=0$, $(x+1)(x-5)=0$ $\therefore x=-1$ 또는 $x=5$

즉 B$(-1, 0)$, C$(5, 0)$이므로 $\overline{BC}=5-(-1)=6$

$\therefore$ △ABC$=\frac{1}{2}\times\overline{BC}\times$(점 A의 y좌표)$=\frac{1}{2}\times6\times9=$**27**

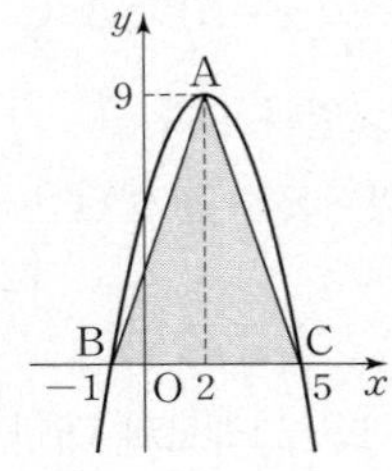

● $\overline{BC}$를 밑변으로 할 때 △ABC의 높이는 꼭짓점 A의 y좌표인 9와 같다.

확인 07 오른쪽 그림과 같이 이차함수 $y=x^2+2x-8$의 그래프가 x축과 만나는 두 점을 A, B라 하고, y축과 만나는 점을 C라 하자. 이때 삼각형 ACB의 넓이를 구하시오.

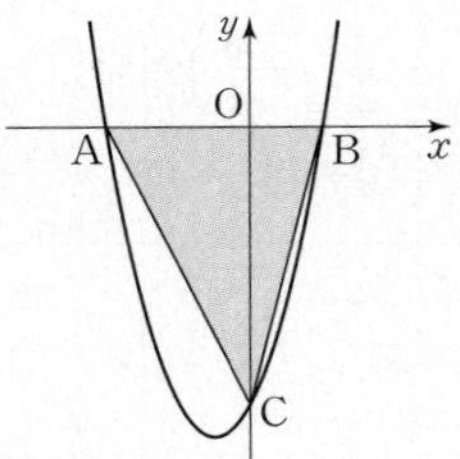

» My 셀파
$y=x^2+2x-8$에 $y=0$을 대입하여 두 점 A, B의 x좌표를 구하고, $x=0$을 대입하여 점 C의 y좌표를 구한다.

발전 08 $y=ax^2+bx+c$의 그래프에서 a, b, c의 부호

해법코드

이차함수 $y=ax^2+bx+c$에서 $a<0$, $b>0$, $c>0$일 때, 그 그래프로 알맞은 것은?

① 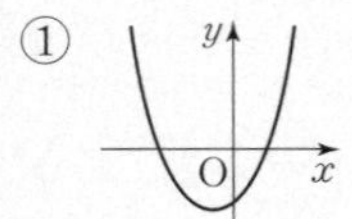
② 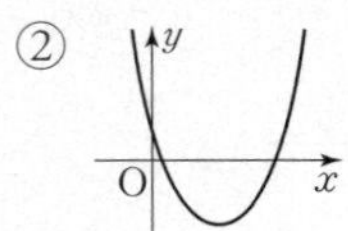
③ 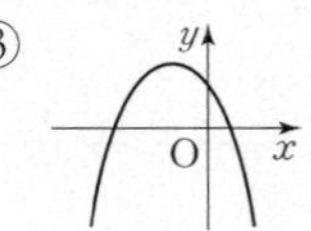
④ 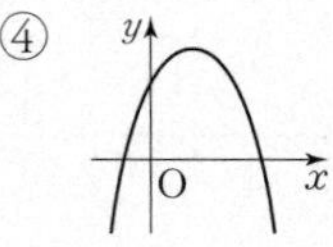
⑤ 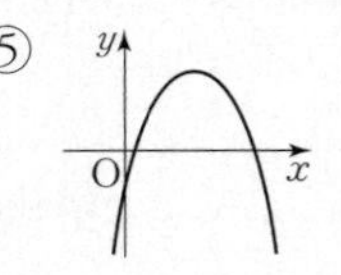

$y=ax^2+bx+c$에서
- $a>0$이면 아래로 볼록, $a<0$이면 위로 볼록
- $ab>0$이면 축이 y축의 왼쪽에 있고, $ab<0$이면 축이 y축의 오른쪽에 있다.
- $c>0$이면 y축과의 교점이 원점보다 위쪽에 있고, $c<0$이면 y축과의 교점이 원점보다 아래쪽에 있다.

셀파 a, b의 부호가 같은지 다른지를 확인하고 축의 위치를 결정한다.

풀이 $y=ax^2+bx+c=a\left(x+\frac{b}{2a}\right)^2-\frac{b^2-4ac}{4a}$에서 $a<0$이므로 그래프는 위로 볼록하다.

→ 아래로 볼록한 포물선인 ①, ②는 답에서 제외시킨다.

축의 방정식이 $x=-\frac{b}{2a}$이고 $ab<0$이므로 $-\frac{b}{2a}>0$, 즉 축이 y축의 오른쪽에 있다.

$c>0$이므로 y축과의 교점이 원점보다 위쪽에 있다.

따라서 그래프로 알맞은 것은 ④이다.

● $a<0$, $b>0$이므로 $ab<0$

확인 08 이차함수 $y=ax^2+bx+c$의 그래프가 오른쪽 그림과 같을 때, 일차함수 $y=\frac{b}{a}x-c$의 그래프가 지나지 않는 사분면을 구하시오.

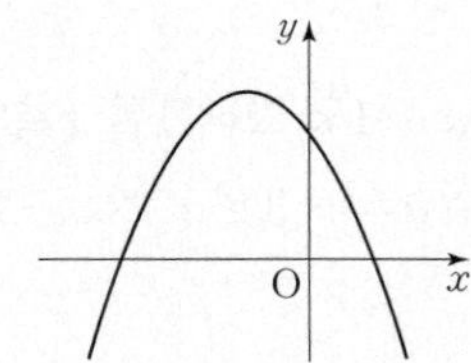

» My 셀파
주어진 이차함수의 그래프에서
① ∩ ⇨ $a<0$
② 축이 y축의 왼쪽에 위치 ⇨ $ab>0$
③ y축과의 교점이 원점보다 위쪽에 위치 ⇨ $c>0$

$y=ax^2+bx+c(a\neq0)$에서 계수가 포함된 식의 부호

Q **이차함수 $y=ax^2+bx+c$의 그래프가 오른쪽 그림과 같을 때, a, b, c의 부호를 구하면?**

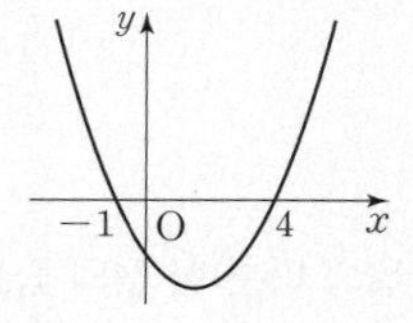

A 아래로 볼록하므로 $a>0$

축이 y축의 오른쪽에 있으므로 $ab<0$ $\therefore b<0$

또 y축과의 교점이 원점보다 아래쪽에 있으므로 $c<0$

Q **그럼 $a+b+c$의 부호는 어떻게 알 수 있을까?**

A 구한 a, b, c의 부호로는 $a+b+c$의 부호를 알 수 없다. 이 경우도 ㉠그래프를 보고 판단해야 한다. 결론부터 말하면 함숫값을 통해 a, b, c로 이루어진 식의 부호를 알 수 있다.

$a+b+c$의 값은 $y=ax^2+bx+c$에서 $x=1$일 때의 y의 값으로 그래프에서 $x=1$인 점의 y좌표를 나타낸다.

따라서 주어진 그래프에서 ㉡$x=1$인 점이 x축의 위쪽에 있는지, 아래쪽에 있는지를 살펴보면 $a+b+c$의 부호를 알 수 있다.

오른쪽 그림의 그래프에서 $x=1$인 점은 x축의 아래쪽에 있으므로 $a+b+c<0$

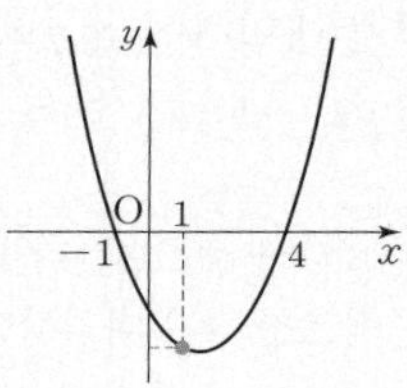

참고
이차함수 $y=ax^2+bx+c$의 그래프에서 a, b, c의 부호 판단하기

① a의 부호

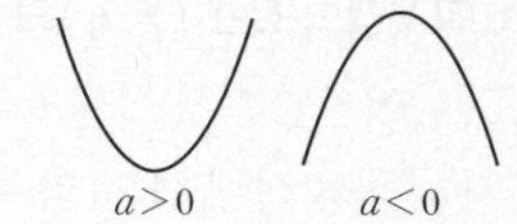

② ab의 부호

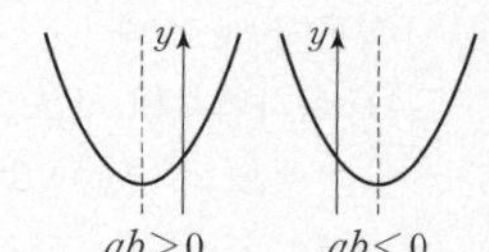

③ c의 부호

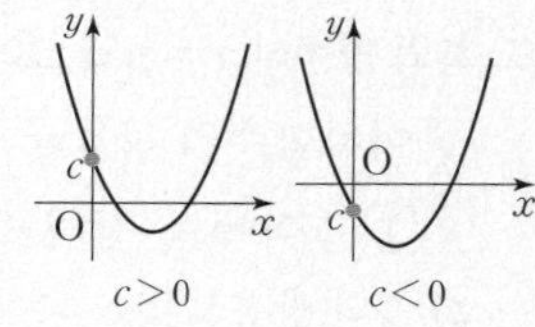

㉠ 이차함수의 그래프는 $y=ax^2+bx+c$와 같은 관계가 있는 두 변수 x, y의 순서쌍 (x, y)를 좌표로 하는 점을 좌표평면 위에 나타낸 것이다. 따라서 그래프 위의 점의 위치로부터 x의 부호와 y의 부호를 알 수 있다.

보기

이차함수 $y=ax^2+bx+c$의 그래프가 오른쪽 그림과 같을 때, 다음 식의 부호를 구하시오.

(1) $a-b+c$

(2) $9a+3b+c$

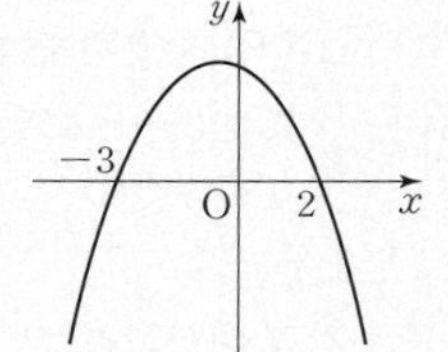

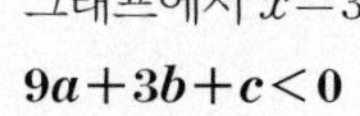

풀이 (1) $y=ax^2+bx+c$에 $x=-1$을 대입하면 $y=a-b+c$
그래프에서 $x=-1$일 때 y의 값은 양수이므로
$\boldsymbol{a-b+c>0}$

(2) $y=ax^2+bx+c$에 $x=3$을 대입하면 $y=9a+3b+c$
그래프에서 $x=3$일 때 y의 값은 음수이므로
$\boldsymbol{9a+3b+c<0}$

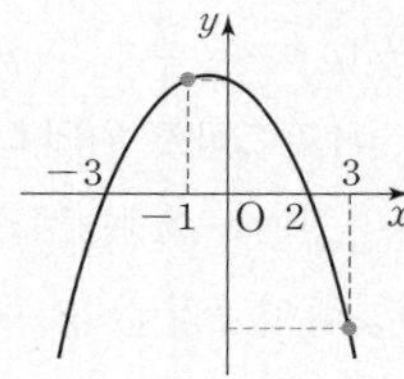

㉡ $-1<1<4$이므로 그림과 같이 $x=1$인 그래프 위의 점은 x축의 아래쪽에 있다.

이차함수 $y=ax^2+bx+c$의 그래프를 보고 $a+b+c$, $4a+2b+c$, $a-b+c$, $4a-2b+c$의 부호를 판단할 때는 그래프에서 $x=1$, $x=2$, $x=-1$, $x=-2$인 점의 위치를 이용한다.

13 2. 이차함수의 식 구하기

1 이차함수의 식 구하기

(1) ㉠꼭짓점의 좌표 (p, q)와 그래프 위의 다른 한 점의 좌표를 알 때

1 이차함수의 식을 $y=a(x-p)^2+$ ☐로 놓는다. q

2 1의 식에 한 점의 좌표를 대입하여 a의 값을 구한다.

예 꼭짓점의 좌표가 $(1, 2)$이고 점 $(2, 5)$를 지나는 포물선을 그래프로 하는 이차함수의 식을 구해 보자.

1 이차함수의 식을 $y=a(x-1)^2+2$로 놓는다.

2 $y=a(x-1)^2+2$에 $x=2$, $y=$ ☐를 대입하면 $5=a\times(2-1)^2+2$ 5

$5=a+2$ $\therefore a=3$

$\therefore y=3(x-1)^2+2=3x^2-6x+5$

(2) ㉡축의 방정식 $x=p$와 그래프 위의 두 점의 좌표를 알 때

1 이차함수의 식을 $y=a(x-$ ☐ $)^2+q$로 놓는다. p

2 1의 식에 두 점의 좌표를 각각 대입하여 a, q의 값을 구한다.

예 축의 방정식이 $x=1$이고 두 점 $(2, -1)$, $(3, 5)$를 지나는 포물선을 그래프로 하는 이차함수의 식을 구해 보자.

1 이차함수의 식을 $y=a(x-$ ☐ $)^2+q$로 놓는다. 1

2 $y=a(x-1)^2+q$에 두 점의 좌표를 각각 대입하면

$-1=a+q$ …… ①, $5=4a+q$ …… ②

㉢①, ②를 연립하여 풀면 $a=2$, $q=-3$

$\therefore y=2(x-1)^2-3=2x^2-4x-1$

(3) y축과의 교점 $(0, k)$와 그래프 위의 서로 다른 두 점의 좌표를 알 때

1 이차함수의 식을 $y=ax^2+bx+$ ☐로 놓는다. k

2 1의 식에 두 점의 좌표를 각각 대입하여 a, b의 값을 구한다.

예 y축과 점 $(0, 1)$에서 만나고 두 점 $(-2, 5)$, $(-1, 4)$를 지나는 포물선을 그래프로 하는 이차함수의 식을 구해 보자.

1 이차함수의 식을 $y=ax^2+bx+1$로 놓는다.

2 $y=ax^2+bx+1$에 두 점의 좌표를 각각 대입하면

$5=4a-2b+1$, 즉 $2a-b=2$ …… ③, $4=a-b+1$, 즉 $a-b=3$ …… ④

㉣③, ④를 연립하여 풀면 $a=-1$, $b=-4$ $\therefore y=-x^2-4x+1$

(4) x축과의 교점의 좌표 $(m, 0)$, $(n, 0)$과 그래프 위의 다른 한 점의 좌표를 알 때

1 이차함수의 식을 $y=a(x-$ ☐ $)(x-n)$으로 놓는다. m

2 1의 식에 한 점의 좌표를 대입하여 a의 값을 구한다.

예 x축과의 교점의 좌표가 $(1, 0)$, $(2, 0)$이고 점 $(3, 4)$를 지나는 포물선을 그래프로 하는 이차함수의 식을 구해 보자.

1 이차함수의 식을 $y=a(x-1)(x-2)$로 놓는다.

2 $y=a(x-1)(x-2)$에 $x=3$, $y=4$를 대입하면 $4=a\times(3-1)\times(3-2)$

$4=2a$ $\therefore a=2$

$\therefore y=2(x-1)(x-2)=2x^2-6x+4$

㉠ 꼭짓점의 좌표에 따른 이차함수의 식

$(0, 0) \Rightarrow y=ax^2$

$(0, q) \Rightarrow y=ax^2+q$

$(p, 0) \Rightarrow y=a(x-p)^2$

$(p, q) \Rightarrow y=a(x-p)^2+q$

㉡ 축의 방정식에 따른 이차함수의 식

$x=0$(y축) $\Rightarrow y=ax^2+q$

$x=p \Rightarrow y=a(x-p)^2+q$

㉢ $\begin{cases} a+q=-1 & \cdots\cdots ① \\ 4a+q=5 & \cdots\cdots ② \end{cases}$

①−②에서 $-3a=-6$

$\therefore a=2$

$a=2$를 ①에 대입하면

$2+q=-1$ $\therefore q=-3$

㉣ $\begin{cases} 2a-b=2 & \cdots\cdots ③ \\ a-b=3 & \cdots\cdots ④ \end{cases}$

③−④를 하면 $a=-1$

$a=-1$을 ④에 대입하면

$-1-b=3$ $\therefore b=-4$

따라 풀면서

개념 익히기

빠른 정답 229쪽 | 정답과 해설 81쪽

| 개념 체크 |

1-1 이차함수의 식 구하기

다음과 같은 포물선을 그래프로 하는 이차함수의 식을 $y=ax^2+bx+c$ 꼴로 나타내시오.

(1) 꼭짓점의 좌표가 $(2, 3)$이고 점 $(1, 2)$를 지나는 포물선

(2) 축의 방정식이 $x=3$이고 두 점 $(1, 7)$, $(2, 1)$을 지나는 포물선

(3) y축과 점 $(0, 5)$에서 만나고 두 점 $(-1, 11)$, $(4, 21)$을 지나는 포물선

(4) x축과 두 점 $(1, 0)$, $(-2, 0)$에서 만나고 점 $(2, -4)$를 지나는 포물선

셀파 이차함수의 식을 주어진 조건에 맞게 놓고, 그래프가 지나는 점의 좌표를 이용하여 이차함수의 식을 완성한다.

연구 (1) ① 이차함수의 식을 $y=a(x-2)^2+\square$으로 놓는다.

② ①의 식에 $x=1$, $y=2$를 대입하면

$2=a+\square \quad \therefore a=\square$

(2) ① 이차함수의 식을 $y=a(x-\square)^2+q$로 놓는다.

② ①의 식에 두 점의 좌표를 각각 대입하면

$7=4a+q$ ⋯⋯ ㉠, $\square=a+q$ ⋯⋯ ㉡

㉠, ㉡을 연립하여 풀면 $a=\square$, $q=-1$

(3) ① 이차함수의 식을 $y=ax^2+bx+\square$로 놓는다.

② ①의 식에 두 점의 좌표를 각각 대입하면

$a-b=\square$ ⋯⋯ ㉠, $4a+b=4$ ⋯⋯ ㉡

㉠, ㉡을 연립하여 풀면 $a=2$, $b=\square$

(4) ① 이차함수의 식을 $y=a(x-1)(x+\square)$로 놓는다.

② ①의 식에 $x=2$, $y=-4$를 대입하면

$-4=\square a \quad \therefore a=\square$

| 따라 풀기 |

1-2 다음 조건을 만족하는 포물선을 그래프로 하는 이차함수의 식을 $y=ax^2+bx+c$ 꼴로 나타내시오.

(1) 꼭짓점의 좌표가 $(1, 4)$이고 점 $(2, 6)$을 지나는 포물선

(2) 꼭짓점의 좌표가 $(-2, 1)$이고 y축과 만나는 점의 y좌표가 5인 포물선

(3) 축의 방정식이 $x=2$이고 두 점 $(0, -1)$, $(3, 2)$를 지나는 포물선

(4) 축의 방정식이 $x=-3$이고 두 점 $(-1, 3)$, $(1, 7)$을 지나는 포물선

1-3 다음 조건을 만족하는 포물선을 그래프로 하는 이차함수의 식을 $y=ax^2+bx+c$ 꼴로 나타내시오.

(1) y축과 점 $(0, -5)$에서 만나고 두 점 $(5, 0)$, $(2, 3)$을 지나는 포물선

(2) 세 점 $(0, 1)$, $(-1, 6)$, $(3, 10)$을 지나는 포물선

(3) x축과 두 점 $(-3, 0)$, $(1, 0)$에서 만나고 점 $(0, -6)$을 지나는 포물선

(4) x축과 두 점 $(2, 0)$, $(3, 0)$에서 만나고 점 $(4, 6)$을 지나는 포물선

- 꼭짓점의 좌표가 (p, q)일 때 ⇨ 이차함수의 식을 $y=a(x-p)^2+q$로 놓는다.
- 축의 방정식이 $x=p$일 때 ⇨ 이차함수의 식을 $y=a(x-p)^2+q$로 놓는다.
- y축 위의 점 $(0, k)$를 지날 때 ⇨ 이차함수의 식을 $y=ax^2+bx+k$로 놓는다.
- x축 위의 두 점 $(m, 0)$, $(n, 0)$을 지날 때 ⇨ 이차함수의 식을 $y=a(x-m)(x-n)$으로 놓는다.

빠른 정답 229쪽 | 정답과 해설 82쪽

기본 01 꼭짓점과 다른 한 점의 좌표를 알 때, 이차함수의 식 구하기

꼭짓점의 좌표가 $(2, -3)$이고 y축과 만나는 점의 y좌표가 4인 포물선을 그래프로 하는 이차함수의 식을 $y=ax^2+bx+c$ 꼴로 나타내시오. (단, a, b, c는 상수)

셀파 꼭짓점의 좌표가 $(2, -3)$ ⇨ 이차함수의 식을 $y=a(x-2)^2-3$으로 놓는다.

풀이 꼭짓점의 좌표가 $(2, -3)$이므로 이차함수의 식을 $y=a(x-2)^2-3$으로 놓자.
이 이차함수의 그래프가 점 $(0, 4)$를 지나므로

$4=a\times(0-2)^2-3$, $4a-3=4$ $\quad\therefore a=\frac{7}{4}$

따라서 구하는 이차함수의 식은 $y=\frac{7}{4}(x-2)^2-3$, 즉 $\boldsymbol{y=\frac{7}{4}x^2-7x+4}$

해법코드
꼭짓점 (p, q)와 그래프 위의 다른 한 점을 알 때
⇨ 이차함수의 식을 $y=a(x-p)^2+q$로 놓고 다른 한 점의 좌표를 대입하여 a의 값을 구한다.

포물선이 y축과 만나는 점의 y좌표가 4이므로 포물선은 점 $(0, 4)$를 지난다.
따라서 $y=a(x-2)^2-3$에 $x=0$, $y=4$를 대입한다.

확인 01 이차함수 $y=ax^2+bx+c$의 그래프가 오른쪽 그림과 같을 때, 상수 a, b, c에 대하여 $3a+b-c$의 값을 구하시오.

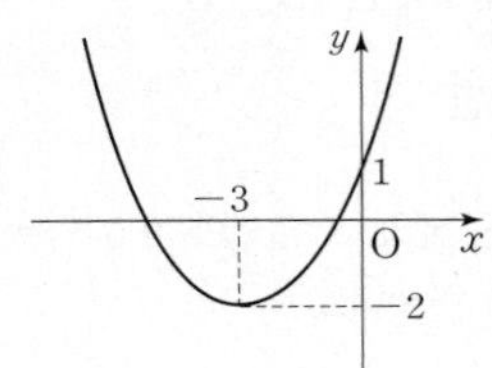

» My 셀파
주어진 이차함수의 그래프는 꼭짓점의 좌표가 $(-3, -2)$이고 점 $(0, 1)$을 지난다.

기본 02 축의 방정식과 두 점의 좌표를 알 때, 이차함수의 식 구하기

축의 방정식이 $x=-1$이고 두 점 $(1, 0)$, $(0, 6)$을 지나는 포물선을 그래프로 하는 이차함수의 식을 $y=ax^2+bx+c$ 꼴로 나타내시오. (단, a, b, c는 상수)

셀파 축의 방정식이 $x=-1$ ⇨ 이차함수의 식을 $y=a(x+1)^2+q$로 놓는다.

풀이 축의 방정식이 $x=-1$이므로 이차함수의 식을 $y=a(x+1)^2+q$로 놓자.
이 이차함수의 그래프가 두 점 $(1, 0)$, $(0, 6)$을 지나므로

$0=a\times(1+1)^2+q$ $\quad\therefore 4a+q=0$ $\quad\cdots\cdots$ ㉠

$6=a\times(0+1)^2+q$ $\quad\therefore a+q=6$ $\quad\cdots\cdots$ ㉡

㉠, ㉡을 연립하여 풀면 $a=-2$, $q=8$

따라서 구하는 이차함수의 식은 $y=-2(x+1)^2+8$, 즉 $\boldsymbol{y=-2x^2-4x+6}$

해법코드
축의 방정식 $x=p$와 그래프 위의 두 점을 알 때
⇨ 이차함수의 식을 $y=a(x-p)^2+q$로 놓고 두 점의 좌표를 각각 대입하여 a, q의 값을 구한다.

㉠−㉡을 하면
$3a=-6$ $\quad\therefore a=-2$
$a=-2$를 ㉡에 대입하면
$-2+q=6$ $\quad\therefore q=8$

확인 02 오른쪽 그림은 직선 $x=1$을 축으로 하는 이차함수 $y=ax^2+bx+c$의 그래프이다. 이때 상수 a, b, c의 값을 각각 구하시오.

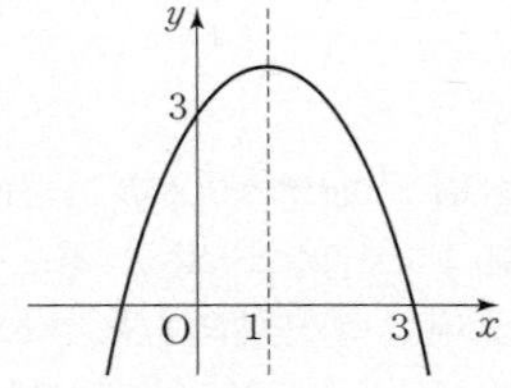

» My 셀파
주어진 이차함수의 그래프는 축의 방정식이 $x=1$이고 두 점 $(3, 0)$, $(0, 3)$을 지난다.

기본 03 y축과의 교점과 다른 두 점의 좌표를 알 때, 이차함수의 식 구하기

이차함수 $y=ax^2+bx+c$의 그래프가 세 점 $(0, 3)$, $(1, 2)$, $(2, -3)$을 지날 때, 상수 a, b, c에 대하여 abc의 값을 구하시오.

해법코드

y축과의 교점 $(0, k)$와 그래프 위의 서로 다른 두 점을 알 때
⇨ 이차함수의 식을 $y=ax^2+bx+k$로 놓고 다른 두 점의 좌표를 각각 대입하여 a, b의 값을 구한다.

셀파 이차함수 $y=ax^2+bx+c$의 그래프가 점 $(0, 3)$을 지남을 이용하여 c의 값을 먼저 구한다.

풀이 이차함수 $y=ax^2+bx+c$의 그래프가 점 $(0, 3)$을 지나므로 $c=3$
즉 $y=ax^2+bx+3$의 그래프가 점 $(1, 2)$를 지나므로
$2=a+b+3$ $\quad \therefore a+b=-1$ $\quad \cdots\cdots$ ㉠
또 점 $(2, -3)$을 지나므로
$-3=4a+2b+3$ $\quad \therefore 2a+b=-3$ $\quad \cdots\cdots$ ㉡
㉠, ㉡을 연립하여 풀면 $a=-2$, $b=1$
$\therefore abc=-2\times1\times3=\mathbf{-6}$

㉠ ㉠－㉡을 하면
$-a=2 \quad \therefore a=-2$
$a=-2$를 ㉠에 대입하면
$-2+b=-1 \quad \therefore b=1$

확인 03 이차함수 $y=ax^2+bx+c$의 그래프가 오른쪽 그림과 같을 때, 상수 a, b, c에 대하여 $a+b+c$의 값을 구하시오.

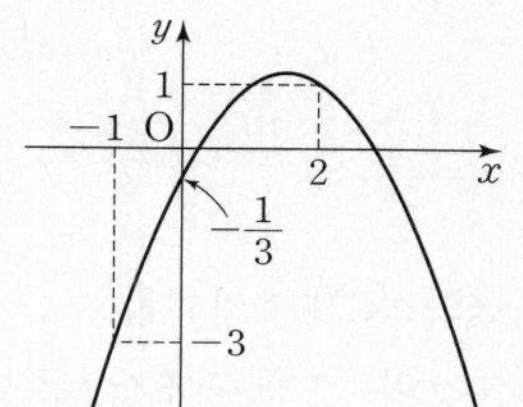

» My 셀파
주어진 이차함수의 그래프는 세 점 $(-1, -3)$, $\left(0, -\frac{1}{3}\right)$, $(2, 1)$을 지난다.

기본 04 x축과 만나는 두 점과 다른 한 점의 좌표를 알 때, 이차함수의 식 구하기

x축과 두 점 $(-2, 0)$, $(4, 0)$에서 만나고 점 $(2, -4)$를 지나는 이차함수의 식을 $y=ax^2+bx+c$ 꼴로 나타내시오. (단, a, b, c는 상수)

해법코드

x축과 만나는 두 점 $(m, 0)$, $(n, 0)$과 그래프 위의 다른 한 점을 알 때
⇨ 이차함수의 식을 $y=a(x-m)(x-n)$으로 놓고 다른 한 점의 좌표를 대입하여 a의 값을 구한다.

셀파 x축과 두 점 $(-2, 0)$, $(4, 0)$에서 만난다. ⇨ 이차함수의 식을 $y=a(x+2)(x-4)$로 놓는다.

풀이 x축과 두 점 $(-2, 0)$, $(4, 0)$에서 만나므로 이차함수의 식을 $y=a(x+2)(x-4)$로 놓자.
이 이차함수의 그래프가 점 $(2, -4)$를 지나므로
$-4=a\times(2+2)\times(2-4)$, $-4=-8a$ $\quad \therefore a=\frac{1}{2}$
따라서 구하는 이차함수의 식은 $y=\frac{1}{2}(x+2)(x-4)$, 즉 $\boldsymbol{y=\frac{1}{2}x^2-x-4}$

확인 04 이차함수 $y=ax^2+bx+c$의 그래프가 오른쪽 그림과 같을 때, 이 그래프의 꼭짓점의 좌표를 구하시오. (단, a, b, c는 상수)

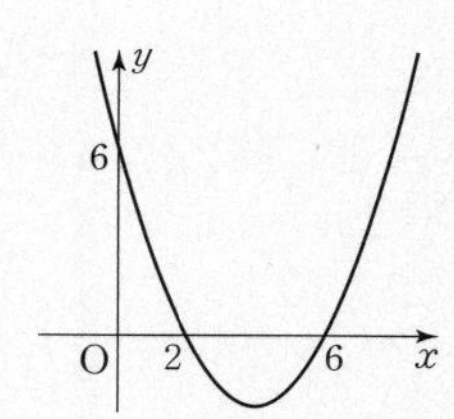

» My 셀파
주어진 이차함수의 그래프는 x축과 두 점 $(2, 0)$, $(6, 0)$에서 만나고 다른 한 점 $(0, 6)$을 지난다.

실력 키우기

01 $y=ax^2+bx+c$의 그래프의 꼭짓점의 좌표와 축의 방정식

이차함수 $y=-2x^2+12x-5$의 그래프의 꼭짓점의 좌표를 (p, q), 축의 방정식을 $x=r$라 할 때, $p+q+r$의 값은?

① 13 ② 15 ③ 17
④ 19 ⑤ 21

02 $y=ax^2+bx+c$의 그래프의 꼭짓점의 좌표와 축의 방정식

이차함수 $y=x^2-4kx+4k^2-k+2$의 그래프에서 꼭짓점이 직선 $y=2x+1$ 위에 있을 때, 상수 k의 값을 구하시오.

03 $y=ax^2+bx+c$의 그래프가 x축, y축과 만나는 점

이차함수 $y=4x^2+4x-3$의 그래프가 x축과 만나는 두 점의 x좌표를 p, q, y축과 만나는 점의 y좌표를 r라 할 때, $p+q+r$의 값을 구하시오.

04 $y=ax^2+bx+c$의 그래프 그리기

다음 이차함수의 그래프 중 모든 사분면을 지나는 것은?

① $y=-x^2+10x-15$ ② $y=-x^2+4x-3$
③ $y=\frac{1}{2}x^2-2x+1$ ④ $y=2x^2+4x$
⑤ $y=3x^2-6x-1$

05 $y=ax^2+bx+c$의 그래프에서 증가, 감소하는 범위

이차함수 $y=\frac{1}{3}x^2+2x+1$의 그래프에서 x의 값이 증가할 때, y의 값은 감소하는 x의 값의 범위는?

① $x>-3$ ② $x<-3$ ③ $x<-1$
④ $x>3$ ⑤ $x<3$

06 $y=ax^2+bx+c$의 그래프의 성질

다음 중 이차함수 $y=\frac{1}{4}x^2+x-1$의 그래프에 대한 설명으로 옳지 않은 것을 모두 고르면? (정답 2개)

① 꼭짓점의 좌표는 $(-2, -2)$이다.
② x축과 한 점에서 만난다.
③ $y=\frac{1}{4}x^2$의 그래프를 x축의 방향으로 -2만큼, y축의 방향으로 -2만큼 평행이동한 것이다.
④ 제1, 2, 4사분면을 지난다.
⑤ $x>-2$일 때, x의 값이 증가하면 y의 값도 증가한다.

07 $y=ax^2+bx+c$의 그래프의 평행이동 (서술형)

이차함수 $y=-x^2+6x-9$의 그래프를 x축의 방향으로 -2만큼, y축의 방향으로 3만큼 평행이동한 그래프에서 꼭짓점의 좌표는 (a, b), 축의 방정식은 $x=c$이다. 이때 $a+b+c$의 값을 구하시오.

08 이차함수의 그래프와 도형의 넓이

오른쪽 그림과 같이 이차함수 $y=-x^2-2x+3$의 그래프가 y축과 만나는 점을 A, x축과 만나는 두 점을 B, C라 하고 포물선의 축과 x축이 만나는 점을 P라 할 때, 삼각형 ABP의 넓이를 구하시오.

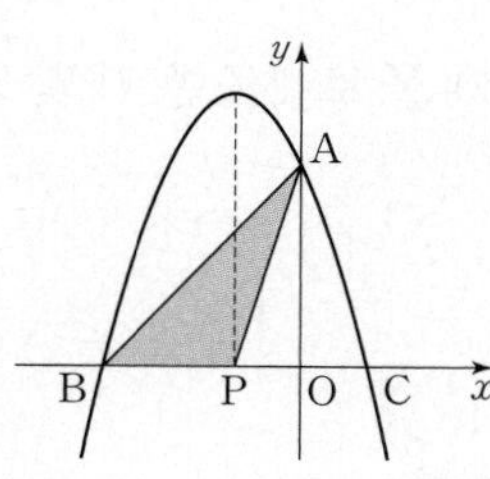

09 $y=ax^2+bx+c$의 그래프에서 a, b, c의 부호

이차함수 $y=ax^2+bx+c$의 그래프가 오른쪽 그림과 같을 때, 다음 중 이차함수 $y=cx^2+bx+a$의 그래프의 개형으로 알맞은 것은?

(단, a, b, c는 상수)

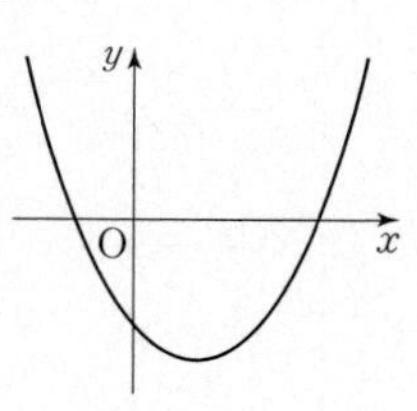

①
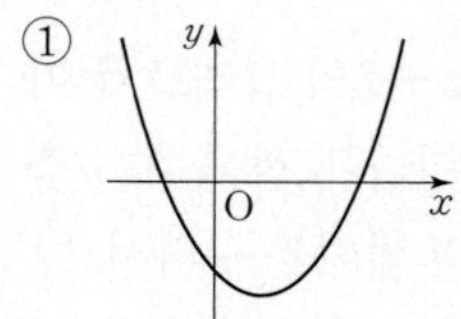

②
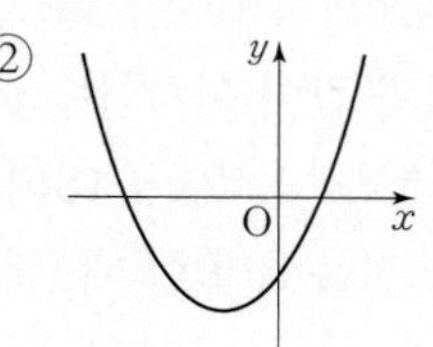

③
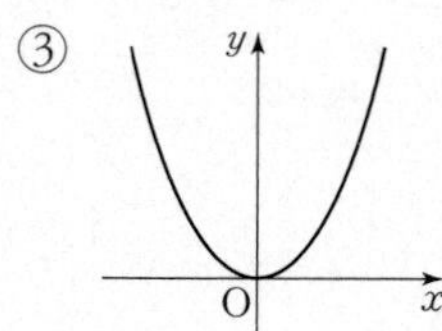

④
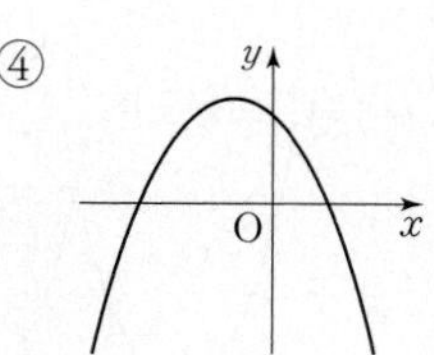

⑤
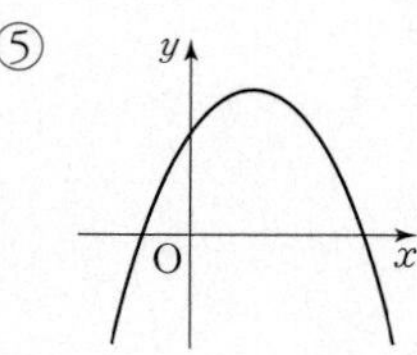

10 이차함수의 식 구하기

이차함수 $y=2x^2+12x+20$의 그래프와 꼭짓점이 같고 점 $(-2, 3)$을 지나는 이차함수의 그래프의 식을 $y=ax^2+bx+c$라 할 때, 상수 a, b, c의 값을 각각 구하시오.

11 이차함수의 식 구하기

다음 조건을 모두 만족하는 이차함수의 그래프의 꼭짓점의 좌표를 구하시오.

> (가) 축의 방정식은 $x=3$이다.
> (나) 점 $(1, -2)$를 지난다.
> (다) 이차함수 $y=-x^2$의 그래프를 평행이동한 것이다.

12 이차함수의 식 구하기 (서술형)

세 점 $(-1, 8)$, $(0, 5)$, $(2, -19)$를 지나는 이차함수의 그래프가 점 $(k, -4)$를 지날 때, 양수 k의 값을 구하시오.

13 $y=ax^2+bx+c$의 그래프의 꼭짓점의 좌표

이차함수 $y=-2x^2+4x+k$의 그래프가 x축과 만날 때, 상수 k의 값의 범위를 구하시오.

14 $y=ax^2+bx+c$의 그래프가 x축, y축과 만나는 점

오른쪽 그림과 같이 이차함수 $y=x^2-5x+k$의 그래프가 x축과 만나는 두 점을 각각 A, B라 하자. $\overline{AB}=7$일 때, 상수 k의 값을 구하시오.

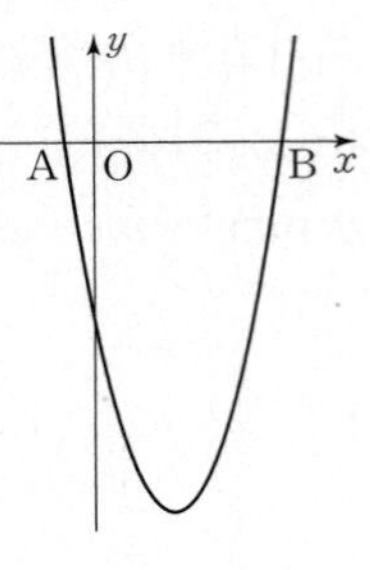

15 $y=ax^2+bx+c$의 그래프에서 a, b, c의 부호 (서술형)

이차함수 $y=ax^2+bx+c$의 그래프가 오른쪽 그림과 같을 때, $\sqrt{(a-b)^2}-\sqrt{(b+c)^2}+\sqrt{(c-a)^2}$을 간단히 하시오. (단, a, b, c는 상수)

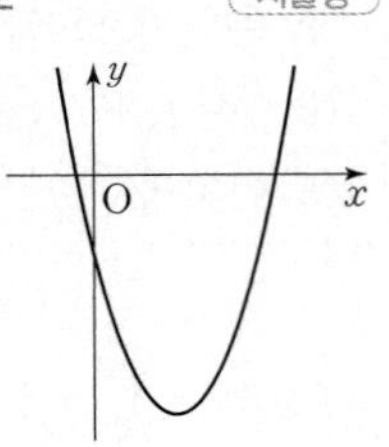

16 $y=ax^2+bx+c$에서 계수가 포함된 식의 부호

이차함수 $y=ax^2+bx+c$의 그래프가 오른쪽 그림과 같을 때, 다음 중 옳지 않은 것을 모두 고르면?

(단, a, b, c는 상수)

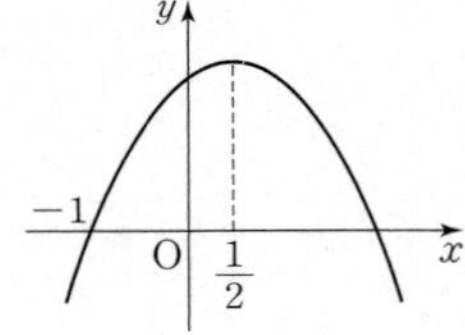

① $abc>0$
② $a-b+c=0$
③ $a+b+c>0$
④ $4a+2b+c>0$
⑤ $\frac{9}{4}a+\frac{3}{2}b+c>0$

17 이차함수의 그래프의 활용 (창의·융합)

오른쪽 그림은 지면으로부터 60 m 높이에서 똑바로 위로 쏘아 올린 물 로켓의 x초 후의 높이 y m를 그래프로 나타낸 것이다. 다음 물음에 답하시오.

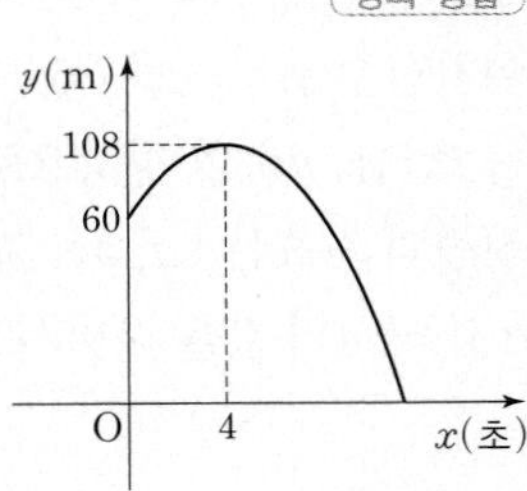

(1) x와 y 사이의 관계식을 $y=ax^2+bx+c$ 꼴로 나타내시오.

(2) 물 로켓을 쏜 지 몇 초 후에 지면에 떨어지는지 구하시오.

18 이차함수의 그래프와 도형의 넓이 (서술형)

오른쪽 그림과 같이 이차함수 $y=x^2-4x-5$의 그래프가 x축과 만나는 두 점을 A, B, y축과 만나는 점을 C, 꼭짓점을 D라 할 때, □ACDB의 넓이를 구하시오.

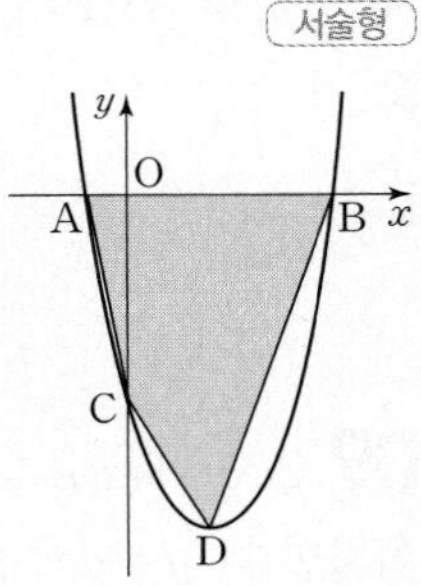

19 이차함수의 그래프와 도형의 넓이 (창의력)

다음 그림과 같이 이차함수 $y=2x^2+4x+2$의 그래프가 이차함수 $y=2x^2+12x+18$의 그래프와 만나는 점을 A, y축과 만나는 점을 B라 할 때, 색칠한 부분의 넓이를 구하시오.

(단, $\overline{AB}$는 x축에 평행하다.)

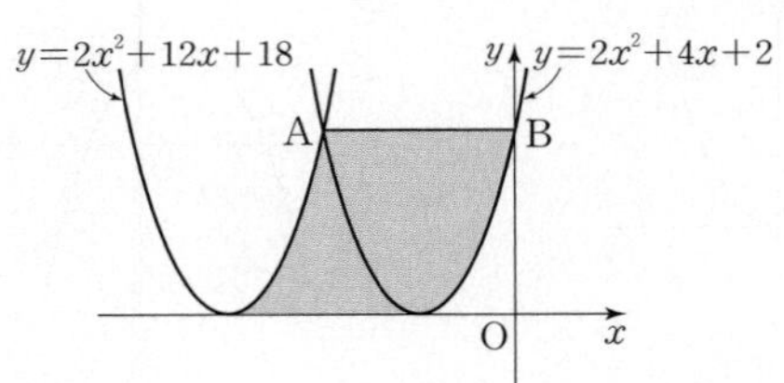

빠른 정답

1 제곱근의 뜻과 성질

따라 풀면서 개념 익히기
본문 9, 11쪽

1-1 (1) $6,\ -6$ (2) $\frac{1}{4},\ -\frac{1}{4}$ (3) $0.7,\ -0.7$ (4) $\frac{1}{3},\ -\frac{1}{3}$

1-2 $25,\ 25,\ -5$

1-3 (1) $9,\ -9$ (2) $\frac{1}{2},\ -\frac{1}{2}$ (3) $0.1,\ -0.1$ (4) $8,\ -8$

2-1 **1.** (1) $\pm\sqrt{10}$ (2) $\pm\sqrt{\frac{2}{5}}$ (3) $\pm\sqrt{0.3}$ **2.** (1) $\pm\sqrt{7}$ (2) $\sqrt{7}$

2-2 (1) $\pm\sqrt{8}$ (2) $\pm\sqrt{\frac{3}{2}}$ (3) $\pm\sqrt{0.5}$

2-3 (1) $\pm\sqrt{13}$ (2) $\sqrt{13}$

3-1 **1.** (1) 6 (2) $\frac{1}{4}$ (3) 0.2 (4) 8 **2.** (1) $2a$ (2) $2a$

3-2 (1) 7 (2) $\frac{2}{5}$ (3) 0.4 (4) 13 **3-3** (1) $<,\ -2a$ (2) $>,\ -2a$

4-1 (1) $<$ (2) $<$ (3) $>$ (4) $>$

4-2 (1) $<$ (2) $>$ (3) $>$ (4) $>$ (5) $<$ (6) $<$

보고 또 보고 유형 익히기 – 확인 문제
본문 12~19쪽

01 20 **02** ⑤ **03** (1) -4 (2) -2

04 $\sqrt{34}$ cm **05** (1) -15 (2) $\frac{6}{11}$ (3) 1.2 **06** ①

07 (1) 5 (2) 1 (3) 1 (4) 1 **08** ②

09 (1) a (2) $4a-b$ **10** (1) 0 (2) 5 **11** ②

12 3 **13** (1) 15 (2) 3 **14** (1) 11 (2) 4

풀고 또 풀고 집중 연습
본문 20쪽

1 (1) -2 (2) -1 (3) -5 (4) 6.5 (5) 2 (6) 1 (7) -2 (8) -1

2 (1) $2a$ (2) $5a$ (3) $4a$ (4) $-3a$
(5) $-2a+4$ (6) 6 (7) $-2x+5$ (8) -1

실력 키우기
본문 21~23쪽

01 ⑤ **02** ④ **03** ④

04 (1) $\sqrt{0.4},\ \sqrt{90}$ (2) $\sqrt{\frac{25}{81}},\ \sqrt{\frac{40}{90}},\ -\sqrt{64}$ **05** 9

06 ⑤ **07** ⑤ **08** ②

09 (1) $>,\ <$ (2) $-b$ **10** ④ **11** 7개

12 ③ **13** 73 **14** 47

15 (1) $\sqrt{5}>2$ (2) 0 **16** (1) $15\ \text{cm}^2$ (2) $\sqrt{15}$ cm

17 19

2 무리수와 실수

따라 풀면서 개념 익히기
본문 27, 29쪽

1-1 유리수: ㉠, ㉢, ㉣, ㉤, 무리수: ㉡

1-2 (1) ㉣ (2) ㉣, ㉧ (3) ㉢, ㉣, ㉤, ㉦, ㉧ (4) ㉠, ㉡, ㉥

2-1 (1) ○ (2) × (3) × (4) ○

2-2

수 \ 수의 분류	자연수	정수	정수가 아닌 유리수	유리수	무리수	실수
15	○	○	×	○	×	○
$\sqrt{36}=6$	○	○	×	○	×	○
$-\frac{2}{5}$	×	×	○	○	×	○
$0.\dot{4}=\frac{4}{9}$	×	×	○	○	×	○
$\sqrt{7}$	×	×	×	×	○	○

3-1 (1) $\sqrt{5}$ (2) $-\sqrt{5}$

3-2 (1) $\sqrt{2}$ (2) $\sqrt{2},\ 1+\sqrt{2}$ (3) $\sqrt{2},\ 1-\sqrt{2}$

4-1 (1) $<$ (2) $>$ (3) $<$ (4) $>$

4-2 (1) $>$ (2) $<$ (3) $>$ (4) $<$

보고 또 보고 유형 익히기 – 확인 문제
본문 30~33쪽

01 $\sqrt{8.1},\ \sqrt{8^3},\ \sqrt{2}-1$ **02** ㉢, ㉣ **03** ④

04 $1-\sqrt{6}$ **05** ②

06 $-2-\sqrt{2}$: A, $\sqrt{6}-2$: E, $-3+\sqrt{17}$: F

07 $\sqrt{12}-2$: C, $-3+\sqrt{7}$: B, $-3+\sqrt{7}<\sqrt{12}-2$

08 $\sqrt{6},\ \sqrt{8},\ \sqrt{5}+0.5,\ \sqrt{\frac{11}{2}},\ \frac{\sqrt{5}+3}{2}$

본문 34~35쪽

01 2개 **02** ④ **03** ②, ③ **04** 43

05 ㉠ $\sqrt{17}, 2\sqrt{2}$ ㉡ $-2.85, \frac{1}{9}$ ㉢ $\sqrt{4}, 2^5, 6$ ㉣ $(-1)^3, -\sqrt{25}$

06 ㉠, ㉣ **07** 9 **08** ㉠, ㉡

09 (1) 풀이 참조 (2) 8개

10 (1) 1, 2, C (2) $-\sqrt{8}$: A, $1+\sqrt{2}$: D, $3-\sqrt{13}$: B
(3) 가장 큰 수: $1+\sqrt{2}$, 가장 작은 수: $-\sqrt{8}$

11 ②, ③

3 근호를 포함한 식의 곱셈과 나눗셈

따라 풀면서 **개념** 익히기 본문 39, 41쪽

1-1 (1) $\sqrt{66}$ (2) $10\sqrt{6}$ (3) $\sqrt{6}$ (4) $2\sqrt{6}$

1-2 (1) $\sqrt{14}$ (2) 6 (3) $20\sqrt{22}$ (4) $\frac{1}{2}$ (5) 2 (6) $\frac{4}{3}$

2-1 (1) $6\sqrt{3}$ (2) $\frac{\sqrt{7}}{10}$ (3) $-\sqrt{75}$ (4) $\sqrt{\frac{11}{4}}$

2-2 (1) $5\sqrt{7}$ (2) $4\sqrt{6}$ (3) $\frac{\sqrt{7}}{5}$ (4) $\frac{\sqrt{3}}{5}$

2-3 (1) $\sqrt{80}$ (2) $-\sqrt{18}$ (3) $\sqrt{\frac{7}{9}}$ (4) $\sqrt{\frac{75}{4}}$

3-1 (1) $\sqrt{2}$ (2) $\frac{\sqrt{10}}{15}$ (3) $\frac{\sqrt{21}}{6}$

3-2 (1) $\sqrt{5}, \sqrt{5}, \frac{3\sqrt{5}}{5}$ (2) $\sqrt{10}, \sqrt{10}, \frac{\sqrt{30}}{10}$
(3) $\sqrt{6}, \sqrt{6}, \frac{\sqrt{42}}{12}$ (4) $\sqrt{2}, \sqrt{2}, \sqrt{2}$

4-1 (1) 3.225 (2) 3.479 **4-2** (1) 1.109 (2) 1.158

보고 또 보고 **유형** 익히기 – 확인 문제 본문 42~48쪽

01 1. $-3\sqrt{15}$ 2. $\frac{2}{3}$ **02** 2 **03** 1. 7 2. 60

04 1. 2 2. $\frac{1}{5}$ **05** $\frac{1}{2}$ **06** $\frac{5}{2}$

07 14.53 **08** (1) 76.81 (2) 242.9 (3) 0.7681 (4) 0.2429

09 (1) $3b-2a$ (2) $\frac{ab}{5}$ **10** $\frac{18}{5}$

풀고 또 풀고 **집중** 연습 본문 45쪽

1 (1) $6\sqrt{2}$ (2) $-2\sqrt{31}$ (3) $\frac{3\sqrt{5}}{4}$ (4) $\frac{\sqrt{30}}{12}$ (5) $\frac{\sqrt{7}}{5}$ (6) $\frac{\sqrt{10}}{20}$

2 (1) $\sqrt{162}$ (2) $-\sqrt{99}$ (3) $\sqrt{\frac{4}{5}}$ (4) $-\sqrt{\frac{4}{3}}$

3 (1) $\frac{8\sqrt{3}}{3}$ (2) $\frac{\sqrt{5}}{3}$ (3) $-5\sqrt{6}$ (4) $\frac{\sqrt{10}}{5}$ (5) $-\frac{7\sqrt{6}}{9}$ (6) $\frac{\sqrt{10}}{8}$

4 (1) $5\sqrt{3}$ (2) $-15\sqrt{6}$ (3) $-\sqrt{2}$ (4) $\frac{\sqrt{15}}{3}$ (5) $\frac{\sqrt{5}}{5}$
(6) $9\sqrt{2}$ (7) 3 (8) $\frac{5\sqrt{2}}{3}$ (9) $3\sqrt{2}$ (10) $\frac{4}{15}$

실력 키우기 본문 49~50쪽

01 ② **02** ④ **03** 139 **04** ③

05 ㉡, ㉠, ㉣, ㉢ **06** 5 **07** $\frac{3\sqrt{6}}{2}$

08 ⑤ **09** ③ **10** ⑤ **11** $2\sqrt{3}$

12 688일

4 근호를 포함한 식의 덧셈과 뺄셈

따라 풀면서 **개념** 익히기 본문 55, 57쪽

1-1 (1) $13\sqrt{2}$ (2) $2\sqrt{6}$ (3) $\frac{9\sqrt{5}}{5}$ (4) $-\frac{\sqrt{3}}{12}$

1-2 (1) $9\sqrt{7}$ (2) $-4\sqrt{3}$ (3) $\sqrt{2}$ (4) $\frac{\sqrt{5}}{4}$

2-1 (1) $3\sqrt{2}+2\sqrt{10}$ (2) $\sqrt{6}-\sqrt{2}$ (3) $2\sqrt{2}$

2-2 (1) $\sqrt{30}+\sqrt{70}$ (2) $4-\sqrt{5}$ (3) $5\sqrt{3}$ (4) $\frac{\sqrt{6}}{6}$

3-1 (1) $>$ (2) $<$ (3) $<$ **3-2** (1) $>$ (2) $<$ (3) $<$ (4) $>$

4-1 (1) 정수 부분: 2, 소수 부분: $\sqrt{5}-2$
(2) 정수 부분: 3, 소수 부분: $\sqrt{3}-1$

4-2 (1) 정수 부분: 2, 소수 부분: $\sqrt{7}-2$
(2) 정수 부분: 3, 소수 부분: $\sqrt{10}-3$
(3) 정수 부분: 3, 소수 부분: $\sqrt{2}-1$
(4) 정수 부분: 0, 소수 부분: $\sqrt{3}-1$

보고 또 보고 유형 익히기 – 확인 문제
본문 58~62쪽

01 (1) $-2\sqrt{2}+2\sqrt{5}$ (2) $4\sqrt{10}-9\sqrt{6}$

02 (1) $5\sqrt{5}$ (2) $-\sqrt{3}$ (3) $\sqrt{10}$ (4) $2\sqrt{2}+4\sqrt{3}$

03 (1) $6+2\sqrt{2}$ (2) $5\sqrt{5}-7\sqrt{2}$ **04** (1) $\sqrt{3}$ (2) $4\sqrt{2}$

05 (1) $8\sqrt{6}-7\sqrt{3}$ (2) $5-5\sqrt{6}$ **06** -2

07 (1) 1 (2) $\sqrt{3}+3$ **08** $4050+750\sqrt{6}$

09 1. ⑤ 2. $B<C<A$

풀고 또 풀고 집중 연습
본문 63쪽

1 (1) $6\sqrt{2}$ (2) $-4\sqrt{5}$ (3) $6\sqrt{2}-\sqrt{3}$ (4) $3\sqrt{3}+\sqrt{7}$
(5) $5\sqrt{3}$ (6) $2\sqrt{3}-\sqrt{2}$ (7) $10\sqrt{3}-15\sqrt{5}$
(8) $7\sqrt{3}$ (9) $3\sqrt{2}-2\sqrt{3}$ (10) $2\sqrt{3}-\sqrt{5}$

2 (1) $\sqrt{6}$ (2) $\sqrt{3}$ (3) $4\sqrt{3}$ (4) $6\sqrt{2}$ (5) $6-4\sqrt{2}$
(6) $-2\sqrt{2}$ (7) $2\sqrt{6}-4\sqrt{2}$ (8) $-\frac{5\sqrt{6}}{6}$ (9) $-5-3\sqrt{5}$
(10) $-\sqrt{6}-7\sqrt{2}$

실력 키우기
본문 64~65쪽

01 $2x-3y$ **02** ② **03** ④ **04** 5

05 -6 **06** 2 **07** $7a+7$ **08** $36\sqrt{3}$

09 ㉡, ㉢ **10** $3\sqrt{10}$

11 (1) $\mathrm{P}(-1+\sqrt{5})$, $\mathrm{Q}(-1-\sqrt{5})$ (2) $2\sqrt{5}$

12 (1) $\sqrt{3}$ m, $2\sqrt{3}$ m, $3\sqrt{3}$ m (2) $18\sqrt{3}$ m

5 다항식의 곱셈

따라 풀면서 개념 익히기
본문 69, 71쪽

1-1 (1) $xy+2x-y-2$ (2) $5x^2-7xy+2y^2$

1-2 (1) $3xy+4x-6y-8$ (2) $2ab-4a+5b-10$
(3) $2a^2+10a+8$ (4) $6x^2-xy-y^2$

2-1 (1) $x^2+10x+25$ (2) $x^2-4xy+4y^2$ (3) $4x^2+12xy+9y^2$

2-2 (1) $x^2+8x+16$ (2) $x^2-10x+25$
(3) $x^2+4xy+4y^2$ (4) $9x^2-12xy+4y^2$

3-1 (1) a^2-16 (2) $4a^2-9b^2$ (3) $4a^2-1$ (4) b^2-a^2

3-2 (1) $9-x^2$ (2) a^2-4b^2 (3) $4a^2-b^2$ (4) $4b^2-9a^2$

4-1 (1) x^2+6x+8 (2) x^2-2x-3
(3) $x^2+xy-2y^2$ (4) $12x^2+7x+1$

4-2 (1) x^2+x-2 (2) x^2-5x+6 (3) $x^2+3xy-10y^2$
(4) $5x^2+22x+8$ (5) $12x^2-13x+3$

풀고 또 풀고 집중 연습
본문 72쪽

1 (1) $9x^2+30x+25$ (2) $16a^2+16ab+4b^2$ (3) $\frac{1}{4}a^2-3ab+9b^2$
(4) $a^2-6ab+9b^2$ (5) $49x^2+28xy+4y^2$

2 (1) $25-a^2$ (2) $4x^2-25y^2$ (3) $64-9a^2$ (4) $\frac{9}{16}x^2-y^2$

3 (1) x^2+5x+6 (2) $x^2-13x+30$
(3) x^2-5x-6 (4) $x^2-2xy-3y^2$

4 (1) $5x^2+13x+6$ (2) $6x^2+7x-20$ (3) $8a^2-30a-27$
(4) $24x^2-50xy+14y^2$ (5) $\frac{1}{15}a^2-5a+90$

보고 또 보고 유형 익히기 – 확인 문제
본문 73~78쪽

01 3 **02** ④ **03** -9

04 1. $\frac{4}{3}$ 2. $12x-3$ **05** 8 **06** ①

07 x^2-2x-8 **08** $24x^2-30x+9$

09 (1) $6x^2+5xy+y^2+5x+2y+1$ (2) $1-x^2-2xy-y^2$

10 1

실력 키우기
본문 79~81쪽

01 -5 **02** 22 **03** ④

04 $a=8$, $b=-256$ **05** ⑤ **06** ③

07 2 **08** ④ **09** $3x+5$ **10** ③

11 $32x^2+32x-2$ **12** ④

13 (1) $-2x^2+3xy-y^2-15x+10y-25$
(2) $x^2-6xy+9y^2+4x-12y+4$

14 143 **15** 75

16 ㉠: $9x^2-12xy+4y^2$, ㉡: x^2-4y^2 **17** $4x+9$

6 곱셈 공식의 활용

따라 풀면서 **개념** 익히기 본문 85, 87쪽

1-1 (1) 2601 (2) 9025 (3) 3591 (4) 1023

1-2 (1) ㉡, 2304 (2) ㉠, 5184 (3) ㉢, 8099 (4) ㉣, 11124

2-1 (1) $27-10\sqrt{2}$ (2) 1 (3) $-4-\sqrt{2}$ (4) $5\sqrt{6}$

2-2 (1) $18+8\sqrt{2}$ (2) $9-6\sqrt{2}$ (3) 9 (4) $9+4\sqrt{6}$ (5) $11-5\sqrt{10}$

3-1 (1) $\sqrt{3}-\sqrt{2}$ (2) $\frac{7+2\sqrt{10}}{3}$

3-2 (1) $-\frac{1+\sqrt{6}}{5}$ (2) $5\sqrt{2}-3\sqrt{5}$ (3) $\sqrt{6}+2$
(4) $\frac{5+\sqrt{21}}{2}$ (5) $10-7\sqrt{2}$

4-1 (1) 5 (2) 1

4-2 (1) 33 (2) 41

4-3 (1) 20 (2) 24

보고 또 보고 **유형** 익히기 – 확인 문제 본문 88~91쪽

01 ③ **02** $-7+4\sqrt{5}$

03 **1.** (1) $\sqrt{17}-4$ (2) $\sqrt{7}+2$ (3) $\frac{4+\sqrt{10}}{3}$ (4) $2-\sqrt{3}$ **2.** 8

04 37 **05** (1) 11 (2) 13

06 (1) -5 (2) 27 **07** 1 **08** **1.** -3 **2.** 7

실력 키우기 본문 92~93쪽

01 80.99 **02** (1) $x+1$ (2) 1001 **03** ③

04 (1) 6 (2) 2 **05** ② **06** (1) $-\frac{1}{2}$ (2) 5 (3) -10

07 (1) 18 (2) 322 **08** (1) 4 (2) 22

09 -1 **10** 0 **11** 8 **12** 13

13 $1-\sqrt{5}$

7 다항식의 인수분해

따라 풀면서 **개념** 익히기 본문 97, 99쪽

1-1 **1.** $1, x, y, x+y, xy, x(x+y), y(x+y), xy(x+y)$
2. (1) $x(x+y)$ (2) $ab(a+b-ab)$

1-2 (1) x, y, x^2, xy (2) $x, x-y, x(x-y)$

1-3 (1) $a, a(1+2b)$ (2) $4y, 4y(4x^2-3y)$
(3) $ab, ab(a+2-3b)$ (4) $2q, 2q(p^2+2pq+3)$

2-1 (1) $(x+5)^2$ (2) $(7x-1)^2$

2-2 (1) $(x+1)^2$ (2) $(x-3)^2$ (3) $(2x+1)^2$ (4) $(x-8y)^2$

3-1 **1.** (1) $(x+4)(x-4)$ (2) $(x+3y)(x-3y)$
2. $(x+3)(x+9)$

3-2 (1) $(4+b)(4-b)$ (2) $5x, (5x+y)(5x-y)$
(3) $3y, (2x+3y)(2x-3y)$

3-3 (1) $-4, -4x$ / $(x+1)(x-4)$
(2) $1, x, 4, 4x$ / $(x+1)(x+4)$

4-1 $(x-2)(3x-1)$

4-2 (1) $x, -1, -x, 7x$ / $(x+2)(4x-1)$
(2) $2x, 2y, 4xy$ / $(2x-3y)(3x+2y)$

풀고 또 풀고 **집중** 연습 본문 100쪽

1 (1) $6ab(2a-3b)$ (2) $ab(3a-b+2)$ (3) $(x+y)(x+z)$
(4) $(a+b)(c+2)$ (5) $(x-y)(a-b)$

2 (1) $(a+6)^2$ (2) $(x-7)^2$ (3) $\left(x-\frac{1}{5}\right)^2$
(4) $(3x+1)^2$ (5) $(2x-5)^2$

3 (1) $(a+8)(a-8)$ (2) $(x+9y)(x-9y)$
(3) $\left(\frac{1}{2}x+\frac{1}{3}\right)\left(\frac{1}{2}x-\frac{1}{3}\right)$ (4) $(3a+7b)(3a-7b)$

4 (1) $(x-4)(x-9)$ (2) $(x+10)(x-3)$
(3) $(x+5y)(x-7y)$ (4) $(x-8y)(x-9y)$
(5) $(x+7y)(x-6y)$

5 (1) $(3x+1)(3x+2)$ (2) $(x-4y)(5x+9y)$
(3) $(x-3y)(3x+2y)$

보고 또 보고 **유형 익히기 - 확인 문제** 본문 101~107쪽

01 ②
02 (1) $-2a^2(ax-4y)$ (2) $(x+y)(2x+3y)$
03 ㉠, ㉢, ㉣
04 109
05 (1) $x+4$ (2) $2x-7$
06 $a=7, b=2, c=5$
07 3
08 -2
09 ③
10 ⑤
11 (1) -24 (2) 3
12 (1) x^2-6x+8 (2) $(x-2)(x-4)$
13 $3x+4$
14 $x+2$

실력 키우기 본문 109~111쪽

01 ④
02 46
03 ④
04 ②, ⑤
05 $-4a-6b$
06 ②
07 ③
08 5
09 ③
10 ④
11 15
12 8
13 $x+2$
14 (1) a^2-b^2 (2) $(a+b)(a-b)$ (3) $a^2-b^2=(a+b)(a-b)$
15 $2x+5$
16 11, 13

8 인수분해 공식의 활용

1. 여러 가지 식의 인수분해

따라 풀면서 **개념 익히기** 본문 115, 117쪽

1-1 (1) $b(a-3)^2$ (2) $(x+y)(x+4)(x-4)$
1-2 (1) $5(x-y)^2$ (2) $b(2a+b)(2a-b)$ (3) $2y^2(x-1)^2$ (4) $3ab(a-1)(a-3)$
2-1 (1) $(x-1)(x-7)$ (2) $3x(x+2y)$
2-2 (1) $a(a+5)$ (2) $(x+y+1)^2$ (3) $(a+b+1)(a-b-7)$ (4) $(x+2y-5)(x+5y-14)$
3-1 (1) $(y-z)(x+1)$ (2) $(3x+y+1)(3x-y-1)$
3-2 (1) $(a-b)(a+1)$ (2) $(x-2y)(a+b)$ (3) $(x-2y+1)(x-2y-1)$ (4) $(a+b-4)(a-b+4)$
4-1 $(x-2)(x+2y-3)$
4-2 $y+2, y-4, x+y+2, x-y+4$

보고 또 보고 **유형 익히기 - 확인 문제** 본문 118~120쪽

01 (1) $2x(y+3)(y-4)$ (2) $a(2a+b)(3a-2b)$
02 (1) $(a-5)(a-6)$ (2) $3(3x-4y+3)^2$ (3) $(x+y-5)(x+y+2)$ (4) $(3a-2b-1)(3a-2b+2)$
03 (1) $(5a+2b)(3a+4b)$ (2) $(2x+y+4)^2$
04 (1) $(x+1)(x-1)^2$ (2) $(x-1)(y-1)$
05 (1) $(x-y+1)(-x+y+1)$ (2) $(3x-2y+6)(3x-2y-6)$
06 $2x+y+3$

풀고 또 풀고 **집중 연습** 본문 121쪽

1 (1) $2a(b-2)^2$ (2) $(x-1)(x+2)(x-2)$ (3) $(x+1)(a+5)(a-2)$ (4) $(x+y)(2x+3y)$
2 (1) $(a+b-3)(a+b+7)$ (2) $(a+2b-8)(a+2b+2)$ (3) $3x(x-6)$ (4) $(4x+y)(-x+5y)$ (5) $3x(-2x+7y)$
3 (1) $(b+5)(a+1)$ (2) $(y-4)(x+a)$ (3) $(c-d)(a-b)$ (4) $(a+b+7)(a-b+7)$ (5) $(2x+y+5z)(2x-y-5z)$ (6) $(a+b-c)(a-b+c)$
4 (1) $(x+3)(2x+y-5)$ (2) $(x-2)(x+y-3)$ (3) $(x-y-2)(2x+y-3)$ (4) $(a-2b)(a-2b-3)$

2. 인수분해 공식의 활용

따라 풀면서 **개념 익히기** 본문 123쪽

1-1 (1) 9600 (2) 400
1-2 (1) ㉣, 10600 (2) ㉢, 100
2-1 (1) 10000 (2) $4\sqrt{55}$
2-2 (1) 6, 6, 10000 (2) $y, \sqrt{2}-1, 4$

보고 또 보고 **유형 익히기 - 확인 문제** 본문 124~125쪽

01 12
02 $8\sqrt{3}$
03 10
04 $100\pi\ \text{cm}^2$

실력 키우기

본문 127~129쪽

01 ③ **02** (1) ㉡ (2) $(2a+3)(a-2)$ **03** 5

04 2 **05** ①, ③ **06** $2y$ **07** ④, ⑤

08 10 **09** ③ **10** 4 **11** $\frac{11}{20}$

12 $\sqrt{3}$ **13** ① **14** (1) 5 (2) $x=3, y=1$

15 $2x+3$ **16** 6 **17** (1) $17\times5\times3$ (2) 17

18 $\frac{1}{16}$ **19** $4400\pi\ \text{cm}^3$

9 이차방정식의 풀이

따라 풀면서 개념 익히기

본문 133, 135쪽

1-1 1. (1) $x^2-x-2=0$, 이차방정식이다.
(2) $-3x+5=0$, 이차방정식이 아니다.
2. $x=1$

1-2 ㉠, ㉢

1-3 (1) ○ (2) × (3) ○

2-1 (1) $x=-1$ 또는 $x=7$ (2) $x=-2$ 또는 $x=3$

2-2 (1) $x=0$ 또는 $x=4$ (2) $x=-\frac{2}{3}$ 또는 $x=\frac{5}{2}$
(3) $x=-1$ 또는 $x=4$ (4) $x=3$ 또는 $x=-\frac{4}{3}$

3-1 (1) $x=-4$ (2) $x=5$ (3) $x=\frac{1}{7}$

3-2 (1) × (2) ○

3-3 (1) $x=-3$ (2) $x=\frac{5}{2}$ (3) $x=6$ (4) $x=-\frac{1}{4}$

4-1 1. (1) $x=\pm2$ (2) $x=\frac{1\pm\sqrt{5}}{3}$ 2. $x=4\pm\sqrt{19}$

4-2 (1) $x=\pm\sqrt{10}$ (2) $x=\pm\sqrt{5}$ (3) $x=3\pm\sqrt{5}$ (4) $x=\frac{3\pm\sqrt{7}}{2}$

4-3 (1) $x=1\pm\sqrt{5}$ (2) $x=5\pm3\sqrt{2}$
(3) $x=-4\pm\sqrt{19}$ (4) $x=-2\pm\sqrt{5}$

풀고 또 풀고 집중 연습

본문 136쪽

1 (1) $x=-5$ 또는 $x=5$ (2) $x=-2$ 또는 $x=4$
(3) $x=-5$ 또는 $x=-6$ (4) $x=-2$ 또는 $x=\frac{1}{3}$
(5) $x=-\frac{1}{2}$ 또는 $x=\frac{1}{3}$ (6) $x=\frac{3}{2}$ (7) $x=-\frac{4}{3}$

2 (1) $x=\pm2\sqrt{3}$ (2) $x=\pm2\sqrt{5}$ (3) $x=2\pm\sqrt{10}$ (4) $x=5\pm\frac{\sqrt{2}}{2}$

3 (1) ① $(x+1)^2=2$ ② $x=-1\pm\sqrt{2}$
(2) ① $(x-2)^2=3$ ② $x=2\pm\sqrt{3}$
(3) ① $(x+3)^2=13$ ② $x=-3\pm\sqrt{13}$
(4) ① $(x-2)^2=\frac{3}{2}$ ② $x=2\pm\frac{\sqrt{6}}{2}$
(5) ① $(x-1)^2=\frac{3}{5}$ ② $x=1\pm\frac{\sqrt{15}}{5}$

보고 또 보고 유형 익히기 – 확인 문제

본문 137~144쪽

01 ④ **02** $a\neq2$ **03** ③ **04** (1) 2 (2) 1

05 33

06 (1) $x=-1$ 또는 $x=-4$ (2) $x=2$ 또는 $x=-\frac{3}{2}$

07 $a=1, x=0$ **08** -8 **09** ⑤

10 $-\frac{3}{4}, 1$ **11** -5

12 (1) $x=\frac{3\pm2\sqrt{3}}{4}$ (2) $x=-3\pm\frac{3\sqrt{2}}{2}$ **13** ①, ②

14 13 **15** (1) $x=\frac{-1\pm\sqrt{33}}{4}$ (2) $x=-1\pm\sqrt{11}$

16 ②, ④

실력 키우기

본문 145~147쪽

01 ④ **02** ⑤ **03** ③, ④

04 (1) $\begin{cases} a-b=-3 \\ 3a-b=-1 \end{cases}$ (2) $a=1, b=4$ (3) 0 **05** ④

06 ④ **07** 6 **08** 2개 **09** 9

10 10 **11** ① **12** 3 **13** -3

14 ③ **15** -3 **16** $\frac{1}{18}$ **17** 1

18 (1) -1 (2) 5 (3) $\sqrt{21}$ (4) $-2\sqrt{21}$

10 이차방정식의 근의 공식과 활용

1. 이차방정식의 근의 공식

따라 풀면서 **개념** 익히기 본문 151, 153쪽

1-1 $x=\frac{3\pm\sqrt{17}}{4}$

1-2 (1) $x=\frac{1\pm\sqrt{21}}{2}$ (2) $x=\frac{-5\pm\sqrt{17}}{4}$
(3) $x=1\pm\sqrt{6}$ (4) $x=\frac{-2\pm\sqrt{7}}{3}$

2-1 (1) $x=\frac{-3\pm\sqrt{13}}{2}$ (2) $x=-3$ 또는 $x=5$ (3) $x=\frac{4\pm\sqrt{10}}{2}$

2-2 (1) $x=\pm2\sqrt{6}$ (2) $x=-3\pm\sqrt{15}$ (3) $x=\frac{-3\pm\sqrt{29}}{2}$
(4) $x=\frac{-2\pm\sqrt{19}}{3}$ (5) $x=-1$ 또는 $x=-\frac{2}{3}$ (6) $x=\frac{2\pm3\sqrt{6}}{5}$

3-1 (1) 2 (2) 0

3-2 (1) 13, 2 (2) 0, 1 (3) -4, 0 (4) 73, 2

4-1 (1) $4x^2-8x-12=0$ (2) $\frac{1}{2}x^2-6x+18=0$

4-2 (1) 2, 5 / $2x^2-14x+20=0$ (2) 1, 6 / $x^2+5x-6=0$
(3) 3, 2 / $3x^2+12x+12=0$

보고 또 보고 **유형** 익히기 – 확인 문제 본문 154~159쪽

01 **1.** 6 **2.** 7 **02** $-\frac{1}{2}$

03 (1) $x=\frac{-13\pm\sqrt{61}}{6}$ (2) $x=\frac{3\pm\sqrt{57}}{12}$

04 (1) $x=-4$ 또는 $x=4$ (2) $x=0$ 또는 $x=1$ **05** ①, ⑤

06 6 **07** **1.** $k>12$ **2.** $-2\le k<2$ 또는 $k>2$

08 **1.** $a=-2, b=-1$ **2.** 16

09 (1) $4-\sqrt{2}$ (2) $a=-8, b=14$

10 $x=-6$ 또는 $x=2$

풀고 또 풀고 **집중** 연습 본문 156쪽

1 (1) $x=8$ 또는 $x=-3$ (2) $x=-3\pm2\sqrt{3}$ (3) $x=\frac{1\pm\sqrt{41}}{4}$
(4) $x=\frac{-1\pm\sqrt{7}}{2}$ (5) $x=\frac{-5\pm\sqrt{13}}{6}$ (6) $x=\frac{1}{5}$ 또는 $x=-1$

2 (1) $x=2\pm\sqrt{7}$ (2) $x=\frac{-1\pm\sqrt{22}}{3}$ (3) $x=\frac{-5\pm\sqrt{10}}{3}$
(4) $x=5$ (5) $x=\frac{-4\pm\sqrt{26}}{2}$ (6) $x=\frac{4\pm\sqrt{37}}{3}$
(7) $x=\frac{-1\pm\sqrt{41}}{4}$ (8) $x=\frac{-9\pm3\sqrt{13}}{2}$
(9) $x=5$ 또는 $x=-\frac{2}{3}$ (10) $x=3$ 또는 $x=-\frac{1}{2}$

3 (1) $x=-3$ (2) $x=-5$ 또는 $x=-\frac{5}{3}$
(3) $x=7$ 또는 $x=\frac{16}{5}$ (4) $x=\frac{4}{3}$ 또는 $x=\frac{1}{6}$

2. 이차방정식의 활용

따라 풀면서 **개념** 익히기 본문 161쪽

1-1 6, 7

1-2 (1) $x^2+(x+1)^2=145$ (2) $x=-9$ 또는 $x=8$ (3) 8, 9

2-1 6 cm

2-2 (1) $x(x+5)=84$ (2) $x=-12$ 또는 $x=7$ (3) 12

보고 또 보고 **유형** 익히기 – 확인 문제 본문 162~164쪽

01 10, 12, 14 **02** 십삼각형 **03** 14권 **04** 8초 후

05 9 cm **06** 10 m

실력 키우기 본문 165~167쪽

01 ④ **02** ② **03** $\sqrt{14}$

04 $A=1, B=7$ **05** $\frac{7}{2}$ **06** 4

07 ⑤ **08** $x=1$ 또는 $x=-\frac{5}{7}$ **09** $k\le-1$

10 $3x^2+21x+30=0$ **11** $3-2\sqrt{2}$

12 $x=-4$ 또는 $x=2$ **13** 3 **14** 28

15 10세 **16** 4초

17 (1) $-2x^2+40x$ (2) 8 cm 또는 12 cm **18** $x=1, a=7$

19 4초 후 또는 6초 후

20 (1) $(x-6)$자 (2) 큰 정사각형: 18자, 작은 정사각형: 12자

11 이차함수 $y=ax^2$의 그래프

1. 이차함수

따라 풀면서 개념 익히기

본문 171쪽

1-1 (2), (4)

1-2 (1) ○ (2) × (3) × (4) ×

2-1 (1) 2 (2) 17

2-2 (1) 7 (2) 12 (3) 19

보고 또 보고 유형 익히기 - 확인 문제

본문 172~173쪽

01 1. ③, ⑤ 2. ④

02 ⑤

03 1. 4 2. (1) −3 (2) 0

2. 이차함수 $y=ax^2$의 그래프

따라 풀면서 개념 익히기

본문 175, 177쪽

1-1 ㉠, ㉢

1-2 (1) 아래 (2) y축 (3) 감소 (4) 증가

2-1

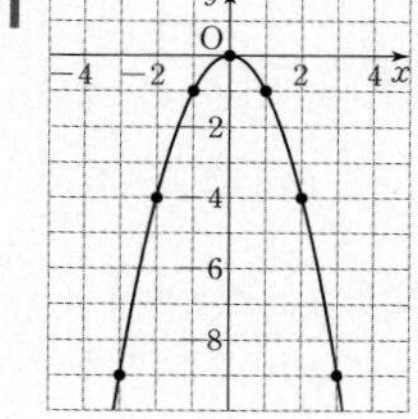

2-2 (1) 위 (2) y축 (3) 증가 (4) 감소

3-1

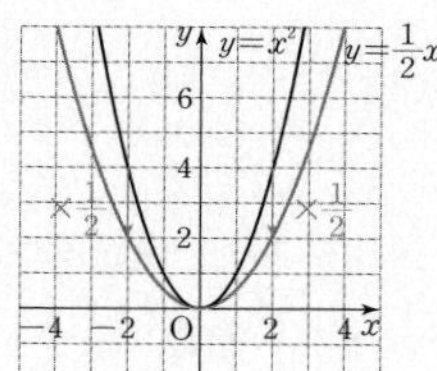

3-2

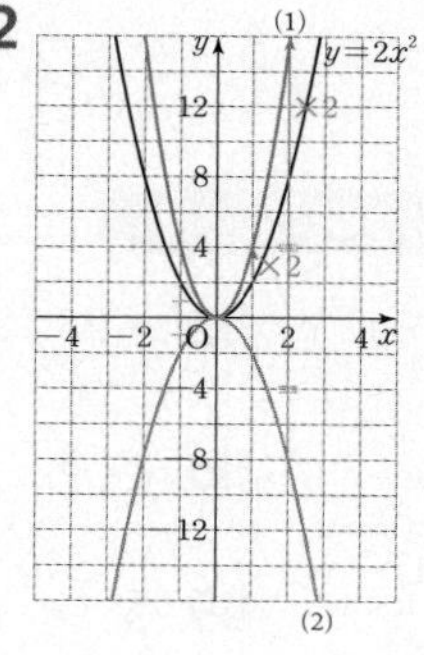

4-1 (1) ㉠, ㉣, ㉥ (2) ㉥ (3) ㉠, ㉤

4-2 (1) 0, 0 (2) $x=0$ (3) 위 (4) 증가 (5) 감소

풀고 또 풀고 집중 연습

본문 178쪽

1 (1)

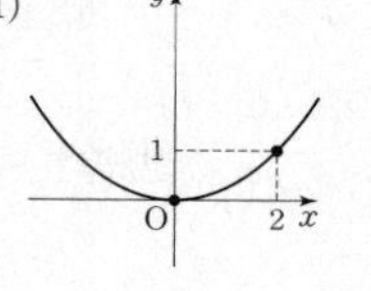

(2)

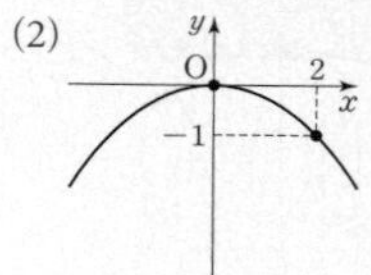

(3)

(4)

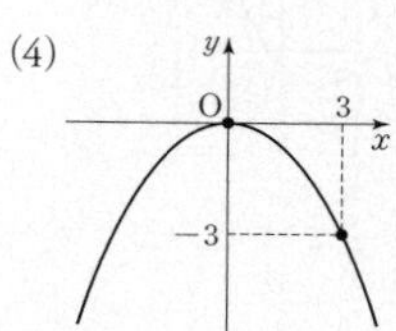

(5)

(6)

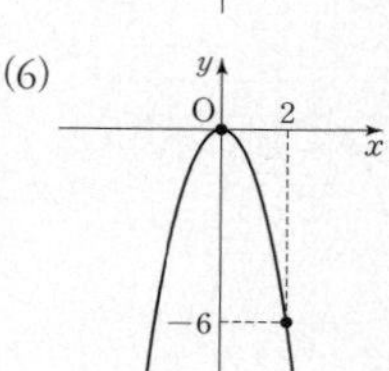

보고 또 보고 유형 익히기 - 확인 문제

본문 179~180쪽

01 6 **02** ⑤ **03** ③ **04** −12

실력 키우기

본문 181~183쪽

01 ②, ④ **02** ② **03** $k\neq-1$, $k\neq2$

04 3 **05** −9 **06** 4 **07** ④

08 ⑤ **09** ㉡과 ㉥, ㉢과 ㉣ **10** $\frac{5}{3}$

11 ③ **12** ⑤ **13** 12 **14** $y=-4x^2$

15 2 **16** (1) Q(4, 16) (2) R(8, 16) (3) $\frac{1}{4}$

17 (1) $A\left(-a, \frac{1}{2}a^2\right)$, $B(-a, -a^2)$, $C(a, -a^2)$, $D\left(a, \frac{1}{2}a^2\right)$
(2) $\frac{4}{3}$

12 이차함수 $y=a(x-p)^2+q$의 그래프

따라 풀면서 개념 익히기

본문 187, 189쪽

1-1

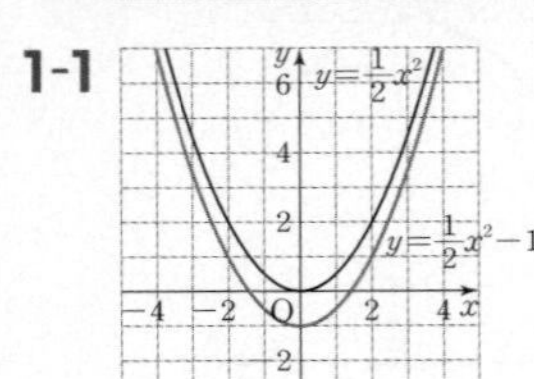

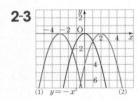

꼭짓점의 좌표: $(0,\ -1)$
축의 방정식: $x=0$

1-2 (1) $y=\frac{1}{3}x^2+1$ (2) $y=-4x^2-2$

1-3
(1) 꼭짓점의 좌표: $(0,\ 2)$
축의 방정식: $x=0$
(2) 꼭짓점의 좌표: $(0,\ -3)$
축의 방정식: $x=0$

2-1

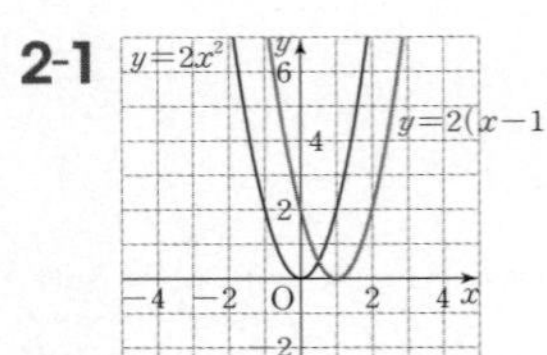

꼭짓점의 좌표: $(1,\ 0)$
축의 방정식: $x=1$

2-2 (1) $y=\frac{1}{2}(x-5)^2$ (2) $y=-3(x+4)^2$

2-3
(1) 꼭짓점의 좌표: $(-3,\ 0)$
축의 방정식: $x=-3$
(2) 꼭짓점의 좌표: $(2,\ 0)$
축의 방정식: $x=2$

3-1

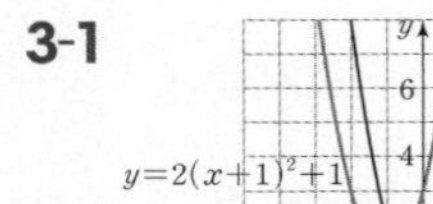

꼭짓점의 좌표: $(-1,\ 1)$
축의 방정식: $x=-1$

3-2 (1) $y=\frac{2}{3}(x+3)^2-5$ (2) $y=-4(x+1)^2+2$

3-3

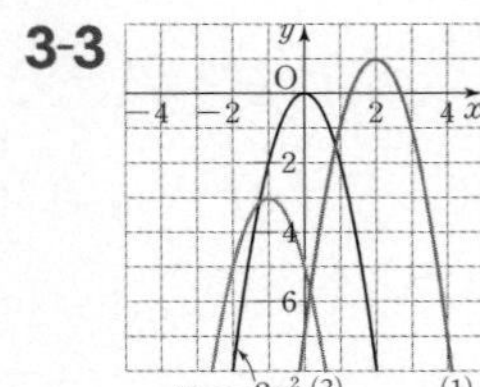

(1) 꼭짓점의 좌표: $(2,\ 1)$
축의 방정식: $x=2$
(2) 꼭짓점의 좌표: $(-1,\ -3)$
축의 방정식: $x=-1$

4-1 $a<0,\ p<0,\ q>0$

4-2 (1) $>,\ >,\ <$ (2) $<,\ >,\ >$

풀고 또 풀고 집중 연습

본문 191쪽

1
(1)
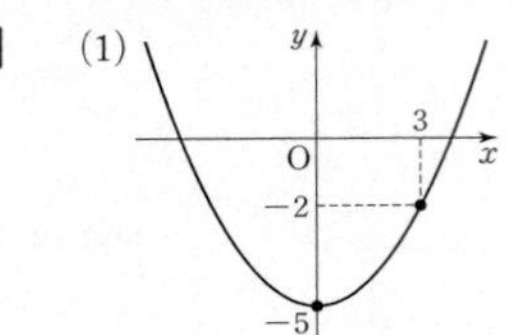
(2)
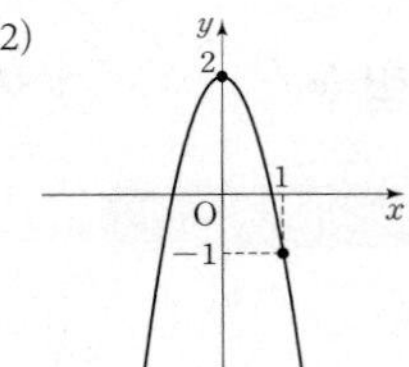
(3)
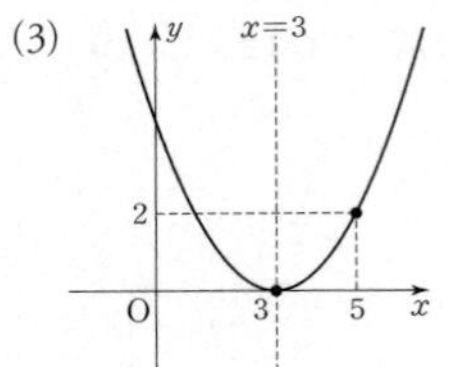

(4)
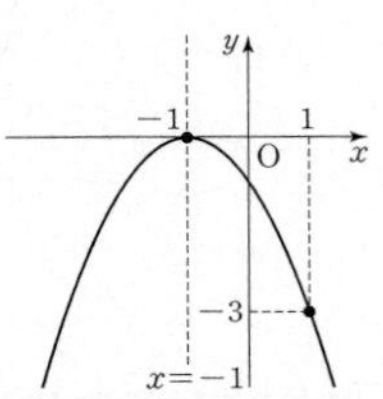

2
(1)
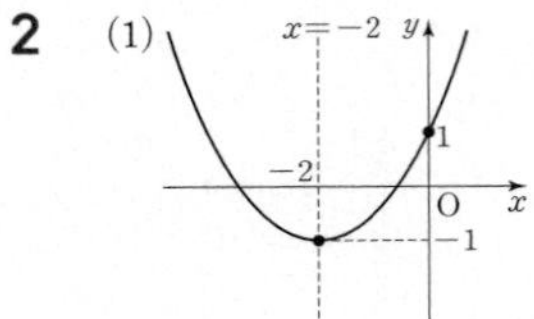

(2)
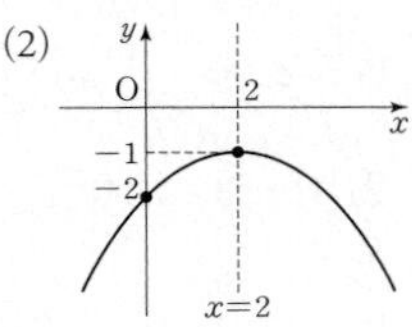

(3)
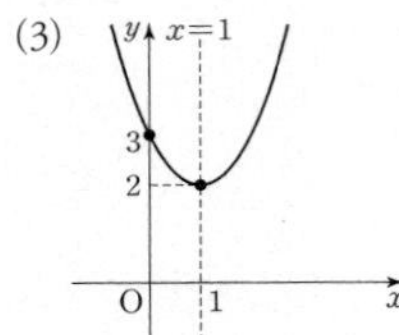

(4)
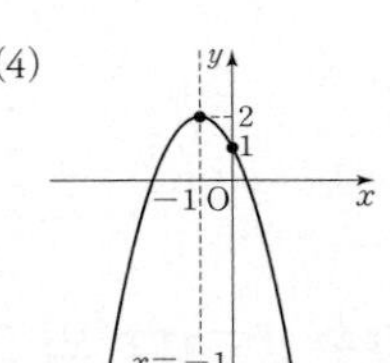

보고 또 보고 유형 익히기 - 확인 문제

본문 192~197쪽

01 ㉠, ㉢

02 (1) 없다. (2) 제3, 4사분면 (3) 제3사분면

03 ② **04** -2 **05** ④ **06** -27

07 ③, ⑤ **08** -4 **09** $a=5,\ b=-4,\ c=5$

10 $a=-2,\ b=-3$ **11** $x<3$

12 (1) $a>0,\ p>0,\ q<0$ (2) 제3, 4사분면

실력 키우기

본문 199~201쪽

01 ③, ⑤ **02** -2 **03** ④ **04** 3

05 $\frac{1}{3}$ **06** ㉠, ㉣ **07** $a=2,\ p=-4,\ q=-5$

08 1 **09** ④ **10** 0 **11** -2

12 ③ **13** ① **14** ① **15** 1

16 5 **17** 16

13 이차함수 $y=ax^2+bx+c$의 그래프

1. 이차함수 $y=ax^2+bx+c$의 그래프

따라 풀면서 개념 익히기
본문 205쪽

1-1 $y=2(x-1)^2+1$,

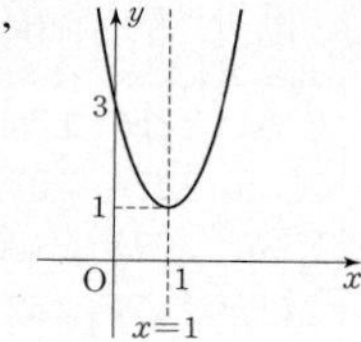

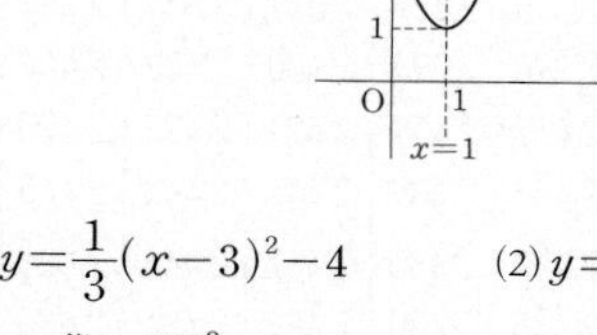

1-2 (1) $y=\frac{1}{3}(x-3)^2-4$ (2) $y=-2(x+2)^2+2$

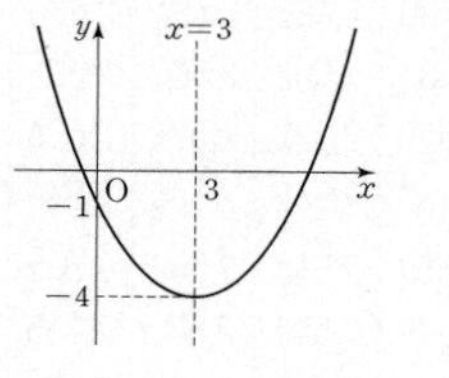

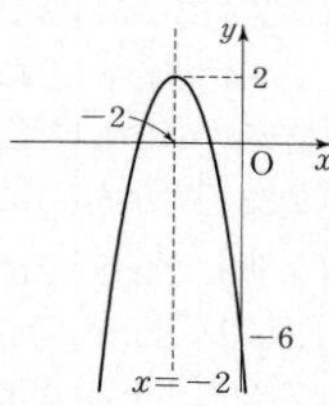

2-1 $a>0, b<0, c>0$

2-2 (1) $>$, $>$, $>$ (2) $<$, $>$, $=$

풀고 또 풀고 집중 연습
본문 206쪽

1 (1) $y=(x+1)^2+2$ ④
① $(-1, 2)$
② $x=-1$
③ $(0, 3)$

(2) $y=2(x-2)^2-2$ ④
① $(2, -2)$
② $x=2$
③ $(0, 6)$

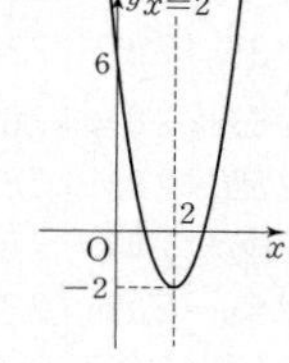

(3) $y=\frac{1}{2}(x-1)^2+\frac{1}{2}$ ④
① $\left(1, \frac{1}{2}\right)$
② $x=1$
③ $(0, 1)$

(4) $y=-(x+2)^2-1$ ④
① $(-2, -1)$
② $x=-2$
③ $(0, -5)$

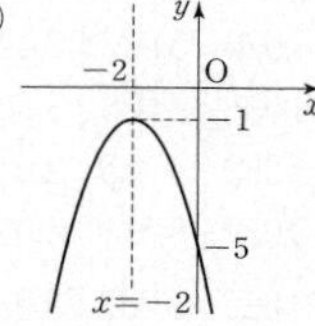

(5) $y=-2\left(x-\frac{3}{2}\right)^2+\frac{9}{2}$ ④
① $\left(\frac{3}{2}, \frac{9}{2}\right)$
② $x=\frac{3}{2}$
③ $(0, 0)$

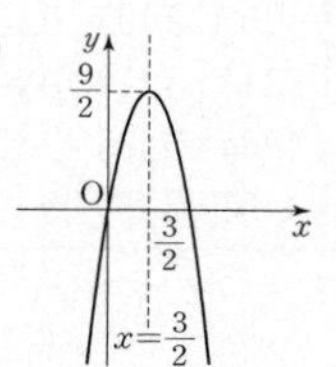

(6) $y=-\frac{1}{3}(x-3)^2+5$ ④
① $(3, 5)$
② $x=3$
③ $(0, 2)$

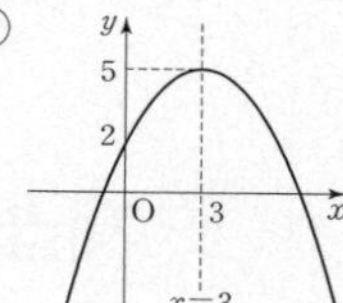

보고 또 보고 유형 익히기 - 확인 문제
본문 207~210쪽

01 -3 **02** 6 **03** 제2사분면 **04** -1
05 ㉠, ㉢ **06** $m=3, n=3$ **07** 24
08 제2사분면

2. 이차함수의 식 구하기

따라 풀면서 개념 익히기
본문 213쪽

1-1 (1) $y=-x^2+4x-1$ (2) $y=2x^2-12x+17$
(3) $y=2x^2-4x+5$ (4) $y=-x^2-x+2$

1-2 (1) $y=2x^2-4x+6$ (2) $y=x^2+4x+5$
(3) $y=-x^2+4x-1$ (4) $y=\frac{1}{3}x^2+2x+\frac{14}{3}$

1-3 (1) $y=-x^2+6x-5$ (2) $y=2x^2-3x+1$
(3) $y=2x^2+4x-6$ (4) $y=3x^2-15x+18$

보고 또 보고 유형 익히기 - 확인 문제
본문 214~215쪽

01 2 **02** $a=-1, b=2, c=3$ **03** 1
04 $(4, -2)$

실력 키우기
본문 216~218쪽

01 ④ **02** $\frac{1}{5}$ **03** -4 **04** ⑤
05 ② **06** ②, ④ **07** 5 **08** 3
09 ④ **10** $a=1, b=6, c=11$ **11** $(3, 2)$
12 1 **13** $k\geq-2$ **14** -6 **15** $2a$
16 ①, ④ **17** (1) $y=-3x^2+24x+60$ (2) 10초 후
18 30 **19** 4

제곱근표 (1)

수	0	1	2	3	4	5	6	7	8	9
1.0	1.000	1.005	1.010	1.015	1.020	1.025	1.030	1.034	1.039	1.044
1.1	1.049	1.054	1.058	1.063	1.068	1.072	1.077	1.082	1.086	1.091
1.2	1.095	1.100	1.105	1.109	1.114	1.118	1.122	1.127	1.131	1.136
1.3	1.140	1.145	1.149	1.153	1.158	1.162	1.166	1.170	1.175	1.179
1.4	1.183	1.187	1.192	1.196	1.200	1.204	1.208	1.212	1.217	1.221
1.5	1.225	1.229	1.233	1.237	1.241	1.245	1.249	1.253	1.257	1.261
1.6	1.265	1.269	1.273	1.277	1.281	1.285	1.288	1.292	1.296	1.300
1.7	1.304	1.308	1.311	1.315	1.319	1.323	1.327	1.330	1.334	1.338
1.8	1.342	1.345	1.349	1.353	1.356	1.360	1.364	1.367	1.371	1.375
1.9	1.378	1.382	1.386	1.389	1.393	1.396	1.400	1.404	1.407	1.411
2.0	1.414	1.418	1.421	1.425	1.428	1.432	1.435	1.439	1.442	1.446
2.1	1.449	1.453	1.456	1.459	1.463	1.466	1.470	1.473	1.476	1.480
2.2	1.483	1.487	1.490	1.493	1.497	1.500	1.503	1.507	1.510	1.513
2.3	1.517	1.520	1.523	1.526	1.530	1.533	1.536	1.539	1.543	1.546
2.4	1.549	1.552	1.556	1.559	1.562	1.565	1.568	1.572	1.575	1.578
2.5	1.581	1.584	1.587	1.591	1.594	1.597	1.600	1.603	1.606	1.609
2.6	1.612	1.616	1.619	1.622	1.625	1.628	1.631	1.634	1.637	1.640
2.7	1.643	1.646	1.649	1.652	1.655	1.658	1.661	1.664	1.667	1.670
2.8	1.673	1.676	1.679	1.682	1.685	1.688	1.691	1.694	1.697	1.700
2.9	1.703	1.706	1.709	1.712	1.715	1.718	1.720	1.723	1.726	1.729
3.0	1.732	1.735	1.738	1.741	1.744	1.746	1.749	1.752	1.755	1.758
3.1	1.761	1.764	1.766	1.769	1.772	1.775	1.778	1.780	1.783	1.786
3.2	1.789	1.792	1.794	1.797	1.800	1.803	1.806	1.808	1.811	1.814
3.3	1.817	1.819	1.822	1.825	1.828	1.830	1.833	1.836	1.838	1.841
3.4	1.844	1.847	1.849	1.852	1.855	1.857	1.860	1.863	1.865	1.868
3.5	1.871	1.873	1.876	1.879	1.881	1.884	1.887	1.889	1.892	1.895
3.6	1.897	1.900	1.903	1.905	1.908	1.910	1.913	1.916	1.918	1.921
3.7	1.924	1.926	1.929	1.931	1.934	1.936	1.939	1.942	1.944	1.947
3.8	1.949	1.952	1.954	1.957	1.960	1.962	1.965	1.967	1.970	1.972
3.9	1.975	1.977	1.980	1.982	1.985	1.987	1.990	1.992	1.995	1.997
4.0	2.000	2.002	2.005	2.007	2.010	2.012	2.015	2.017	2.020	2.022
4.1	2.025	2.027	2.030	2.032	2.035	2.037	2.040	2.042	2.045	2.047
4.2	2.049	2.052	2.054	2.057	2.059	2.062	2.064	2.066	2.069	2.071
4.3	2.074	2.076	2.078	2.081	2.083	2.086	2.088	2.090	2.093	2.095
4.4	2.098	2.100	2.102	2.105	2.107	2.110	2.112	2.114	2.117	2.119
4.5	2.121	2.124	2.126	2.128	2.131	2.133	2.135	2.138	2.140	2.142
4.6	2.145	2.147	2.149	2.152	2.154	2.156	2.159	2.161	2.163	2.166
4.7	2.168	2.170	2.173	2.175	2.177	2.179	2.182	2.184	2.186	2.189
4.8	2.191	2.193	2.195	2.198	2.200	2.202	2.205	2.207	2.209	2.211
4.9	2.214	2.216	2.218	2.220	2.223	2.225	2.227	2.229	2.232	2.234
5.0	2.236	2.238	2.241	2.243	2.245	2.247	2.249	2.252	2.254	2.256
5.1	2.258	2.261	2.263	2.265	2.267	2.269	2.272	2.274	2.276	2.278
5.2	2.280	2.283	2.285	2.287	2.289	2.291	2.293	2.296	2.298	2.300
5.3	2.302	2.304	2.307	2.309	2.311	2.313	2.315	2.317	2.319	2.322
5.4	2.324	2.326	2.328	2.330	2.332	2.335	2.337	2.339	2.341	2.343

제곱근표 (2)

수	0	1	2	3	4	5	6	7	8	9
5.5	2.345	2.347	2.349	2.352	2.354	2.356	2.358	2.360	2.362	2.364
5.6	2.366	2.369	2.371	2.373	2.375	2.377	2.379	2.381	2.383	2.385
5.7	2.387	2.390	2.392	2.394	2.396	2.398	2.400	2.402	2.404	2.406
5.8	2.408	2.410	2.412	2.415	2.417	2.419	2.421	2.423	2.425	2.427
5.9	2.429	2.431	2.433	2.435	2.437	2.439	2.441	2.443	2.445	2.447
6.0	2.449	2.452	2.454	2.456	2.458	2.460	2.462	2.464	2.466	2.468
6.1	2.470	2.472	2.474	2.476	2.478	2.480	2.482	2.484	2.486	2.488
6.2	2.490	2.492	2.494	2.496	2.498	2.500	2.502	2.504	2.506	2.508
6.3	2.510	2.512	2.514	2.516	2.518	2.520	2.522	2.524	2.526	2.528
6.4	2.530	2.532	2.534	2.536	2.538	2.540	2.542	2.544	2.546	2.548
6.5	2.550	2.551	2.553	2.555	2.557	2.559	2.561	2.563	2.565	2.567
6.6	2.569	2.571	2.573	2.575	2.577	2.579	2.581	2.583	2.585	2.587
6.7	2.588	2.590	2.592	2.594	2.596	2.598	2.600	2.602	2.604	2.606
6.8	2.608	2.610	2.612	2.613	2.615	2.617	2.619	2.621	2.623	2.625
6.9	2.627	2.629	2.631	2.632	2.634	2.636	2.638	2.640	2.642	2.644
7.0	2.646	2.648	2.650	2.651	2.653	2.655	2.657	2.659	2.661	2.663
7.1	2.665	2.666	2.668	2.670	2.672	2.674	2.676	2.678	2.680	2.681
7.2	2.683	2.685	2.687	2.689	2.691	2.693	2.694	2.696	2.698	2.700
7.3	2.702	2.704	2.706	2.707	2.709	2.711	2.713	2.715	2.717	2.718
7.4	2.720	2.722	2.724	2.726	2.728	2.729	2.731	2.733	2.735	2.737
7.5	2.739	2.740	2.742	2.744	2.746	2.748	2.750	2.751	2.753	2.755
7.6	2.757	2.759	2.760	2.762	2.764	2.766	2.768	2.769	2.771	2.773
7.7	2.775	2.777	2.778	2.780	2.782	2.784	2.786	2.787	2.789	2.791
7.8	2.793	2.795	2.796	2.798	2.800	2.802	2.804	2.805	2.807	2.809
7.9	2.811	2.812	2.814	2.816	2.818	2.820	2.821	2.823	2.825	2.827
8.0	2.828	2.830	2.832	2.834	2.835	2.837	2.839	2.841	2.843	2.844
8.1	2.846	2.848	2.850	2.851	2.853	2.855	2.857	2.858	2.860	2.862
8.2	2.864	2.865	2.867	2.869	2.871	2.872	2.874	2.876	2.877	2.879
8.3	2.881	2.883	2.884	2.886	2.888	2.890	2.891	2.893	2.895	2.897
8.4	2.898	2.900	2.902	2.903	2.905	2.907	2.909	2.910	2.912	2.914
8.5	2.915	2.917	2.919	2.921	2.922	2.924	2.926	2.927	2.929	2.931
8.6	2.933	2.934	2.936	2.938	2.939	2.941	2.943	2.944	2.946	2.948
8.7	2.950	2.951	2.953	2.955	2.956	2.958	2.960	2.961	2.963	2.965
8.8	2.966	2.968	2.970	2.972	2.973	2.975	2.977	2.978	2.980	2.982
8.9	2.983	2.985	2.987	2.988	2.990	2.992	2.993	2.995	2.997	2.998
9.0	3.000	3.002	3.003	3.005	3.007	3.008	3.010	3.012	3.013	3.015
9.1	3.017	3.018	3.020	3.022	3.023	3.025	3.027	3.028	3.030	3.032
9.2	3.033	3.035	3.036	3.038	3.040	3.041	3.043	3.045	3.046	3.048
9.3	3.050	3.051	3.053	3.055	3.056	3.058	3.059	3.061	3.063	3.064
9.4	3.066	3.068	3.069	3.071	3.072	3.074	3.076	3.077	3.079	3.081
9.5	3.082	3.084	3.085	3.087	3.089	3.090	3.092	3.094	3.095	3.097
9.6	3.098	3.100	3.102	3.103	3.105	3.106	3.108	3.110	3.111	3.113
9.7	3.114	3.116	3.118	3.119	3.121	3.122	3.124	3.126	3.127	3.129
9.8	3.130	3.132	3.134	3.135	3.137	3.138	3.140	3.142	3.143	3.145
9.9	3.146	3.148	3.150	3.151	3.153	3.154	3.156	3.158	3.159	3.161

제곱근표 (3)

수	0	1	2	3	4	5	6	7	8	9
10	3.162	3.178	3.194	3.209	3.225	3.240	3.256	3.271	3.286	3.302
11	3.317	3.332	3.347	3.362	3.376	3.391	3.406	3.421	3.435	3.450
12	3.464	3.479	3.493	3.507	3.521	3.536	3.550	3.564	3.578	3.592
13	3.606	3.619	3.633	3.647	3.661	3.674	3.688	3.701	3.715	3.728
14	3.742	3.755	3.768	3.782	3.795	3.808	3.821	3.834	3.847	3.860
15	3.873	3.886	3.899	3.912	3.924	3.937	3.950	3.962	3.975	3.987
16	4.000	4.012	4.025	4.037	4.050	4.062	4.074	4.087	4.099	4.111
17	4.123	4.135	4.147	4.159	4.171	4.183	4.195	4.207	4.219	4.231
18	4.243	4.254	4.266	4.278	4.290	4.301	4.313	4.324	4.336	4.347
19	4.359	4.370	4.382	4.393	4.405	4.416	4.427	4.438	4.450	4.461
20	4.472	4.483	4.494	4.506	4.517	4.528	4.539	4.550	4.561	4.572
21	4.583	4.593	4.604	4.615	4.626	4.637	4.648	4.658	4.669	4.680
22	4.690	4.701	4.712	4.722	4.733	4.743	4.754	4.764	4.775	4.785
23	4.796	4.806	4.817	4.827	4.837	4.848	4.858	4.868	4.879	4.889
24	4.899	4.909	4.919	4.930	4.940	4.950	4.960	4.970	4.980	4.990
25	5.000	5.010	5.020	5.030	5.040	5.050	5.060	5.070	5.079	5.089
26	5.099	5.109	5.119	5.128	5.138	5.148	5.158	5.167	5.177	5.187
27	5.196	5.206	5.215	5.225	5.235	5.244	5.254	5.263	5.273	5.282
28	5.292	5.301	5.310	5.320	5.329	5.339	5.348	5.357	5.367	5.376
29	5.385	5.394	5.404	5.413	5.422	5.431	5.441	5.450	5.459	5.468
30	5.477	5.486	5.495	5.505	5.514	5.523	5.532	5.541	5.550	5.559
31	5.568	5.577	5.586	5.595	5.604	5.612	5.621	5.630	5.639	5.648
32	5.657	5.666	5.675	5.683	5.692	5.701	5.710	5.718	5.727	5.736
33	5.745	5.753	5.762	5.771	5.779	5.788	5.797	5.805	5.814	5.822
34	5.831	5.840	5.848	5.857	5.865	5.874	5.882	5.891	5.899	5.908
35	5.916	5.925	5.933	5.941	5.950	5.958	5.967	5.975	5.983	5.992
36	6.000	6.008	6.017	6.025	6.033	6.042	6.050	6.058	6.066	6.075
37	6.083	6.091	6.099	6.107	6.116	6.124	6.132	6.140	6.148	6.156
38	6.164	6.173	6.181	6.189	6.197	6.205	6.213	6.221	6.229	6.237
39	6.245	6.253	6.261	6.269	6.277	6.285	6.293	6.301	6.309	6.317
40	6.325	6.332	6.340	6.348	6.356	6.364	6.372	6.380	6.387	6.395
41	6.403	6.411	6.419	6.427	6.434	6.442	6.450	6.458	6.465	6.473
42	6.481	6.488	6.496	6.504	6.512	6.519	6.527	6.535	6.542	6.550
43	6.557	6.565	6.573	6.580	6.588	6.595	6.603	6.611	6.618	6.626
44	6.633	6.641	6.648	6.656	6.633	6.671	6.678	6.686	6.693	6.701
45	6.708	6.716	6.723	6.731	6.738	6.745	6.753	6.760	6.768	6.775
46	6.782	6.790	6.797	6.804	6.812	6.819	6.826	6.834	6.841	6.848
47	6.856	6.863	6.870	6.877	6.885	6.892	6.899	6.907	6.914	6.921
48	6.928	6.935	6.943	6.950	6.957	6.964	6.971	6.979	6.986	6.993
49	7.000	7.007	7.014	7.021	7.029	7.036	7.043	7.050	7.057	7.064
50	7.071	7.078	7.085	7.092	7.099	7.106	7.113	7.120	7.127	7.134
51	7.141	7.148	7.155	7.162	7.169	7.176	7.183	7.190	7.197	7.204
52	7.211	7.218	7.225	7.232	7.239	7.246	7.253	7.259	7.266	7.273
53	7.280	7.287	7.294	7.301	7.308	7.314	7.321	7.328	7.335	7.342
54	7.348	7.355	7.362	7.369	7.376	7.382	7.389	7.396	7.403	7.409

제곱근표 (4)

수	0	1	2	3	4	5	6	7	8	9
55	7.416	7.423	7.430	7.436	7.443	7.450	7.457	7.463	7.470	7.477
56	7.483	7.490	7.497	7.503	7.510	7.517	7.523	7.530	7.537	7.543
57	7.550	7.556	7.563	7.570	7.576	7.583	7.589	7.596	7.603	7.609
58	7.616	7.622	7.629	7.635	7.642	7.649	7.655	7.662	7.668	7.675
59	7.681	7.688	7.694	7.701	7.707	7.714	7.720	7.727	7.733	7.740
60	7.746	7.752	7.759	7.765	7.772	7.778	7.785	7.791	7.797	7.804
61	7.810	7.817	7.823	7.829	7.836	7.842	7.849	7.855	7.861	7.868
62	7.874	7.880	7.887	7.893	7.899	7.906	7.912	7.918	7.925	7.931
63	7.937	7.944	7.950	7.956	7.962	7.969	7.975	7.981	7.987	7.994
64	8.000	8.006	8.012	8.019	8.025	8.031	8.037	8.044	8.050	8.056
65	8.062	8.068	8.075	8.081	8.087	8.093	8.099	8.106	8.112	8.118
66	8.124	8.130	8.136	8.142	8.149	8.155	8.161	8.167	8.173	8.179
67	8.185	8.191	8.198	8.204	8.210	8.216	8.222	8.228	8.234	8.240
68	8.246	8.252	8.258	8.264	8.270	8.276	8.283	8.289	8.295	8.301
69	8.307	8.313	8.319	8.325	8.331	8.337	8.343	8.349	8.355	8.361
70	8.367	8.373	8.379	8.385	8.390	8.396	8.402	8.408	8.414	8.420
71	8.426	8.432	8.438	8.444	8.450	8.456	8.462	8.468	8.473	8.479
72	8.485	8.491	8.497	8.503	8.509	8.515	8.521	8.526	8.532	8.538
73	8.544	8.550	8.556	8.562	8.567	8.573	8.579	8.585	8.591	8.597
74	8.602	8.608	8.614	8.620	8.626	8.631	8.637	8.643	8.649	8.654
75	8.660	8.666	8.672	8.678	8.683	8.689	8.695	8.701	8.706	8.712
76	8.718	8.724	8.729	8.735	8.741	8.746	8.752	8.758	8.764	8.769
77	8.775	8.781	8.786	8.792	8.798	8.803	8.809	8.815	8.820	8.826
78	8.832	8.837	8.843	8.849	8.854	8.860	8.866	8.871	8.877	8.883
79	8.888	8.894	8.899	8.905	8.911	8.916	8.922	8.927	8.933	8.939
80	8.944	8.950	8.955	8.961	8.967	8.972	8.978	8.983	8.989	8.994
81	9.000	9.006	9.011	9.017	9.022	9.028	9.033	9.039	9.044	9.050
82	9.055	9.061	9.066	9.072	9.077	9.083	9.088	9.094	9.099	9.105
83	9.110	9.116	9.121	9.127	9.132	9.138	9.143	9.149	9.154	9.160
84	9.165	9.171	9.176	9.182	9.187	9.192	9.198	9.203	9.209	9.214
85	9.220	9.225	9.230	9.236	9.241	9.247	9.252	9.257	9.263	9.268
86	9.274	9.279	9.284	9.290	9.295	9.301	9.306	9.311	9.317	9.322
87	9.327	9.333	9.338	9.343	9.349	9.354	9.359	9.365	9.370	9.375
88	9.381	9.386	9.391	9.397	9.402	9.407	9.413	9.418	9.423	9.429
89	9.434	9.439	9.445	9.450	9.455	9.460	9.466	9.471	9.476	9.482
90	9.487	9.492	9.497	9.503	9.508	9.513	9.518	9.524	9.529	9.534
91	9.539	9.545	9.550	9.555	9.560	9.566	9.571	9.576	9.581	9.586
92	9.592	9.597	9.602	9.607	9.612	9.618	9.623	9.628	9.633	9.638
93	9.644	9.649	9.654	9.659	9.664	9.670	9.675	9.680	9.685	9.690
94	9.695	9.701	9.706	9.711	9.716	9.721	9.726	9.731	9.737	9.742
95	9.747	9.752	9.757	9.762	9.767	9.772	9.778	9.783	9.788	9.793
96	9.798	9.803	9.808	9.813	9.818	9.823	9.829	9.834	9.839	9.844
97	9.849	9.854	9.859	9.864	9.869	9.874	9.879	9.884	9.889	9.894
98	9.899	9.905	9.910	9.915	9.920	9.925	9.930	9.935	9.940	9.945
99	9.950	9.955	9.960	9.965	9.970	9.975	9.980	9.985	9.990	9.995

Memo

정답과 해설

I. 제곱근과 실수

1 제곱근의 뜻과 성질

본문 | 9, 11쪽

1-1 답 (1) $6, -6$ (2) $\frac{1}{4}, -\frac{1}{4}$ (3) $0.7, -0.7$ (4) $\frac{1}{3}, -\frac{1}{3}$

(1) $6^2=36$, $(-6)^2=36$이므로
36의 제곱근은 $6, -6$

(2) $\left(\frac{1}{4}\right)^2=\frac{1}{16}$, $\left(\boxed{-\frac{1}{4}}\right)^2=\frac{1}{16}$이므로
$\frac{1}{16}$의 제곱근은 $\frac{1}{4}$, $\boxed{-\frac{1}{4}}$

(3) $0.7^2=\boxed{0.49}$, $(\boxed{-0.7})^2=0.49$이므로
0.49의 제곱근은 0.7, $\boxed{-0.7}$

(4) $\left(-\frac{1}{3}\right)^2=\boxed{\frac{1}{9}}$이고 $\left(\frac{1}{3}\right)^2=\frac{1}{9}$, $\left(-\frac{1}{3}\right)^2=\frac{1}{9}$이므로
$\left(-\frac{1}{3}\right)^2$의 제곱근은 $\boxed{\frac{1}{3}}$, $-\frac{1}{3}$

1-2 답 $25, 25, -5$

25의 제곱근 ⇨ 제곱하여 $\boxed{25}$가 되는 수
⇨ $x^2=\boxed{25}$를 만족하는 x의 값
⇨ $5^2=25$, $(-5)^2=25$이므로
25의 제곱근은 5, $\boxed{-5}$

1-3 답 (1) $9, -9$ (2) $\frac{1}{2}, -\frac{1}{2}$ (3) $0.1, -0.1$ (4) $8, -8$

(1) $9^2=81$, $(-9)^2=81$이므로
81의 제곱근은 $9, -9$

(2) $\left(\frac{1}{2}\right)^2=\frac{1}{4}$, $\left(-\frac{1}{2}\right)^2=\frac{1}{4}$이므로
$\frac{1}{4}$의 제곱근은 $\frac{1}{2}, -\frac{1}{2}$

(3) $0.1^2=0.01$, $(-0.1)^2=0.01$이므로
0.01의 제곱근은 $0.1, -0.1$

(4) $(-8)^2=64$이고 $8^2=64$, $(-8)^2=64$이므로
$(-8)^2$의 제곱근은 $8, -8$

2-1 답 1. (1) $\pm\sqrt{10}$ (2) $\pm\sqrt{\frac{2}{5}}$ (3) $\pm\sqrt{0.3}$
2. (1) $\pm\sqrt{7}$ (2) $\sqrt{7}$

1. (1) 10의 제곱근은 $\sqrt{10}$과 $-\sqrt{10}$, 즉 $\pm\sqrt{10}$
(2) $\frac{2}{5}$의 제곱근은 $\sqrt{\frac{2}{5}}$와 $-\sqrt{\frac{2}{5}}$, 즉 $\pm\sqrt{\frac{2}{5}}$
(3) 0.3의 제곱근은 $\sqrt{0.3}$과 $-\sqrt{0.3}$, 즉 $\boxed{\pm\sqrt{0.3}}$

2. (1) 7의 제곱근은 $\sqrt{7}$과 $-\sqrt{7}$, 즉 $\boxed{\pm\sqrt{7}}$
(2) 제곱근 7 ⇨ 7의 $\boxed{양}$의 제곱근: $\boxed{\sqrt{7}}$

2-2 답 (1) $\pm\sqrt{8}$ (2) $\pm\sqrt{\frac{3}{2}}$ (3) $\pm\sqrt{0.5}$

(1) 8의 제곱근은 $\sqrt{8}$과 $-\sqrt{8}$, 즉 $\pm\sqrt{8}$
(2) $\frac{3}{2}$의 제곱근은 $\sqrt{\frac{3}{2}}$과 $-\sqrt{\frac{3}{2}}$, 즉 $\pm\sqrt{\frac{3}{2}}$
(3) 0.5의 제곱근은 $\sqrt{0.5}$와 $-\sqrt{0.5}$, 즉 $\pm\sqrt{0.5}$

2-3 답 (1) $\pm\sqrt{13}$ (2) $\sqrt{13}$

(1) 13의 제곱근은 $\sqrt{13}$과 $-\sqrt{13}$, 즉 $\pm\sqrt{13}$
(2) 제곱근 13 ⇨ 13의 양의 제곱근: $\sqrt{13}$

3-1 답 1. (1) 6 (2) $\frac{1}{4}$ (3) 0.2 (4) 8
2. (1) $2a$ (2) $2a$

1. (1) $(\sqrt{6})^2=6$
(2) $\left(-\sqrt{\frac{1}{4}}\right)^2=\boxed{\frac{1}{4}}$
(3) $\sqrt{0.2^2}=0.2$
(4) $\sqrt{(-8)^2}=\boxed{8}$

2. (1) $a>0$일 때, $2a>0$이므로
$\sqrt{(2a)^2}=\boxed{2a}$
(2) $a>0$일 때, $-2a<0$이므로
$\sqrt{(-2a)^2}=-(-2a)=\boxed{2a}$

3-2 답 (1) 7 (2) $\frac{2}{5}$ (3) 0.4 (4) 13

(1) $(\sqrt{7})^2=7$
(2) $\left(-\sqrt{\frac{2}{5}}\right)^2=\frac{2}{5}$
(3) $\sqrt{0.4^2}=0.4$
(4) $\sqrt{(-13)^2}=13$

3-3 답 (1) $<$, $-2a$ (2) $>$, $-2a$

(1) $a<0$일 때, $2a<0$이므로

$\sqrt{(2a)^2}=-2a$

(2) $a<0$일 때, $-2a>0$이므로

$\sqrt{(-2a)^2}=-2a$

4-1 답 (1) $<$ (2) $<$ (3) $>$ (4) $>$

(1) $5<10$이므로 $\sqrt{5}\boxed{<}\sqrt{10}$

(2) $\frac{1}{2}=\frac{3}{6}$, $\frac{2}{3}=\frac{4}{6}$이고 $\frac{3}{6}<\frac{4}{6}$이므로 $\sqrt{\frac{1}{2}}\boxed{<}\sqrt{\frac{2}{3}}$

(3) $3=\sqrt{9}$이고 $\sqrt{9}>\sqrt{8}$이므로 $3\boxed{>}\sqrt{8}$

(4) $4=\sqrt{16}$이고 $\sqrt{15}\boxed{<}\sqrt{16}$이므로

$-\sqrt{15}>-\sqrt{16}$ $\quad\therefore -\sqrt{15}\boxed{>}-4$

4-2 답 (1) $<$ (2) $>$ (3) $>$ (4) $>$ (5) $<$ (6) $<$

(1) $7<14$이므로 $\sqrt{7}<\sqrt{14}$

(2) $\frac{1}{4}=\frac{5}{20}$, $\frac{1}{5}=\frac{4}{20}$이고 $\frac{5}{20}>\frac{4}{20}$이므로

$\sqrt{\frac{5}{20}}>\sqrt{\frac{4}{20}}$ $\quad\therefore \sqrt{\frac{1}{4}}>\sqrt{\frac{1}{5}}$

(3) $13<17$이므로 $\sqrt{13}<\sqrt{17}$ $\quad\therefore -\sqrt{13}>-\sqrt{17}$

(4) $\frac{3}{5}=\frac{9}{15}$, $\frac{2}{3}=\frac{10}{15}$이고 $\frac{9}{15}<\frac{10}{15}$이므로

$\sqrt{\frac{9}{15}}<\sqrt{\frac{10}{15}}$, 즉 $\sqrt{\frac{3}{5}}<\sqrt{\frac{2}{3}}$

$\therefore -\sqrt{\frac{3}{5}}>-\sqrt{\frac{2}{3}}$

(5) $6=\sqrt{36}$이고 $\sqrt{35}<\sqrt{36}$이므로 $\sqrt{35}<6$

(6) $5=\sqrt{25}$이고 $\sqrt{25}>\sqrt{24}$이므로

$-\sqrt{25}<-\sqrt{24}$ $\quad\therefore -5<-\sqrt{24}$

보고 또 보고 유형 익히기-확인 문제

본문 | 12~19쪽

01 답 20

셀파 x가 a의 제곱근이면 $x^2=a$이다.

a가 11의 제곱근이므로 $a^2=11$

b가 9의 제곱근이므로 $b^2=9$

$\therefore a^2+b^2=11+9=20$

02 답 ⑤

셀파 제곱근을 구하려는 수를 먼저 간단히 한다.

① $\sqrt{49}=(49$의 양의 제곱근$)=7$이고 7의 양의 제곱근은 $\sqrt{7}$이다.

② $(-3)^2=9$이므로 -3은 9의 음의 제곱근이다.
또 음수의 제곱근은 없으므로 -9의 제곱근은 없다.

③ $(-7)^2=49$이고 49의 음의 제곱근은 -7이다.

④ $\sqrt{81}=9$이고 9의 제곱근은 ±3이다.

⑤ (제곱근 25)$=\sqrt{25}=5$이다.

따라서 옳은 것은 ⑤이다.

03 답 (1) -4 (2) -2

셀파 양수 a에 대하여 a의 제곱근 ⇨ $\pm\sqrt{a}$, 제곱근 a ⇨ $\sqrt{a}$

(1) $(-6)^2=36$의 양의 제곱근은 $\sqrt{36}=6$이므로 $a=6$

$\sqrt{\frac{16}{81}}=\frac{4}{9}$의 음의 제곱근은 $-\sqrt{\frac{4}{9}}=-\frac{2}{3}$이므로 $b=-\frac{2}{3}$

$\therefore ab=6\times\left(-\frac{2}{3}\right)=-4$

(2) $\sqrt{256}=16$의 양의 제곱근은 $\sqrt{16}=4$이므로 $a=4$

$(-8)^2=64$의 음의 제곱근은 $-\sqrt{64}=-8$이므로 $b=-8$

제곱근 4는 4의 양의 제곱근이므로

$\sqrt{4}=2$ $\quad\therefore c=2$

$\therefore a+b+c=4+(-8)+2=-2$

> **오답 피하기**
> $121=11^2$, $144=12^2$, $169=13^2$, $196=14^2$, $225=15^2$, $256=16^2$, $289=17^2$, $324=18^2$, $361=19^2$은 외워 두면 편리하다.

04 답 $\sqrt{34}$ cm

셀파 제곱근을 이용하여 정사각형의 한 변의 길이를 구한다.

정사각형 ABCD의 넓이가 4 cm²이므로 정사각형 ABCD의 한 변의 길이는 $\sqrt{4}=2$ (cm)이다.

$\therefore \overline{BC}=2$ cm

정사각형 GCEF의 넓이는 9 cm²이므로 정사각형 GCEF의 한 변의 길이는 $\sqrt{9}=3$ (cm)이다.

$\therefore \overline{CE}=\overline{FE}=3$ cm

따라서 직각삼각형 BEF에서

$\overline{BF}^2=\overline{BE}^2+\overline{FE}^2=(\overline{BC}+\overline{CE})^2+\overline{FE}^2$

$=(2+3)^2+3^2=34$

$\therefore \overline{BF}=\sqrt{34}$ (cm) ($\because \overline{BF}>0$)

05 답 (1) -15 (2) $\frac{6}{11}$ (3) 1.2

셀파 $a>0$일 때, $\sqrt{a^2}=a$, $-\sqrt{a^2}=-a$

(1) $-\sqrt{225}=-\sqrt{15^2}=-15$

(2) $\sqrt{\frac{36}{121}}=\sqrt{\left(\frac{6}{11}\right)^2}=\frac{6}{11}$

(3) $\sqrt{1.44}=\sqrt{1.2^2}=1.2$

06 답 ①

셀파 $a>0$일 때, $(\sqrt{a})^2=(-\sqrt{a})^2=a$, $\sqrt{a^2}=\sqrt{(-a)^2}=a$

① $(\sqrt{7})^2=7$
② $(-\sqrt{3})^2=3$
③ $-(\sqrt{6})^2=-6$
④ $\sqrt{(-5)^2}=-(-5)=5$
⑤ $\sqrt{16}=\sqrt{4^2}=4$

따라서 가장 큰 수는 ①이다.

07 답 (1) 5 (2) 1 (3) 1 (4) 1

셀파 제곱근의 성질을 이용하여 근호를 없애고 계산한다.

(1) $\sqrt{(-2)^2}=2$, $(-\sqrt{3})^2=3$이므로
$\sqrt{(-2)^2}+(-\sqrt{3})^2=2+3=5$

(2) $\sqrt{64}=\sqrt{8^2}=8$, $\sqrt{(-7)^2}=7$이므로
$\sqrt{64}-\sqrt{(-7)^2}=8-7=1$

(3) $\sqrt{\left(-\frac{1}{3}\right)^2}=\frac{1}{3}$, $\sqrt{(-9)^2}=9$, $\sqrt{(-2)^2}=2$이므로
$\sqrt{\left(-\frac{1}{3}\right)^2}\times\sqrt{(-9)^2}-\sqrt{(-2)^2}=\frac{1}{3}\times9-2=1$

(4) $(\sqrt{1.5})^2=1.5$, $(\sqrt{3})^2=3$, $\sqrt{(-2)^2}=2$이므로
$(\sqrt{1.5})^2\div(\sqrt{3})^2\times\sqrt{(-2)^2}=1.5\div3\times2=1$

08 답 ②

셀파 $a>0$일 때 $(\sqrt{a})^2=a$, $(-\sqrt{a})^2=a$, $\sqrt{a^2}=a$, $\sqrt{(-a)^2}=a$

$a>0$일 때

① $(\sqrt{a})^2=a$

② $-\sqrt{a^2}=-a$

③ $-a<0$이므로 $\sqrt{(-a)^2}=-(-a)=a$

④ $(-\sqrt{a})^2=a$

⑤ $-(-\sqrt{a^2})=-(-a)=a$

따라서 그 값이 나머지 넷과 다른 하나는 ②이다.

참고 $a>0$일 때, $\sqrt{(-a)^2}=-(-a)=a$로 계산할 수도 있고, $\sqrt{(-a)^2}=\sqrt{a^2}=a$로 계산할 수도 있다.

09 답 (1) a (2) $4a-b$

셀파 $\sqrt{(\text{양수})^2}=(\text{양수})$, $\sqrt{(\text{음수})^2}=-(\text{음수})$임을 이용하여 근호 ($\sqrt{\ }$)를 없앤다.

(1) $a<0$일 때, $2a<0$이므로 $\sqrt{(2a)^2}=-2a$
$-3a>0$이므로 $\sqrt{(-3a)^2}=-3a$
$\therefore \sqrt{(2a)^2}-\sqrt{(-3a)^2}=-2a-(-3a)=-2a+3a=a$

(2) $a>0$일 때, $-a<0$이므로 $\sqrt{(-a)^2}=-(-a)=a$
$\sqrt{25a^2}=\sqrt{(5a)^2}$이고 $5a>0$이므로 $\sqrt{25a^2}=5a$
$b<0$일 때, $\sqrt{4b^2}=\sqrt{(2b)^2}$이고 $2b<0$이므로 $\sqrt{4b^2}=-2b$
$-3b>0$이므로 $\sqrt{(-3b)^2}=-3b$
$\therefore -\sqrt{(-a)^2}-\sqrt{4b^2}+\sqrt{25a^2}+\sqrt{(-3b)^2}$
$=-a-(-2b)+5a+(-3b)$
$=-a+2b+5a-3b$
$=4a-b$

10 답 (1) 0 (2) 5

셀파 $\sqrt{(a-b)^2}=\begin{cases} a-b & (a\ge b) \\ -(a-b) & (a<b)\end{cases}$임을 이용한다.

(1) $a>1$일 때, $a-1>0$이므로 $\sqrt{(a-1)^2}=a-1$
$1-a<0$이므로 $\sqrt{(1-a)^2}=-(1-a)$
$\therefore \sqrt{(a-1)^2}-\sqrt{(1-a)^2}=a-1-\{-(1-a)\}$
$=a-1+1-a=0$

(2) $-2<a<3$일 때, $a+2>0$이므로 $\sqrt{(a+2)^2}=a+2$
$a-3<0$이므로 $\sqrt{(a-3)^2}=-(a-3)$
$\therefore \sqrt{(a+2)^2}+\sqrt{(a-3)^2}=a+2-(a-3)$
$=a+2-a+3=5$

11 답 ②

셀파 두 수 모두 근호가 있는 꼴로 만든 후 대소를 비교한다.

① $6=\sqrt{36}$이고 $37>36$이므로
$\sqrt{37}>\sqrt{36}$ $\therefore \sqrt{37}>6$

② $\frac{1}{2}=\sqrt{\frac{1}{4}}$이고 $\frac{1}{6}<\frac{1}{4}$이므로 $\sqrt{\frac{1}{6}}<\sqrt{\frac{1}{4}}$, 즉 $\sqrt{\frac{1}{6}}<\frac{1}{2}$
$\therefore -\sqrt{\frac{1}{6}}>-\frac{1}{2}$

③ $2.5=\sqrt{6.25}$이고 $6.25>6$이므로
$\sqrt{6.25}>\sqrt{6}$ $\therefore 2.5>\sqrt{6}$

④ (양수)>(음수)이므로 $\sqrt{3}>-\sqrt{5}$

⑤ $\sqrt{(-3)^2}=\sqrt{9}$이고 $9>8$이므로 $\sqrt{9}>\sqrt{8}$, 즉 $\sqrt{(-3)^2}>\sqrt{8}$
$\therefore -\sqrt{(-3)^2}<-\sqrt{8}$

따라서 두 수의 대소 관계가 옳지 않은 것은 ②이다.

12 답 3

셀파 $5<\sqrt{3x}\le 6$의 각 변을 제곱하여 x의 값의 범위를 구한다.

$5<\sqrt{3x}\le 6$에서 $5^2<(\sqrt{3x})^2\le 6^2$ $\therefore 25<3x\le 36$

이 부등식의 각 변을 3으로 나누면 $\frac{25}{3}<x\le 12$

이때 x는 자연수이므로 $x=9, 10, 11, 12$

따라서 $a=12$, $b=9$이므로 $a-b=3$

13 답 (1) 15 (2) 3

셀파 소인수분해한 수에 어떤 수를 곱하거나 어떤 수로 나누어 소인수의 지수가 모두 짝수가 되도록 만든다.

(1) 60을 소인수분해하면 $60=2^2\times 3\times 5$
$\sqrt{60x}=\sqrt{2^2\times 3\times 5\times x}$가 자연수가 되려면
$2^2\times 3\times 5\times x=(\text{자연수})^2$이어야 하므로
$x=3\times 5\times(\text{자연수})^2$ 꼴이어야 한다.
즉 $x=3\times 5\times 1^2, 3\times 5\times 2^2, 3\times 5\times 3^2, \cdots$
따라서 구하는 가장 작은 자연수 x의 값은 $3\times 5\times 1^2=15$이다.

(2) 108을 소인수분해하면 $108=2^2\times 3^3$
$\sqrt{\frac{108}{x}}=\sqrt{\frac{2^2\times 3^3}{x}}$이 자연수가 되려면 $\frac{2^2\times 3^3}{x}=(\text{자연수})^2$이어야 하므로 x는 108의 약수이면서 $x=3\times(\text{자연수})^2$ 꼴이어야 한다.
즉 $x=3\times 1^2, 3\times 2^2, 3\times 3^2=3^3, 2^2\times 3^3$
따라서 구하는 가장 작은 자연수 x의 값은 3이다.

다른 풀이 $\sqrt{\frac{108}{x}}$이 자연수가 되려면 $108=2^2\times 3^3$의 약수 중 제곱수 $1^2, 2^2, 3^2, 2^2\times 3^2$을 생각한다.
$\frac{108}{x}=1^2$일 때 $x=2^2\times 3^3$, $\frac{108}{x}=2^2$일 때 $x=3^3$,
$\frac{108}{x}=3^2$일 때 $x=2^2\times 3$, $\frac{108}{x}=2^2\times 3^2$일 때 $x=3$
따라서 구하는 가장 작은 자연수 $x=3$이다.

14 답 (1) 11 (2) 4

셀파 (1) $25+x>25$이므로 25보다 큰 제곱수를 생각한다.
(2) $20-x<20$이므로 20보다 작은 제곱수를 생각한다.

(1) $25+x>25$이므로 $25+x$는 25보다 크고 $(\text{자연수})^2$ 꼴이어야 한다. 즉 $25+x=36, 49, 64, \cdots$
$\therefore x=11, 24, 39, \cdots$
따라서 구하는 가장 작은 자연수 x의 값은 11이다.

(2) $20-x<20$이므로 $20-x$는 20보다 작고 $(\text{자연수})^2$ 꼴이어야 한다. 즉 $20-x=16, 9, 4, 1$
$\therefore x=4, 11, 16, 19$
따라서 구하는 가장 작은 자연수 x의 값은 4이다.

풀고 또 풀고 집중 연습 제곱근의 성질

본문 | 20 쪽

1 답 (1) -2 (2) -1 (3) -5 (4) 6.5 (5) 2 (6) 1 (7) -2 (8) -1

(1) $(\sqrt{2})^2+(-\sqrt{3})^2-(\sqrt{7})^2=2+3-7=-2$

(2) $(-\sqrt{2})^2-\sqrt{49}+\sqrt{(-4)^2}=2-7+4=-1$

(3) $(-\sqrt{7})^2-\sqrt{16}\times(-\sqrt{3})^2=7-4\times 3=7-12=-5$

(4) $\sqrt{(-4)^2}\div\sqrt{\left(\frac{2}{3}\right)^2}+(-\sqrt{0.5})^2=4\div\frac{2}{3}+0.5$
$=4\times\frac{3}{2}+0.5$
$=6+0.5=6.5$

(5) $\sqrt{(-8)^2}\times\sqrt{4^2}\div(-\sqrt{16})^2=8\times 4\div 16$
$=32\div 16=2$

(6) $\sqrt{(-12)^2}\div(-\sqrt{6})^2\times\sqrt{\left(-\frac{1}{2}\right)^2}=12\div 6\times\frac{1}{2}$
$=2\times\frac{1}{2}=1$

(7) $-\left(\sqrt{\frac{2}{3}}\right)^2\div\sqrt{\left(-\frac{1}{6}\right)^2}\div(-\sqrt{2})^2=-\frac{2}{3}\div\frac{1}{6}\div 2$
$=-\frac{2}{3}\times 6\times\frac{1}{2}$
$=-2$

(8) $\sqrt{12^2}\div(\sqrt{4})^2-\sqrt{\left(-\frac{4}{5}\right)^2}\times\sqrt{25}=12\div 4-\frac{4}{5}\times 5$
$=3-4=-1$

2 답 (1) $2a$ (2) $5a$ (3) $4a$ (4) $-3a$ (5) $-2a+4$ (6) 6 (7) $-2x+5$ (8) -1

(1) $a>0$일 때, $-a<0$이므로
$\sqrt{a^2}+\sqrt{(-a)^2}=a+\{-(-a)\}=2a$

(2) $a<0$일 때, $-3a>0$, $8a<0$이므로
$\sqrt{(-3a)^2}-\sqrt{(8a)^2}=-3a-(-8a)$
$=-3a+8a=5a$

(3) $\sqrt{81a^2}=\sqrt{(9a)^2}$이고
$a>0$일 때, $9a>0$, $-5a<0$이므로
$\sqrt{81a^2}-\sqrt{(-5a)^2}=\sqrt{(9a)^2}-\sqrt{(-5a)^2}$
$=9a-\{-(-5a)\}$
$=9a-5a=4a$

(4) $\sqrt{49a^2}=\sqrt{(7a)^2}$이고
$a<0$일 때, $4a<0$, $7a<0$이므로
$-\sqrt{(4a)^2}+\sqrt{49a^2}=-\sqrt{(4a)^2}+\sqrt{(7a)^2}$
$=-(-4a)+(-7a)$
$=4a-7a=-3a$

(5) $a<2$일 때, $a-2<0$, $2-a>0$이므로

$$\sqrt{(a-2)^2}+\sqrt{(2-a)^2}=-(a-2)+(2-a)$$
$$=-a+2+2-a$$
$$=-2a+4$$

(6) $-4<x<2$일 때, $x-2<0$, $x+4>0$이므로

$$\sqrt{(x-2)^2}+\sqrt{(x+4)^2}=-(x-2)+(x+4)$$
$$=-x+2+x+4$$
$$=6$$

(7) $\sqrt{4x^2}=\sqrt{(2x)^2}$이고

$0<x<5$일 때, $2x>0$, $-3x<0$, $x-5<0$이므로

$$\sqrt{4x^2}-\sqrt{(-3x)^2}+\sqrt{(x-5)^2}$$
$$=2x-\{-(-3x)\}+\{-(x-5)\}$$
$$=2x-3x-x+5$$
$$=-2x+5$$

(8) $-1<x<2$일 때, $x-2<0$, $3-x>0$이므로

$$\sqrt{(x-2)^2}-\sqrt{(3-x)^2}=-(x-2)-(3-x)$$
$$=-x+2-3+x$$
$$=-1$$

참고 $-1<x<2$일 때, $-2<-x<1$이므로
$3-2<3-x<3+1$, 즉 $1<3-x<4$

실력 키우기

본문 | 21~23쪽

01 답 ⑤

셀파 x가 a의 제곱근$(a>0)$ ⇨ $x^2=a$ ⇨ $x=\pm\sqrt{a}$

x가 11의 제곱근이므로 $x^2=11$ 또는 $x=\pm\sqrt{11}$

따라서 x와 11 사이의 관계식으로 옳은 것은 ⑤이다.

02 답 ④

셀파 제곱하여 음수가 되는 수는 없으므로 음수의 제곱근은 없다.

① 0의 제곱근은 0뿐이다.
② $\sqrt{(-3)^2}=3$의 제곱근은 $\pm\sqrt{3}$이다.
③ $(-4)^2=16$의 제곱근은 ±4이다.
④ $-\sqrt{7^2}=-7$은 음수이므로 $-\sqrt{7^2}$의 제곱근은 없다.
⑤ $\frac{2}{3}$의 제곱근은 $\pm\sqrt{\frac{2}{3}}$이다.

따라서 제곱근을 구할 수 없는 수는 ④이다.

03 답 ④

셀파 a의 제곱근 ⇨ $\pm\sqrt{a}$, 제곱근 a ⇨ $\sqrt{a}$ (단, $a>0$)

② (제곱근 16)$=\sqrt{16}=4$
③ $(-3)^2=9$의 제곱근은 ±3이다.
④ 0.4의 음의 제곱근은 $-\sqrt{0.4}$이다.

따라서 옳지 않은 것은 ④이다.

04 답 (1) $\sqrt{0.4}$, $\sqrt{90}$ (2) $\sqrt{\frac{25}{81}}$, $\sqrt{\frac{40}{90}}$, $-\sqrt{64}$

셀파 근호 안의 수가 어떤 수의 제곱이면 근호를 없앨 수 있다.

$\sqrt{49}=7$, $\sqrt{\frac{25}{81}}=\frac{5}{9}$, $\sqrt{\frac{40}{90}}=\sqrt{\frac{4}{9}}=\frac{2}{3}$, $-\sqrt{64}=-8$

$\sqrt{0.4}$, $\sqrt{90}$은 근호 안의 수가 어떤 수의 제곱이 아니므로 근호를 없앨 수 없다.

(1) ㉠에 도달하는 수는 근호를 없앨 수 없는 $\sqrt{0.4}$, $\sqrt{90}$이다.
(2) ㉡에 도달하는 수는 근호를 없앨 수 있는
$\sqrt{49}$, $\sqrt{\frac{25}{81}}$, $\sqrt{\frac{40}{90}}$, $-\sqrt{64}$이고
이 중 1보다 작은 수는 $\sqrt{\frac{25}{81}}$, $\sqrt{\frac{40}{90}}$, $-\sqrt{64}$이다.

05 답 9

셀파 $a>0$일 때, a의 양의 제곱근 ⇨ $\sqrt{a}$, a의 음의 제곱근 ⇨ $-\sqrt{a}$

1 a의 값 구하기 [40 %]
$(-13)^2=169$이므로 169의 양의 제곱근은
$\sqrt{169}=13$ $\therefore a=13$

2 b의 값 구하기 [40 %]
$\sqrt{256}=16$이므로 16의 음의 제곱근은
$-\sqrt{16}=-4$ $\therefore b=-4$

3 $a+b$의 값 구하기 [20 %]
따라서 $a+b=13+(-4)=9$

06 답 ⑤

셀파 $a>0$일 때, $(\sqrt{a})^2=(-\sqrt{a})^2=a$, $\sqrt{a^2}=\sqrt{(-a)^2}=a$

① $(\sqrt{6})^2=6$ ② $(-\sqrt{6})^2=6$
③ $\sqrt{6^2}=6$ ④ $\sqrt{(-6)^2}=6$
⑤ $-\sqrt{(-6)^2}=-6$

따라서 그 값이 나머지 넷과 다른 하나는 ⑤이다.

07 답 ⑤

셀파 제곱근의 성질을 이용하여 근호를 없앤 후 계산한다.

① $\sqrt{16}-\sqrt{9}+\sqrt{36}=4-3+6=7$
② $(\sqrt{4})^2-\sqrt{(-6)^2}+\sqrt{81}=4-6+9=7$
③ $(\sqrt{3})^2-\sqrt{(-2)^2}-\sqrt{9}=3-2-3=-2$
④ $(\sqrt{5})^2+(-\sqrt{14})^2-\sqrt{(-2)^2}=5+14-2=17$
⑤ $\sqrt{(-7)^2}+\sqrt{16}-(-\sqrt{5})^2=7+4-5=6$
따라서 옳은 것은 ⑤이다.

08 답 ②

셀파 $\sqrt{a^2}=-a$임을 이용하여 a의 부호를 구한다.

$a\neq0$이고 $\sqrt{a^2}=-a$이므로 $a<0$
① $-a>0$이므로 $\sqrt{(-a)^2}=-a$
② $5a<0$이므로 $\sqrt{(5a)^2}=-5a$
③ $\sqrt{4a^2}=\sqrt{(2a)^2}$이고 $2a<0$이므로 $\sqrt{4a^2}=-2a$
④ $-9a>0$이므로 $\sqrt{(-9a)^2}=-9a$
⑤ $\sqrt{16a^2}=\sqrt{(4a)^2}$이고 $4a<0$이므로
$-\sqrt{16a^2}=-(-4a)=4a$
따라서 옳은 것은 ②이다.

09 답 (1) $>$, $<$ (2) $-b$

셀파 $a-b>0$, $ab<0$임을 이용하여 a, b의 부호를 구한다.

1 a, b의 부호 구하기 [30 %]
(1) $ab<0$에서 $a>0$, $b<0$ 또는 $a<0$, $b>0$
이때 $a-b>0$에서 $a>b$이므로 $a\boxed{>}0$, $b\boxed{<}0$

2 주어진 식 간단히 하기 [70 %]
(2) $\sqrt{4b^2}=\sqrt{(2b)^2}$이고 $a>0$, $b-a<0$, $2b<0$이므로
$\sqrt{a^2}-\sqrt{(b-a)^2}+\sqrt{4b^2}=a-\{-(b-a)\}+(-2b)$
$=a+b-a-2b=-b$

10 답 ④

셀파 $a>0$, $b>0$일 때, $a<b$이면 $\sqrt{a}<\sqrt{b}$임을 이용한다.

① $7=\sqrt{49}$이고 $49>48$이므로 $\sqrt{49}>\sqrt{48}$ $\therefore 7>\sqrt{48}$
② $2=\sqrt{4}$이고 $3<4$이므로 $\sqrt{3}<\sqrt{4}$ $\therefore \sqrt{3}<2$
③ $12=\sqrt{144}$이고 $144>13$이므로 $\sqrt{144}>\sqrt{13}$ $\therefore 12>\sqrt{13}$
④ $\frac{3}{4}=\sqrt{\frac{9}{16}}$이고 $\frac{1}{2}<\frac{9}{16}$이므로 $\sqrt{\frac{1}{2}}<\sqrt{\frac{9}{16}}$ ($\frac{1}{2}\to\frac{8}{16}$)
$\therefore \sqrt{\frac{1}{2}}<\frac{3}{4}$
⑤ $6=\sqrt{36}$이고 $5<36$이므로 $\sqrt{5}<\sqrt{36}$, 즉 $\sqrt{5}<6$
$\therefore -\sqrt{5}>-6$
따라서 두 수의 대소 관계가 옳지 않은 것은 ④이다.

11 답 7개

셀파 부등식의 각 변을 제곱하여 모두 근호를 포함하지 않는 꼴이 되도록 만든다.

$3<\sqrt{x-2}\leq4$이므로 $9<x-2\leq16$
각 변에 2를 더하면 $11<x\leq18$
따라서 이를 만족하는 자연수 x는 12, 13, 14, 15, 16, 17, 18의 7개이다.

12 답 ③

셀파 근호 안의 수가 제곱수가 되도록 하는 x의 값을 구한다.

48을 소인수분해하면 $48=2^4\times3$
$\sqrt{48n}=\sqrt{2^4\times3\times n}$이 자연수가 되려면 $2^4\times3\times n=(\text{자연수})^2$ 꼴이어야 하므로 $n=3\times(\text{자연수})^2$ 꼴이어야 한다.
$\therefore n=3\times1^2, 3\times2^2, 3\times3^2, 3\times4^2, 3\times5^2, \cdots$
따라서 $\sqrt{48n}$이 자연수가 되도록 하는 자연수 n의 값이 아닌 것은 ③ 36이다.

13 답 73

셀파 $36+x>36$이므로 36보다 큰 제곱수를 생각한다.

1 (가)를 만족하는 x의 값 구하기 [50 %]
(가)에서 $\sqrt{36+x}$가 자연수가 되려면 $36+x$는 36보다 크고 $(\text{자연수})^2$ 꼴이어야 하므로
$36+x=49, 64, 81, 100, \cdots$
$\therefore x=13, 28, 45, 64, \cdots$

2 (나)에서 x의 값의 범위 구하기 [30 %]
(나)에서 $5<\sqrt{x}<7$이므로 $25<x<49$

3 (가), (나)를 모두 만족하는 x의 값의 합 구하기 [20 %]
따라서 (가), (나)를 모두 만족하는 자연수 x는 28, 45이므로
그 합은 $28+45=73$

14 답 47

셀파 근호 안의 수가 제곱수가 되도록 하는 x, y의 값을 각각 구한다.

$\sqrt{42-x}$가 자연수가 되려면 $42-x$는 42보다 작고 $(\text{자연수})^2$ 꼴이어야 하므로
$42-x=1, 4, 9, 16, 25, 36$
$\therefore x=41, 38, 33, 26, 17, 6$
따라서 x의 값 중 가장 큰 값은 41이므로 $a=41$
54를 소인수분해하면 $54=2\times3^3$
$\sqrt{\frac{54}{y}}=\sqrt{\frac{2\times3^3}{y}}$이 자연수가 되려면 $\frac{2\times3^3}{y}=(\text{자연수})^2$이어야 하므로 y는 54의 약수이면서 $2\times3\times(\text{자연수})^2$ 꼴이어야 한다.
따라서 y의 값 중 가장 작은 값은 $2\times3=6$이므로 $b=6$
$\therefore a+b=41+6=47$

15 답 (1) $\sqrt{5}>2$ (2) 0

셀파 제곱근의 대소 관계를 이용하여 먼저 $\sqrt{5}-2$와 $2-\sqrt{5}$의 부호를 판단한다.

① $\sqrt{5}$와 2의 대소 비교하기 [40 %]

(1) $2=\sqrt{4}$이고 $5>4$이므로 $\sqrt{5}>\sqrt{4}$, 즉 $\sqrt{5}>2$

② 주어진 식 간단히 하기 [60 %]

(2) $\sqrt{5}>2$이므로 $\sqrt{5}-2>0$, $2-\sqrt{5}<0$

$\therefore \sqrt{(\sqrt{5}-2)^2}-\sqrt{(2-\sqrt{5})^2}=\sqrt{5}-2-\{-(2-\sqrt{5})\}$

$=\sqrt{5}-2+2-\sqrt{5}=0$

16 답 (1) $15\ \text{cm}^2$ (2) $\sqrt{15}\ \text{cm}$

셀파 제곱근을 이용하여 정사각형 ABCD의 한 변의 길이를 구한다.

(1) 정사각형 ABCD의 넓이는 처음 색종이의 넓이의 $\frac{1}{2}$이므로

$\frac{1}{2}\times30=15\ (\text{cm}^2)$

(2) $\overline{AB}^2=15$이고 $\overline{AB}>0$이므로 $\overline{AB}=\sqrt{15}\ (\text{cm})$

17 답 19

셀파 $\sqrt{x}$보다 작은 자연수를 구할 때는 x와 가장 가까운 (자연수)^2 꼴인 수를 찾아 $\sqrt{x}$의 값의 범위를 구한다.

$1=\sqrt{1}<\sqrt{2}<\sqrt{3}<\sqrt{4}=2$이므로

$N(1)=N(2)=N(3)=1$

$2=\sqrt{4}<\sqrt{5}<\sqrt{6}<\sqrt{7}<\sqrt{8}<\sqrt{9}=3$이므로

$N(4)=N(5)=N(6)=N(7)=N(8)=2$

$3=\sqrt{9}<\sqrt{10}<\sqrt{16}=4$이므로

$N(9)=N(10)=3$

$\therefore N(1)+N(2)+N(3)+\cdots+N(10)$

$=1\times3+2\times5+3\times2=19$

2 무리수와 실수

따라 풀면서 개념 익히기

본문 | 27, 29쪽

1-1 답 유리수: ㉠, ㉢, ㉣, ㉤, 무리수: ㉡

㉠ -1은 정수이므로 유리수이다.

㉡ $\sqrt{10}$은 근호를 없앨 수 없으므로 [무리수]이다.

㉢ 3.14는 [유한] 소수이므로 유리수이다.

㉣ $-\sqrt{81}=-\sqrt{9^2}=$ [-9]이므로 [유리수]이다.

㉤ $3.\dot{8}$은 [순환] 소수이므로 [유리수]이다.

따라서 유리수는 ㉠, ㉢, ㉣, ㉤이고 무리수는 ㉡이다.

1-2 답 (1) ㉣ (2) ㉣, ㉧ (3) ㉢, ㉣, ㉤, ㉦, ㉧ (4) ㉠, ㉡, ㉥

㉠ $\sqrt{3}$은 근호를 없앨 수 없으므로 무리수이다.

㉡ $\sqrt{24}$는 근호를 없앨 수 없으므로 무리수이다.

㉢ 0.1234는 유한소수이므로 유리수이다.

㉣ $\sqrt{100}=\sqrt{10^2}=10$이므로 자연수이다.

㉤ $\sqrt{\frac{4}{9}}=\sqrt{\left(\frac{2}{3}\right)^2}=\frac{2}{3}$이므로 유리수이다.

㉥ $-\sqrt{6.4}$는 근호를 없앨 수 없으므로 무리수이다.

㉦ $8.\dot{1}\dot{5}$는 순환소수이므로 유리수이다.

㉧ $\sqrt{25}=\sqrt{5^2}=5$이므로 $3-\sqrt{25}=3-5=-2$이므로 정수이다.

(2) 정수는 양의 정수(자연수), 0, 음의 정수로 이루어져 있으므로 정수인 것은 ㉣, ㉧이다.

(3) 정수, 유한소수, 순환소수는 유리수이므로 유리수인 것은 ㉢, ㉣, ㉤, ㉦, ㉧이다.

(4) 유리수가 아닌 수가 무리수이므로 무리수인 것은 ㉠, ㉡, ㉥이다.

2-1 답 (1) ○ (2) × (3) × (4) ○

(1) $\sqrt{11}$은 [무리수]이므로 실수이다.

(2) $\sqrt{4}=$ [2]와 같이 $\sqrt{(\text{제곱수})}$는 [유리수]이다.

(3) $0.\dot{3}=\frac{3}{9}=$ [$\frac{1}{3}$]과 같이 무한소수이지만 [유리수]인 것도 있다.

(4) 실수는 유리수와 무리수로 구분되므로 무리수가 아닌 실수는 모두 [유리수]이다.

2-2 답 풀이 참조

수의 분류 / 수	자연수	정수	정수가 아닌 유리수	유리수	무리수	실수
15	○	○	×	○	×	○
$\sqrt{36}=6$	○	○	×	○	×	○
$-\frac{2}{5}$	×	×	○	○	×	○
$0.\dot{4}=\frac{4}{9}$	×	×	○	○	×	○
$\sqrt{7}$	×	×	×	×	○	○

3-1 답 (1) $\sqrt{5}$ (2) $-\sqrt{5}$

직각삼각형 OAB에서 $\overline{OB}=\sqrt{2^2+1^2}=\boxed{\sqrt{5}}$

(1) $\overline{OP}=\overline{OB}$이고 점 P는 기준점 O(0)에서 오른쪽으로 $\sqrt{5}$만큼 떨어진 점이므로 점 P에 대응하는 수는 $0+\boxed{\sqrt{5}}=\boxed{\sqrt{5}}$

(2) $\overline{OQ}=\overline{OB}$이고 점 Q는 기준점 O(0)에서 왼쪽으로 $\sqrt{5}$만큼 떨어진 점이므로 점 Q에 대응하는 수는 $0-\boxed{\sqrt{5}}=\boxed{-\sqrt{5}}$

3-2 답 (1) $\sqrt{2}$ (2) $\sqrt{2}$, $1+\sqrt{2}$ (3) $\sqrt{2}$, $1-\sqrt{2}$

(1) 직각삼각형 ABC에서 $\overline{AC}=\sqrt{1^2+1^2}=\sqrt{2}$

(2) 점 P는 기준점 A(1)에서 오른쪽으로 $\sqrt{2}$만큼 떨어진 점이므로 점 P에 대응하는 수는 $1+\sqrt{2}$

(3) 점 Q는 기준점 A(1)에서 왼쪽으로 $\sqrt{2}$만큼 떨어진 점이므로 점 Q에 대응하는 수는 $1-\sqrt{2}$

4-1 답 (1) < (2) > (3) < (4) >

(1) (음수)<0이므로 $-\sqrt{2}<0$

(2) (양수)>(음수)이므로 $\sqrt{7}\boxed{>}-\sqrt{5}$

(3) $\frac{5}{2}=\sqrt{\frac{25}{4}}$이고 $\sqrt{8}=\sqrt{\frac{32}{4}}$이므로 $\left|\sqrt{\frac{25}{4}}\right|<|\sqrt{8}|$

$\therefore \frac{5}{2}\boxed{<}\sqrt{8}$

(4) $-1=-\sqrt{1}$이고 $\left|-\sqrt{\frac{1}{3}}\right|=\sqrt{\frac{1}{3}}$, $|-\sqrt{1}|=\sqrt{1}$

$\sqrt{\frac{1}{3}}<\sqrt{1}$이므로 $\left|-\sqrt{\frac{1}{3}}\right|\boxed{<}|-\sqrt{1}|$

$\therefore -\sqrt{\frac{1}{3}}\boxed{>}-1$

4-2 답 (1) > (2) < (3) > (4) <

(1) 음수끼리는 절댓값이 클수록 작다.

$|-\sqrt{5}|=\sqrt{5}$, $|-\sqrt{12}|=\sqrt{12}$이고 $\sqrt{5}<\sqrt{12}$이므로

$|-\sqrt{5}|<|-\sqrt{12}|$ $\therefore -\sqrt{5}>-\sqrt{12}$

(2) 양수끼리는 절댓값이 클수록 크다.

$\sqrt{7}=\sqrt{\frac{63}{9}}$, $\frac{8}{3}=\sqrt{\frac{64}{9}}$이므로 $\left|\sqrt{\frac{63}{9}}\right|<\left|\sqrt{\frac{64}{9}}\right|$

$\therefore \sqrt{7}<\frac{8}{3}$

(3) $-4=-\sqrt{16}$이고 $|-\sqrt{16}|=\sqrt{16}$, $|-\sqrt{18}|=\sqrt{18}$

$\sqrt{16}<\sqrt{18}$이므로 $|-\sqrt{16}|<|-\sqrt{18}|$

$\therefore -4>-\sqrt{18}$

(4) (음수)<(양수)이므로 $-\sqrt{10}<1+\sqrt{2}$

보고 또 보고

유형 익히기 – 확인 문제

본문 | 30~33쪽

01 답 $\sqrt{8.1}$, $\sqrt{8^3}$, $\sqrt{2}-1$

셀파 근호가 있는 수는 먼저 근호를 없앨 수 있는지 확인한다.

- $\sqrt{0.\dot{1}}=\sqrt{\frac{1}{9}}=\frac{1}{3}$이므로 $\sqrt{0.\dot{1}}$은 유리수이다.
- $\sqrt{16}=4$이고 $-\frac{\sqrt{16}}{7}=-\frac{4}{7}$이므로 $-\frac{\sqrt{16}}{7}$은 유리수이다.
- $\sqrt{8.1}$은 근호를 없앨 수 없으므로 무리수이다.
- 3.14는 유한소수이므로 유리수이다.
- $\sqrt{8^3}$에서 $8^3=(2^3)^3=2^9$이므로 8^3은 제곱수가 아니다. 즉 근호를 없앨 수 없으므로 무리수이다.
- $\sqrt{2}$는 무리수이고 1은 유리수이므로 $\sqrt{2}-1$은 무리수이다.
- $\sqrt{\left(\frac{2}{7}\right)^2}=\frac{2}{7}$이므로 유리수이다.

따라서 무리수인 것은 $\sqrt{8.1}$, $\sqrt{8^3}$, $\sqrt{2}-1$이다.

02 답 ㄷ, ㄹ

셀파 주어진 내용이 거짓인 예가 있는지 확인한다.

ㄱ $\sqrt{4}$는 근호를 사용하여 나타낸 수이지만 $\sqrt{4}=2$이므로 유리수이다.

ㄴ $\frac{1}{3}$은 정수가 아닌 유리수이지만 $\frac{1}{3}=0.\dot{3}$이므로 순환소수로 나타낼 수 있다.
즉 정수가 아닌 유리수는 유한소수 또는 순환소수로 나타낼 수 있다.

ㄹ 무리수는 유리수가 아닌 수이므로 무리수는 $\frac{b}{a}$ 꼴로 나타낼 수 없다. (단, $a\neq0$, a, b는 정수)

따라서 옳은 것은 ㄷ, ㄹ이다.

03 답 ④

셀파 색칠한 부분에 속하는 수는 무리수이므로 보기에서 무리수인 것을 찾는다.

① $(-\sqrt{5})^2=5$이므로 유리수이다.

② $\sqrt{9}-2=3-2=1$이므로 유리수이다.

③ $\sqrt{169}=\sqrt{13^2}=13$이므로 유리수이다.

④ $\sqrt{1.\dot{6}}=\sqrt{\frac{5}{3}}$이므로 무리수이다.
→ $1.\dot{6}=\frac{16-1}{9}=\frac{15}{9}=\frac{5}{3}$

⑤ $-\sqrt{\frac{25}{16}}=-\sqrt{\left(\frac{5}{4}\right)^2}=-\frac{5}{4}$이므로 유리수이다.

따라서 그림에서 색칠한 부분, 즉 무리수에 속하는 수는 ④이다.

04 답 $1-\sqrt{6}$

셀파 정사각형 ABCD의 한 변의 길이를 구한다.

정사각형 ABCD의 넓이는 6이므로 $\overline{BC}^2=6$
$\therefore \overline{BC}=\sqrt{6}$ ($\because \overline{BC}>0$)
이때 $\overline{PC}=\overline{BC}=\sqrt{6}$이므로 점 P는 기준점 C(1)에서 왼쪽으로 $\sqrt{6}$ 만큼 떨어진 점이다.
따라서 점 P에 대응하는 수는 $1-\sqrt{6}$이다.

05 답 ②

셀파 서로 다른 두 실수 사이에는 무수히 많은 유리수와 무리수가 있다.

① 모든 무리수는 각각 수직선 위의 한 점에 대응하므로 수직선 위에 $\sqrt{11}$에 대응하는 점을 나타낼 수 있다.
② $\sqrt{4}<\sqrt{5}<\sqrt{9}$, 즉 $2<\sqrt{5}<3$이므로 2와 $\sqrt{5}$ 사이에는 정수가 없다.
③ 두 정수 0과 1 사이에는 정수가 없다.
④ $\frac{1}{10}$과 $\frac{7}{10}$ 사이에는 무수히 많은 유리수가 있다.
⑤ 1에 가장 가까운 무리수는 정할 수 없다.
따라서 옳은 것은 ②이다.

06 답 $-2-\sqrt{2}$: A, $\sqrt{6}-2$: E, $-3+\sqrt{17}$: F

셀파 $-\sqrt{2}$, $\sqrt{6}$, $\sqrt{17}$이 각각 연속한 어떤 두 정수 사이에 있는지 알아본다.

$\sqrt{1}<\sqrt{2}<\sqrt{4}$에서 $1<\sqrt{2}<2$이므로 $-2<-\sqrt{2}<-1$
이 부등식의 각 변에 -2를 더하면 $-4<-2-\sqrt{2}<-3$
따라서 $-2-\sqrt{2}$에 대응하는 점이 있는 구간은 A이다.
$\sqrt{4}<\sqrt{6}<\sqrt{9}$에서 $2<\sqrt{6}<3$
이 부등식의 각 변에서 2를 빼면 $0<\sqrt{6}-2<1$
따라서 $\sqrt{6}-2$에 대응하는 점이 있는 구간은 E이다.
$\sqrt{16}<\sqrt{17}<\sqrt{25}$에서 $4<\sqrt{17}<5$
이 부등식의 각 변에 -3을 더하면
$1<-3+\sqrt{17}<2$
따라서 $-3+\sqrt{17}$에 대응하는 점이 있는 구간은 F이다.

07 답 $\sqrt{12}-2$: C, $-3+\sqrt{7}$: B, $-3+\sqrt{7}<\sqrt{12}-2$

셀파 수직선에서 오른쪽에 있는 수가 왼쪽에 있는 수보다 크다.

$\sqrt{9}<\sqrt{12}<\sqrt{16}$, 즉 $3<\sqrt{12}<4$이므로 $1<\sqrt{12}-2<2$
⇨ $\sqrt{12}-2$에 대응하는 점은 C이다.
$\sqrt{4}<\sqrt{7}<\sqrt{9}$, 즉 $2<\sqrt{7}<3$이므로 $-1<-3+\sqrt{7}<0$
⇨ $-3+\sqrt{7}$에 대응하는 점은 B이다.
따라서 주어진 수직선에서 점 C가 점 B보다 오른쪽에 있으므로
$-3+\sqrt{7}<\sqrt{12}-2$

08 답 $\sqrt{6}$, $\sqrt{8}$, $\sqrt{5}+0.5$, $\sqrt{\frac{11}{2}}$, $\frac{\sqrt{5}+3}{2}$

셀파 $3=\sqrt{9}$와 $\sqrt{5}=2.236$을 이용하여 $\sqrt{5}$와 3 사이에 있는 수를 찾는다.

- $3=\sqrt{9}$이므로 $\sqrt{5}<\sqrt{\frac{11}{2}}<\sqrt{6}<\sqrt{8}<\sqrt{9}<\sqrt{10}$
  따라서 $\sqrt{6}$, $\sqrt{8}$, $\sqrt{\frac{11}{2}}$은 $\sqrt{5}$와 3 사이에 있는 수이고, $\sqrt{10}$은 3보다 큰 수이다.
- $\sqrt{5}+0.5=2.236+0.5=2.736$이므로 $\sqrt{5}<\sqrt{5}+0.5<3$
  따라서 $\sqrt{5}+0.5$는 $\sqrt{5}$와 3 사이에 있는 수이다.
- $\frac{\sqrt{5}+3}{2}=\frac{2.236+3}{2}=2.618$이므로 $\sqrt{5}<\frac{\sqrt{5}+3}{2}<3$
  따라서 $\frac{\sqrt{5}+3}{2}$은 $\sqrt{5}$와 3 사이에 있는 수이다.
- $\frac{3-\sqrt{5}}{2}=\frac{3-2.236}{2}=0.382$이므로 $\frac{3-\sqrt{5}}{2}<\sqrt{5}$
  따라서 $\frac{3-\sqrt{5}}{2}$는 $\sqrt{5}$와 3 사이에 있는 수가 아니다.

LECTURE 두 실수 a, b 사이에 있는 수

(1) 두 실수 a, b의 평균: $\frac{a+b}{2}$
⇨ a, b를 나타내는 두 점을 이은 선분의 중점의 좌표이므로 a와 b 사이에 있다.
(2) a, b의 차보다 작은 양수를 a, b 중 작은 수에 더하거나 큰 수에서 뺀 수
예 $\sqrt{3}=1.732$, $\sqrt{8}=2.828$이라 할 때, $\sqrt{8}-\sqrt{3}=1.096$

⇨ $\sqrt{3}+0.1$, $\sqrt{3}+1$, $\sqrt{8}-1$은 $\sqrt{3}$과 $\sqrt{8}$ 사이에 있다.

실력 키우기

본문 | 34~35 쪽

01 답 2개

셀파 근호가 있는 수는 먼저 근호를 없앨 수 있는지 확인한다.

- $\sqrt{9}=3$이므로 유리수이다.
- $(-\sqrt{10})^2=10$이므로 유리수이다.
- $\sqrt{5}$는 근호를 없앨 수 없으므로 무리수이다.
- $\sqrt{5}-2$는 (무리수)+(유리수)이므로 무리수이다.
- $0.\dot{6}\dot{1}$은 순환소수이므로 유리수이다.
- 0.7은 유리수이다.
- $-\sqrt{\frac{3}{12}}=-\sqrt{\frac{1}{4}}=-\frac{1}{2}$이므로 유리수이다.
- $3.\dot{1}\dot{4}$는 순환소수이므로 유리수이다.

따라서 무리수는 $\sqrt{5}$, $\sqrt{5}-2$의 2개이다.

02 답 ④

셀파 실수 중 유리수가 아닌 수는 무리수임을 이용한다.

① (유리수)+(유리수)=(유리수)이므로 $a+1$은 유리수이다.
② $a=1$일 때, $\sqrt{a}=1$이므로 유리수이다.
③ (유리수)×(유리수)=(유리수)이므로 $3a$는 유리수이다.
④ (무리수)+(유리수)=(무리수)이므로 $\sqrt{2}+a$는 무리수이다.
⑤ $a=0$일 때, $\sqrt{3a}=0$이므로 유리수이다.
따라서 항상 무리수인 것은 ④이다.

03 답 ②, ③

셀파 $\sqrt{3}$은 무리수이다.

① 순환소수가 아닌 무한소수이다.
② $(\sqrt{3})^2=3$이므로 유리수이다.
③ $\sqrt{1}<\sqrt{3}<\sqrt{4}$, 즉 $1<\sqrt{3}<2$이므로
$\sqrt{3}$은 1과 2 사이의 무리수이다.
④ 유리수가 아니므로 기약분수로 나타낼 수 없다.
⑤ 수직선 위의 한 점에 대응시킬 수 있다.
따라서 $\sqrt{3}$에 대한 설명으로 옳은 것은 ②, ③이다.

04 답 43

셀파 $\sqrt{(제곱수)}$는 유리수이다.

1 $\sqrt{x}$가 유리수가 되도록 하는 x의 개수 구하기 [50 %]
x가 $(자연수)^2$ 꼴이면 $\sqrt{x}$는 유리수가 된다.
50 이하인 자연수 중 $(자연수)^2$ 꼴인 수는
$1^2, 2^2, 3^2, 4^2, 5^2, 6^2, 7^2$의 7개이다.

2 $\sqrt{x}$가 무리수가 되도록 하는 x의 개수 구하기 [50 %]
따라서 $\sqrt{x}$가 무리수가 되도록 하는 x의 개수는
$50-7=43$

05 답 ㉠ $\sqrt{17}, 2\sqrt{2}$ ㉡ $-2.85, \frac{1}{9}$
㉢ $\sqrt{4}, 2^5, 6$ ㉣ $(-1)^3, -\sqrt{25}$

셀파 근호가 있는 수는 근호를 없앨 수 있는지 확인하고, 거듭제곱은 계산한다.

$\sqrt{4}=2, 2^5=32, (-1)^3=-1, -\sqrt{25}=-5$
㉠ 유리수가 아닌 수는 무리수이므로 주어진 수 중 무리수는
$\sqrt{17}, 2\sqrt{2}$
㉡ 정수가 아닌 유리수이므로 주어진 수 중 정수가 아닌 유리수는
$-2.85, \frac{1}{9}$
㉢ 주어진 수 중 자연수는 $\sqrt{4}, 2^5, 6$
㉣ 음의 정수이므로 주어진 수 중 음의 정수는 $(-1)^3, -\sqrt{25}$

06 답 ㉠, ㉣

셀파 피타고라스 정리를 이용하여 정사각형의 한 변의 길이를 구한다.

㉠ $\overline{AD}=\sqrt{2^2+1^2}=\sqrt{5}$
㉡ $\overline{EF}=\sqrt{3^2+1^2}=\sqrt{10}$이므로 $\square EFGH=(\sqrt{10})^2=10$
㉢ $\overline{AP}=\overline{AD}=\sqrt{5}$이므로 점 P에 대응하는 수는 $-3-\sqrt{5}$
㉣ $\overline{EQ}=\overline{EF}=\sqrt{10}$이므로 점 Q에 대응하는 수는 $1+\sqrt{10}$
따라서 옳은 것은 ㉠, ㉣이다.

07 답 9

셀파 피타고라스 정리를 이용하여 직각삼각형의 빗변의 길이를 구한다.

직각삼각형 ABC에서 $\overline{AC}=\sqrt{1^2+3^2}=\sqrt{10}$
이때 $\overline{CP}=\overline{CA}=\sqrt{10}$이고 점 C에 대응하는 수가 -1이므로
점 P에 대응하는 수는 $-1+\sqrt{10}$
따라서 $a=-1, b=10$이므로 $a+b=9$

08 답 ㉠, ㉡

셀파 수직선은 실수, 즉 유리수와 무리수에 대응하는 점만으로 완전히 메울 수 있다.

㉢ 유리수와 무리수에 대응하는 점만으로 수직선을 완전히 메울 수 있다.
㉣ 서로 다른 두 유리수 사이에는 무수히 많은 무리수가 있다.
따라서 옳은 것은 ㉠, ㉡이다.

09 답 (1) 풀이 참조 (2) 8개

셀파 • $-1-\sqrt{2}$는 -1에 대응하는 점에서 왼쪽으로 $\sqrt{2}$만큼 떨어진 점에 대응하는 수이다.
• $2+\sqrt{13}$은 2에 대응하는 점에서 오른쪽으로 $\sqrt{13}$만큼 떨어진 점에 대응하는 수이다.

1 주어진 두 수를 수직선 위에 나타내기 [70 %]

(1)
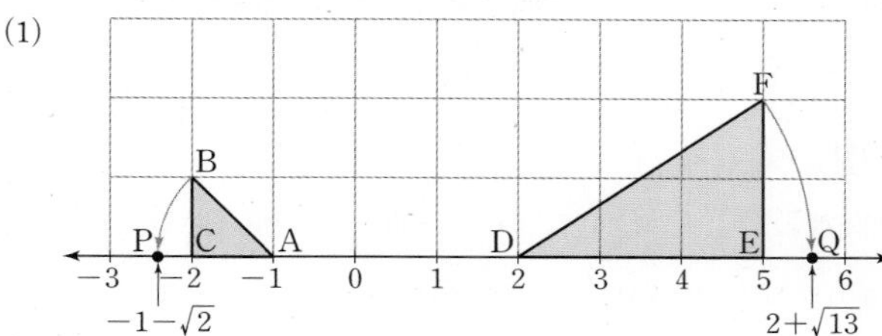

(i) $-1-\sqrt{2}$를 수직선 위에 나타내기
1 수직선 위에 점 A가 -1에 대응하도록 $\angle C=90°$, $\overline{AC}=1, \overline{BC}=1$인 직각삼각형 ABC를 그린다.
이때 $\overline{AB}=\sqrt{1^2+1^2}=\sqrt{2}$
2 점 A를 중심으로 하고 반지름의 길이가 $\overline{AB}$인 원이 수직선과 만나는 점을 찾으면 점 A의 왼쪽에 있는 점 P에 대응하는 수가 $-1-\sqrt{2}$이다.

(ii) $2+\sqrt{13}$을 수직선 위에 나타내기

[1] 수직선 위에 점 D가 2에 대응하도록 $\angle E=90^\circ$, $\overline{DE}=3$, $\overline{FE}=2$인 직각삼각형 DEF를 그린다.
이때 $\overline{DF}=\sqrt{3^2+2^2}=\sqrt{13}$

[2] 점 D를 중심으로 하고 반지름의 길이가 $\overline{DF}$인 원이 수직선과 만나는 점을 찾으면 점 D의 오른쪽에 있는 점 Q에 대응하는 수가 $2+\sqrt{13}$이다.

② 두 수 $-1-\sqrt{2}$와 $2+\sqrt{13}$ 사이에 있는 정수의 개수 구하기 [30 %]

(2) (1)의 그림에서 $-1-\sqrt{2}$와 $2+\sqrt{13}$ 사이에 있는 정수는 -2, -1, 0, 1, 2, 3, 4, 5의 8개이다.

10

답 (1) 1, 2, C
(2) $-\sqrt{8}$: A, $1+\sqrt{2}$: D, $3-\sqrt{13}$: B
(3) 가장 큰 수: $1+\sqrt{2}$, 가장 작은 수: $-\sqrt{8}$

셀파 $a<\sqrt{x}<a+1 \Rightarrow a+b<\sqrt{x}+b<a+1+b$

① □ 안에 알맞은 것 구하기 [20 %]

(1) $\sqrt{9}<\sqrt{10}<\sqrt{16}$, 즉 $3<\sqrt{10}<4$이므로
$\boxed{1}<\sqrt{10}-2<\boxed{2}$
따라서 $\sqrt{10}-2$에 대응하는 점은 $\boxed{\text{C}}$이다.

② 나머지 세 수에 대응하는 점을 각각 구하기 [50 %]

(2) $2<\sqrt{8}<3$이므로 $-3<-\sqrt{8}<-2$
따라서 $-\sqrt{8}$에 대응하는 점은 A이다.
$1<\sqrt{2}<2$이므로 $2<1+\sqrt{2}<3$
따라서 $1+\sqrt{2}$에 대응하는 점은 D이다.
$3<\sqrt{13}<4$이므로 $-4<-\sqrt{13}<-3$
$\therefore -1<3-\sqrt{13}<0$
따라서 $3-\sqrt{13}$에 대응하는 점은 B이다.

③ 네 수 중 가장 큰 수와 가장 작은 수 구하기 [30 %]

(3) 주어진 그림에서 가장 큰 수는 점 D에 대응하는 수이고 가장 작은 수는 점 A에 대응하는 수이므로
가장 큰 수는 $1+\sqrt{2}$이고, 가장 작은 수는 $-\sqrt{8}$이다.

11

답 ②, ③

셀파 $\sqrt{6}$과 $\sqrt{7}$의 값을 이용하여 $\sqrt{6}$과 $\sqrt{7}$ 사이에 있는 수를 찾는다.

① $\sqrt{6}+0.2=2.449+0.2=2.649$이므로 $\sqrt{6}+0.2>\sqrt{7}$

② $\sqrt{7}-0.01=2.646-0.01=2.636$이므로 $\sqrt{6}<\sqrt{7}-0.01<\sqrt{7}$

③ $\dfrac{\sqrt{6}+\sqrt{7}}{2}=\dfrac{2.449+2.646}{2}=2.5475$이므로 $\sqrt{6}<\dfrac{\sqrt{6}+\sqrt{7}}{2}<\sqrt{7}$

④ $\dfrac{\sqrt{7}-\sqrt{6}}{2}=\dfrac{2.646-2.449}{2}=0.0985$이므로 $\dfrac{\sqrt{7}-\sqrt{6}}{2}<\sqrt{6}$

⑤ $\dfrac{3+\sqrt{7}}{2}=\dfrac{3+2.646}{2}=2.823$이므로 $\dfrac{3+\sqrt{7}}{2}>\sqrt{7}$

따라서 $\sqrt{6}$과 $\sqrt{7}$ 사이에 있는 수는 ②, ③이다.

3 근호를 포함한 식의 곱셈과 나눗셈

본문 | 39, 41쪽

1-1

답 (1) $\sqrt{66}$ (2) $10\sqrt{6}$ (3) $\sqrt{6}$ (4) $2\sqrt{6}$

(1) $\sqrt{6}\sqrt{11}=\sqrt{6\times\boxed{11}}=\sqrt{\boxed{66}}$

(2) $2\sqrt{2}\times5\sqrt{3}=(2\times5)\times\sqrt{2\times\boxed{3}}=10\sqrt{\boxed{6}}$

(3) $\dfrac{\sqrt{18}}{\sqrt{3}}=\sqrt{\dfrac{18}{\boxed{3}}}=\sqrt{\boxed{6}}$

(4) $6\sqrt{12}\div3\sqrt{2}=\dfrac{\boxed{6}}{3}\sqrt{\dfrac{12}{2}}=\boxed{2}\sqrt{6}$

1-2

답 (1) $\sqrt{14}$ (2) 6 (3) $20\sqrt{22}$ (4) $\dfrac{1}{2}$ (5) 2 (6) $\dfrac{4}{3}$

(1) $\sqrt{2}\sqrt{7}=\sqrt{2\times7}=\sqrt{14}$

(2) $\sqrt{3}\times2\sqrt{3}=(1\times2)\times\sqrt{3\times3}=2\times\sqrt{9}=2\times3=6$

(3) $5\sqrt{2}\times4\sqrt{11}=(5\times4)\times\sqrt{2\times11}=20\sqrt{22}$

(4) $\dfrac{\sqrt{7}}{\sqrt{28}}=\sqrt{\dfrac{7}{28}}=\sqrt{\dfrac{1}{4}}=\dfrac{1}{2}$

(5) $\sqrt{20}\div\sqrt{5}=\sqrt{\dfrac{20}{5}}=\sqrt{4}=2$

(6) $4\sqrt{8}\div2\sqrt{18}=\dfrac{4\sqrt{8}}{2\sqrt{18}}=\dfrac{4}{2}\sqrt{\dfrac{8}{18}}=2\sqrt{\dfrac{4}{9}}=2\times\dfrac{2}{3}=\dfrac{4}{3}$

2-1

답 (1) $6\sqrt{3}$ (2) $\dfrac{\sqrt{7}}{10}$ (3) $-\sqrt{75}$ (4) $\sqrt{\dfrac{11}{4}}$

(1) $\sqrt{108}=\sqrt{\boxed{6}^2\times3}=\boxed{6}\sqrt{3}$

(2) $\sqrt{0.07}=\sqrt{\dfrac{7}{100}}=\dfrac{\sqrt{7}}{\sqrt{\boxed{10}^2}}=\dfrac{\sqrt{7}}{10}$

(3) $-5\sqrt{3}=-\sqrt{\boxed{5}^2\times3}=-\sqrt{\boxed{75}}$

(4) $\dfrac{\sqrt{11}}{2}=\sqrt{\dfrac{11}{\boxed{2}^2}}=\sqrt{\boxed{\dfrac{11}{4}}}$

2-2

답 (1) $5\sqrt{7}$ (2) $4\sqrt{6}$ (3) $\dfrac{\sqrt{7}}{5}$ (4) $\dfrac{\sqrt{3}}{5}$

(1) $\sqrt{175}=\sqrt{5^2\times7}=5\sqrt{7}$

(2) $\sqrt{96}=\sqrt{4^2\times6}=4\sqrt{6}$

(3) $\sqrt{\frac{7}{25}}=\frac{\sqrt{7}}{\sqrt{25}}=\frac{\sqrt{7}}{\sqrt{5^2}}=\frac{\sqrt{7}}{5}$

(4) $\sqrt{0.12}=\sqrt{\frac{12}{100}}=\sqrt{\frac{2^2\times3}{10^2}}=\frac{2\sqrt{3}}{10}=\frac{\sqrt{3}}{5}$

2-3 답 (1) $\sqrt{80}$ (2) $-\sqrt{18}$ (3) $\sqrt{\frac{7}{9}}$ (4) $\sqrt{\frac{75}{4}}$

(1) $4\sqrt{5}=\sqrt{4^2\times5}=\sqrt{80}$

(2) $-3\sqrt{2}=-\sqrt{3^2\times2}=-\sqrt{18}$

(3) $\frac{\sqrt{7}}{3}=\frac{\sqrt{7}}{\sqrt{3^2}}=\sqrt{\frac{7}{9}}$

(4) $\frac{5\sqrt{3}}{2}=\frac{\sqrt{5^2\times3}}{\sqrt{2^2}}=\sqrt{\frac{75}{4}}$

3-1 답 (1) $\sqrt{2}$ (2) $\frac{\sqrt{10}}{15}$ (3) $\frac{\sqrt{21}}{6}$

(1) $\frac{2}{\sqrt{2}}=\frac{2\times\boxed{\sqrt{2}}}{\sqrt{2}\times\boxed{\sqrt{2}}}=\boxed{\sqrt{2}}$

(2) $\frac{\sqrt{2}}{3\sqrt{5}}=\frac{\sqrt{2}\times\boxed{\sqrt{5}}}{3\sqrt{5}\times\boxed{\sqrt{5}}}=\boxed{\frac{\sqrt{10}}{15}}$

(3) $\frac{\sqrt{7}}{\sqrt{12}}=\frac{\sqrt{7}}{2\sqrt{3}}=\frac{\sqrt{7}\times\boxed{\sqrt{3}}}{2\sqrt{3}\times\boxed{\sqrt{3}}}=\boxed{\frac{\sqrt{21}}{6}}$

3-2 답 (1) $\sqrt{5}$, $\sqrt{5}$, $\frac{3\sqrt{5}}{5}$ (2) $\sqrt{10}$, $\sqrt{10}$, $\frac{\sqrt{30}}{10}$ (3) $\sqrt{6}$, $\sqrt{6}$, $\frac{\sqrt{42}}{12}$ (4) $\sqrt{2}$, $\sqrt{2}$, $\sqrt{2}$

(1) $\frac{3}{\sqrt{5}}=\frac{3\times\boxed{\sqrt{5}}}{\sqrt{5}\times\boxed{\sqrt{5}}}=\boxed{\frac{3\sqrt{5}}{5}}$

(2) $\frac{\sqrt{3}}{\sqrt{10}}=\frac{\sqrt{3}\times\boxed{\sqrt{10}}}{\sqrt{10}\times\boxed{\sqrt{10}}}=\boxed{\frac{\sqrt{30}}{10}}$

(3) $\frac{\sqrt{7}}{2\sqrt{6}}=\frac{\sqrt{7}\times\boxed{\sqrt{6}}}{2\sqrt{6}\times\boxed{\sqrt{6}}}=\boxed{\frac{\sqrt{42}}{12}}$

(4) $\frac{4}{\sqrt{8}}=\frac{4}{2\sqrt{2}}=\frac{4\times\boxed{\sqrt{2}}}{2\sqrt{2}\times\boxed{\sqrt{2}}}=\boxed{\sqrt{2}}$

4-1 답 (1) 3.225 (2) 3.479

(1) 아래 제곱근표에서 왼쪽의 수 10의 가로줄과 위쪽의 수 $\boxed{4}$의 세로줄이 만나는 곳에 있는 수인 $\boxed{3.225}$이다.
$\therefore \sqrt{10.4}=3.225$

(2) 아래 제곱근표에서 왼쪽의 수 $\boxed{12}$의 가로줄과 위쪽의 수 $\boxed{1}$의 세로줄이 만나는 곳에 있는 수인 $\boxed{3.479}$이다.
$\therefore \sqrt{12.1}=3.479$

수	0	1	2	3	4	5
10	3.162	3.178	3.194	3.209	3.225	3.240
11	3.317	3.332	3.347	3.362	3.376	3.391
12	3.464	3.479	3.493	3.507	3.521	3.536

4-2 답 (1) 1.109 (2) 1.158

(1) 아래 제곱근표에서 왼쪽의 수 1.2의 가로줄과 위쪽의 수 3의 세로줄이 만나는 곳에 있는 수인 1.109이다.
$\therefore \sqrt{1.23}=1.109$

(2) 아래 제곱근표에서 왼쪽의 수 1.3의 가로줄과 위쪽의 수 4의 세로줄이 만나는 곳에 있는 수인 1.158이다.
$\therefore \sqrt{1.34}=1.158$

수	0	1	2	3	4
1.0	1.000	1.005	1.010	1.015	1.020
1.1	1.049	1.054	1.058	1.063	1.068
1.2	1.095	1.100	1.105	1.109	1.114
1.3	1.140	1.145	1.149	1.153	1.158

보고 또 보고

유형 익히기–확인 문제

본문 | 42~48쪽

01 답 1. $-3\sqrt{15}$ 2. $\frac{2}{3}$

셀파 $a>0$, $b>0$, $c>0$이고 l, m, n이 유리수일 때
$l\sqrt{a}\times m\sqrt{b}\times n\sqrt{c}=lmn\sqrt{abc}$

1. $3\sqrt{5}\times(-2\sqrt{2})\times\sqrt{\frac{3}{8}}=3\times(-2)\times\sqrt{5\times2\times\frac{3}{8}}$
$=-6\times\sqrt{\frac{15}{4}}=-6\times\frac{\sqrt{15}}{2}$
$=-3\sqrt{15}$

2. $5\times\sqrt{6}\times\sqrt{a}=5\sqrt{6a}$, $\sqrt{2}\times\sqrt{50}=\sqrt{100}=10$이므로
$5\sqrt{6a}=10$, $\sqrt{6a}=2$, $6a=4$
$\therefore a=\frac{2}{3}$

02 답 2

셀파 나눗셈을 모두 역수의 곱셈으로 바꾸어 좌변을 먼저 계산한다.

$$\frac{\sqrt{18}}{2\sqrt{2}}\div\frac{\sqrt{3}}{\sqrt{5}}\div\frac{\sqrt{15}}{\sqrt{8}}=\frac{\sqrt{18}}{2\sqrt{2}}\times\frac{\sqrt{5}}{\sqrt{3}}\times\frac{\sqrt{8}}{\sqrt{15}}$$
$$=\frac{1}{2}\sqrt{\frac{18}{2}\times\frac{5}{3}\times\frac{8}{15}}$$
$$=\frac{1}{2}\sqrt{8}=\frac{2\sqrt{2}}{2}=\sqrt{2}$$

따라서 $\sqrt{k}=\sqrt{2}$이므로 $k=2$

03 답 **1.** 7 **2.** 60

셀파 근호 안의 수를 소인수분해하였을 때, a^2b 꼴이면 a를 근호 밖으로 꺼낸다.

1. $\sqrt{54}=\sqrt{3^2\times6}=3\sqrt{6}$이므로 $a=3$

$\sqrt{\frac{9}{48}}=\sqrt{\frac{3}{16}}=\sqrt{\frac{3}{4^2}}=\frac{\sqrt{3}}{4}$이므로 $b=4$

$\therefore a+b=3+4=7$

2. $\sqrt{12}=\sqrt{2^2\times3}=2\sqrt{3}$

$\sqrt{18}=\sqrt{3^2\times2}=3\sqrt{2}$

$\sqrt{50}=\sqrt{5^2\times2}=5\sqrt{2}$

$$\therefore \sqrt{12}\times\sqrt{18}\times\sqrt{50}=2\sqrt{3}\times3\sqrt{2}\times5\sqrt{2}$$
$$=(2\times3\times5)\times\sqrt{3\times2\times2}$$
$$=(2\times3\times5)\times2\sqrt{3}$$
$$=60\sqrt{3}$$

$\therefore a=60$

04 답 **1.** 2 **2.** $\frac{1}{5}$

셀파 근호 밖의 양수를 제곱하여 근호 안으로 넣는다.

1. $-2\sqrt{10}=-\sqrt{2^2\times10}=-\sqrt{40}$이므로 $a=40$

$\frac{\sqrt{5}}{10}=\frac{\sqrt{5}}{\sqrt{10^2}}=\frac{\sqrt{5}}{\sqrt{100}}=\sqrt{\frac{5}{100}}=\sqrt{\frac{1}{20}}$이므로 $b=\frac{1}{20}$

$\therefore ab=40\times\frac{1}{20}=2$

2. $\frac{\sqrt{7}}{5}=\frac{\sqrt{7}}{\sqrt{5^2}}=\frac{\sqrt{7}}{\sqrt{25}}=\sqrt{\frac{7}{25}}$이므로

$\sqrt{0.08+k}=\sqrt{\frac{7}{25}}$에서 $0.08+k=\frac{7}{25}$

$\therefore k=\frac{7}{25}-0.08=\frac{7}{25}-\frac{2}{25}=\frac{5}{25}=\frac{1}{5}$

05 답 $\frac{1}{2}$

셀파 분모를 유리화하여 a, b의 값을 각각 구한다.

$-\frac{2\sqrt{3}}{\sqrt{8}}=-\frac{2\sqrt{3}}{2\sqrt{2}}=-\frac{\sqrt{3}}{\sqrt{2}}=-\frac{\sqrt{3}\times\sqrt{2}}{\sqrt{2}\times\sqrt{2}}=-\frac{\sqrt{6}}{2}$이므로

$a=-\frac{1}{2}$

$\frac{6}{\sqrt{12}}=\frac{6}{2\sqrt{3}}=\frac{3}{\sqrt{3}}=\frac{3\times\sqrt{3}}{\sqrt{3}\times\sqrt{3}}=\frac{3\sqrt{3}}{3}=\sqrt{3}$이므로

$b=1$

$\therefore a+b=-\frac{1}{2}+1=\frac{1}{2}$

06 답 $\frac{5}{2}$

셀파 나눗셈을 역수의 곱셈으로 바꾼다.

$$\left(-\frac{1}{\sqrt{3}}\right)\times(-\sqrt{60})\div\frac{2\sqrt{32}}{\sqrt{80}}$$
근호 안의 제곱인 인수를 근호 밖으로 꺼낸다.
$$=\left(-\frac{1}{\sqrt{3}}\right)\times(-2\sqrt{15})\div\frac{8\sqrt{2}}{4\sqrt{5}}$$
나눗셈을 역수의 곱셈으로 바꾼다.
$$=\left(-\frac{1}{\sqrt{3}}\right)\times(-2\sqrt{15})\times\frac{4\sqrt{5}}{8\sqrt{2}}$$
근호 밖의 수끼리, 근호 안의 수끼리 계산한다.
$$=(-1)\times(-2)\times\frac{1}{2}\times\sqrt{\frac{1}{3}\times15\times\frac{5}{2}}$$
$$=\sqrt{\frac{25}{2}}=\frac{5}{\sqrt{2}}=\frac{5\sqrt{2}}{2}$$
(분모의 유리화)

$\therefore k=\frac{5}{2}$

집중 연습 근호를 포함한 식의 곱셈과 나눗셈

본문 | 45 쪽

1 답 (1) $6\sqrt{2}$ (2) $-2\sqrt{31}$ (3) $\frac{3\sqrt{5}}{4}$ (4) $\frac{\sqrt{30}}{12}$ (5) $\frac{\sqrt{7}}{5}$ (6) $\frac{\sqrt{10}}{20}$

(1) $\sqrt{72}=\sqrt{6^2\times2}=6\sqrt{2}$

(2) $-\sqrt{124}=-\sqrt{2^2\times31}=-2\sqrt{31}$

(3) $\sqrt{\frac{45}{16}}=\sqrt{\frac{3^2\times5}{4^2}}=\frac{3\sqrt{5}}{4}$

(4) $\sqrt{\frac{30}{144}}=\sqrt{\frac{30}{12^2}}=\frac{\sqrt{30}}{12}$

(5) $\sqrt{0.28}=\sqrt{\frac{28}{100}}=\sqrt{\frac{2^2\times7}{10^2}}=\frac{2\sqrt{7}}{10}=\frac{\sqrt{7}}{5}$

(6) $\sqrt{0.025}=\sqrt{\frac{25}{1000}}=\sqrt{\frac{1}{40}}=\frac{1}{2\sqrt{10}}=\frac{\sqrt{10}}{20}$

2 답 (1) $\sqrt{162}$ (2) $-\sqrt{99}$ (3) $\sqrt{\frac{4}{5}}$ (4) $-\sqrt{\frac{4}{3}}$

(1) $9\sqrt{2}=\sqrt{9^2\times 2}=\sqrt{162}$

(2) $-3\sqrt{11}=-\sqrt{3^2\times 11}=-\sqrt{99}$

(3) $\frac{\sqrt{20}}{5}=\frac{\sqrt{20}}{\sqrt{5^2}}=\sqrt{\frac{20}{25}}=\sqrt{\frac{4}{5}}$

(4) $-\frac{2\sqrt{3}}{3}=-\frac{\sqrt{2^2\times 3}}{\sqrt{3^2}}=-\sqrt{\frac{12}{9}}=-\sqrt{\frac{4}{3}}$

3 답 (1) $\frac{8\sqrt{3}}{3}$ (2) $\frac{\sqrt{5}}{3}$ (3) $-5\sqrt{6}$ (4) $\frac{\sqrt{10}}{5}$ (5) $-\frac{7\sqrt{6}}{9}$ (6) $\frac{\sqrt{10}}{8}$

(1) $\frac{8}{\sqrt{3}}=\frac{8\times\sqrt{3}}{\sqrt{3}\times\sqrt{3}}=\frac{8\sqrt{3}}{3}$

(2) $\frac{5}{3\sqrt{5}}=\frac{5\times\sqrt{5}}{3\sqrt{5}\times\sqrt{5}}=\frac{5\sqrt{5}}{15}=\frac{\sqrt{5}}{3}$

(3) $-\frac{10\sqrt{3}}{\sqrt{2}}=-\frac{10\sqrt{3}\times\sqrt{2}}{\sqrt{2}\times\sqrt{2}}=-\frac{10\sqrt{6}}{2}=-5\sqrt{6}$

(4) $\frac{\sqrt{6}}{\sqrt{3}\sqrt{5}}=\frac{\sqrt{2}}{\sqrt{5}}=\frac{\sqrt{2}\times\sqrt{5}}{\sqrt{5}\times\sqrt{5}}=\frac{\sqrt{10}}{5}$

(5) $-\frac{14}{3\sqrt{6}}=-\frac{14\times\sqrt{6}}{3\sqrt{6}\times\sqrt{6}}=-\frac{14\sqrt{6}}{18}=-\frac{7\sqrt{6}}{9}$

(6) $\frac{\sqrt{5}}{4\sqrt{2}}=\frac{\sqrt{5}\times\sqrt{2}}{4\sqrt{2}\times\sqrt{2}}=\frac{\sqrt{10}}{8}$

4 답 (1) $5\sqrt{3}$ (2) $-15\sqrt{6}$ (3) $-\sqrt{2}$ (4) $\frac{\sqrt{15}}{3}$ (5) $\frac{\sqrt{5}}{5}$ (6) $9\sqrt{2}$ (7) 3 (8) $\frac{5\sqrt{2}}{3}$ (9) $3\sqrt{2}$ (10) $\frac{4}{15}$

(1) $\sqrt{5}\times\sqrt{15}=\sqrt{5\times 15}=\sqrt{75}=\sqrt{5^2\times 3}=5\sqrt{3}$

(2) $-\sqrt{27}\times\sqrt{50}=-3\sqrt{3}\times 5\sqrt{2}=-3\times 5\times\sqrt{3\times 2}=-15\sqrt{6}$

(3) $\sqrt{48}\div(-2\sqrt{6})=4\sqrt{3}\div(-2\sqrt{6})=\frac{4\sqrt{3}}{-2\sqrt{6}}=-\frac{2}{\sqrt{2}}$

$=-\frac{2\times\sqrt{2}}{\sqrt{2}\times\sqrt{2}}=-\frac{2\sqrt{2}}{2}=-\sqrt{2}$

(4) $5\sqrt{20}\div 2\sqrt{75}=10\sqrt{5}\div 10\sqrt{3}=\frac{10\sqrt{5}}{10\sqrt{3}}$

$=\frac{\sqrt{5}}{\sqrt{3}}=\frac{\sqrt{5}\times\sqrt{3}}{\sqrt{3}\times\sqrt{3}}=\frac{\sqrt{15}}{3}$

(5) $\frac{3}{\sqrt{5}}\times\frac{\sqrt{2}}{\sqrt{3}}\div\sqrt{6}=\frac{3}{\sqrt{5}}\times\frac{\sqrt{2}}{\sqrt{3}}\times\frac{1}{\sqrt{6}}=\frac{3}{3\sqrt{5}}$

$=\frac{1}{\sqrt{5}}=\frac{\sqrt{5}}{\sqrt{5}\times\sqrt{5}}=\frac{\sqrt{5}}{5}$

(6) $\sqrt{72}\times\sqrt{108}\div\sqrt{48}=6\sqrt{2}\times 6\sqrt{3}\div 4\sqrt{3}$

$=6\sqrt{2}\times 6\sqrt{3}\times\frac{1}{4\sqrt{3}}$

$=9\sqrt{2}$

(7) $\sqrt{39}\div\sqrt{13}\div\sqrt{\frac{1}{3}}=\sqrt{39}\times\frac{1}{\sqrt{13}}\times\sqrt{3}=\sqrt{3}\times\sqrt{3}=3$

(8) $\frac{\sqrt{2}}{3}\times\frac{\sqrt{10}}{\sqrt{3}}\div\sqrt{\frac{2}{15}}=\frac{\sqrt{2}}{3}\times\frac{\sqrt{10}}{\sqrt{3}}\div\frac{\sqrt{2}}{\sqrt{15}}$

$=\frac{\sqrt{2}}{3}\times\frac{\sqrt{10}}{\sqrt{3}}\times\frac{\sqrt{15}}{\sqrt{2}}$

$=\frac{\sqrt{50}}{3}=\frac{5\sqrt{2}}{3}$

(9) $\frac{2}{\sqrt{5}}\div\frac{\sqrt{11}}{\sqrt{5}}\times\frac{3\sqrt{11}}{\sqrt{2}}=\frac{2}{\sqrt{5}}\times\frac{\sqrt{5}}{\sqrt{11}}\times\frac{3\sqrt{11}}{\sqrt{2}}$

$=\frac{6}{\sqrt{2}}=\frac{6\times\sqrt{2}}{\sqrt{2}\times\sqrt{2}}$

$=\frac{6\sqrt{2}}{2}=3\sqrt{2}$

(10) $4\sqrt{48}\div 2\sqrt{75}\div\sqrt{12}\div\sqrt{3}=16\sqrt{3}\div 10\sqrt{3}\div 2\sqrt{3}\div\sqrt{3}$

$=16\sqrt{3}\times\frac{1}{10\sqrt{3}}\times\frac{1}{2\sqrt{3}}\times\frac{1}{\sqrt{3}}$

$=16\times\frac{1}{10}\times\frac{1}{2}\times\sqrt{3\times\frac{1}{3}\times\frac{1}{3}\times\frac{1}{3}}$

$=\frac{4}{5}\times\frac{1}{3}=\frac{4}{15}$

07 답 14.53

셀파 각 어림한 값에서 만나는 가로줄과 세로줄을 확인한다.

어림한 값 2.724는 제곱근표에서 7.4의 가로줄과 2의 세로줄이 만나는 곳에 있는 수이므로 $a=7.42$

또 어림한 값 2.666은 제곱근표에서 7.1의 가로줄과 1의 세로줄이 만나는 곳에 있는 수이므로 $b=7.11$

$\therefore a+b=7.42+7.11=14.53$

08 답 (1) 76.81 (2) 242.9 (3) 0.7681 (4) 0.2429

셀파 근호 안의 수를 $5.9\times\left(10^n \text{ 또는 } \frac{1}{10^n}\right)$ 또는 $59\times\left(10^n \text{ 또는 } \frac{1}{10^n}\right)$ 꼴로 변형한다. (단, n은 짝수)

$\sqrt{5.9}=2.429$, $\sqrt{59}=7.681$일 때

(1) $\sqrt{5900}=\sqrt{59\times 100}=10\sqrt{59}=10\times 7.681=76.81$

(2) $\sqrt{59000}=\sqrt{5.9\times 10000}=100\sqrt{5.9}=100\times 2.429=242.9$

(3) $\sqrt{0.59}=\sqrt{\frac{59}{100}}=\frac{\sqrt{59}}{10}=\frac{7.681}{10}=0.7681$

(4) $\sqrt{0.059}=\sqrt{\frac{5.9}{100}}=\frac{\sqrt{5.9}}{10}=\frac{2.429}{10}=0.2429$

09 답 (1) $3b-2a$ (2) $\frac{ab}{5}$

셀파 근호 안의 수가 자연수이면 소인수분해하고, 소수이면 분수로 고쳐 생각한다.

$\sqrt{5}=a$, $\sqrt{7}=b$이므로

(1) $\sqrt{63}-\sqrt{20}=\sqrt{3^2\times7}-\sqrt{2^2\times5}$
$=3\sqrt{7}-2\sqrt{5}$
$=3b-2a$

(2) $\sqrt{1.4}=\sqrt{\frac{140}{100}}=\frac{\sqrt{140}}{10}=\frac{\sqrt{2^2\times5\times7}}{10}$
$=\frac{2\sqrt{5}\times\sqrt{7}}{10}=\frac{ab}{5}$

10 답 $\frac{18}{5}$

셀파 먼저 삼각형의 넓이를 구한다.

$(\text{삼각형의 넓이})=\frac{1}{2}\times\sqrt{162}\times2\sqrt{12}$
$=\frac{1}{2}\times9\sqrt{2}\times4\sqrt{3}$
$=18\sqrt{6}$

따라서 직사각형의 넓이가 $18\sqrt{6}$이므로 직사각형의 세로의 길이를 x라 하면

$18\sqrt{6}=\sqrt{150}\times x$

$\therefore x=\frac{18\sqrt{6}}{\sqrt{150}}=\frac{18\sqrt{6}}{5\sqrt{6}}=\frac{18}{5}$

실력 키우기

본문 | 49~50 쪽

01 답 ②

셀파 $a>0$, $b>0$일 때,
$\sqrt{a}\times\sqrt{b}=\sqrt{ab}$, $\sqrt{a}\div\sqrt{b}=\frac{\sqrt{a}}{\sqrt{b}}=\sqrt{\frac{a}{b}}$

① $\frac{\sqrt{10}}{\sqrt{5}}=\sqrt{\frac{10}{5}}=\sqrt{2}$

② $\sqrt{3}\times\sqrt{6}=\sqrt{3\times6}=\sqrt{18}=3\sqrt{2}$

③ $\sqrt{\frac{4}{7}}\times\sqrt{\frac{7}{2}}=\sqrt{\frac{4}{7}\times\frac{7}{2}}=\sqrt{2}$

④ $-\sqrt{75}\div\sqrt{3}=-5\sqrt{3}\div\sqrt{3}=-5\sqrt{3}\times\frac{1}{\sqrt{3}}=-5$

⑤ $\sqrt{\frac{3}{5}}\div\sqrt{\frac{3}{25}}=\sqrt{\frac{3}{5}\times\frac{25}{3}}=\sqrt{5}$

따라서 옳지 않은 것은 ②이다.

02 답 ④

셀파 (i) 근호 안의 제곱인 인수는 근호 밖으로 꺼낸다.
(ii) 근호 밖의 양수는 제곱하여 근호 안으로 넣는다.

① $4\sqrt{2}=\sqrt{4^2\times2}=\sqrt{32}$ $\therefore \square=32$

② $\sqrt{175}=\sqrt{5^2\times7}=5\sqrt{7}$ $\therefore \square=5$

③ $\sqrt{270}=\sqrt{3^2\times30}=3\sqrt{30}$ $\therefore \square=30$

④ $\frac{\sqrt{5}}{7}=\frac{\sqrt{5}}{\sqrt{7^2}}=\sqrt{\frac{5}{49}}$ $\therefore \square=49$

⑤ $\sqrt{0.18}=\sqrt{\frac{18}{100}}=\sqrt{\frac{3^2\times2}{10^2}}=\frac{3\sqrt{2}}{10}$ $\therefore \square=3$

따라서 □ 안에 들어갈 수가 가장 큰 것은 ④이다.

03 답 139

셀파 $a>0$, $b>0$일 때, $a\sqrt{b}=\sqrt{a^2b}$임을 이용한다.

1 a, b, c의 값 구하기 [70 %]

$5\sqrt{6}=\sqrt{5^2\times6}=\sqrt{150}$이므로 $a=150$

$-\sqrt{126}=-\sqrt{3^2\times14}=-3\sqrt{14}$이므로 $b=-3$, $c=14$

2 $a-b-c$의 값 구하기 [30 %]

$\therefore a-b-c=150-(-3)-14=139$

04 답 ③

셀파 분모에 있는 제곱근을 분자, 분모에 모두 곱한다.

① $\frac{1}{\sqrt{3}}=\frac{\sqrt{3}}{\sqrt{3}\times\sqrt{3}}=\frac{\sqrt{3}}{3}$

② $\frac{\sqrt{3}}{\sqrt{5}}=\frac{\sqrt{3}\times\sqrt{5}}{\sqrt{5}\times\sqrt{5}}=\frac{\sqrt{15}}{5}$

③ $\frac{6}{\sqrt{2}}=\frac{6\times\sqrt{2}}{\sqrt{2}\times\sqrt{2}}=\frac{6\sqrt{2}}{2}=3\sqrt{2}$

④ $\frac{\sqrt{11}}{\sqrt{3}}=\frac{\sqrt{11}\times\sqrt{3}}{\sqrt{3}\times\sqrt{3}}=\frac{\sqrt{33}}{3}$

⑤ $\frac{3}{2\sqrt{5}}=\frac{3\times\sqrt{5}}{2\sqrt{5}\times\sqrt{5}}=\frac{3\sqrt{5}}{10}$

따라서 분모를 유리화한 것으로 옳지 않은 것은 ③이다.

05 답 ㉡, ㉠, ㉣, ㉢

셀파 주어진 수의 분모를 같게 하여 대소를 비교한다.

㉠ $\frac{\sqrt{5}}{\sqrt{7}}=\frac{\sqrt{5}\times\sqrt{7}}{\sqrt{7}\times\sqrt{7}}=\frac{\sqrt{35}}{7}$

㉡ $\frac{5}{\sqrt{7}}=\frac{5\times\sqrt{7}}{\sqrt{7}\times\sqrt{7}}=\frac{5\sqrt{7}}{7}=\frac{\sqrt{175}}{7}$

㉢ $\frac{\sqrt{5}}{7}$

㉣ $\frac{5}{7}=\frac{\sqrt{25}}{7}$

이때 $\sqrt{5}<\sqrt{25}<\sqrt{35}<\sqrt{175}$이므로 $\frac{\sqrt{5}}{7}<\frac{\sqrt{25}}{7}<\frac{\sqrt{35}}{7}<\frac{\sqrt{175}}{7}$

따라서 주어진 수를 크기가 큰 것부터 차례대로 나열하면 ㉡, ㉠, ㉣, ㉢이다.

06 답 5

셀파 나눗셈은 역수의 곱셈으로 바꿔 계산한 후 분모를 유리화한다.

1 a의 값 구하기 [40 %]

$4\sqrt{5}\div2\sqrt{18}\times3\sqrt{6}=4\sqrt{5}\times\frac{1}{2\sqrt{18}}\times3\sqrt{6}$

$=\frac{6\sqrt{5}}{\sqrt{3}}=\frac{6\sqrt{15}}{3}=2\sqrt{15}$

$\therefore a=2$

2 b의 값 구하기 [40 %]

$\frac{4}{\sqrt{3}}\times3\sqrt{8}\div\sqrt{2}=\frac{4}{\sqrt{3}}\times3\sqrt{8}\times\frac{1}{\sqrt{2}}=\frac{24}{\sqrt{3}}=\frac{24\sqrt{3}}{3}=8\sqrt{3}$

$\therefore b=3$

3 $a+b$의 값 구하기 [20 %]

$\therefore a+b=2+3=5$

07 답 $\frac{3\sqrt{6}}{2}$

셀파 주어진 계산을 등식으로 나타낸다.

(가)에 알맞은 수를 A라 하면

$A\div\frac{\sqrt{6}}{\sqrt{5}}\times\frac{8}{\sqrt{45}}=4$

$A\times\frac{\sqrt{5}}{\sqrt{6}}\times\frac{8}{\sqrt{45}}=4$, $A\times\frac{8}{3\sqrt{6}}=4$

$\therefore A=4\div\frac{8}{3\sqrt{6}}=4\times\frac{3\sqrt{6}}{8}=\frac{3\sqrt{6}}{2}$

08 답 ⑤

셀파 근호 안의 수를 10 또는 $\frac{1}{10}$의 거듭제곱을 곱한 꼴로 나타낸다.

① $\sqrt{6.04}=2.458$

② $\sqrt{611}=\sqrt{6.11\times100}=10\sqrt{6.11}$이고 $\sqrt{6.11}=2.472$이므로

$\sqrt{611}=10\times2.472=24.72$

③ $\sqrt{0.063}=\sqrt{\frac{6.3}{100}}=\frac{\sqrt{6.3}}{10}$이고 $\sqrt{6.3}=2.510$이므로

$\sqrt{0.063}=\frac{2.510}{10}=0.2510$

④ $\sqrt{61300}=\sqrt{6.13\times10000}=100\sqrt{6.13}$이고

$\sqrt{6.13}=2.476$이므로

$\sqrt{61300}=100\times2.476=247.6$

⑤ $\sqrt{0.00624}=\sqrt{\frac{62.4}{10000}}=\frac{\sqrt{62.4}}{100}$

이때 주어진 제곱근표에서 $\sqrt{62.4}$의 값을 구할 수 없으므로 $\sqrt{0.00624}$를 어림한 값은 구할 수 없다.

09 답 ③

셀파 근호 안의 수를 10 또는 $\frac{1}{10}$의 거듭제곱을 곱한 꼴로 나타낸다.

① $\sqrt{310}=\sqrt{3.1\times100}=10\sqrt{3.1}=10\times1.761=17.61$

② $\sqrt{3100}=\sqrt{31\times100}=10\sqrt{31}=10\times5.568=55.68$

③ $\sqrt{0.31}=\sqrt{\frac{31}{100}}=\frac{\sqrt{31}}{10}=\frac{5.568}{10}=0.5568$

④ $\sqrt{0.0031}=\sqrt{\frac{31}{10000}}=\frac{\sqrt{31}}{100}=\frac{5.568}{100}=0.05568$

⑤ $\sqrt{0.00031}=\sqrt{\frac{3.1}{10000}}=\frac{\sqrt{3.1}}{100}=\frac{1.761}{100}=0.01761$

따라서 옳지 않은 것은 ③이다.

10 답 ⑤

셀파 주어진 수를 $\sqrt{3}$과 $\sqrt{5}$를 사용하여 나타낸다.

① $\sqrt{48}=\sqrt{4^2\times3}=4\sqrt{3}=4a$

② $\sqrt{0.05}=\sqrt{\frac{5}{100}}=\frac{\sqrt{5}}{10}=\frac{b}{10}$

③ $\sqrt{125}=\sqrt{5^3}=(\sqrt{5})^3=b^3$

④ $\sqrt{\frac{27}{5}}=\frac{\sqrt{27}}{\sqrt{5}}=\frac{\sqrt{3^3}}{\sqrt{5}}=\frac{(\sqrt{3})^3}{\sqrt{5}}=\frac{a^3}{b}$

⑤ $\sqrt{45}=\sqrt{3^2\times5}=(\sqrt{3})^2\times\sqrt{5}=a^2b$

따라서 옳지 않은 것은 ⑤이다.

11 답 $2\sqrt{3}$

셀파 넓이의 비가 $a:b$이면 닮음비는 $\sqrt{a}:\sqrt{b}$이다.

1 △AEF와 △ABC의 넓이의 비 구하기 [40 %]

□EBCF$=\frac{1}{3}$△AEF이므로

△ABC$=$△AEF$+$□EBCF

$=$△AEF$+\frac{1}{3}$△AEF

$=\frac{4}{3}$△AEF

$\therefore$ △AEF : △ABC$=1:\frac{4}{3}=3:4$

② $\triangle$AEF와 $\triangle$ABC의 닮음비 구하기 [30 %]

따라서 $\triangle$AEF와 $\triangle$ABC는 닮음비가 $\sqrt{3}:\sqrt{4}$, 즉 $\sqrt{3}:2$인 닮은 도형이다.

③ $\overline{\mathrm{EF}}$의 길이 구하기 [30 %]

$\sqrt{3}:2=\overline{\mathrm{EF}}:4$에서 $2\overline{\mathrm{EF}}=4\sqrt{3}$

$\therefore \overline{\mathrm{EF}}=2\sqrt{3}$

참고 오른쪽 그림과 같이 $\overline{\mathrm{BC}} /\!/ \overline{\mathrm{EF}}$일 때

$\triangle$AEF와 $\triangle$ABC에서

$\angle$A는 공통,

$\angle$AEF$=\angle$B (동위각)

이므로

$\triangle$AEF$\infty\triangle$ABC (AA 닮음)

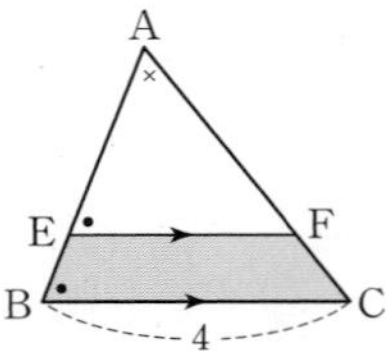

12 답 688일

셀파 주어진 값을 이용할 수 있도록 근호 안의 수를 바꾼다.

$N=0.2\times\sqrt{R^3}$에서 $R=228$을 대입하면

$N=0.2\times\sqrt{228^3}$

$=0.2\times228\times\sqrt{228}$

$=0.2\times228\times\sqrt{2.28\times100}$

$=0.2\times228\times10\sqrt{2.28}$

$=456\times\sqrt{2.28}$

$=456\times1.510=688.56$

따라서 화성의 일 년은 688일이다.

4 근호를 포함한 식의 덧셈과 뺄셈

본문 | 55, 57 쪽

1-1 답 (1) $13\sqrt{2}$ (2) $2\sqrt{6}$ (3) $\frac{9\sqrt{5}}{5}$ (4) $-\frac{\sqrt{3}}{12}$

(1) $7\sqrt{2}+6\sqrt{2}=(7+6)\sqrt{2}=\boxed{13}\sqrt{2}$

(2) $4\sqrt{6}-2\sqrt{6}=(4-\boxed{2})\sqrt{6}=\boxed{2}\sqrt{6}$

(3) $\sqrt{5}+\frac{4\sqrt{5}}{5}=\frac{\boxed{5}\sqrt{5}+4\sqrt{5}}{5}=\frac{\boxed{9}\sqrt{5}}{5}$

(4) $\frac{2\sqrt{3}}{3}-\frac{3\sqrt{3}}{4}=\frac{\boxed{8}\sqrt{3}-\boxed{9}\sqrt{3}}{12}=\boxed{-\frac{\sqrt{3}}{12}}$

1-2 답 (1) $9\sqrt{7}$ (2) $-4\sqrt{3}$ (3) $\sqrt{2}$ (4) $\frac{\sqrt{5}}{4}$

(1) $4\sqrt{7}+5\sqrt{7}=(4+5)\sqrt{7}=9\sqrt{7}$

(2) $\sqrt{3}-5\sqrt{3}=(1-5)\sqrt{3}=-4\sqrt{3}$

(3) $\frac{2\sqrt{2}}{3}+\frac{\sqrt{2}}{3}=\frac{2\sqrt{2}+\sqrt{2}}{3}=\frac{3\sqrt{2}}{3}=\sqrt{2}$

(4) $\frac{\sqrt{5}}{2}-\frac{\sqrt{5}}{4}=\frac{2\sqrt{5}-\sqrt{5}}{4}=\frac{\sqrt{5}}{4}$

2-1 답 (1) $3\sqrt{2}+2\sqrt{10}$ (2) $\sqrt{6}-\sqrt{2}$ (3) $2\sqrt{2}$

(1) $\sqrt{2}(3+2\sqrt{5})=\sqrt{2}\times3+\sqrt{2}\times2\sqrt{5}$

$=3\sqrt{2}+\boxed{2\sqrt{10}}$

(2) $(\sqrt{18}-\sqrt{6})\div\sqrt{3}=\frac{\sqrt{18}-\sqrt{6}}{\sqrt{3}}=\frac{\sqrt{18}}{\sqrt{3}}-\frac{\sqrt{6}}{\sqrt{3}}=\sqrt{6}-\boxed{\sqrt{2}}$

(3) $5\sqrt{2}-\frac{6}{\sqrt{2}}=5\sqrt{2}-\boxed{3}\sqrt{2}=\boxed{2}\sqrt{2}$

2-2 답 (1) $\sqrt{30}+\sqrt{70}$ (2) $4-\sqrt{5}$ (3) $5\sqrt{3}$ (4) $\frac{\sqrt{6}}{6}$

(1) $\sqrt{10}(\sqrt{3}+\sqrt{7})=\sqrt{30}+\sqrt{70}$

(2) $(\sqrt{48}-\sqrt{15})\div\sqrt{3}=\frac{\sqrt{48}-\sqrt{15}}{\sqrt{3}}=\frac{\sqrt{48}}{\sqrt{3}}-\frac{\sqrt{15}}{\sqrt{3}}$

$=\sqrt{16}-\sqrt{5}=4-\sqrt{5}$

(3) $2\sqrt{3}+\frac{9}{\sqrt{3}}=2\sqrt{3}+3\sqrt{3}=5\sqrt{3}$

(4) $\frac{\sqrt{3}}{\sqrt{2}}-\frac{\sqrt{2}}{\sqrt{3}}=\frac{\sqrt{6}}{2}-\frac{\sqrt{6}}{3}=\frac{3\sqrt{6}-2\sqrt{6}}{6}=\frac{\sqrt{6}}{6}$

3-1 답 (1) $>$ (2) $<$ (3) $<$

(1) $5-\sqrt{6}-\sqrt{6}=5-2\sqrt{6}$

이때 $5=\sqrt{25}$, $2\sqrt{6}=\sqrt{24}$이므로 $5-2\sqrt{6}\ \boxed{>}\ 0$

$\therefore 5-\sqrt{6}\ \boxed{>}\ \sqrt{6}$

(2) $2\sqrt{7}-7-(1-\sqrt{7})=2\sqrt{7}-7-1+\sqrt{7}$

$=3\sqrt{7}-8$

이때 $3\sqrt{7}=\sqrt{63}$, $8=\sqrt{\boxed{64}}$이므로 $3\sqrt{7}-8\ \boxed{<}\ 0$

$\therefore 2\sqrt{7}-7\ \boxed{<}\ 1-\sqrt{7}$

(3) $5\sqrt{3}-3\sqrt{2}-(\sqrt{2}+2\sqrt{3})=5\sqrt{3}-3\sqrt{2}-\sqrt{2}-2\sqrt{3}$

$=3\sqrt{3}-4\sqrt{2}$

이때 $3\sqrt{3}=\sqrt{\boxed{27}}$, $4\sqrt{2}=\sqrt{\boxed{32}}$이므로 $3\sqrt{3}-4\sqrt{2}\ \boxed{<}\ 0$

$\therefore 5\sqrt{3}-3\sqrt{2}\ \boxed{<}\ \sqrt{2}+2\sqrt{3}$

3-2 답 (1) $>$ (2) $<$ (3) $<$ (4) $>$

(1) $4-\sqrt{3}-2=2-\sqrt{3}$

이때 $2=\sqrt{4}$이므로 $2-\sqrt{3}>0$

$\therefore 4-\sqrt{3}>2$

(2) $2\sqrt{5}-3-\sqrt{5}=\sqrt{5}-3$

이때 $3=\sqrt{9}$이므로 $\sqrt{5}-3<0$

$\therefore 2\sqrt{5}-3<\sqrt{5}$

(3) $7-\sqrt{3}-(3\sqrt{3}+1)=7-\sqrt{3}-3\sqrt{3}-1=6-4\sqrt{3}$

이때 $6=\sqrt{36}$, $4\sqrt{3}=\sqrt{48}$이므로 $6-4\sqrt{3}<0$

$\therefore 7-\sqrt{3}<3\sqrt{3}+1$

(4) $\sqrt{3}+\sqrt{2}-(3\sqrt{2}-\sqrt{3})=\sqrt{3}+\sqrt{2}-3\sqrt{2}+\sqrt{3}$

$=2\sqrt{3}-2\sqrt{2}$

이때 $2\sqrt{3}=\sqrt{12}$, $2\sqrt{2}=\sqrt{8}$이므로 $2\sqrt{3}-2\sqrt{2}>0$

$\therefore \sqrt{3}+\sqrt{2}>3\sqrt{2}-\sqrt{3}$

4-1 답 (1) 정수 부분: 2, 소수 부분: $\sqrt{5}-2$

(2) 정수 부분: 3, 소수 부분: $\sqrt{3}-1$

(1) $2<\sqrt{5}<3$이므로 $\sqrt{5}$의 정수 부분은 $\boxed{2}$이고

$\sqrt{5}$의 소수 부분은 $\sqrt{5}-\boxed{2}$이다.

(2) $1<\sqrt{3}<2$이므로 $3<2+\sqrt{3}<4$

따라서 $2+\sqrt{3}$의 정수 부분은 $\boxed{3}$이고

$2+\sqrt{3}$의 소수 부분은 $(2+\sqrt{3})-\boxed{3}=\boxed{\sqrt{3}-1}$

4-2 답 (1) 정수 부분: 2, 소수 부분: $\sqrt{7}-2$

(2) 정수 부분: 3, 소수 부분: $\sqrt{10}-3$

(3) 정수 부분: 3, 소수 부분: $\sqrt{2}-1$

(4) 정수 부분: 0, 소수 부분: $\sqrt{3}-1$

(1) $2<\sqrt{7}<3$이므로 $\sqrt{7}$의 정수 부분은 2이고

$\sqrt{7}$의 소수 부분은 $\sqrt{7}-2$이다.

(2) $3<\sqrt{10}<4$이므로 $\sqrt{10}$의 정수 부분은 3이고

$\sqrt{10}$의 소수 부분은 $\sqrt{10}-3$이다.

(3) $1<\sqrt{2}<2$이므로 $3<2+\sqrt{2}<4$

따라서 $2+\sqrt{2}$의 정수 부분은 3이고

$2+\sqrt{2}$의 소수 부분은 $(2+\sqrt{2})-3=\sqrt{2}-1$

(4) $1<\sqrt{3}<2$이므로 $0<\sqrt{3}-1<1$

따라서 $\sqrt{3}-1$의 정수 부분은 0이고

$\sqrt{3}-1$의 소수 부분은 $\sqrt{3}-1-0=\sqrt{3}-1$

보고 또 보고 유형 익히기-확인 문제

본문 | 58~62쪽

01 답 (1) $-2\sqrt{2}+2\sqrt{5}$ (2) $4\sqrt{10}-9\sqrt{6}$

셀파 근호 안의 수가 같은 것끼리 모아서 계산한다.

(1) $2\sqrt{2}+3\sqrt{5}-4\sqrt{2}-\sqrt{5}=(2-4)\sqrt{2}+(3-1)\sqrt{5}$

$=-2\sqrt{2}+2\sqrt{5}$

(2) $6\sqrt{10}-10\sqrt{6}-2\sqrt{10}+\sqrt{6}=(6-2)\sqrt{10}+(-10+1)\sqrt{6}$

$=4\sqrt{10}-9\sqrt{6}$

02 답 (1) $5\sqrt{5}$ (2) $-\sqrt{3}$ (3) $\sqrt{10}$ (4) $2\sqrt{2}+4\sqrt{3}$

셀파 먼저 $\sqrt{a^2b}=a\sqrt{b}$임을 이용하여 근호 안의 수를 가장 작은 자연수로 만든다.

(1) $\sqrt{20}+\sqrt{45}=2\sqrt{5}+3\sqrt{5}=5\sqrt{5}$

(2) $2\sqrt{12}-\sqrt{75}=2\times2\sqrt{3}-5\sqrt{3}$

$=4\sqrt{3}-5\sqrt{3}=-\sqrt{3}$

(3) $\sqrt{40}-\sqrt{90}+2\sqrt{10}=2\sqrt{10}-3\sqrt{10}+2\sqrt{10}$

$=\sqrt{10}$

(4) $3\sqrt{8}+\sqrt{18}-\sqrt{98}+\sqrt{48}=3\times2\sqrt{2}+3\sqrt{2}-7\sqrt{2}+4\sqrt{3}$

$=6\sqrt{2}+3\sqrt{2}-7\sqrt{2}+4\sqrt{3}$

$=2\sqrt{2}+4\sqrt{3}$

03 답 (1) $6+2\sqrt{2}$ (2) $5\sqrt{5}-7\sqrt{2}$

셀파 분배법칙을 이용하여 괄호를 풀고 계산한다.

(1) $2\sqrt{3}(\sqrt{3}+\sqrt{6})-4\sqrt{2}=6+2\sqrt{18}-4\sqrt{2}$

$=6+6\sqrt{2}-4\sqrt{2}$

$=6+2\sqrt{2}$

(2) $3(\sqrt{45}-\sqrt{50})+2\sqrt{2}(4-\sqrt{10})$

$=3(3\sqrt{5}-5\sqrt{2})+2\sqrt{2}(4-\sqrt{10})$

$=9\sqrt{5}-15\sqrt{2}+8\sqrt{2}-2\sqrt{20}$

$=9\sqrt{5}-15\sqrt{2}+8\sqrt{2}-4\sqrt{5}$

$=5\sqrt{5}-7\sqrt{2}$

04 답 (1) $\sqrt{3}$ (2) $4\sqrt{2}$

셀파 분모를 유리화한 후 계산한다.

(1) $\frac{\sqrt{30}+3}{\sqrt{3}}-\sqrt{10}=\frac{(\sqrt{30}+3)\times\sqrt{3}}{\sqrt{3}\times\sqrt{3}}-\sqrt{10}$
$=\frac{\sqrt{90}+3\sqrt{3}}{3}-\sqrt{10}$
$=\frac{3\sqrt{10}+3\sqrt{3}}{3}-\sqrt{10}$
$=\sqrt{10}+\sqrt{3}-\sqrt{10}$
$=\sqrt{3}$

(2) $\frac{5\sqrt{2}-\sqrt{10}}{\sqrt{5}}-\frac{2\sqrt{5}-10}{\sqrt{2}}$
$=\frac{(5\sqrt{2}-\sqrt{10})\times\sqrt{5}}{\sqrt{5}\times\sqrt{5}}-\frac{(2\sqrt{5}-10)\times\sqrt{2}}{\sqrt{2}\times\sqrt{2}}$
$=\frac{5\sqrt{10}-\sqrt{50}}{5}-\frac{2\sqrt{10}-10\sqrt{2}}{2}$
$=\frac{5\sqrt{10}-5\sqrt{2}}{5}-\frac{2\sqrt{10}-10\sqrt{2}}{2}$
$=\sqrt{10}-\sqrt{2}-\sqrt{10}+5\sqrt{2}$
$=4\sqrt{2}$

05 답 (1) $8\sqrt{6}-7\sqrt{3}$ (2) $5-5\sqrt{6}$

셀파 분모를 유리화하고 괄호를 푼다.

(1) $2\sqrt{54}-\frac{6}{\sqrt{3}}+\sqrt{3}(2\sqrt{2}-5)=6\sqrt{6}-\frac{6\sqrt{3}}{3}+2\sqrt{6}-5\sqrt{3}$
($54=3^2\times6$)
$=6\sqrt{6}-2\sqrt{3}+2\sqrt{6}-5\sqrt{3}$
$=8\sqrt{6}-7\sqrt{3}$

(2) $\sqrt{75}\left(\sqrt{3}-\frac{4}{\sqrt{2}}\right)-\frac{5}{\sqrt{3}}(\sqrt{12}-\sqrt{18})$
$=5\sqrt{3}(\sqrt{3}-2\sqrt{2})-\frac{5\sqrt{3}}{3}(2\sqrt{3}-3\sqrt{2})$
$=15-10\sqrt{6}-10+5\sqrt{6}$
$=5-5\sqrt{6}$

06 답 -2

셀파 주어진 식을 전개한 후 무리수 부분이 0이 되게 한다.

$\sqrt{24}\left(\frac{1}{\sqrt{2}}-\sqrt{6}\right)-\frac{a}{\sqrt{3}}(\sqrt{27}-3)$
$=2\sqrt{6}\left(\frac{1}{\sqrt{2}}-\sqrt{6}\right)-\frac{a\sqrt{3}}{3}(3\sqrt{3}-3)$
$=2\sqrt{3}-12-3a+a\sqrt{3}$
$=(-12-3a)+(2+a)\sqrt{3}$
무리수 부분이 0일 때 유리수가 되므로
$2+a=0$ $\therefore a=-2$

07 답 (1) 1 (2) $\sqrt{3}+3$

셀파 근호 안의 수와 가까운 (자연수)^2 꼴인 수를 찾아 무리수의 정수 부분을 찾는다. 이때 (무리수의 소수 부분)=(무리수)−(정수 부분)이다.

(1) $\sqrt{4}<\sqrt{7}<\sqrt{9}$, 즉 $2<\sqrt{7}<3$이므로
$1<\sqrt{7}-1<2$
따라서 $\sqrt{7}-1$의 정수 부분은 1이고 소수 부분은
$(\sqrt{7}-1)-1=\sqrt{7}-2$이다.
$\therefore a=\sqrt{7}-2$
$\sqrt{25}<\sqrt{28}<\sqrt{36}$, 즉 $5<\sqrt{28}<6$이므로
$\sqrt{28}$의 정수 부분은 5이고 소수 부분은 $\sqrt{28}-5$이다.
$\therefore b=\sqrt{28}-5=2\sqrt{7}-5$
$\therefore 2a-b=2(\sqrt{7}-2)-(2\sqrt{7}-5)$
$=2\sqrt{7}-4-2\sqrt{7}+5$
$=1$

(2) $2\sqrt{3}=\sqrt{12}$이고 $\sqrt{9}<\sqrt{12}<\sqrt{16}$, 즉 $3<\sqrt{12}<4$이므로
$\sqrt{12}$의 정수 부분은 3이고 소수 부분은 $\sqrt{12}-3$이다.
$\therefore a=3,\ b=\sqrt{12}-3=2\sqrt{3}-3$
$\therefore \sqrt{3}a-b=3\sqrt{3}-(2\sqrt{3}-3)=\sqrt{3}+3$

오답 피하기

(2) $2\sqrt{3}$의 정수 부분과 소수 부분을 구하기 위해 $1<\sqrt{3}<2$임을 이용하여 $2<2\sqrt{3}<4$로 풀지 않도록 한다.
이 경우 $2\sqrt{3}$을 연속하는 두 정수 사이의 수로 나타내지 않았으므로 정수 부분이 2인지, 3인지 정확히 알 수 없다.
즉 $a\sqrt{b}$ 꼴의 무리수의 정수 부분과 소수 부분은 $a\sqrt{b}$ 꼴을 $\sqrt{a^2b}$ 꼴로 바꾼 후 $\sqrt{a^2b}$를 연속하는 두 정수 사이의 수로 나타내야만 구할 수 있다.

08 답 $4050+750\sqrt{6}$

셀파 (사다리꼴의 넓이)$=\frac{1}{2}\times${(윗변의 길이)+(아랫변의 길이)}×(높이)

주어진 사다리꼴의 윗변의 길이는 $40\sqrt{3}$, 아랫변의 길이는 $50(\sqrt{2}+\sqrt{3})$, 높이는 $30\sqrt{3}$이므로 그 넓이는
$\frac{1}{2}\times\{40\sqrt{3}+50(\sqrt{2}+\sqrt{3})\}\times30\sqrt{3}$
$=\frac{1}{2}\times(40\sqrt{3}+50\sqrt{2}+50\sqrt{3})\times30\sqrt{3}$
$=\frac{1}{2}\times(90\sqrt{3}+50\sqrt{2})\times30\sqrt{3}$
$=15\sqrt{3}(90\sqrt{3}+50\sqrt{2})$
$=4050+750\sqrt{6}$

09 답 1. ⑤ 2. $B<C<A$

셀파 두 실수 A, B에 대하여 $A-B$의 부호를 조사한다.

1. ① $\sqrt{10}+1-4=\sqrt{10}-3=\sqrt{10}-\sqrt{9}>0$
$\therefore \sqrt{10}+1>4$
② $4-\sqrt{19}-(-1)=5-\sqrt{19}=\sqrt{25}-\sqrt{19}>0$
$\therefore 4-\sqrt{19}>-1$
③ $\sqrt{5}+1-(\sqrt{5}+\sqrt{2})=1-\sqrt{2}=\sqrt{1}-\sqrt{2}<0$
$\therefore \sqrt{5}+1<\sqrt{5}+\sqrt{2}$
④ $2-\sqrt{2}-(-\sqrt{2}+\sqrt{3})=2-\sqrt{2}+\sqrt{2}-\sqrt{3}$
$=2-\sqrt{3}=\sqrt{4}-\sqrt{3}>0$
$\therefore 2-\sqrt{2}>-\sqrt{2}+\sqrt{3}$
⑤ $\sqrt{15}-\sqrt{17}-(-\sqrt{17}+4)=\sqrt{15}-\sqrt{17}+\sqrt{17}-4$
$=\sqrt{15}-4=\sqrt{15}-\sqrt{16}<0$
$\therefore \sqrt{15}-\sqrt{17}<-\sqrt{17}+4$
따라서 대소 관계가 옳지 않은 것은 ⑤이다.

2. $A-B=\sqrt{5}+\sqrt{3}-(3\sqrt{3}-\sqrt{5})$
$=\sqrt{5}+\sqrt{3}-3\sqrt{3}+\sqrt{5}$
$=2\sqrt{5}-2\sqrt{3}=\sqrt{20}-\sqrt{12}>0$
이므로 $A>B$
$A-C=\sqrt{5}+\sqrt{3}-2\sqrt{3}=\sqrt{5}-\sqrt{3}>0$이므로 $A>C$
$B-C=3\sqrt{3}-\sqrt{5}-2\sqrt{3}=\sqrt{3}-\sqrt{5}<0$이므로 $B<C$
$\therefore B<C<A$

집중 연습 근호를 포함한 식의 덧셈과 뺄셈

본문 | 63 쪽

1 답 (1) $6\sqrt{2}$ (2) $-4\sqrt{5}$ (3) $6\sqrt{2}-\sqrt{3}$ (4) $3\sqrt{3}+\sqrt{7}$
(5) $5\sqrt{3}$ (6) $2\sqrt{3}-\sqrt{2}$ (7) $10\sqrt{3}-15\sqrt{5}$
(8) $7\sqrt{3}$ (9) $3\sqrt{2}-2\sqrt{3}$ (10) $2\sqrt{3}-\sqrt{5}$

(1) $3\sqrt{2}+5\sqrt{2}-2\sqrt{2}=(3+5-2)\sqrt{2}=6\sqrt{2}$

(2) $6\sqrt{5}-3\sqrt{5}-7\sqrt{5}=(6-3-7)\sqrt{5}=-4\sqrt{5}$

(3) $5\sqrt{2}-4\sqrt{3}+\sqrt{2}+3\sqrt{3}=(5+1)\sqrt{2}+(-4+3)\sqrt{3}$
$=6\sqrt{2}-\sqrt{3}$

(4) $4\sqrt{3}-2\sqrt{7}+3\sqrt{7}-\sqrt{3}=(4-1)\sqrt{3}+(-2+3)\sqrt{7}$
$=3\sqrt{3}+\sqrt{7}$

(5) $\sqrt{27}-2\sqrt{3}+\sqrt{48}=3\sqrt{3}-2\sqrt{3}+4\sqrt{3}$
$=(3-2+4)\sqrt{3}=5\sqrt{3}$

(6) $\sqrt{48}+4\sqrt{2}-\sqrt{50}-\sqrt{12}=4\sqrt{3}+4\sqrt{2}-5\sqrt{2}-2\sqrt{3}$
$=2\sqrt{3}-\sqrt{2}$

(7) $\sqrt{27}+\sqrt{147}-5\sqrt{20}-\sqrt{125}=3\sqrt{3}+7\sqrt{3}-10\sqrt{5}-5\sqrt{5}$
$=10\sqrt{3}-15\sqrt{5}$

(8) $\sqrt{48}-\dfrac{6}{\sqrt{3}}+5\sqrt{3}=4\sqrt{3}-2\sqrt{3}+5\sqrt{3}$
$=(4-2+5)\sqrt{3}=7\sqrt{3}$

(9) $6\sqrt{2}-\sqrt{75}-\dfrac{6}{\sqrt{2}}+\sqrt{27}=6\sqrt{2}-5\sqrt{3}-3\sqrt{2}+3\sqrt{3}$
$=3\sqrt{2}-2\sqrt{3}$

(10) $\sqrt{27}-\sqrt{45}-\dfrac{6}{2\sqrt{3}}+\dfrac{10}{\sqrt{5}}=3\sqrt{3}-3\sqrt{5}-\sqrt{3}+2\sqrt{5}$
$=2\sqrt{3}-\sqrt{5}$

2 답 (1) $\sqrt{6}$ (2) $\sqrt{3}$ (3) $4\sqrt{3}$ (4) $6\sqrt{2}$ (5) $6-4\sqrt{2}$
(6) $-2\sqrt{2}$ (7) $2\sqrt{6}-4\sqrt{2}$ (8) $-\dfrac{5\sqrt{6}}{6}$ (9) $-5-3\sqrt{5}$
(10) $-\sqrt{6}-7\sqrt{2}$

(1) $2\sqrt{24}-\sqrt{18}\times\sqrt{3}=4\sqrt{6}-3\sqrt{2}\times\sqrt{3}$
$=4\sqrt{6}-3\sqrt{6}=\sqrt{6}$

(2) $\sqrt{15}\times\sqrt{5}-8\sqrt{6}\div2\sqrt{2}=\sqrt{75}-4\sqrt{3}$
$=5\sqrt{3}-4\sqrt{3}$
$=\sqrt{3}$

(3) $\sqrt{18}\div\dfrac{1}{\sqrt{6}}-\sqrt{12}=3\sqrt{2}\times\sqrt{6}-2\sqrt{3}$
$=3\sqrt{12}-2\sqrt{3}$
$=6\sqrt{3}-2\sqrt{3}=4\sqrt{3}$

(4) $\sqrt{72}+\dfrac{6}{\sqrt{2}}-\sqrt{3}\times\sqrt{6}=6\sqrt{2}+3\sqrt{2}-\sqrt{18}$
$=6\sqrt{2}+3\sqrt{2}-3\sqrt{2}$
$=6\sqrt{2}$

(5) $\sqrt{27}\times\dfrac{2}{\sqrt{3}}-\sqrt{40}\div\dfrac{\sqrt{5}}{2}=3\sqrt{3}\times\dfrac{2}{\sqrt{3}}-2\sqrt{10}\times\dfrac{2}{\sqrt{5}}$
$=6-4\sqrt{2}$

(6) $\sqrt{2}(3-\sqrt{5})+\sqrt{5}(\sqrt{2}-\sqrt{10})$
$=3\sqrt{2}-\sqrt{10}+\sqrt{10}-\sqrt{50}$
$=3\sqrt{2}-\sqrt{10}+\sqrt{10}-5\sqrt{2}$
$=-2\sqrt{2}$

(7) $\sqrt{3}(\sqrt{2}-\sqrt{6})+(\sqrt{42}-\sqrt{14})\div\sqrt{7}$

$=\sqrt{6}-\sqrt{18}+\frac{\sqrt{42}}{\sqrt{7}}-\frac{\sqrt{14}}{\sqrt{7}}$

$=\sqrt{6}-3\sqrt{2}+\sqrt{6}-\sqrt{2}$

$=2\sqrt{6}-4\sqrt{2}$

(8) $\frac{\sqrt{3}-\sqrt{2}}{\sqrt{3}}-\frac{\sqrt{2}+\sqrt{3}}{\sqrt{2}}=\frac{3-\sqrt{6}}{3}-\frac{2+\sqrt{6}}{2}$

$=1-\frac{\sqrt{6}}{3}-1-\frac{\sqrt{6}}{2}$

$=-\frac{2\sqrt{6}}{6}-\frac{3\sqrt{6}}{6}$

$=-\frac{5\sqrt{6}}{6}$

(9) $\frac{10}{\sqrt{5}}+\sqrt{5}(1-\sqrt{5})-3\sqrt{20}=2\sqrt{5}+\sqrt{5}-5-6\sqrt{5}$

$=-5-3\sqrt{5}$

(10) $\frac{2}{\sqrt{6}}(3-4\sqrt{3})-2\left(\frac{3}{\sqrt{2}}+\sqrt{6}\right)$

$=\frac{\sqrt{6}}{3}(3-4\sqrt{3})-2\left(\frac{3\sqrt{2}}{2}+\sqrt{6}\right)$

$=\sqrt{6}-4\sqrt{2}-3\sqrt{2}-2\sqrt{6}$

$=-\sqrt{6}-7\sqrt{2}$

실력 키우기

본문 | 64~65 쪽

01 답 $2x-3y$

셀파 $\sqrt{a^2b}=a\sqrt{b}$임을 이용하여 근호 안의 수를 간단히 한 후 근호 안의 수가 같은 것끼리 계산한다.

$2\sqrt{18}+3\sqrt{12}-\sqrt{32}-3\sqrt{27}=6\sqrt{2}+6\sqrt{3}-4\sqrt{2}-9\sqrt{3}$

$=2\sqrt{2}-3\sqrt{3}$

이때 $\sqrt{2}=x$, $\sqrt{3}=y$이므로

(주어진 식)$=2x-3y$

02 답 ②

셀파 주어진 식에 A, B를 대입한 후 분배법칙을 이용한다.

$\sqrt{5}(\sqrt{5}-3\sqrt{3})-\sqrt{3}(2\sqrt{3}-2\sqrt{5})$

$=5-3\sqrt{15}-6+2\sqrt{15}$

$=-1-\sqrt{15}$

03 답 ④

셀파 $\sqrt{a^2b}$ 꼴은 $a\sqrt{b}$ 꼴로 고치고, 분모에 무리수가 있으면 분모를 유리화한 후 계산한다.

③ $2\sqrt{48}-\sqrt{3}=8\sqrt{3}-\sqrt{3}=7\sqrt{3}$

④ $\frac{6}{\sqrt{18}}+\frac{2}{\sqrt{2}}=\frac{6}{3\sqrt{2}}+\frac{2}{\sqrt{2}}=\sqrt{2}+\sqrt{2}=2\sqrt{2}$

⑤ $\sqrt{2}(\sqrt{50}-\sqrt{10})=\sqrt{100}-\sqrt{20}=10-2\sqrt{5}$

따라서 옳지 않은 것은 ④이다.

04 답 5

셀파 분모를 유리화하고 분배법칙을 이용하여 괄호를 푼다.

① 주어진 식 간단히 하기 [70 %]

$\frac{4}{\sqrt{2}}+\frac{6}{\sqrt{3}}-\sqrt{2}(1-\sqrt{6})=2\sqrt{2}+2\sqrt{3}-\sqrt{2}+\sqrt{12}$

$=2\sqrt{2}+2\sqrt{3}-\sqrt{2}+2\sqrt{3}$

$=\sqrt{2}+4\sqrt{3}$

② $a+b$의 값 구하기 [30 %]

따라서 $a=1$, $b=4$이므로 $a+b=5$

05 답 -6

셀파 주어진 식을 간단히 하여 $a+b\sqrt{m}$ (a, b는 유리수, $\sqrt{m}$은 무리수) 꼴로 나타낸다.

$2(4-x\sqrt{2})-\sqrt{3}(x\sqrt{3}+4\sqrt{6})=8-2x\sqrt{2}-3x-4\sqrt{18}$

$=8-3x-2x\sqrt{2}-12\sqrt{2}$

$=8-3x+(-2x-12)\sqrt{2}$

무리수 부분이 0일 때 유리수가 되므로

$-2x-12=0 \qquad \therefore x=-6$

06 답 2

셀파 $1<\sqrt{2}<2$임을 이용하여 $4-\sqrt{2}$의 정수 부분을 구한다.

① $4-\sqrt{2}$를 연속하는 두 정수 사이의 수로 나타내기 [30 %]

$1<\sqrt{2}<2$이므로 $-2<-\sqrt{2}<-1$

$\therefore 2<4-\sqrt{2}<3$

② a, b의 값 구하기 [30 %]

따라서 $4-\sqrt{2}$의 정수 부분은 2이고

소수 부분은 $(4-\sqrt{2})-2=2-\sqrt{2}$

$\therefore a=2$, $b=2-\sqrt{2}$

③ 주어진 식의 값 구하기 [40 %]

$\therefore a+\frac{1}{\sqrt{a}}+\frac{1}{b-2}=2+\frac{1}{\sqrt{2}}+\frac{1}{(2-\sqrt{2})-2}$

$=2+\frac{1}{\sqrt{2}}-\frac{1}{\sqrt{2}}=2$

07 답 $7a+7$

셀파 $\sqrt{a}$의 소수 부분은 $\sqrt{a}-(\sqrt{a}$의 정수 부분)임을 이용한다.

$1<\sqrt{3}<2$이므로 $\sqrt{3}$의 정수 부분은 1이고

소수 부분은 $\sqrt{3}-1$이다.

$\therefore a=\sqrt{3}-1$

$\sqrt{147}=7\sqrt{3}$이고 $\sqrt{3}=a+1$이므로

$\sqrt{147}=7\sqrt{3}=7(a+1)=7a+7$

08 답 $36\sqrt{3}$

셀파 직육면체 모양의 상자의 가로의 길이, 세로의 길이, 높이를 각각 구한다.

① 만들어지는 직육면체 모양의 상자의 가로의 길이, 세로의 길이, 높이를 각각 구하기 [70 %]

만들어지는 직육면체 모양의 상자의

(가로의 길이) $=\sqrt{108}-2\sqrt{3}=6\sqrt{3}-2\sqrt{3}=4\sqrt{3}$,

(세로의 길이) $=\sqrt{75}-2\sqrt{3}=5\sqrt{3}-2\sqrt{3}=3\sqrt{3}$,

(높이) $=\sqrt{3}$

② 상자의 부피 구하기 [30 %]

따라서 상자의 부피는 $4\sqrt{3}\times3\sqrt{3}\times\sqrt{3}=36\sqrt{3}$

09 답 ㉡, ㉢

셀파 두 실수 a, b에 대하여 $a-b$의 부호를 조사한다.

㉠ $2-(\sqrt{7}-1)=2-\sqrt{7}+1=3-\sqrt{7}=\sqrt{9}-\sqrt{7}>0$

$\therefore 2>\sqrt{7}-1$

㉡ $(\sqrt{24}+1)-(3+\sqrt{6})=2\sqrt{6}+1-3-\sqrt{6}$

$=\sqrt{6}-2$

$=\sqrt{6}-\sqrt{4}>0$

$\therefore \sqrt{24}+1>3+\sqrt{6}$

㉢ $(\sqrt{75}+2)-(3+\sqrt{48})=5\sqrt{3}+2-3-4\sqrt{3}$

$=\sqrt{3}-1$

$=\sqrt{3}-\sqrt{1}>0$

$\therefore \sqrt{75}+2>3+\sqrt{48}$

㉣ $(2\sqrt{3}-3\sqrt{2})-(-\sqrt{18}+\sqrt{3})=2\sqrt{3}-3\sqrt{2}+\sqrt{18}-\sqrt{3}$

$=2\sqrt{3}-3\sqrt{2}+3\sqrt{2}-\sqrt{3}$

$=\sqrt{3}>0$

$\therefore 2\sqrt{3}-3\sqrt{2}>-\sqrt{18}+\sqrt{3}$

따라서 대소 관계가 옳은 것은 ㉡, ㉢이다.

10 답 $3\sqrt{10}$

셀파 근호 밖의 양수를 제곱해서 근호 안으로 넣은 후 ab의 값을 대입한다.

$a>0$, $b>0$이고 $ab=5$이므로

$$a\sqrt{\frac{8b}{a}}+b\sqrt{\frac{2a}{b}}=\sqrt{\frac{8a^2b}{a}}+\sqrt{\frac{2ab^2}{b}}$$

$=\sqrt{8ab}+\sqrt{2ab}$

$=\sqrt{8\times5}+\sqrt{2\times5}$

$=\sqrt{40}+\sqrt{10}$

$=2\sqrt{10}+\sqrt{10}$

$=3\sqrt{10}$

11 답 (1) $P(-1+\sqrt{5})$, $Q(-1-\sqrt{5})$ (2) $2\sqrt{5}$

셀파 피타고라스 정리를 이용하여 $\overline{AB}$, $\overline{AD}$의 길이를 먼저 구한다.

(1) $\overline{AP}=\overline{AB}=\sqrt{1^2+2^2}=\sqrt{5}$,

$\overline{AQ}=\overline{AD}=\sqrt{2^2+1^2}=\sqrt{5}$

이때 점 P는 점 $A(-1)$에서 오른쪽으로 $\sqrt{5}$만큼 떨어진 점이므로 $P(-1+\sqrt{5})$

또 점 Q는 점 $A(-1)$에서 왼쪽으로 $\sqrt{5}$만큼 떨어진 점이므로 $Q(-1-\sqrt{5})$

(2) $\overline{PQ}=-1+\sqrt{5}-(-1-\sqrt{5})=2\sqrt{5}$

다른 풀이 (2) $\overline{PQ}=\overline{AP}+\overline{AQ}=\sqrt{5}+\sqrt{5}=2\sqrt{5}$

12 답 (1) $\sqrt{3}$ m, $2\sqrt{3}$ m, $3\sqrt{3}$ m (2) $18\sqrt{3}$ m

셀파 각 정사각형 모양의 화단의 한 변의 길이를 구한다.

(1) 넓이가 3 m^2인 정사각형 모양의 화단의 한 변의 길이는 $\sqrt{3}$ m

넓이가 12 m^2인 정사각형 모양의 화단의 한 변의 길이는 $\sqrt{12}=2\sqrt{3}$ m

넓이가 27 m^2인 정사각형 모양의 화단의 한 변의 길이는 $\sqrt{27}=3\sqrt{3}$ m

(2) 다음 그림에서

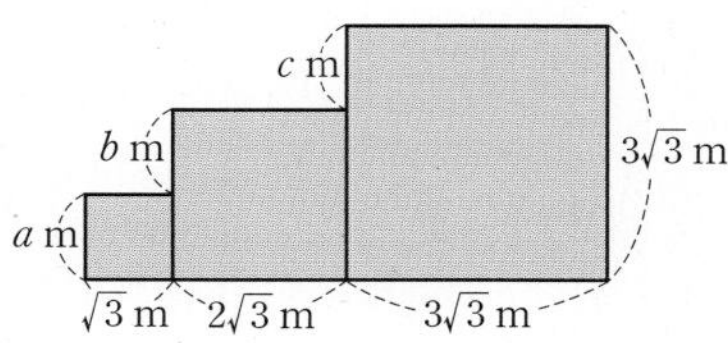

$a+b+c=3\sqrt{3}$ (m)

따라서 필요한 울타리의 길이는

$2(\sqrt{3}+2\sqrt{3}+3\sqrt{3})+3\sqrt{3}+a+b+c$

$=2\times6\sqrt{3}+3\sqrt{3}+3\sqrt{3}$

$=12\sqrt{3}+6\sqrt{3}$

$=18\sqrt{3}$ (m)

Ⅱ. 다항식의 곱셈과 인수분해

5 다항식의 곱셈

본문 | 69, 71 쪽

1-1 답 (1) $xy+2x-y-2$ (2) $5x^2-7xy+2y^2$

(1) $(x-1)(y+2)$
$=x\times y+x\times 2+(-1)\times y+(\boxed{-1})\times 2$
$=xy+2x-y-\boxed{2}$

(2) $(x-y)(5x-2y)$
$=x\times 5x+x\times(\boxed{-2y})+(-y)\times 5x+(-y)\times(-2y)$
$=5x^2-\boxed{2xy}-5xy+2y^2$
$=5x^2-\boxed{7xy}+2y^2$

1-2 답 (1) $3xy+4x-6y-8$ (2) $2ab-4a+5b-10$ (3) $2a^2+10a+8$ (4) $6x^2-xy-y^2$

(1) $(x-2)(3y+4)=x\times 3y+x\times 4+(-2)\times 3y+(-2)\times 4$
$=3xy+4x-6y-8$

(2) $(2a+5)(b-2)=2a\times b+2a\times(-2)+5\times b+5\times(-2)$
$=2ab-4a+5b-10$

(3) $(a+1)(2a+8)=a\times 2a+a\times 8+1\times 2a+1\times 8$
$=2a^2+8a+2a+8$
$=2a^2+10a+8$

(4) $(2x-y)(3x+y)$
$=2x\times 3x+2x\times y+(-y)\times 3x+(-y)\times y$
$=6x^2+2xy-3xy-y^2$
$=6x^2-xy-y^2$

2-1 답 (1) $x^2+10x+25$ (2) $x^2-4xy+4y^2$ (3) $4x^2+12xy+9y^2$

(1) $(x+5)^2=x^2+\boxed{2}\times x\times 5+5^2$
$=x^2+\boxed{10x}+25$

(2) $(x-2y)^2=x^2-2\times x\times\boxed{2y}+(2y)^2$
$=x^2-\boxed{4xy}+\boxed{4y^2}$

(3) $(2x+3y)^2=(2x)^2+2\times\boxed{2x}\times 3y+(3y)^2$
$=4x^2+\boxed{12xy}+\boxed{9y^2}$

2-2 답 (1) $x^2+8x+16$ (2) $x^2-10x+25$ (3) $x^2+4xy+4y^2$ (4) $9x^2-12xy+4y^2$

(1) $(x+4)^2=x^2+2\times x\times 4+4^2=x^2+8x+16$

(2) $(x-5)^2=x^2-2\times x\times 5+5^2=x^2-10x+25$

(3) $(x+2y)^2=x^2+2\times x\times 2y+(2y)^2=x^2+4xy+4y^2$

(4) $(3x-2y)^2=(3x)^2-2\times 3x\times 2y+(2y)^2=9x^2-12xy+4y^2$

3-1 답 (1) a^2-16 (2) $4a^2-9b^2$ (3) $4a^2-1$ (4) b^2-a^2

(1) $(a+4)(a-4)=a^2-4^2=a^2-16$

(2) $(2a+3b)(2a-3b)=(2a)^2-(3b)^2=4a^2-\boxed{9b^2}$

(3) $(-2a+1)(-2a-1)=(\boxed{-2a})^2-1^2=\boxed{4a^2}-1$

(4) $(-a+b)(a+b)=(\boxed{b}-a)(b+a)=\boxed{b^2}-a^2$

3-2 답 (1) $9-x^2$ (2) a^2-4b^2 (3) $4a^2-b^2$ (4) $4b^2-9a^2$

(1) $(3-x)(3+x)=3^2-x^2=9-x^2$

(2) $(a+2b)(a-2b)=a^2-(2b)^2=a^2-4b^2$

(3) $(-2a+b)(-2a-b)=(-2a)^2-b^2=4a^2-b^2$

(4) $(3a-2b)(-3a-2b)=(-2b+3a)(-2b-3a)$
$=(-2b)^2-(3a)^2=4b^2-9a^2$

4-1 답 (1) x^2+6x+8 (2) x^2-2x-3 (3) $x^2+xy-2y^2$ (4) $12x^2+7x+1$

(1) $(x+2)(x+4)=x^2+(2+\boxed{4})x+2\times 4$
$=x^2+\boxed{6}x+8$

(2) $(x+1)(x-3)=x^2+\{1+(\boxed{-3})\}x+\boxed{1}\times(-3)$
$=x^2-\boxed{2}x-3$

(3) $(x-y)(x+2y)=x^2+\{(-y)+\boxed{2y}\}x+(\boxed{-y})\times 2y$
$=x^2+\boxed{xy}-\boxed{2y^2}$

(4) $(3x+1)(4x+1)$
$=(3\times\boxed{4})x^2+(3\times 1+1\times\boxed{4})x+1\times\boxed{1}$
$=\boxed{12}x^2+7x+1$

4-2 답 (1) x^2+x-2 (2) x^2-5x+6 (3) $x^2+3xy-10y^2$ (4) $5x^2+22x+8$ (5) $12x^2-13x+3$

(1) $(x-1)(x+2)=x^2+\{(-1)+2\}x+(-1)\times 2$
$=x^2+x-2$

(2) $(x-2)(x-3)=x^2+\{(-2)+(-3)\}x+(-2)\times(-3)$
$=x^2-5x+6$

(3) $(x-2y)(x+5y)=x^2+\{(-2y)+5y\}x+(-2y)\times 5y$
$=x^2+3xy-10y^2$

(4) $(x+4)(5x+2)=(1\times 5)x^2+(1\times 2+4\times 5)x+4\times 2$
$=5x^2+22x+8$

(5) $(3x-1)(4x-3)$
$=(3\times 4)x^2+\{3\times(-3)+(-1)\times 4\}x+(-1)\times(-3)$
$=12x^2-13x+3$

집중 연습 곱셈 공식을 이용한 전개

본문 | 72 쪽

1 답 (1) $9x^2+30x+25$ (2) $16a^2+16ab+4b^2$
(3) $\frac{1}{4}a^2-3ab+9b^2$ (4) $a^2-6ab+9b^2$
(5) $49x^2+28xy+4y^2$

(1) $(3x+5)^2=(3x)^2+2\times3x\times5+5^2$
$=9x^2+30x+25$

(2) $(4a+2b)^2=(4a)^2+2\times4a\times2b+(2b)^2$
$=16a^2+16ab+4b^2$

(3) $\left(\frac{1}{2}a-3b\right)^2=\left(\frac{1}{2}a\right)^2-2\times\frac{1}{2}a\times3b+(3b)^2$
$=\frac{1}{4}a^2-3ab+9b^2$

(4) $(-a+3b)^2=\{-(a-3b)\}^2=(a-3b)^2$
$=a^2-2\times a\times3b+(3b)^2$
$=a^2-6ab+9b^2$

(5) $(-7x-2y)^2=\{-(7x+2y)\}^2$
$=(7x+2y)^2$
$=(7x)^2+2\times7x\times2y+(2y)^2$
$=49x^2+28xy+4y^2$

2 답 (1) $25-a^2$ (2) $4x^2-25y^2$ (3) $64-9a^2$ (4) $\frac{9}{16}x^2-y^2$

(1) $(5+a)(5-a)=5^2-a^2=25-a^2$

(2) $(2x-5y)(2x+5y)=(2x)^2-(5y)^2=4x^2-25y^2$

(3) $(3a+8)(-3a+8)=(8+3a)(8-3a)$
$=8^2-(3a)^2=64-9a^2$

(4) $\left(-\frac{3}{4}x-y\right)\left(-\frac{3}{4}x+y\right)=\left(-\frac{3}{4}x\right)^2-y^2=\frac{9}{16}x^2-y^2$

3 답 (1) x^2+5x+6 (2) $x^2-13x+30$
(3) x^2-5x-6 (4) $x^2-2xy-3y^2$

(1) $(x+3)(x+2)=x^2+(3+2)x+3\times2$
$=x^2+5x+6$

(2) $(x-3)(x-10)$
$=x^2+\{(-3)+(-10)\}x+(-3)\times(-10)$
$=x^2-13x+30$

(3) $(x+1)(x-6)=x^2+\{1+(-6)\}x+1\times(-6)$
$=x^2-5x-6$

(4) $(x-3y)(x+y)=x^2+\{(-3y)+y\}x+(-3y)\times y$
$=x^2-2xy-3y^2$

4 답 (1) $5x^2+13x+6$ (2) $6x^2+7x-20$
(3) $8a^2-30a-27$ (4) $24x^2-50xy+14y^2$
(5) $\frac{1}{15}a^2-5a+90$

(1) $(5x+3)(x+2)=(5\times1)x^2+(5\times2+3\times1)x+3\times2$
$=5x^2+13x+6$

(2) $(3x-4)(2x+5)$
$=(3\times2)x^2+\{3\times5+(-4)\times2\}x+(-4)\times5$
$=6x^2+7x-20$

(3) $(4a+3)(2a-9)$
$=(4\times2)a^2+\{4\times(-9)+3\times2\}a+3\times(-9)$
$=8a^2-30a-27$

(4) $(6x-2y)(4x-7y)$
$=(6\times4)x^2+\{6\times(-7y)+(-2y)\times4\}x+(-2y)\times(-7y)$
$=24x^2-50xy+14y^2$

(5) $\left(\frac{1}{3}a-10\right)\left(\frac{1}{5}a-9\right)$
$=\left(\frac{1}{3}\times\frac{1}{5}\right)a^2+\left\{\frac{1}{3}\times(-9)+(-10)\times\frac{1}{5}\right\}a+(-10)\times(-9)$
$=\frac{1}{15}a^2-5a+90$

유형 익히기 – 확인 문제

본문 | 73~78 쪽

01 답 3

셀파 분배법칙을 이용하여 전개한다.

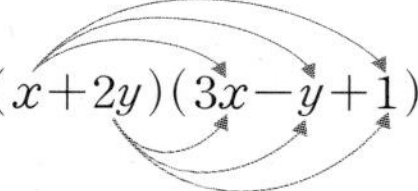

$=x\times3x+x\times(-y)+x\times1+2y\times3x+2y\times(-y)+2y\times1$
$=3x^2-xy+x+6xy-2y^2+2y$
$=3x^2+5xy-2y^2+x+2y$
따라서 xy의 계수는 5, y^2의 계수는 -2이므로 그 합은
$5+(-2)=3$

다른 풀이 $(x+2y)(3x-y+1)$에서
xy항이 나오는 부분만 전개하면
$x\times(-y)+2y\times3x=-xy+6xy=5xy$
또 y^2항이 나오는 부분만 전개하면
$2y\times(-y)=-2y^2$
따라서 xy의 계수는 5, y^2의 계수는 -2이므로 그 합은
$5+(-2)=3$

02 답 ④

셀파 $(a+b)^2=a^2+2ab+b^2$, $(a-b)^2=a^2-2ab+b^2$을 이용하여 전개한다.

① $(x+3)^2=x^2+2\times x\times 3+3^2=x^2+6x+9$

② $(2a-1)^2=(2a)^2-2\times 2a\times 1+1^2=4a^2-4a+1$

③ $(3a+2b)^2=(3a)^2+2\times 3a\times 2b+(2b)^2=9a^2+12ab+4b^2$

④ $\left(\frac{1}{2}x-2\right)^2=\left(\frac{1}{2}x\right)^2-2\times\frac{1}{2}x\times 2+2^2=\frac{1}{4}x^2-2x+4$

⑤ $(-2x+3)^2=(2x-3)^2=(2x)^2-2\times 2x\times 3+3^2$
$=4x^2-12x+9$

03 답 -9

셀파 $(a+b)(a-b)=a^2-b^2$을 이용하여 전개한다.

$2(x+2)(x-2)-(2x-1)(2x+1)$
$=2(x^2-2^2)-\{(2x)^2-1^2\}$
$=2(x^2-4)-(4x^2-1)$
$=2x^2-8-4x^2+1$
$=-2x^2-7$

따라서 x^2의 계수는 -2, 상수항은 -7이므로 그 합은
$(-2)+(-7)=-9$

04 답 1. $\frac{4}{3}$ 2. $12x-3$

셀파 $(x+a)(x+b)=x^2+(a+b)x+ab$를 이용한다.

1. $(x-4)(x+A)=x^2+(-4+A)x+(-4)\times A$
$=x^2+(A-4)x-4A$
상수항이 x의 계수의 2배이므로 $-4A=2(A-4)$
$6A=8$ $\therefore A=\frac{4}{3}$

2. $(x+5)(x+1)-(x-4)(x-2)$
$=x^2+(5+1)x+5\times 1$
$-\{x^2+(-4-2)x+(-4)\times(-2)\}$
$=x^2+6x+5-(x^2-6x+8)$
$=x^2+6x+5-x^2+6x-8$
$=12x-3$

05 답 8

셀파 $(ax+b)(cx+d)=acx^2+(ad+bc)x+bd$를 이용한다.

$(3x-5)(4x+A)$
$=(3\times 4)x^2+\{3\times A+(-5)\times 4\}x+(-5)\times A$
$=12x^2+(3A-20)x-5A$
$12x^2+(3A-20)x-5A=12x^2+Bx-35$에서
$3A-20=B$, $-5A=-35$
$\therefore A=7$, $B=3\times 7-20=1$
$\therefore A+B=7+1=8$

06 답 ①

셀파 좌변을 곱셈 공식을 이용하여 전개한다.

① $(-x-4y)^2=(x+4y)^2=x^2+2\times x\times 4y+(4y)^2$
$=x^2+8xy+16y^2$
$\therefore \square=16$

② $(-2x+1)^2=(2x-1)^2=(2x)^2-2\times 2x\times 1+1^2$
$=4x^2-4x+1$
$\therefore \square=4$

③ $(-x+3)(-x-3)=(-x)^2-3^2=x^2-9$
$\therefore \square=9$

④ $(x-4)(x-6)=x^2+(-4-6)x+(-4)\times(-6)$
$=x^2-10x+24$
$\therefore \square=10$

⑤ $(2x-1)(3x+2)$
$=(2\times 3)x^2+\{2\times 2+(-1)\times 3\}x+(-1)\times 2$
$=6x^2+x-2$
$\therefore \square=1$

따라서 □ 안에 들어갈 수 중 가장 큰 것은 ①이다.

07 답 x^2-2x-8

셀파 (직사각형의 넓이)=(가로의 길이)×(세로의 길이)

새로 만든 직사각형의 가로의 길이는 $x-4$, 세로의 길이는 $x+2$이므로
(새로 만든 직사각형의 넓이)$=(x-4)(x+2)$
$=x^2+(-4+2)x+(-4)\times 2$
$=x^2-2x-8$

08 답 $24x^2-30x+9$

셀파 길을 제외한 화단을 이동하여 붙여 생각한다.

길로 나누어진 두 화단을 붙이면 아래 오른쪽 그림과 같이 직사각형이 된다.

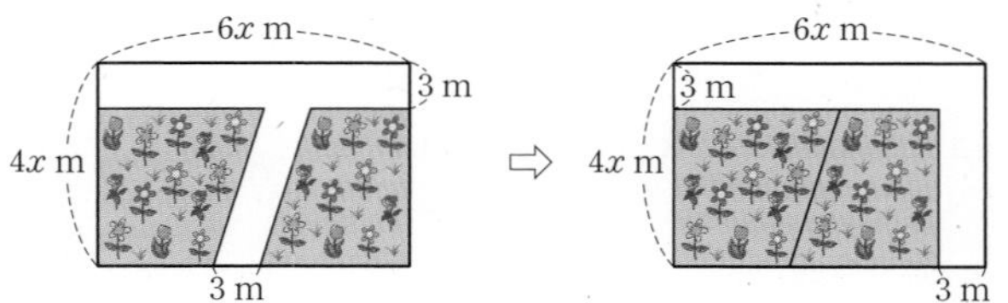

이때 길을 제외한 화단은 가로의 길이가 $(6x-3)$ m, 세로의 길이가 $(4x-3)$ m인 직사각형이다.
∴ (길을 제외한 화단의 넓이)
$=(6x-3)(4x-3)$
$=(6\times 4)x^2+\{6\times(-3)+(-3)\times 4\}x+(-3)\times(-3)$
$=24x^2+(-18-12)x+9$
$=24x^2-30x+9$

09 답 (1) $6x^2+5xy+y^2+5x+2y+1$
(2) $1-x^2-2xy-y^2$

셀파 (1) $y+1=A$로 놓는다. (2) $x+y=A$로 놓는다.

(1) $y+1=A$로 놓으면

$(2x+y+1)(3x+y+1)$
$=(2x+A)(3x+A)$
$=6x^2+5Ax+A^2$
$=6x^2+5(y+1)x+(y+1)^2$ ← A 대신 $y+1$을 대입한다.
$=6x^2+5xy+5x+y^2+2y+1$
$=6x^2+5xy+y^2+5x+2y+1$

(2) $(1-x-y)(1+x+y)=\{1-(x+y)\}(1+x+y)$

$x+y=A$로 놓으면

(주어진 식)
$=(1-A)(1+A)=1-A^2$
$=1-(x+y)^2$ ← A 대신 $x+y$를 대입한다.
$=1-(x^2+2xy+y^2)$
$=1-x^2-2xy-y^2$

10 답 1

셀파 상수항의 합이 같아지도록 일차식을 두 개씩 짝 지어 전개한다.

상수항의 합: $1+(-2)=-1$

$(x+1)(x+2)(x-2)(x-3)$

상수항의 합: $2+(-3)=-1$

$=\{(x+1)(x-2)\}\{(x+2)(x-3)\}$
$=(x^2-x-2)(x^2-x-6)$ ← $x^2-x=A$로 놓는다.
$=(A-2)(A-6)$
$=A^2-8A+12$
$=(x^2-x)^2-8(x^2-x)+12$ ← A 대신 x^2-x를 대입한다.
$=x^4-2x^3+x^2-8x^2+8x+12$
$=x^4-2x^3-7x^2+8x+12$

따라서 $a=-2$, $b=-7$, $c=8$, $d=12$이므로

$a-b+c-d=-2-(-7)+8-12=1$

실력 키우기

본문 | 79~81 쪽

01 답 -5

셀파 xy항만 나오도록 전개한다.

$(x-y+1)(3x+ay+2)$에서 xy항이 나오는 부분만 전개하면

$x\times ay-y\times 3x=axy-3xy=(a-3)xy$

이때 xy의 계수는 -8이므로 $a-3=-8$

$\therefore a=-5$

02 답 22

셀파 곱셈 공식을 이용하여 좌변을 전개한 후 우변과 비교한다.

$(5x+A)^2=25x^2+10Ax+A^2$이므로

$25x^2+10Ax+A^2=25x^2+Bx+4$에서

$10A=B$, $A^2=4$

$\therefore A=2\ (\because A>0)$, $B=10\times 2=20$

$\therefore A+B=2+20=22$

03 답 ④

셀파 $(a+b)(a-b)=a^2-b^2$을 이용한다.

$(a+3b)(a-3b)=a^2-9b^2$

① $(a+3b)(-a-3b)=(a+3b)\{-(a+3b)\}=-(a+3b)^2$
$=-(a^2+6ab+9b^2)=-a^2-6ab-9b^2$

② $(3b+a)(3b-a)=9b^2-a^2$

③ $(-a+3b)(a+3b)=(3b-a)(3b+a)=9b^2-a^2$

④ $(-a+3b)(-a-3b)=(-a)^2-9b^2=a^2-9b^2$

⑤ $(3b-a)(-3b+a)=(3b-a)\{-(3b-a)\}=-(3b-a)^2$
$=-(9b^2-6ab+a^2)=-a^2+6ab-9b^2$

따라서 $(a+3b)(a-3b)$와 전개식이 같은 것은 ④이다.

04 답 $a=8$, $b=-256$

셀파 $(a+b)(a-b)=a^2-b^2$을 이용하여 앞에서부터 차례대로 전개한다.

1 좌변 전개하기 [60 %]

$(x-2)(x+2)(x^2+4)(x^4+16)=(x^2-4)(x^2+4)(x^4+16)$
$=(x^4-16)(x^4+16)$
$=x^8-256$

2 a, b의 값 구하기 [40 %]

$\therefore a=8$, $b=-256$

05 답 ⑤

셀파 곱셈 공식을 이용하여 좌변을 전개한다.

① $(x+3)(x-5)=x^2-2x-15$ $\quad\therefore \square=2$

② $(x-6)(x+4)=x^2-2x-24$ $\quad\therefore \square=2$

③ $(x+6)\left(x-\frac{1}{3}\right)=x^2+\frac{17}{3}x-2$ $\quad\therefore \square=2$

④ $(x+2y)(x-4y)=x^2-2xy-8y^2$ $\quad\therefore \square=2$

⑤ $\left(-x+\frac{3}{4}y\right)\left(-x+\frac{1}{4}y\right)=x^2-xy+\frac{3}{16}y^2$ $\quad\therefore \square=1$

따라서 □ 안의 수가 나머지 넷과 다른 하나는 ⑤이다.

06 답 ③

셀파 $ab=10$임을 이용하여 정수 a, b의 값을 각각 구한다.

$(x+a)(x+b)=x^2+(a+b)x+ab$이므로
$x^2+(a+b)x+ab=x^2+cx+10$에서 $a+b=c$, $ab=10$
이때 $ab=10$을 만족하는 두 정수 a, b의 순서쌍 (a, b)는
$(1, 10)$, $(2, 5)$, $(5, 2)$, $(10, 1)$, $(-1, -10)$, $(-2, -5)$, $(-5, -2)$, $(-10, -1)$
이고 c의 값은
$(1, 10)$, $(10, 1)$일 때, $c=1+10=11$
$(2, 5)$, $(5, 2)$일 때, $c=2+5=7$
$(-1, -10)$, $(-10, -1)$일 때, $c=-1-10=-11$
$(-2, -5)$, $(-5, -2)$일 때, $c=-2-5=-7$
따라서 c의 값이 될 수 없는 것은 ③ -3이다.

07 답 2

셀파 곱셈 공식을 이용하여 전개한 후 (x의 계수)=(상수항)$+6$임을 이용한다.

① 주어진 식 전개하기 [50 %]
$(2x+a)(3x-8)=6x^2+(3a-16)x-8a$

② a의 값 구하기 [50 %]
이때 (x의 계수)=(상수항)+6이므로 $3a-16=-8a+6$
$11a=22$ $\quad\therefore a=2$

08 답 ④

셀파 곱셈 공식을 이용하여 전개한 후 x의 계수를 비교한다.

① $(1+3x)^2=1+6x+9x^2$이므로 x의 계수는 6
② $(2x-3)^2=4x^2-12x+9$이므로 x의 계수는 -12
③ $(5x+7)(-5x+7)=49-25x^2$이므로 x의 계수는 0
④ $(x+9)(x-2)=x^2+7x-18$이므로 x의 계수는 7
⑤ $(3x-2)(5x+1)=15x^2-7x-2$이므로 x의 계수는 -7
따라서 x의 계수가 가장 큰 것은 ④이다.

09 답 $3x+5$

셀파 곱셈 공식을 이용하여 전개한 후 동류항끼리 계산한다.

$$\begin{aligned}2(x+1)^2-(x-1)(2x+3)&=2(x^2+2x+1)-(2x^2+x-3)\\&=2x^2+4x+2-2x^2-x+3\\&=3x+5\end{aligned}$$

10 답 ③

셀파 $P+Q$와 $P+R$를 a, b에 대한 식으로 나타낸다.

$P+Q=(a+b)(a-b)$, $P+R=a^2-b^2$
이때 $Q=R$이므로 $P+Q=P+R$
$\therefore (a+b)(a-b)=a^2-b^2$

11 답 $32x^2+32x-2$

셀파 밑면의 가로, 세로의 길이가 각각 a, b이고 높이가 c인 직육면체의 겉넓이는 $2(ab+bc+ac)$

$$\begin{aligned}&2\{(3x+4)(2x-1)+(2x-1)(2x+1)+(3x+4)(2x+1)\}\\&=2(6x^2+5x-4+4x^2-1+6x^2+11x+4)\\&=2(16x^2+16x-1)=32x^2+32x-2\end{aligned}$$

12 답 ④

셀파 두 사다리꼴을 대각선을 따라 이동시킨다.

주어진 그림에서 두 사다리꼴을 대각선을 따라 이동하면 오른쪽 그림과 같으므로 색칠한 부분의 넓이는
$(x+y)(x-y)=x^2-y^2$

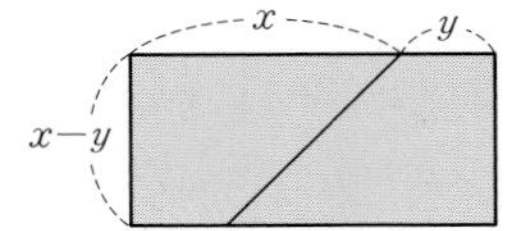

13 답 (1) $-2x^2+3xy-y^2-15x+10y-25$
(2) $x^2-6xy+9y^2+4x-12y+4$

셀파 공통부분을 치환하여 전개한다.

(1) $(-x+y-5)(2x-y+5)=(-x+y-5)\{2x-(y-5)\}$
$y-5=A$로 놓으면

$$\begin{aligned}(\text{주어진 식})&=(-x+A)(2x-A)\\&=-2x^2+3Ax-A^2\\&=-2x^2+3(y-5)x-(y-5)^2\\&=-2x^2+3xy-15x-(y^2-10y+25)\\&=-2x^2+3xy-y^2-15x+10y-25\end{aligned}$$

A 대신 $y-5$를 대입한다.

(2) $(x-3y+2)^2$에서 $x+2=A$로 놓으면

$$\begin{aligned}(\text{주어진 식})&=(A-3y)^2=A^2-6Ay+9y^2\\&=(x+2)^2-6(x+2)y+9y^2\\&=x^2+4x+4-6xy-12y+9y^2\\&=x^2-6xy+9y^2+4x-12y+4\end{aligned}$$

A 대신 $x+2$를 대입한다.

14 답 143

셀파 $(x+1)(x+4)$, $(x+2)(x+3)$으로 각각 묶어서 전개한다.

① 공통부분이 나오도록 전개하기 [50 %]
$$\begin{aligned}&(x+1)(x+2)(x+3)(x+4)\\&=\{(x+1)(x+4)\}\{(x+2)(x+3)\}\\&=(x^2+5x+4)(x^2+5x+6)\end{aligned}$$

② x^2+5x의 값 구하기 [20 %]
이때 $x^2+5x-7=0$에서 $x^2+5x=7$

③ 답 구하기 [30 %]
$$\begin{aligned}\therefore (x+1)(x+2)(x+3)(x+4)&=(x^2+5x+4)(x^2+5x+6)\\&=(7+4)\times(7+6)\\&=11\times13=143\end{aligned}$$

15 답 75

셀파 $(x+a)(x+b)=x^2+(a+b)x+ab$를 이용한다.

① A, B의 값 구하기 [40 %]

$(x-3)(x+A)=x^2+(A-3)x-3A$이므로

$A-3=0$, $3A=B$

$\therefore A=3$, $B=3\times3=9$

② C, D의 값 구하기 [40 %]

$(x+C)(x+8)=x^2+(8+C)x+8C$이므로

$8+C=-1$, $8C=D$

$\therefore C=-9$, $D=8\times(-9)=-72$

③ $A+B+C-D$의 값 구하기 [20 %]

$\therefore A+B+C-D=3+9+(-9)-(-72)=75$

16 답 ㉠: $9x^2-12xy+4y^2$, ㉡: x^2-4y^2

셀파 ㉠은 C에서 출발한 결과이고, ㉡은 A에서 출발한 결과이다.

(i) A에서 출발하는 경우

$(x+2y)(x-2y)=x^2-(2y)^2=x^2-4y^2$

(ii) C에서 출발하는 경우

$(-3x+2y)^2=9x^2-12xy+4y^2$

$\therefore$ ㉠: $9x^2-12xy+4y^2$, ㉡: x^2-4y^2

17 답 $4x+9$

셀파 전개도에서 마주 보는 면을 찾아 식을 세운 후 곱셈 공식을 이용하여 전개한다.

다음 전개도를 접을 때, 같은 색으로 칠해진 부분끼리 서로 마주 보는 면이 된다.

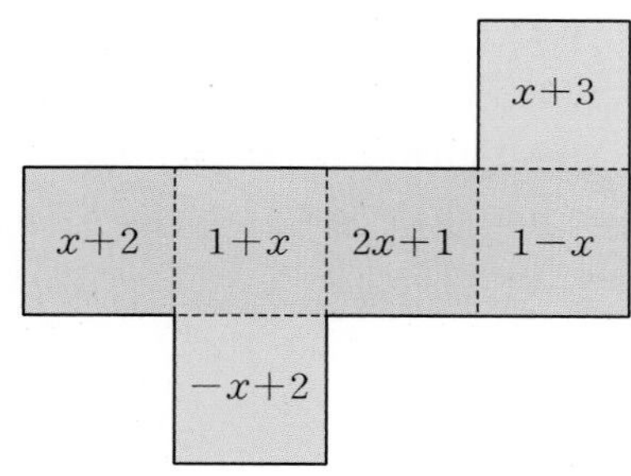

즉 주어진 전개도를 접어서 만든 정육면체에서 서로 마주 보는 면은 $x+2$와 $2x+1$, $-x+2$와 $x+3$, $1+x$와 $1-x$이다.

$\therefore A+B+C$

$=(x+2)(2x+1)+(-x+2)(x+3)+(1+x)(1-x)$

$=2x^2+5x+2+(-x^2-x+6)+1-x^2$

$=4x+9$

6 곱셈 공식의 활용

본문 | 85, 87 쪽

1-1 답 (1) 2601 (2) 9025 (3) 3591 (4) 1023

(1) $51^2=(50+\boxed{1})^2=50^2+2\times50\times1+1^2$

$=2500+100+\boxed{1}=\boxed{2601}$

(2) $95^2=(100-\boxed{5})^2=100^2-2\times100\times5+5^2$

$=10000-\boxed{1000}+25$

$=\boxed{9025}$

(3) $63\times57=(\boxed{60}+3)(\boxed{60}-3)=60^2-3^2$

$=\boxed{3600}-9=\boxed{3591}$

(4) $31\times33=(\boxed{30}+1)(\boxed{30}+3)$

$=30^2+(1+3)\times30+1\times3$

$=\boxed{900}+120+3=\boxed{1023}$

1-2 답 (1) ㉡, 2304 (2) ㉠, 5184 (3) ㉢, 8099 (4) ㉣, 11124

(1) $48^2=(50-2)^2=50^2-2\times50\times2+2^2$

$=2500-200+4=2304$

⇨ ㉡ $(a-b)^2=a^2-2ab+b^2$ 이용

(2) $72^2=(70+2)^2=70^2+2\times70\times2+2^2$

$=4900+280+4=5184$

⇨ ㉠ $(a+b)^2=a^2+2ab+b^2$ 이용

(3) $91\times89=(90+1)(90-1)=90^2-1^2$

$=8100-1=8099$

⇨ ㉢ $(a+b)(a-b)=a^2-b^2$ 이용

(4) $103\times108=(100+3)(100+8)$

$=100^2+(3+8)\times100+3\times8$

$=10000+1100+24$

$=11124$

⇨ ㉣ $(x+a)(x+b)=x^2+(a+b)x+ab$ 이용

2-1 답 (1) $27-10\sqrt{2}$ (2) 1 (3) $-4-\sqrt{2}$ (4) $5\sqrt{6}$

(1) $(5-\sqrt{2})^2=5^2-2\times5\times\sqrt{2}+(\boxed{\sqrt{2}})^2$

$=25-10\sqrt{2}+2=\boxed{27-10\sqrt{2}}$

(2) $(3-2\sqrt{2})(3+2\sqrt{2})=3^2-(\boxed{2\sqrt{2}})^2=9-8=\boxed{1}$

(3) $(\sqrt{2}+2)(\sqrt{2}-3)$

$=(\sqrt{2})^2+\{2+(\boxed{-3})\}\sqrt{2}+2\times(\boxed{-3})$

$=\boxed{-4-\sqrt{2}}$

(4) $(\sqrt{6}+4)(2\sqrt{6}-3)$

$=(1\times2)(\sqrt{6})^2+\{1\times(-3)+\boxed{4}\times2\}\sqrt{6}+\boxed{4}\times(-3)$

$=\boxed{5\sqrt{6}}$

2-2 답 (1) $18+8\sqrt{2}$ (2) $9-6\sqrt{2}$ (3) 9 (4) $9+4\sqrt{6}$ (5) $11-5\sqrt{10}$

(1) $(\sqrt{2}+4)^2=(\sqrt{2})^2+2\times\sqrt{2}\times4+4^2$
$=2+8\sqrt{2}+16=18+8\sqrt{2}$

(2) $(\sqrt{3}-\sqrt{6})^2=(\sqrt{3})^2-2\times\sqrt{3}\times\sqrt{6}+(\sqrt{6})^2$
$=3-2\sqrt{18}+6=9-2\sqrt{18}$
$=9-6\sqrt{2}$

(3) $(3\sqrt{5}+6)(3\sqrt{5}-6)=(3\sqrt{5})^2-6^2=45-36=9$

(4) $(\sqrt{3}+\sqrt{2})(\sqrt{3}+3\sqrt{2})$
$=(\sqrt{3})^2+(\sqrt{2}+3\sqrt{2})\sqrt{3}+\sqrt{2}\times3\sqrt{2}$
$=3+4\sqrt{2}\times\sqrt{3}+6=9+4\sqrt{6}$

(5) $(\sqrt{5}-2\sqrt{2})(3\sqrt{5}+\sqrt{2})$
$=\sqrt{5}\times3\sqrt{5}+\sqrt{5}\times\sqrt{2}-2\sqrt{2}\times3\sqrt{5}-2\sqrt{2}\times\sqrt{2}$
$=15+\sqrt{10}-6\sqrt{10}-4=11-5\sqrt{10}$

3-1 답 (1) $\sqrt{3}-\sqrt{2}$ (2) $\dfrac{7+2\sqrt{10}}{3}$

(1) $\dfrac{\sqrt{2}}{\sqrt{6}+2}=\dfrac{\sqrt{2}\times(\boxed{\sqrt{6}-2})}{(\sqrt{6}+2)\times(\sqrt{6}-2)}=\dfrac{\sqrt{12}-2\sqrt{2}}{6-4}$
$=\dfrac{\boxed{2\sqrt{3}}-2\sqrt{2}}{2}=\boxed{\sqrt{3}-\sqrt{2}}$

(2) $\dfrac{\sqrt{5}+\sqrt{2}}{\sqrt{5}-\sqrt{2}}=\dfrac{(\sqrt{5}+\sqrt{2})\times(\boxed{\sqrt{5}+\sqrt{2}})}{(\sqrt{5}-\sqrt{2})\times(\boxed{\sqrt{5}+\sqrt{2}})}=\dfrac{(\sqrt{5}+\sqrt{2})^2}{5-2}$
$=\dfrac{5+2\sqrt{10}+2}{3}=\dfrac{\boxed{7+2\sqrt{10}}}{3}$

3-2 답 (1) $-\dfrac{1+\sqrt{6}}{5}$ (2) $5\sqrt{2}-3\sqrt{5}$ (3) $\sqrt{6}+2$ (4) $\dfrac{5+\sqrt{21}}{2}$ (5) $10-7\sqrt{2}$

(1) $\dfrac{1}{1-\sqrt{6}}=\dfrac{1\times(1+\sqrt{6})}{(1-\sqrt{6})(1+\sqrt{6})}=\dfrac{1+\sqrt{6}}{1-6}=-\dfrac{1+\sqrt{6}}{5}$

(2) $\dfrac{\sqrt{5}}{\sqrt{10}+3}=\dfrac{\sqrt{5}\times(\sqrt{10}-3)}{(\sqrt{10}+3)(\sqrt{10}-3)}=\dfrac{\sqrt{50}-3\sqrt{5}}{10-9}=5\sqrt{2}-3\sqrt{5}$

(3) $\dfrac{\sqrt{2}}{\sqrt{3}-\sqrt{2}}=\dfrac{\sqrt{2}\times(\sqrt{3}+\sqrt{2})}{(\sqrt{3}-\sqrt{2})\times(\sqrt{3}+\sqrt{2})}=\dfrac{\sqrt{6}+2}{3-2}=\sqrt{6}+2$

(4) $\dfrac{\sqrt{7}+\sqrt{3}}{\sqrt{7}-\sqrt{3}}=\dfrac{(\sqrt{7}+\sqrt{3})^2}{(\sqrt{7}-\sqrt{3})(\sqrt{7}+\sqrt{3})}=\dfrac{7+2\sqrt{21}+3}{7-3}$
$=\dfrac{10+2\sqrt{21}}{4}=\dfrac{5+\sqrt{21}}{2}$

(5) $\dfrac{2-\sqrt{2}}{3+2\sqrt{2}}=\dfrac{(2-\sqrt{2})(3-2\sqrt{2})}{(3+2\sqrt{2})\times(3-2\sqrt{2})}=\dfrac{6-7\sqrt{2}+4}{9-8}$
$=10-7\sqrt{2}$

4-1 답 (1) 5 (2) 1

(1) $a^2+b^2=(a+b)^2-\boxed{2ab}=3^2-2\times2=9-\boxed{4}=\boxed{5}$

(2) $(a-b)^2=(a+b)^2-\boxed{4ab}=3^2-4\times2=9-\boxed{8}=\boxed{1}$

4-2 답 (1) 33 (2) 41

$a+b=5$, $ab=-4$이므로

(1) $a^2+b^2=(a+b)^2-2ab=5^2-2\times(-4)=25+8=33$

(2) $(a-b)^2=(a+b)^2-4ab=5^2-4\times(-4)$
$=25+16=41$

4-3 답 (1) 20 (2) 24

$a-b=4$, $ab=2$이므로

(1) $a^2+b^2=(a-b)^2+2ab=4^2+2\times2=16+4=20$

(2) $(a+b)^2=(a-b)^2+4ab=4^2+4\times2=16+8=24$

본문 | 88~91 쪽

01 답 ③

셀파 주어진 수가 정수이면 10의 배수를, 주어진 수가 소수이면 정수를 기준으로 하여 곱셈 공식을 이용한다.

① $502^2=(500+2)^2$ ⇨ $(a+b)^2$
② $9.8^2=(10-0.2)^2$ ⇨ $(a-b)^2$
③ $105\times98=(100+5)(100-2)$ ⇨ $(x+a)(x+b)$
④ $6.1\times6.8=(6+0.1)(6+0.8)$ ⇨ $(x+a)(x+b)$
⑤ $298\times302=(300-2)(300+2)$ ⇨ $(a+b)(a-b)$

따라서 옳지 않은 것은 ③이다.

02 답 $-7+4\sqrt{5}$

셀파 $(a+b)(a-b)=a^2-b^2$과 $(a-b)^2=a^2-2ab+b^2$을 이용한다.

$(\sqrt{3}+1)(\sqrt{3}-1)-(\sqrt{5}-2)^2$
$=\{(\sqrt{3})^2-1^2\}-\{(\sqrt{5})^2-2\times\sqrt{5}\times2+2^2\}$
$=(3-1)-(5-4\sqrt{5}+4)$
$=2-9+4\sqrt{5}=-7+4\sqrt{5}$

03 답 **1.** (1) $\sqrt{17}-4$ (2) $\sqrt{7}+2$ (3) $\frac{4+\sqrt{10}}{3}$ (4) $2-\sqrt{3}$
2. 8

셀파 곱셈 공식 $(a+b)(a-b)=a^2-b^2$을 이용하여 분모를 유리화한다.

1. (1) $\frac{1}{\sqrt{17}+4}=\frac{\sqrt{17}-4}{(\sqrt{17}+4)(\sqrt{17}-4)}=\frac{\sqrt{17}-4}{17-16}=\sqrt{17}-4$

(2) $\frac{3}{\sqrt{7}-2}=\frac{3(\sqrt{7}+2)}{(\sqrt{7}-2)(\sqrt{7}+2)}=\frac{3(\sqrt{7}+2)}{7-4}=\sqrt{7}+2$

(3) $\frac{\sqrt{2}}{2\sqrt{2}-\sqrt{5}}=\frac{\sqrt{2}(2\sqrt{2}+\sqrt{5})}{(2\sqrt{2}-\sqrt{5})(2\sqrt{2}+\sqrt{5})}$
$=\frac{4+\sqrt{10}}{8-5}=\frac{4+\sqrt{10}}{3}$

(4) $\frac{\sqrt{6}-\sqrt{2}}{\sqrt{6}+\sqrt{2}}=\frac{(\sqrt{6}-\sqrt{2})^2}{(\sqrt{6}+\sqrt{2})(\sqrt{6}-\sqrt{2})}$
$=\frac{6-2\sqrt{12}+2}{6-2}=\frac{8-4\sqrt{3}}{4}$
$=2-\sqrt{3}$

2. $\frac{2-\sqrt{3}}{2+\sqrt{3}}+\frac{\sqrt{3}}{2-\sqrt{3}}$
$=\frac{(2-\sqrt{3})^2}{(2+\sqrt{3})(2-\sqrt{3})}+\frac{\sqrt{3}(2+\sqrt{3})}{(2-\sqrt{3})(2+\sqrt{3})}$
$=\frac{4-4\sqrt{3}+3}{4-3}+\frac{2\sqrt{3}+3}{4-3}$
$=7-4\sqrt{3}+2\sqrt{3}+3=10-2\sqrt{3}$
따라서 $a=10$, $b=-2$이므로 $a+b=10+(-2)=8$

04 답 37

셀파 $x-y$와 xy의 값이 주어졌으므로 $x^2+y^2=(x-y)^2+2xy$를 이용한다.

$x-y=5$, $xy=12$이므로
$x^2+y^2=(x-y)^2+2xy=5^2+2\times12=49$
$\therefore x^2-xy+y^2=x^2+y^2-xy=49-12=37$

| 다른 풀이 | $x^2-xy+y^2=x^2-2xy+y^2+xy$
$=(x-y)^2+xy$
$=5^2+12=37$

05 답 (1) 11 (2) 13

셀파 $x^2+\frac{1}{x^2}=\left(x-\frac{1}{x}\right)^2+2$, $\left(x+\frac{1}{x}\right)^2=\left(x-\frac{1}{x}\right)^2+4$를 이용한다.

$x-\frac{1}{x}=3$이므로

(1) $x^2+\frac{1}{x^2}=\left(x-\frac{1}{x}\right)^2+2=3^2+2=11$

(2) $\left(x+\frac{1}{x}\right)^2=\left(x-\frac{1}{x}\right)^2+4=3^2+4=13$

| 다른 풀이 | (2) (1)에서 $x^2+\frac{1}{x^2}=11$이므로
$\left(x+\frac{1}{x}\right)^2=x^2+\frac{1}{x^2}+2=11+2=13$

06 답 (1) -5 (2) 27

셀파 $x^2+5x-1=0$의 양변을 x로 나눈다.

(1) $x^2+5x-1=0$의 양변을 x로 나누면
$x+5-\frac{1}{x}=0$ $\therefore x-\frac{1}{x}=-5$

(2) $x^2+\frac{1}{x^2}=\left(x-\frac{1}{x}\right)^2+2$
$=(-5)^2+2$ ← (1)에서 $x-\frac{1}{x}=-5$
$=25+2=27$

07 답 1

셀파 x, y의 분모를 각각 유리화한 후 $x+y$, xy의 값을 구한다.

$x=\frac{1}{\sqrt{5}+1}=\frac{\sqrt{5}-1}{(\sqrt{5}+1)(\sqrt{5}-1)}=\frac{\sqrt{5}-1}{5-1}=\frac{\sqrt{5}-1}{4}$
$y=\frac{1}{\sqrt{5}-1}=\frac{\sqrt{5}+1}{(\sqrt{5}-1)(\sqrt{5}+1)}=\frac{\sqrt{5}+1}{5-1}=\frac{\sqrt{5}+1}{4}$
이때
$x+y=\frac{\sqrt{5}-1}{4}+\frac{\sqrt{5}+1}{4}=\frac{2\sqrt{5}}{4}=\frac{\sqrt{5}}{2}$
$xy=\frac{\sqrt{5}-1}{4}\times\frac{\sqrt{5}+1}{4}=\frac{(\sqrt{5}-1)(\sqrt{5}+1)}{16}$
$=\frac{5-1}{16}=\frac{4}{16}=\frac{1}{4}$
$\therefore x^2+xy+y^2=(x+y)^2-xy=\left(\frac{\sqrt{5}}{2}\right)^2-\frac{1}{4}=\frac{5}{4}-\frac{1}{4}=1$

08 답 **1.** -3 **2.** 7

셀파 $x-a=\sqrt{b}$로 변형한 후 양변을 제곱하여 정리한다.

1. $x=3+\sqrt{2}$에서 $x-3=\sqrt{2}$이므로 $(x-3)^2=(\sqrt{2})^2$
$x^2-6x+9=2$ $\therefore x^2-6x=-7$
$\therefore x^2-6x+4=-7+4=-3$

2. $x=\frac{2}{\sqrt{3}-1}=\frac{2(\sqrt{3}+1)}{(\sqrt{3}-1)(\sqrt{3}+1)}=\frac{2(\sqrt{3}+1)}{2}=\sqrt{3}+1$
$x-1=\sqrt{3}$이므로 $(x-1)^2=(\sqrt{3})^2$
$x^2-2x+1=3$ $\therefore x^2-2x=2$
$\therefore x^2-2x+5=2+5=7$

실력 키우기

본문 | 92~93 쪽

01 답 80.99

셀파 곱셈 공식 $(a+b)(a-b)=a^2-b^2$을 이용한다.

$8.9\times9.1=(9-0.1)(9+0.1)=9^2-0.1^2$
$=81-0.01=80.99$

02 답 (1) $x+1$ (2) 1001

셀파 $1004=1000+4$, $997=1000-3$임을 이용한다.

① 주어진 식을 x를 사용하여 나타내기 [70 %]

(1) $\frac{1004\times997+12}{1000}=\frac{(1000+4)(1000-3)+12}{1000}$
$=\frac{(x+4)(x-3)+12}{x}$
$=\frac{x^2+x-12+12}{x}=\frac{x^2+x}{x}=x+1$

② 주어진 식의 값 구하기 [30 %]

(2) $\frac{1004\times997+12}{1000}=1000+1=1001$

03 답 ③

셀파 제곱근을 문자로 생각하고 곱셈 공식을 이용한다.

① $(\sqrt{3}+1)^2=3+2\sqrt{3}+1=4+2\sqrt{3}$
② $(\sqrt{5}-2)^2=5-4\sqrt{5}+4=9-4\sqrt{5}$
③ $(\sqrt{6}+\sqrt{2})(\sqrt{6}-\sqrt{2})=6-2=4$
④ $(\sqrt{7}+2)(\sqrt{7}-3)=7+\{2+(-3)\}\sqrt{7}-6=1-\sqrt{7}$
⑤ $(2\sqrt{2}-\sqrt{5})(2\sqrt{2}+\sqrt{3})=8+2\sqrt{6}-2\sqrt{10}-\sqrt{15}$
따라서 옳은 것은 ③이다.

04 답 (1) 6 (2) 2

셀파 $a+b\sqrt{c}$ (a, b는 유리수, $\sqrt{c}$는 무리수)가 유리수이려면 $b=0$이어야 한다.

① a의 값 구하기 [70 %]

(1) $A=(3-2\sqrt{2})(a+4\sqrt{2})=3a+12\sqrt{2}-2a\sqrt{2}-16$
$=3a-16+(12-2a)\sqrt{2}$
이때 A가 유리수이므로 $12-2a=0$
$2a=12$ $\therefore a=6$

② A의 값 구하기 [30 %]

(2) $a=6$이므로 $A=3a-16=3\times6-16=2$

05 답 ②

셀파 곱셈 공식 $(a+b)(a-b)=a^2-b^2$을 이용하여 분모를 유리화한다.

㉠ $\frac{1}{\sqrt{2}+1}=\frac{\sqrt{2}-1}{(\sqrt{2}+1)(\sqrt{2}-1)}=\sqrt{2}-1$
㉡ $\frac{\sqrt{3}}{\sqrt{3}-\sqrt{2}}=\frac{\sqrt{3}(\sqrt{3}+\sqrt{2})}{(\sqrt{3}-\sqrt{2})(\sqrt{3}+\sqrt{2})}$
$=\sqrt{3}(\sqrt{3}+\sqrt{2})=3+\sqrt{6}$
㉢ $\frac{\sqrt{6}+\sqrt{2}}{\sqrt{6}-\sqrt{2}}=\frac{(\sqrt{6}+\sqrt{2})^2}{(\sqrt{6}-\sqrt{2})(\sqrt{6}+\sqrt{2})}=\frac{6+2\sqrt{12}+2}{6-2}$
$=\frac{8+4\sqrt{3}}{4}=2+\sqrt{3}$
㉣ $\frac{1}{2+\sqrt{5}}=\frac{2-\sqrt{5}}{(2+\sqrt{5})(2-\sqrt{5})}=\frac{2-\sqrt{5}}{-1}=-2+\sqrt{5}$
따라서 옳은 것은 ㉠, ㉢이다.

06 답 (1) $-\frac{1}{2}$ (2) 5 (3) -10

셀파 먼저 주어진 조건을 이용하여 xy의 값을 구한다.

(1) $(x+y)^2=(x-y)^2+4xy$이므로 $(-2)^2=6+4xy$
$4xy=-2$ $\therefore xy=-\frac{1}{2}$

(2) $x^2+y^2=(x+y)^2-2xy=(-2)^2-2\times\left(-\frac{1}{2}\right)=4+1=5$

(3) $\frac{y}{x}+\frac{x}{y}=\frac{x^2+y^2}{xy}=5\div\left(-\frac{1}{2}\right)=5\times(-2)=-10$

07 답 (1) 18 (2) 322

셀파 $x^2+\frac{1}{x^2}=\left(x-\frac{1}{x}\right)^2+2$를 이용한다.

(1) $x^2+\frac{1}{x^2}=\left(x-\frac{1}{x}\right)^2+2=4^2+2=16+2=18$

(2) $x^4+\frac{1}{x^4}=\left(x^2+\frac{1}{x^2}\right)^2-2=18^2-2=324-2=322$

08 답 (1) 4 (2) 22

셀파 $x^2-4x+1=0$의 양변을 x로 나눈다.

① $x+\frac{1}{x}$의 값 구하기 [40 %]

(1) $x^2-4x+1=0$의 양변을 x로 나누면
$x-4+\frac{1}{x}=0$ $\therefore x+\frac{1}{x}=4$

② $x^2+\frac{1}{x^2}$의 값 구하기 [30 %]

(2) $x^2+\frac{1}{x^2}=\left(x+\frac{1}{x}\right)^2-2=4^2-2=16-2=14$

③ 주어진 식의 값 구하기 [30 %]

$$\therefore x^2+2x+\frac{2}{x}+\frac{1}{x^2}=x^2+\frac{1}{x^2}+2\left(x+\frac{1}{x}\right)=14+2\times4=22$$

09 답 -1

셀파 x, y의 분모를 각각 유리화한다.

$x=\frac{1}{2+\sqrt{2}}=\frac{2-\sqrt{2}}{(2+\sqrt{2})(2-\sqrt{2})}=\frac{2-\sqrt{2}}{4-2}=\frac{2-\sqrt{2}}{2}$

$y=\frac{1}{2-\sqrt{2}}=\frac{2+\sqrt{2}}{(2-\sqrt{2})(2+\sqrt{2})}=\frac{2+\sqrt{2}}{4-2}=\frac{2+\sqrt{2}}{2}$

이때

$x+y=\frac{2-\sqrt{2}}{2}+\frac{2+\sqrt{2}}{2}=\frac{4}{2}=2$

$xy=\frac{2-\sqrt{2}}{2}\times\frac{2+\sqrt{2}}{2}=\frac{(2-\sqrt{2})(2+\sqrt{2})}{4}=\frac{4-2}{4}=\frac{1}{2}$

$\therefore x^2+y^2-8xy=(x+y)^2-10xy=2^2-10\times\frac{1}{2}=4-5=-1$

10 답 0

셀파 $\sqrt{a}$의 정수 부분을 n이라 하면 $\sqrt{a}$의 소수 부분은 $\sqrt{a}-n$이다.

$1<\sqrt{2}<2$이므로 $-2<-\sqrt{2}<-1$ $\quad\therefore 1<3-\sqrt{2}<2$

따라서 $3-\sqrt{2}$의 정수 부분은 1이고 $3-\sqrt{2}$의 소수 부분은 $3-\sqrt{2}-1=2-\sqrt{2}$이므로 $x=2-\sqrt{2}$

$x=2-\sqrt{2}$에서 $x-2=-\sqrt{2}$이므로 양변을 제곱하면

$(x-2)^2=(-\sqrt{2})^2$

$x^2-4x+4=2$ $\quad\therefore x^2-4x+2=0$

11 답 8

셀파 $6=7-1$이므로 곱셈 공식 $(a+b)(a-b)=a^2-b^2$을 이용한다.

$6\times(7+1)\times(7^2+1)\times(7^4+1)+2=7^a+1$에서

$6\times(7+1)\times(7^2+1)\times(7^4+1)+2$

$=(7-1)\times(7+1)\times(7^2+1)\times(7^4+1)+2$

$=(7^2-1)\times(7^2+1)\times(7^4+1)+2$

$=(7^4-1)\times(7^4+1)+2$

$=(7^8-1)+2=7^8+1$

따라서 $7^8+1=7^a+1$이므로 $a=8$

12 답 13

셀파 $(2-\sqrt{5})^{102}=(2-\sqrt{5})^{100}(2-\sqrt{5})^2$임을 이용한다.

$(2+\sqrt{5})^{100}(2-\sqrt{5})^{102}$

$=(2+\sqrt{5})^{100}(2-\sqrt{5})^{100}(2-\sqrt{5})^2$

$=\{(2+\sqrt{5})(2-\sqrt{5})\}^{100}(2-\sqrt{5})^2$

$=\{2^2-(\sqrt{5})^2\}^{100}(2-\sqrt{5})^2$

$=(4-5)^{100}(2-\sqrt{5})^2$

$=(-1)^{100}(2-\sqrt{5})^2$

$=(2-\sqrt{5})^2$

$=4-4\sqrt{5}+5=9-4\sqrt{5}$

따라서 $a=9$, $b=-4$이므로 $a-b=9-(-4)=13$

개념 다시 보기

지수 법칙

m이 자연수일 때

① $(ab)^m=a^mb^m$ $\qquad$ ② $\left(\frac{a}{b}\right)^m=\frac{a^m}{b^m}$

13 답 $1-\sqrt{5}$

셀파 x에 1, 2, 3, 4를 각각 대입하여 $f(1)$, $f(2)$, $f(3)$, $f(4)$를 구한다.

$f(1)=\sqrt{2}-\sqrt{1}=\sqrt{2}-1$, $f(2)=\sqrt{3}-\sqrt{2}$

$f(3)=\sqrt{4}-\sqrt{3}=2-\sqrt{3}$, $f(4)=\sqrt{5}-\sqrt{4}=\sqrt{5}-2$

$\therefore \frac{1}{f(1)}-\frac{1}{f(2)}+\frac{1}{f(3)}-\frac{1}{f(4)}$

$=\frac{1}{\sqrt{2}-1}-\frac{1}{\sqrt{3}-\sqrt{2}}+\frac{1}{2-\sqrt{3}}-\frac{1}{\sqrt{5}-2}$

$=\frac{\sqrt{2}+1}{(\sqrt{2}-1)(\sqrt{2}+1)}-\frac{\sqrt{3}+\sqrt{2}}{(\sqrt{3}-\sqrt{2})(\sqrt{3}+\sqrt{2})}+\frac{2+\sqrt{3}}{(2-\sqrt{3})(2+\sqrt{3})}-\frac{\sqrt{5}+2}{(\sqrt{5}-2)(\sqrt{5}+2)}$

$=\sqrt{2}+1-(\sqrt{3}+\sqrt{2})+2+\sqrt{3}-(\sqrt{5}+2)$

$=\sqrt{2}+1-\sqrt{3}-\sqrt{2}+2+\sqrt{3}-\sqrt{5}-2$

$=1-\sqrt{5}$

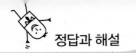

7 다항식의 인수분해

개념 익히기

본문 | 97, 99 쪽

1-1 답 1. $1, x, y, x+y, xy, x(x+y), y(x+y), xy(x+y)$
2. (1) $x(x+y)$ (2) $ab(a+b-ab)$

1. $xy(x+y)$의 인수는
$\boxed{1}, x, y, x+y, xy, x(x+y), \boxed{y(x+y)}, \boxed{xy(x+y)}$

2. (1) $x^2+xy=\boxed{x}\times x+\boxed{x}\times y=\boxed{x}(x+y)$
(2) $a^2b+ab^2-a^2b^2$
$=a\times a\times b+a\times b\times\boxed{b}-a\times a\times b\times b$
$=\boxed{ab}(a+b-\boxed{ab})$

1-2 답 (1) x, y, x^2, xy (2) $x, x-y, x(x-y)$

(1) x^2y의 인수는 $1, x, x^2, y, xy, x^2y$
(2) $x(x-y)$의 인수는 $1, x, x-y, x(x-y)$

1-3 답 (1) $a, a(1+2b)$ (2) $4y, 4y(4x^2-3y)$
(3) $ab, ab(a+2-3b)$ (4) $2q, 2q(p^2+2pq+3)$

(1) $a+2ab=a+2\times a\times b=a(1+2b)$
(2) $16x^2y-12y^2=4\times4\times x\times x\times y-4\times3\times y\times y$
$=4y(4x^2-3y)$
(3) $a^2b+2ab-3ab^2=a\times a\times b+2\times a\times b-3\times a\times b\times b$
$=ab(a+2-3b)$
(4) $2p^2q+4pq^2+6q$
$=2\times p\times p\times q+2\times2\times p\times q\times q+2\times3\times q$
$=2q(p^2+2pq+3)$

2-1 답 (1) $(x+5)^2$ (2) $(7x-1)^2$

(1) $x^2+10x+25=x^2+2\times x\times5+\boxed{5}^2=(x+\boxed{5})^2$
(2) $49x^2-14x+1=(\boxed{7x})^2-2\times\boxed{7x}\times1+1^2=(\boxed{7x}-1)^2$

2-2 답 (1) $(x+1)^2$ (2) $(x-3)^2$ (3) $(2x+1)^2$ (4) $(x-8y)^2$

(1) $x^2+2x+1=x^2+2\times x\times1+1^2=(x+1)^2$
(2) $x^2-6x+9=x^2-2\times x\times3+3^2=(x-3)^2$
(3) $4x^2+4x+1=(2x)^2+2\times2x\times1+1^2=(2x+1)^2$
(4) $x^2-16xy+64y^2=x^2-2\times x\times8y+(8y)^2=(x-8y)^2$

3-1 답 1. (1) $(x+4)(x-4)$ (2) $(x+3y)(x-3y)$
2. $(x+3)(x+9)$

1. (1) $x^2-16=x^2-\boxed{4}^2=(x+4)(x-\boxed{4})$
(2) $x^2-9y^2=x^2-(\boxed{3y})^2=(x+\boxed{3y})(x-3y)$

2. $x^2+12x+27=(x+3)(x+\boxed{9})$

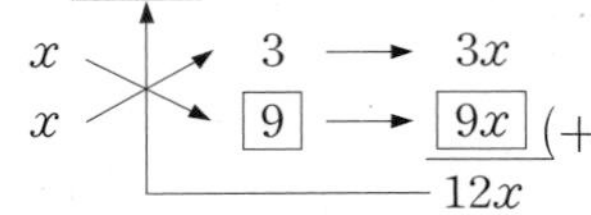

3-2 답 (1) $(4+b)(4-b)$ (2) $5x, (5x+y)(5x-y)$
(3) $3y, (2x+3y)(2x-3y)$

(1) $16-b^2=4^2-b^2=(4+b)(4-b)$
(2) $25x^2-y^2=(5x)^2-y^2=(5x+y)(5x-y)$
(3) $4x^2-9y^2=(2x)^2-(3y)^2=(2x+3y)(2x-3y)$

3-3 답 (1) $-4, -4x$ / $(x+1)(x-4)$
(2) $1, x, 4, 4x$ / $(x+1)(x+4)$

(1) $x^2-3x-4=(x+1)(x-4)$

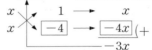

x 1 → x
x $\boxed{-4}$ → $\boxed{-4x}$ (+
$-3x$

(2) $x^2+5x+4=(x+1)(x+4)$

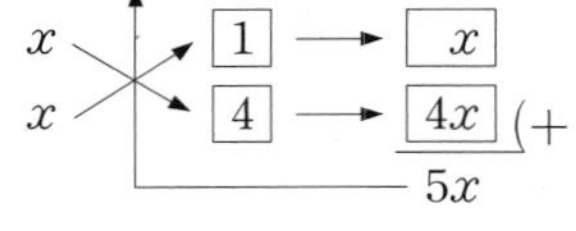

4-1 답 $(x-2)(3x-1)$

$3x^2-7x+2=(x-2)(3x-1)$

x $\boxed{-2}$ → $\boxed{-6x}$
3x −1 → −x (+
$-7x$

4-2 답 (1) $x, -1, -x, 7x$ / $(x+2)(4x-1)$
(2) $2x, 2y, 4xy$ / $(2x-3y)(3x+2y)$

(1) $4x^2+7x-2=(x+2)(4x-1)$

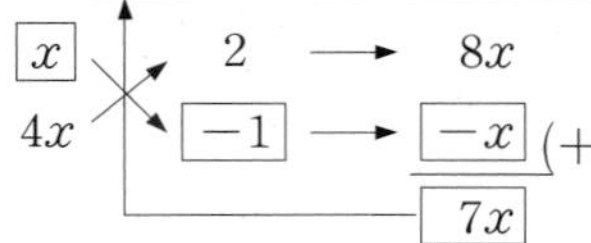

(2) $6x^2-5xy-6y^2=(2x-3y)(3x+2y)$

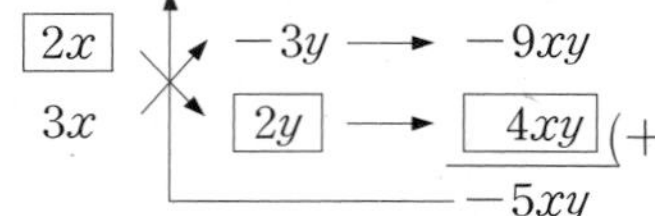

풀고 또 풀고 집중 연습 다항식의 인수분해

본문 | 100쪽

1 답 (1) $6ab(2a-3b)$ (2) $ab(3a-b+2)$
(3) $(x+y)(x+z)$ (4) $(a+b)(c+2)$
(5) $(x-y)(a-b)$

(1) $12a^2b-18ab^2=6ab\times2a-6ab\times3b=6ab(2a-3b)$

(2) $3a^2b-ab^2+2ab=ab\times3a-ab\times b+ab\times2$
$=ab(3a-b+2)$

(3) $x(x+z)+y(x+z)=(x+z)(x+y)=(x+y)(x+z)$

(4) $2(a+b)+c(a+b)=(a+b)(2+c)=(a+b)(c+2)$

(5) $a(x-y)+b(y-x)=a(x-y)-b(x-y)$
$=(x-y)(a-b)$

2 답 (1) $(a+6)^2$ (2) $(x-7)^2$ (3) $\left(x-\frac{1}{5}\right)^2$
(4) $(3x+1)^2$ (5) $(2x-5)^2$

(1) $a^2+12a+36=a^2+2\times a\times6+6^2=(a+6)^2$

(2) $x^2-14x+49=x^2-2\times x\times7+7^2=(x-7)^2$

(3) $x^2-\frac{2}{5}x+\frac{1}{25}=x^2-2\times x\times\frac{1}{5}+\left(\frac{1}{5}\right)^2=\left(x-\frac{1}{5}\right)^2$

(4) $9x^2+6x+1=(3x)^2+2\times3x\times1+1^2=(3x+1)^2$

(5) $4x^2-20x+25=(2x)^2-2\times2x\times5+5^2=(2x-5)^2$

3 답 (1) $(a+8)(a-8)$ (2) $(x+9y)(x-9y)$
(3) $\left(\frac{1}{2}x+\frac{1}{3}\right)\left(\frac{1}{2}x-\frac{1}{3}\right)$ (4) $(3a+7b)(3a-7b)$

(1) $a^2-64=a^2-8^2=(a+8)(a-8)$

(2) $x^2-81y^2=x^2-(9y)^2=(x+9y)(x-9y)$

(3) $\frac{1}{4}x^2-\frac{1}{9}=\left(\frac{1}{2}x\right)^2-\left(\frac{1}{3}\right)^2=\left(\frac{1}{2}x+\frac{1}{3}\right)\left(\frac{1}{2}x-\frac{1}{3}\right)$

(4) $9a^2-49b^2=(3a)^2-(7b)^2=(3a+7b)(3a-7b)$

4 답 (1) $(x-4)(x-9)$ (2) $(x+10)(x-3)$
(3) $(x+5y)(x-7y)$ (4) $(x-8y)(x-9y)$
(5) $(x+7y)(x-6y)$

(1) $x^2-13x+36=x^2+\{(-4)+(-9)\}x+(-4)\times(-9)$
$=(x-4)(x-9)$

참고 $x^2-13x+36$
x ╲╱ -4 → $-4x$
x ╱╲ -9 → $-9x$ (+
$-13x$
$\therefore x^2-13x+36=(x-4)(x-9)$

(2) $x^2+7x-30=x^2+\{10+(-3)\}x+10\times(-3)$
$=(x+10)(x-3)$

참고 $x^2+7x-30$
x ╲╱ 10 → $10x$
x ╱╲ -3 → $-3x$ (+
$7x$
$\therefore x^2+7x-30=(x+10)(x-3)$

(3) $x^2-2xy-35y^2=x^2+\{5y+(-7y)\}x+5y\times(-7y)$
$=(x+5y)(x-7y)$

참고 $x^2-2xy-35y^2$
x ╲╱ $5y$ → $5xy$
x ╱╲ $-7y$ → $-7xy$ (+
$-2xy$
$\therefore x^2-2xy-35y^2=(x+5y)(x-7y)$

(4) $x^2-17xy+72y^2$
$=x^2+\{(-8y)+(-9y)\}x+(-8y)\times(-9y)$
$=(x-8y)(x-9y)$

참고 $x^2-17xy+72y^2$

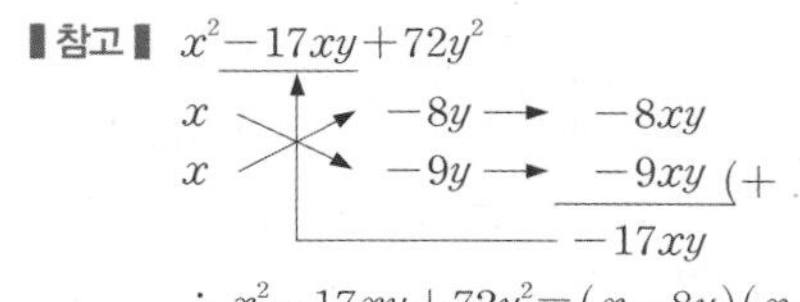

$\therefore x^2-17xy+72y^2=(x-8y)(x-9y)$

(5) $x^2+xy-42y^2$
$=x^2+\{7y+(-6y)\}x+7y\times(-6y)$
$=(x+7y)(x-6y)$

참고 $x^2+xy-42y^2$
x ╲╱ $7y$ → $7xy$
x ╱╲ $-6y$ → $-6xy$ (+
xy
$\therefore x^2+xy-42y^2=(x+7y)(x-6y)$

5 답 (1) $(3x+1)(3x+2)$ (2) $(x-4y)(5x+9y)$
(3) $(x-3y)(3x+2y)$

(1) $9x^2+9x+2$
$3x$ ╲╱ 1 → $3x$
$3x$ ╱╲ 2 → $6x$ (+
$9x$
$\therefore 9x^2+9x+2=(3x+1)(3x+2)$

(2) $5x^2-11xy-36y^2$
x ╲╱ $-4y$ → $-20xy$
$5x$ ╱╲ $9y$ → $9xy$ (+
$-11xy$
$\therefore 5x^2-11xy-36y^2=(x-4y)(5x+9y)$

(3) $3x^2-7xy-6y^2$

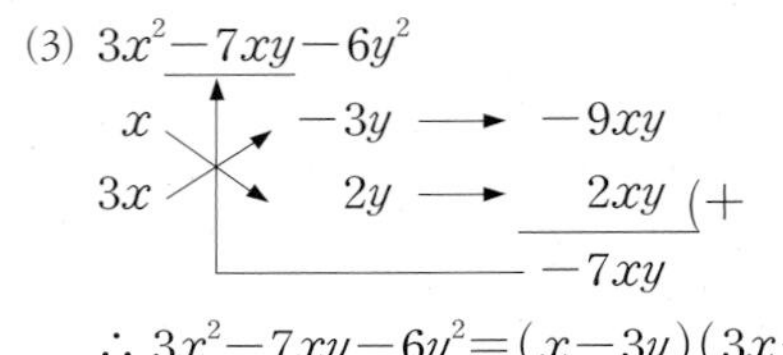

$\therefore 3x^2-7xy-6y^2=(x-3y)(3x+2y)$

유형 익히기 – 확인 문제

본문 | 101~107 쪽

01 답 ②

셀파 $2, x, x-3$뿐만 아니라 이들 인수끼리의 곱도 인수이다.

$2x(x-3)$의 인수는

$1, 2, x, x-3, 2x, 2(x-3), x(x-3)=x^2-3x, 2x(x-3)$

이므로 인수가 아닌 것은 ② x^2이다.

02 답 (1) $-2a^2(ax-4y)$ (2) $(x+y)(2x+3y)$

셀파 (1) 공통인수 $-2a^2$으로 묶어 인수분해한다.
(2) 공통인수 $x+y$로 묶어 내고 남은 것들을 간단히 한다.

(1) $-2a^3x+8a^2y=-2a^2(ax-4y)$ → 또는 $2a^2(-ax+4y)$, $8a^2y$ → $(-2a^2)\times(-4y)$

(2) $(x+y)^2+x(x+y)+2y(x+y)$
$=(x+y)\{(x+y)+x+2y\}=(x+y)(2x+3y)$

03 답 ㉠, ㉢, ㉣

셀파 $●^2\pm2●■+■^2$ 꼴인지 확인한다.

㉠ $4x^2+12x+9=(2x)^2+2\times2x\times3+3^2=(2x+3)^2$

㉡ $x^2-25xy-10y^2$은 $●^2\pm2●■+■^2$ 꼴로 나타낼 수 없다.

㉢ $25x^2-20xy+4y^2=(5x)^2-2\times5x\times2y+(2y)^2$
$=(5x-2y)^2$

㉣ $y^2+y+\frac{1}{4}=y^2+2\times y\times\frac{1}{2}+\left(\frac{1}{2}\right)^2=\left(y+\frac{1}{2}\right)^2$

따라서 완전제곱식으로 인수분해할 수 있는 것은 ㉠, ㉢, ㉣이다.

04 답 109

셀파 완전제곱식이 될 조건을 이용한다.

$x^2+18x+a$가 완전제곱식이 되려면

$a=\left(\frac{18}{2}\right)^2=9^2=81$

$4x^2+bx+49$가 완전제곱식이 되려면 $4x^2=(2x)^2$, $49=7^2$이므로

$b=2\times2\times7=28$ ($\because b>0$)

$\therefore a+b=81+28=109$

05 답 (1) $x+4$ (2) $2x-7$

셀파 근호 안의 식을 완전제곱식으로 인수분해한다.

(1) $0<x<4$일 때, $x>0$, $x-4<0$이므로

$2\sqrt{x^2}+\sqrt{x^2-8x+16}=2\sqrt{x^2}+\sqrt{(x-4)^2}$
$=2x-(x-4)$
$=2x-x+4$
$=x+4$

(2) $2<x<5$일 때, $x-2>0$, $x-5<0$이므로

$\sqrt{x^2-4x+4}-\sqrt{x^2-10x+25}$
$=\sqrt{(x-2)^2}-\sqrt{(x-5)^2}$
$=(x-2)-\{-(x-5)\}$
$=(x-2)+(x-5)$
$=2x-7$

06 답 $a=7, b=2, c=5$

셀파 공통인수를 찾아서 묶은 후 $a^2-b^2=(a+b)(a-b)$를 이용한다.

$28x^2-175y^2=7(4x^2-25y^2)=7\{(2x)^2-(5y)^2\}$
$=7(2x+5y)(2x-5y)$

$\therefore a=7, b=2, c=5$

07 답 3

셀파 인수분해와 전개를 이용하여 a, b의 값을 구한다.

$x^2+ax+12=(x-3)(x+b)$에서

$12=-3b, a=-3+b$

$\therefore b=-4, a=-3+(-4)=-7$

$\therefore b-a=-4-(-7)=-4+7=3$

08 답 -2

셀파 좌변을 인수분해한 후 우변과 비교한다.

$8x^2+10xy+3y^2$

$2x$	y	→	$4xy$
$4x$	$3y$	→	$6xy$ (+
			$10xy$

$\therefore 8x^2+10xy+3y^2=(2x+y)(4x+3y)$

따라서 $a=1, b=3$이므로

$a-b=1-3=-2$

09 답 ③

셀파 인수분해 공식을 이용하여 각 다항식을 인수분해한다.

① $x^2+2x=x(x+2)$

② $x^2+4x+4=(x+2)^2$

③ $3x^2-6=3(x^2-2)$

④ $x^2-5x-14=(x+2)(x-7)$

⑤ $3x^2+5x-2=(x+2)(3x-1)$

따라서 $x+2$를 인수로 갖지 않는 것은 ③이다.

10 답 ⑤

셀파 두 다항식을 각각 인수분해하여 공통인수를 찾는다.

$4x^2+11xy+6y^2$

x ↘↗ $2y$ → $8xy$
$4x$ ↗↘ $3y$ → $3xy$ (+
$11xy$

$\therefore 4x^2+11xy+6y^2=(x+2y)(4x+3y)$

$12x^2+25xy+12y^2$

$3x$ ↘↗ $4y$ → $16xy$
$4x$ ↗↘ $3y$ → $9xy$ (+
$25xy$

$\therefore 12x^2+25xy+12y^2=(3x+4y)(4x+3y)$

따라서 두 다항식의 일차식인 공통인수는 ⑤ $4x+3y$이다.

11 답 (1) -24 (2) 3

셀파 (1) 일차식인 다른 한 인수를 $x+p$로 놓는다.
(2) 다항식 $2x^2+bx-2$는 $x+2$를 인수로 가진다.

(1) 다항식 x^2+5x+a가 $x-3$을 인수로 가지므로 일차식인 다른 한 인수를 $x+p$로 놓으면

$x^2+5x+a=(x-3)(x+p)$
$=x^2+(p-3)x-3p$

따라서 $5=p-3$, $a=-3p$에서 $p=8$, $a=-24$

(2) 다항식 $2x^2+bx-2$가 $x+2$로 나누어떨어지므로 $x+2$는 이 다항식의 인수이다.

이때 $2x^2+bx-2$에서 x^2의 계수가 2이므로 일차식인 다른 한 인수를 $2x+p$로 놓으면

$2x^2+bx-2=(x+2)(2x+p)$
$=2x^2+(p+4)x+2p$

따라서 $b=p+4$, $-2=2p$에서 $p=-1$, $b=3$

참고 다항식 A가 $ax+b(a\neq0)$로 나누어떨어진다.
⇨ 다항식 A가 $ax+b(a\neq0)$를 인수로 가진다.
⇨ $A=(ax+b)\times$(다항식) 꼴로 인수분해된다.

12 답 (1) x^2-6x+8 (2) $(x-2)(x-4)$

셀파 인수분해한 식을 전개하여 제대로 본 계수와 상수항을 찾는다.

고은이는 상수항은 제대로 보았으므로
고은이가 인수분해한 식 $(x-1)(x-8)=x^2-9x+8$에서
처음 이차식의 상수항은 8이다.
민수는 x의 계수는 제대로 보았으므로
민수가 인수분해한 식 $(x-3)^2=x^2-6x+9$에서
처음 이차식의 x의 계수는 -6이다.
따라서 처음 이차식은 x^2-6x+8이고, 이 식을 인수분해하면
$x^2-6x+8=(x-2)(x-4)$

참고 고은이는 x의 계수를 잘못 보았으므로 고은이가 인수분해한 식을 전개하였을 때 상수항은 고은이가 제대로 본 값이다. 또 민수는 상수항을 잘못 보았으므로 민수가 인수분해한 식을 전개하였을 때 x의 계수는 민수가 제대로 본 값이다.
이때 x^2의 계수가 1이라는 조건이 없다면 고은이의 식에서 x^2의 계수와 상수항을, 민수의 식에서 x^2의 계수와 x의 계수를 알 수 있다.

13 답 $3x+4$

셀파 주어진 10개의 직사각형의 넓이의 합과 새로운 직사각형의 넓이가 같음을 이용한다.

주어진 10개의 직사각형의 넓이의 합은

$x^2+x^2+x+x+x+x+x+1+1+1=2x^2+5x+3$
$=(x+1)(2x+3)$

이때 새로운 직사각형의 넓이는 10개의 직사각형의 넓이의 합과 같다.
따라서 새로운 직사각형의 가로의 길이와 세로의 길이는 각각 $x+1$, $2x+3$ 또는 $2x+3$, $x+1$이므로 구하는 합은
$(x+1)+(2x+3)=3x+4$

14 답 $x+2$

셀파 (사다리꼴의 넓이)
$=\frac{1}{2}\times\{$(윗변의 길이)+(아랫변의 길이)$\}\times$(높이)

사다리꼴의 높이를 A라 하면

$x^2+4x+4=\frac{1}{2}\times\{(x+1)+(x+3)\}\times A$

$(x+2)^2=(x+2)\times A$

$\therefore A=x+2$

따라서 사다리꼴의 높이는 $x+2$이다.

실력 키우기

본문 | 109~111 쪽

01 답 ④

셀파 전개의 뜻을 이용한다.

④ ㉡은 전개의 과정이므로 분배법칙을 이용한다.

02 답 46

셀파 인수분해와 전개를 이용하여 a, b, c의 값을 구한다.

$ax^2-28x+b=(2x+c)^2$이므로

$a=2^2,\ -28=2\times2\times c,\ b=c^2$

$\therefore\ a=4,\ c=-7,\ b=(-7)^2=49$

$\therefore\ a+b+c=4+49+(-7)=46$

03 답 ④

셀파 완전제곱식이 되기 위한 조건을 이용한다.

① $x^2+12x+\square$에서 $12x=2\times x\times6$이므로 $\square=6^2=36$

② $4x^2-\square x+25$에서 $4x^2=(2x)^2,\ 25=5^2$이므로

$\square x=2\times2x\times5=20x\ (\because \square>0)\qquad \therefore \square=20$

③ $9x^2+\square x+1$에서 $9x^2=(3x)^2,\ 1=1^2$이므로

$\square x=2\times3x\times1=6x\ (\because \square>0)\qquad \therefore \square=6$

④ $x^2-14x+\square$에서 $14x=2\times x\times7$이므로 $\square=7^2=49$

⑤ $x^2-\square x+81$에서 $81=9^2$이므로

$\square x=2\times x\times9=18x\ (\because \square>0)\qquad \therefore \square=18$

따라서 $\square$ 안의 수가 가장 큰 것은 ④이다.

04 답 ②, ⑤

셀파 $a^2x^2+bxy+c^2y^2$이 완전제곱식이 되려면 $b=\pm2ac$이어야 한다.

$4x^2+(2a-6)xy+25y^2$이 완전제곱식이 되려면

$4x^2=(2x)^2,\ 25y^2=(5y)^2$이므로

$(2a-6)xy=\pm2\times2x\times5y=\pm20xy$

$2a-6=\pm20$

(i) $2a-6=20$에서 $2a=26\qquad \therefore a=13$

(ii) $2a-6=-20$에서 $2a=-14\qquad \therefore a=-7$

따라서 상수 a의 값은 -7 또는 13이다.

05 답 $-4a-6b$

셀파 근호 안의 식을 인수분해한다.

1 a, b의 부호 구하기 [40 %]

$a-b<0$이므로 $a<b$

또 $ab<0$이므로 $a<0,\ b>0$

2 주어진 식 간단히 하기 [60 %]

$\therefore \sqrt{(3a)^2}+\sqrt{a^2-2ab+b^2}-\sqrt{(7b)^2}$

$=\sqrt{(3a)^2}+\sqrt{(a-b)^2}-\sqrt{(7b)^2}$ ($a<0,\ a-b<0,\ b>0$)

$=-3a-(a-b)-7b$

$=-3a-a+b-7b$

$=-4a-6b$

06 답 ②

셀파 공통인수로 묶어 낸 후 인수분해 공식을 이용한다.

$50x^2-2y^2=2(25x^2-y^2)$

$=2\{(5x)^2-y^2\}$

$=2(5x+y)(5x-y)$

07 답 ③

셀파 $(x+4)^2-x-6$을 전개한 후 인수분해한다.

$(x+4)^2-x-6=x^2+8x+16-x-6$

$=x^2+7x+10$

$=(x+2)(x+5)$

이때 $(x+2)(x+5)=(x+a)(x+b)$이므로

$a=2,\ b=5$ 또는 $a=5,\ b=2$

$\therefore\ a+b=7$

08 답 5

셀파 인수분해와 전개를 이용하여 a, b의 값을 구한다.

$12x^2+17x+a=(3x+5)(4x+b)$이므로

$a=5b,\ 17=3b+20$

$17=3b+20$에서 $3b=-3\qquad \therefore b=-1$

$a=5b=5\times(-1)=-5$

$\therefore\ ab=(-5)\times(-1)=5$

09 답 ③

셀파 인수분해 공식을 이용하여 좌변을 인수분해한다.

① $2x^2-4x+2=2(x^2-2x+1)=2(x-1)^2$

② x^2-3y^2은 유리수의 범위에서 인수분해할 수 없다.

③ $x^2+11x+30=(x+5)(x+6)$

④ $4x^2-24xy+12y^2=4(x^2-6xy+3y^2)$

⑤ $ax-bx+y(a-b)=x(a-b)+y(a-b)$

$=(a-b)(x+y)$

따라서 인수분해를 바르게 한 것은 ③이다.

10 답 ④

셀파 각 다항식을 인수분해한다.

$$2x^2+2x-4=2(x^2+x-2)$$
$$=2(x+2)(x-1)$$
$$x^2-5x-14=(x+2)(x-7)$$

따라서 주어진 두 다항식의 공통인수인 것은 ④ $x+2$이다.

11 답 15

셀파 $x-3$이 공통인수이므로 두 다항식은 모두 $x-3$을 인수로 가진다.

① a의 값 구하기 [40 %]

$x^2+ax-36=(x-3)(x+m)$으로 놓으면
$x^2+ax-36=x^2+(m-3)x-3m$
따라서 $a=m-3$, $-36=-3m$이므로
$m=12$, $a=9$

② b의 값 구하기 [40 %]

$3x^2-7x-b=(x-3)(3x+n)$으로 놓으면
$3x^2-7x-b=3x^2+(n-9)x-3n$
따라서 $-7=n-9$, $b=3n$이므로
$n=2$, $b=6$

③ $a+b$의 값 구하기 [20 %]

$\therefore a+b=9+6=15$

12 답 8

셀파 A, B가 제대로 본 계수와 상수항을 확인한다.

① A가 인수분해한 식에서 상수항 구하기 [30 %]

A는 상수항은 제대로 보았으므로
$(x+3)(x-4)=x^2-x-12$
에서 처음 이차식의 상수항은 -12이다.

② B가 인수분해한 식에서 x의 계수 구하기 [30 %]

B는 x의 계수는 제대로 보았으므로
$(x+6)(x-10)=x^2-4x-60$
에서 처음 이차식의 x의 계수는 -4이다.

③ 처음 이차식 인수분해하기 [20 %]

따라서 처음 이차식은 $x^2-4x-12$이므로 바르게 인수분해하면
$x^2-4x-12=(x+2)(x-6)$

④ $a-b$의 값 구하기 [20 %]

따라서 $a=2$, $b=-6(\because a>b)$이므로
$a-b=2-(-6)=8$

13 답 $x+2$

셀파 주어진 9개의 직사각형의 넓이의 합과 새로운 정사각형의 넓이가 같음을 이용한다.

주어진 9개의 직사각형의 넓이의 합은

$$x^2+x+x+x+x+1+1+1+1=x^2+4x+4$$
$$=(x+2)^2$$

이때 새로운 정사각형의 넓이는 주어진 9개의 직사각형의 넓이의 합과 같다.
따라서 새로운 정사각형의 넓이가 $(x+2)^2$이므로 구하는 한 변의 길이는 $x+2$이다.

14 답 (1) a^2-b^2 (2) $(a+b)(a-b)$ (3) $a^2-b^2=(a+b)(a-b)$

셀파 [그림 2]의 직사각형의 가로의 길이와 세로의 길이를 각각 구한다.

① [그림 1]의 도형의 넓이 구하기 [40 %]

(1) [그림 1]의 도형의 넓이는 a^2-b^2

② [그림 2]의 직사각형의 넓이 구하기 [40 %]

(2) [그림 2]의 직사각형은 가로의 길이가 $a+b$, 세로의 길이가 $a-b$이므로 그 넓이는 $(a+b)(a-b)$

③ (1), (2)에서 알 수 있는 인수분해 공식 말하기 [20 %]

(3) [그림 1]의 도형과 [그림 2]의 직사각형의 넓이가 같으므로 $a^2-b^2=(a+b)(a-b)$

15 답 $2x+5$

셀파 두 도형 A, B의 넓이가 같음을 이용한다.

도형 A의 넓이는
$(2x+3)^2-2^2=4x^2+12x+5=(2x+1)(2x+5)$
이때 도형 A의 넓이와 직사각형 B의 넓이가 같고
직사각형 B의 세로의 길이가 $2x+1$이므로 직사각형 B의 가로의 길이는 $2x+5$이다.

16 답 11, 13

셀파 $ab=30$을 만족하는 a, b의 순서쌍 (a, b)를 구한다.

$x^2+cx+30=(x+a)(x+b)$이므로 $ab=30$
$ab=30$을 만족하는 a, b의 순서쌍 (a, b)는
$(3, 10)$, $(5, 6)$
따라서 $c=a+b$이므로 상수 c의 값은
$3+10=13$ 또는 $5+6=11$

8 인수분해 공식의 활용

1. 여러 가지 식의 인수분해

개념 익히기

본문 | 115, 117쪽

1-1 답 (1) $b(a-3)^2$ (2) $(x+y)(x+4)(x-4)$

(1) $a^2b-6ab+9b$
$=b(a^2-6a+9)$ — 공통인수로 묶는다.
$=b(a-\boxed{3})^2$ — 인수분해한다.

(2) $(x+y)x^2-16(x+y)$
$=(x+y)(x^2-\boxed{16})$ — 공통인수로 묶는다.
$=(x+y)(x+\boxed{4})(x-\boxed{4})$ — 인수분해한다.

1-2 답 (1) $5(x-y)^2$ (2) $b(2a+b)(2a-b)$
(3) $2y^2(x-1)^2$ (4) $3ab(a-1)(a-3)$

(1) $5x^2-10xy+5y^2$
$=5(x^2-2xy+y^2)$ — 공통인수로 묶는다.
$=5(x-y)^2$ — 인수분해한다.

(2) $4a^2b-b^3$
$=b(4a^2-b^2)$ — 공통인수로 묶는다.
$=b\{(2a)^2-b^2\}$
$=b(2a+b)(2a-b)$ — 인수분해한다.

(3) $2x^2y^2-4xy^2+2y^2$
$=2y^2(x^2-2x+1)$ — 공통인수로 묶는다.
$=2y^2(x-1)^2$ — 인수분해한다.

(4) $3a^3b-12a^2b+9ab$
$=3ab(a^2-4a+3)$ — 공통인수로 묶는다.
$=3ab(a-1)(a-3)$ — 인수분해한다.

2-1 답 (1) $(x-1)(x-7)$ (2) $3x(x+2y)$

(1) $(x-3)^2-2(x-3)-8$
$=A^2-2A-8$ — $x-3=A$로 놓는다.
$=(A+2)(A-\boxed{4})$ — 인수분해한다.
$=\{(x-3)+2\}\{(x-3)-\boxed{4}\}$ — A 대신 $x-3$을 대입한다.
$=\boxed{(x-1)(x-7)}$

(2) $(2x+y)^2-(x-y)^2$
$=A^2-B^2$ — $2x+y=A,\ x-y=B$로 놓는다.
$=(A+\boxed{B})(A-\boxed{B})$ — 인수분해한다.
$=\{(2x+y)+(\boxed{x-y})\}\{(2x+y)-(\boxed{x-y})\}$ — A 대신 $2x+y$, B 대신 $x-y$를 대입한다.
$=(2x+y+x-y)(2x+y-x+y)$
$=\boxed{3x(x+2y)}$

2-2 답 (1) $a(a+5)$ (2) $(x+y+1)^2$
(3) $(a+b+1)(a-b-7)$
(4) $(x+2y-5)(x+5y-14)$

(1) $(a+1)^2+3(a+1)-4$
$=A^2+3A-4$ — $a+1=A$로 놓는다.
$=(A-1)(A+4)$ — 인수분해한다.
$=\{(a+1)-1\}\{(a+1)+4\}$ — A 대신 $a+1$을 대입한다.
$=a(a+5)$

(2) $(x+y)^2+2x+2y+1$
$=(x+y)^2+2(x+y)+1$
$=A^2+2A+1$ — $x+y=A$로 놓는다.
$=(A+1)^2$ — 인수분해한다.
$=(x+y+1)^2$ — A 대신 $x+y$를 대입한다.

(3) $(a-3)^2-(b+4)^2$
$=A^2-B^2$ — $a-3=A,\ b+4=B$로 놓는다.
$=(A+B)(A-B)$ — 인수분해한다.
$=\{(a-3)+(b+4)\}\{(a-3)-(b+4)\}$ — A 대신 $a-3$, B 대신 $b+4$를 대입한다.
$=(a-3+b+4)(a-3-b-4)$
$=(a+b+1)(a-b-7)$

(4) $(x+1)^2+7(x+1)(y-3)+10(y-3)^2$
$=A^2+7AB+10B^2$ — $x+1=A,\ y-3=B$로 놓는다.
$=(A+2B)(A+5B)$ — 인수분해한다.
$=\{(x+1)+2(y-3)\}\{(x+1)+5(y-3)\}$ — A 대신 $x+1$, B 대신 $y-3$을 대입한다.
$=(x+1+2y-6)(x+1+5y-15)$
$=(x+2y-5)(x+5y-14)$

3-1 답 (1) $(y-z)(x+1)$ (2) $(3x+y+1)(3x-y-1)$

(1) $xy-xz+y-z$
$=(xy-xz)+(y-z)$ — (2항)+(2항)으로 묶는다.
$=\boxed{x}(y-z)+(y-z)$ — 각 묶음 안에서 공통인수로 묶는다.
$=(y-\boxed{z})(\boxed{x}+1)$ — 인수분해한다.

(2) $9x^2-y^2-2y-1$
$=9x^2-(y^2+2y+1)$ — (1항)+(3항)으로 묶는다.
$=(\boxed{3x})^2-(y+1)^2$ — A^2-B^2 꼴로 만든다.
$=\{\boxed{3x}+(y+1)\}\{\boxed{3x}-(y+1)\}$ — 인수분해한다.
$=(3x+y+1)(\boxed{3x-y-1})$

3-2 답 (1) $(a-b)(a+1)$ (2) $(x-2y)(a+b)$
(3) $(x-2y+1)(x-2y-1)$
(4) $(a+b-4)(a-b+4)$

(1) $a^2-ab+a-b$
$=(a^2-ab)+(a-b)$ ← (2항)+(2항)으로 묶는다.
$=a(a-b)+(a-b)$ ← 각 묶음 안에서 공통인수로 묶는다.
$=(a-b)(a+1)$ ← 인수분해한다.

(2) $ax-2ay+bx-2by$
$=(ax-2ay)+(bx-2by)$ ← (2항)+(2항)으로 묶는다.
$=a(x-2y)+b(x-2y)$ ← 각 묶음 안에서 공통인수로 묶는다.
$=(x-2y)(a+b)$ ← 인수분해한다.

(3) $x^2-4xy+4y^2-1$
$=(x^2-4xy+4y^2)-1$ ← (3항)+(1항)으로 묶는다.
$=(x-2y)^2-1^2$ ← A^2-B^2 꼴로 만든다.
$=(x-2y+1)(x-2y-1)$ ← 인수분해한다.

(4) $a^2-b^2+8b-16$
$=a^2-(b^2-8b+16)$ ← (1항)+(3항)으로 묶는다.
$=a^2-(b-4)^2$ ← A^2-B^2 꼴로 만든다.
$=\{a+(b-4)\}\{a-(b-4)\}$ ← 인수분해한다.
$=(a+b-4)(a-b+4)$

4-1 답 $(x-2)(x+2y-3)$

$x^2+2xy-5x-4y+6$
$=2xy-4y+x^2-5x+6$ ← 차수가 가장 낮은 문자 y에 대하여 내림차순으로 정리한다.
$=2y(\boxed{x-2})+(\boxed{x-2})(x-3)$
$=(x-2)(2y+x-3)$
$=\boxed{(x-2)(x+2y-3)}$

4-2 답 $y+2$, $y-4$, $x+y+2$, $x-y+4$

$x^2-y^2+6x+2y+8$
$=x^2+6x-y^2+2y+8$
$=x^2+6x-(y^2-2y-8)$
$=x^2+6x-(y+2)(y-4)$

$x \quad y+2 \longrightarrow (y+2)x$
$x \quad -(y-4) \longrightarrow -(y-4)x$ (+
$6x$

$=\{x+(\boxed{y+2})\}\{x-(\boxed{y-4})\}$
$=(\boxed{x+y+2})(\boxed{x-y+4})$

본문 | 118~120 쪽

01 답 (1) $2x(y+3)(y-4)$ (2) $a(2a+b)(3a-2b)$

셀파 먼저 공통인수로 묶고 인수분해한다.

(1) $2xy^2-2xy-24x=2x(y^2-y-12)$
$=2x(y+3)(y-4)$

(2) $6a^3-a^2b-2ab^2=a(6a^2-ab-2b^2)$
$=a(2a+b)(3a-2b)$

$2a \quad b \longrightarrow 3ab$
$3a \quad -2b \longrightarrow -4ab$ (+
$-ab$

02 답 (1) $(a-5)(a-6)$ (2) $3(3x-4y+3)^2$
(3) $(x+y-5)(x+y+2)$
(4) $(3a-2b-1)(3a-2b+2)$

셀파 공통부분을 한 문자로 치환한다.

(1) $a-2=A$로 놓으면
$(a-2)^2-7(a-2)+12$
$=A^2-7A+12$
$=(A-3)(A-4)$
$=\{(a-2)-3\}\{(a-2)-4\}$
$=(a-5)(a-6)$

(2) $3x-4y=A$로 놓으면
$3(3x-4y)^2+18(3x-4y)+27$
$=3A^2+18A+27$
$=3(A^2+6A+9)$
$=3(A+3)^2$
$=3\{(3x-4y)+3\}^2$
$=3(3x-4y+3)^2$

(3) $x+y=A$로 놓으면
$(x+y)(x+y-3)-10$
$=A(A-3)-10$
$=A^2-3A-10$
$=(A-5)(A+2)$
$=(x+y-5)(x+y+2)$

(4) $3a-2b=A$로 놓으면
$(3a-2b-2)(3a-2b+3)+4$
$=(A-2)(A+3)+4$
$=(A^2+A-6)+4$
$=A^2+A-2$
$=(A-1)(A+2)$
$=(3a-2b-1)(3a-2b+2)$

03 답 (1) $(5a+2b)(3a+4b)$ (2) $(2x+y+4)^2$

셀파 치환해야 하는 대상이 2개이면 각각 A, B로 치환한다.

(1) $4a+3b=A$, $a-b=B$로 놓으면

$$\begin{aligned}&(4a+3b)^2-(a-b)^2\\&=A^2-B^2\\&=(A+B)(A-B)\\&=\{(4a+3b)+(a-b)\}\{(4a+3b)-(a-b)\}\\&=(4a+3b+a-b)(4a+3b-a+b)\\&=(5a+2b)(3a+4b)\end{aligned}$$

(2) $(2x+1)^2+(2x+1)(2y+6)+(y+3)^2$
$=(2x+1)^2+2(2x+1)(y+3)+(y+3)^2$

$2x+1=A$, $y+3=B$로 놓으면

$$\begin{aligned}(\text{주어진 식})&=A^2+2AB+B^2\\&=(A+B)^2\\&=(2x+1+y+3)^2\\&=(2x+y+4)^2\end{aligned}$$

04 답 (1) $(x+1)(x-1)^2$ (2) $(x-1)(y-1)$

셀파 공통인수가 있는 두 항씩 묶어 인수분해한다.

(1) $$\begin{aligned}x^3-x^2-x+1&=x^2(x-1)-(x-1)\\&=(x-1)(x^2-1)\\&=(x-1)(x+1)(x-1)\\&=(x+1)(x-1)^2\end{aligned}$$

(2) $$\begin{aligned}xy+1-x-y&=xy-x-y+1\\&=x(y-1)-(y-1)\\&=(y-1)(x-1)\\&=(x-1)(y-1)\end{aligned}$$

▌다른 풀이▌ (2) $xy-y$와 $1-x$로 묶어서 인수분해해도 된다.

$$\begin{aligned}xy+1-x-y&=xy-y+1-x\\&=y(x-1)-(x-1)\\&=(x-1)(y-1)\end{aligned}$$

05 답 (1) $(x-y+1)(-x+y+1)$
(2) $(3x-2y+6)(3x-2y-6)$

셀파 완전제곱식이 되는 항 3개를 묶는다.

(1) $$\begin{aligned}1-x^2+2xy-y^2&=1-(x^2-2xy+y^2)\\&=1^2-(x-y)^2\\&=\{1+(x-y)\}\{1-(x-y)\}\\&=(1+x-y)(1-x+y)\\&=(x-y+1)(-x+y+1)\end{aligned}$$

(2) $$\begin{aligned}9x^2+4y^2-12xy-36&=(9x^2-12xy+4y^2)-36\\&=(3x-2y)^2-6^2\\&=(3x-2y+6)(3x-2y-6)\end{aligned}$$

06 답 $2x+y+3$

셀파 차수가 가장 낮은 문자 y에 대하여 내림차순으로 정리한 후 인수분해한다.

문자 y에 대하여 내림차순으로 정리하면

$$\begin{aligned}x^2+xy+3x+y+2&=(x+1)y+x^2+3x+2\\&=(x+1)y+(x+1)(x+2)\\&=(x+1)(y+x+2)\\&=(x+1)(x+y+2)\end{aligned}$$

$\therefore$ (두 일차식의 합)$=(x+1)+(x+y+2)=2x+y+3$

풀고 또 풀고 집중 연습 여러 가지 식의 인수분해

본문 | 121 쪽

1 답 (1) $2a(b-2)^2$ (2) $(x-1)(x+2)(x-2)$
(3) $(x+1)(a+5)(a-2)$ (4) $(x+y)(2x+3y)$

(1) $$\begin{aligned}2ab^2-8ab+8a&=2a(b^2-4b+4)\\&=2a(b-2)^2\end{aligned}$$

(2) $$\begin{aligned}(x^2+1)(x-1)-5(x-1)&=(x-1)\{(x^2+1)-5\}\\&=(x-1)(x^2-4)\\&=(x-1)(x+2)(x-2)\end{aligned}$$

(3) $$\begin{aligned}&(x+1)a^2+3(x+1)a-10(x+1)\\&=(x+1)(a^2+3a-10)\\&=(x+1)(a+5)(a-2)\end{aligned}$$

(4) $$\begin{aligned}&(3x+2y)(x+y)-(x-y)(x+y)\\&=(x+y)\{(3x+2y)-(x-y)\}\\&=(x+y)(3x+2y-x+y)\\&=(x+y)(2x+3y)\end{aligned}$$

2 답 (1) $(a+b-3)(a+b+7)$ (2) $(a+2b-8)(a+2b+2)$
(3) $3x(x-6)$ (4) $(4x+y)(-x+5y)$
(5) $3x(-2x+7y)$

(1) $a+b=A$로 놓으면

$$\begin{aligned}(a+b)^2+4(a+b)-21&=A^2+4A-21\\&=(A-3)(A+7)\\&=(a+b-3)(a+b+7)\end{aligned}$$

(2) $a+2b=A$로 놓으면

$$(a+2b)(a+2b-6)-16=A(A-6)-16$$
$$=A^2-6A-16$$
$$=(A-8)(A+2)$$
$$=\{(a+2b)-8\}\{(a+2b)+2\}$$
$$=(a+2b-8)(a+2b+2)$$

(3) $2x-3=A$, $x+3=B$로 놓으면

$$(2x-3)^2-(x+3)^2$$
$$=A^2-B^2$$
$$=(A+B)(A-B)$$
$$=\{(2x-3)+(x+3)\}\{(2x-3)-(x+3)\}$$
$$=(2x-3+x+3)(2x-3-x-3)$$
$$=3x(x-6)$$

(4) $x+2y=A$, $3x-y=B$로 놓으면

$$2(x+2y)^2+(x+2y)(3x-y)-(3x-y)^2$$
$$=2A^2+AB-B^2$$
$$=(A+B)(2A-B)$$
$$=\{(x+2y)+(3x-y)\}\{2(x+2y)-(3x-y)\}$$
$$=(x+2y+3x-y)(2x+4y-3x+y)$$
$$=(4x+y)(-x+5y)$$

(5) $x+y=A$, $x-2y=B$로 놓으면

$$2(x+y)^2+5(x+y)(2y-x)-3(x-2y)^2$$
$$=2(x+y)^2-5(x+y)(x-2y)-3(x-2y)^2$$
$$=2A^2-5AB-3B^2$$
$$=(A-3B)(2A+B)$$
$$=\{(x+y)-3(x-2y)\}\{2(x+y)+(x-2y)\}$$
$$=(x+y-3x+6y)(2x+2y+x-2y)$$
$$=(-2x+7y)3x$$
$$=3x(-2x+7y)$$

3 답 (1) $(b+5)(a+1)$ (2) $(y-4)(x+a)$
(3) $(c-d)(a-b)$ (4) $(a+b+7)(a-b+7)$
(5) $(2x+y+5z)(2x-y-5z)$
(6) $(a+b-c)(a-b+c)$

(1) $ab+5a+b+5=a(b+5)+(b+5)=(b+5)(a+1)$

(2) $xy-4x+ay-4a=x(y-4)+a(y-4)=(y-4)(x+a)$

(3) $ac+bd-ad-bc=ac-ad+bd-bc$
$$=a(c-d)-b(c-d)$$
$$=(c-d)(a-b)$$

(4) $a^2+14a+49-b^2=(a+7)^2-b^2$
$$=\{(a+7)+b\}\{(a+7)-b\}$$
$$=(a+b+7)(a-b+7)$$

(5) $4x^2-y^2-10yz-25z^2=4x^2-(y^2+10yz+25z^2)$
$$=(2x)^2-(y+5z)^2$$
$$=\{2x+(y+5z)\}\{2x-(y+5z)\}$$
$$=(2x+y+5z)(2x-y-5z)$$

(6) $2bc-b^2-c^2+a^2=a^2-(b^2-2bc+c^2)$
$$=a^2-(b-c)^2$$
$$=\{a+(b-c)\}\{a-(b-c)\}$$
$$=(a+b-c)(a-b+c)$$

다른 풀이 (1) $ab+5a+b+5=ab+b+5a+5$
$$=b(a+1)+5(a+1)$$
$$=(a+1)(b+5)$$

(2) $xy-4x+ay-4a=xy+ay-4x-4a$
$$=y(x+a)-4(x+a)$$
$$=(x+a)(y-4)$$

(3) $ac+bd-ad-bc=ac-bc+bd-ad$
$$=c(a-b)-d(a-b)$$
$$=(a-b)(c-d)$$

4 답 (1) $(x+3)(2x+y-5)$ (2) $(x-2)(x+y-3)$
(3) $(x-y-2)(2x+y-3)$ (4) $(a-2b)(a-2b-3)$

(1) $2x^2+xy+x+3y-15=(x+3)y+2x^2+x-15$
$$=(x+3)y+(x+3)(2x-5)$$
$$=(x+3)(2x+y-5)$$

(2) $x^2+xy-5x-2y+6=(x-2)y+x^2-5x+6$
$$=(x-2)y+(x-2)(x-3)$$
$$=(x-2)(x+y-3)$$

(3) $2x^2-xy-y^2+y-7x+6$
$$=2x^2-(y+7)x-(y^2-y-6)$$
$$=2x^2-(y+7)x-(y+2)(y-3)$$

$x \to -(y+2) \longrightarrow -2(y+2)x$
$2x \to (y-3) \longrightarrow (y-3)x\ (+$
$-(y+7)x$

$$=\{x-(y+2)\}\{2x+(y-3)\}$$
$$=(x-y-2)(2x+y-3)$$

(4) $a^2-4ab+4b^2-3a+6b=(a-2b)^2-3(a-2b)$
$$=(a-2b)(a-2b-3)$$

2. 인수분해 공식의 활용

개념 익히기

본문 | 123 쪽

1-1 답 (1) 9600 (2) 400

(1) 인수분해 공식 $a^2-b^2=\boxed{(a+b)(a-b)}$를 이용하면

98^2-2^2

$=(98+\boxed{2})(98-\boxed{2})$

$=\boxed{100}\times\boxed{96}=\boxed{9600}$

(2) 인수분해 공식 $a^2+2ab+b^2=\boxed{(a+b)^2}$을 이용하면

$13^2+2\times13\times7+7^2$

$=(13+\boxed{7})^2$

$=\boxed{20}^2=\boxed{400}$

1-2 답 (1) ㉣, 10600 (2) ㉢, 100

(1) ㉣ $a^2-b^2=(a+b)(a-b)$를 이용하면

$103^2-3^2=(103+3)(103-3)$

$=106\times100=10600$

(2) ㉢ $a^2-2ab+b^2=(a-b)^2$을 이용하면

$18^2-2\times18\times8+8^2=(18-8)^2$

$=10^2=100$

2-1 답 (1) 10000 (2) $4\sqrt{55}$

(1) x^2-6x+9

$=(x-\boxed{3})^2$ ← 인수분해

$=(103-\boxed{3})^2$ ← x의 값 대입

$=100^2=\boxed{10000}$

(2) x^2-y^2

$=(x+y)(x-\boxed{y})$ ← 인수분해

$=\{(\sqrt{55}+1)+(\sqrt{55}-1)\}\{(\sqrt{55}+1)-(\sqrt{55}-1)\}$ ← x, y의 값 각각 대입

$=2\sqrt{55}\times\boxed{2}$

$=\boxed{4\sqrt{55}}$

2-2 답 (1) 6, 6, 10000 (2) y, $\sqrt{2}-1$, 4

(1) $x^2+12x+36$

$=(x+\boxed{6})^2$ ← 인수분해

$=(94+\boxed{6})^2$ ← x의 값 대입

$=100^2=\boxed{10000}$

(2) $x^2-2xy+y^2$

$=(x-\boxed{y})^2$ ← 인수분해

$=\{(\sqrt{2}+1)-(\boxed{\sqrt{2}-1})\}^2$ ← x, y의 값 각각 대입

$=(\sqrt{2}+1-\sqrt{2}+1)^2$

$=2^2=\boxed{4}$

유형 익히기 – 확인 문제

본문 | 124~125 쪽

01 답 12

셀파 근호 안의 수를 인수분해 공식을 이용하여 계산한다.

$A=\sqrt{52^2-48^2}=\sqrt{(52+48)(52-48)}$

$=\sqrt{100\times4}=\sqrt{400}=\sqrt{20^2}=20$

$B=\sqrt{0.36\times0.23+0.36\times0.77}$

$=\sqrt{0.36\times(0.23+0.77)}$ ($0.23+0.77$ → 1)

$=\sqrt{0.36}=\sqrt{0.6^2}=0.6$

$\therefore AB=20\times0.6=12$

02 답 $8\sqrt{3}$

셀파 주어진 식을 인수분해하여 간단히 한 후 대입한다.

$x^3y-xy^3=xy(x^2-y^2)=xy(x+y)(x-y)$

이때

$x=\dfrac{2}{\sqrt{3}-1}=\dfrac{2\times(\sqrt{3}+1)}{(\sqrt{3}-1)(\sqrt{3}+1)}=\dfrac{2(\sqrt{3}+1)}{2}=\sqrt{3}+1$,

$y=\dfrac{2}{\sqrt{3}+1}=\dfrac{2\times(\sqrt{3}-1)}{(\sqrt{3}+1)(\sqrt{3}-1)}=\dfrac{2(\sqrt{3}-1)}{2}=\sqrt{3}-1$

이므로

$xy=(\sqrt{3}+1)(\sqrt{3}-1)=3-1=2$,

$x+y=\sqrt{3}+1+\sqrt{3}-1=2\sqrt{3}$,

$x-y=\sqrt{3}+1-(\sqrt{3}-1)=2$

$\therefore x^3y-xy^3=xy(x+y)(x-y)=2\times2\sqrt{3}\times2=8\sqrt{3}$

03 답 10

셀파 값을 구하려는 식을 인수분해한 후 $x+y$, $x-y$의 값을 각각 대입한다.

$x^2-6x+9-y^2=(x-3)^2-y^2$

$=(x-3+y)(x-3-y)$

$=(x+y-3)(x-y-3)$

$=(8-3)(5-3)$ ← $x+y=8$, $x-y=5$를 대입한다.

$=5\times2=10$

04 답 $100\pi\text{ cm}^2$

셀파 반지름의 길이가 r, 중심각의 크기가 $x°$인 부채꼴의 넓이는 $\pi\times r^2\times\dfrac{x}{360}$

(한지 부분의 넓이)=(큰 부채꼴의 넓이)−(작은 부채꼴의 넓이)

$=\pi\times17.5^2\times\dfrac{144}{360}-\pi\times7.5^2\times\dfrac{144}{360}$

$=\pi\times\dfrac{144}{360}\times(17.5^2-7.5^2)$

$=\pi\times\dfrac{2}{5}\times(17.5+7.5)(17.5-7.5)$

$=\pi\times\dfrac{2}{5}\times25\times10=100\pi\ (\text{cm}^2)$

실력 키우기

본문 | 127~129 쪽

01 답 ③

셀파 공통인수로 먼저 묶어 내고 인수분해 공식을 이용한다.

$(a-b)x^2+5(a-b)x+6a-6b$
$=(a-b)x^2+5(a-b)x+6(a-b)$
$=(a-b)(x^2+5x+6)$
$=(a-b)(x+2)(x+3)$

02 답 (1) ㉡ (2) $(2a+3)(a-2)$

셀파 치환을 이용하여 인수분해한다.

① 처음으로 잘못된 부분 말하기 [50 %]

(1) $2A^2-5A-3=(2A+1)(A-3)$이므로
처음으로 잘못된 부분은 ㉡이다.

② 주어진 식을 바르게 인수분해하기 [50 %]

(2) $2(a+1)^2-5(a+1)-3$
$=2A^2-5A-3$
$=(2A+1)(A-3)$
$=\{2(a+1)+1\}\{(a+1)-3\}$
$=(2a+3)(a-2)$

03 답 5

셀파 공통부분을 A로 치환한다.

$(x-y-2)(x-y+2)+3x-3y$
$=\{(x-y)-2\}\{(x-y)+2\}+3(x-y)$
$x-y=A$로 놓으면
(주어진 식)$=(A-2)(A+2)+3A$
$=A^2+3A-4$
$=(A-1)(A+4)$
$=(x-y-1)(x-y+4)$
따라서 $a=1$, $b=4$이므로 $a+b=1+4=5$

04 답 2

셀파 치환한 후 A^2-B^2 꼴의 인수분해 공식을 이용한다.

$2x-y=A$, $x+3y=B$로 놓으면
$(2x-y)^2-16(x+3y)^2$
$=A^2-16B^2=A^2-(4B)^2$
$=(A+4B)(A-4B)$
$=\{(2x-y)+4(x+3y)\}\{(2x-y)-4(x+3y)\}$
$=(2x-y+4x+12y)(2x-y-4x-12y)$
$=(6x+11y)(-2x-13y)$
$=-(6x+11y)(2x+13y)$
따라서 $a=11$, $b=13$이므로 $b-a=13-11=2$

05 답 ①, ③

셀파 공통부분이 생기도록 두 항씩 묶어 인수분해한다.

$x^2y+x^2-4y-4=x^2(y+1)-4(y+1)$
$=(y+1)(x^2-4)$
$=(y+1)(x+2)(x-2)$
이므로 x^2y+x^2-4y-4의 인수가 아닌 것은 ①, ③이다.

06 답 $2y$

셀파 (2항)과 (2항) 또는 (3항)과 (1항)으로 나누어 인수분해한다.

① A 구하기 [40 %]

$x^2-4x-y^2+4y=x^2-y^2-4x+4y$
$=(x+y)(x-y)-4(x-y)$
$=(x-y)(x+y-4)$
$\therefore A=x+y-4$

② B 구하기 [40 %]

$x^2-y^2-8x+16=x^2-8x+16-y^2$
$=(x-4)^2-y^2$
$=(x-4+y)(x-4-y)$
$=(x+y-4)(x-y-4)$
$\therefore B=x-y-4$

③ $A-B$를 간단히 하기 [20 %]

$\therefore A-B=x+y-4-(x-y-4)$
$=x+y-4-x+y+4$
$=2y$

07 답 ④, ⑤

셀파 ④는 공통인수 xy, ⑤는 공통인수 x^2으로 묶어 낸 후 인수분해한다.

① $(x-y)^2-2x+2y=(x-y)^2-2(x-y)$
$=(x-y)(x-y-2)$

② $x^2-16+25y^2-10xy=(x^2-10xy+25y^2)-16$
$=(x-5y)^2-4^2$
$=(x-5y+4)(x-5y-4)$

③ $(x-3)^2-4y^2=(x-3)^2-(2y)^2$
$=(x-3+2y)(x-3-2y)$
$=(x+2y-3)(x-2y-3)$

④ $x^3y-10x^2y+25xy=xy(x^2-10x+25)$
$=xy(x-5)^2$

⑤ $x^4-16x^2=x^2(x^2-16)$
$=x^2(x+4)(x-4)$

따라서 옳지 않은 것은 ④, ⑤이다.

08 답 10

셀파 x, y의 차수가 같으므로 한 문자에 대하여 내림차순으로 정리한다.

문자 x에 대하여 내림차순으로 정리하면

$x^2+6x+2xy+y^2+6y-16$

$=x^2+(2y+6)x+y^2+6y-16$

$=x^2+(2y+6)x+(y-2)(y+8)$

$$\begin{array}{lll} x & y-2 \to & (y-2)x \\ x & y+8 \to & (y+8)x\ (+ \\ & & (2y+6)x \end{array}$$

$=(x+y-2)(x+y+8)$

따라서 $a=1, b=2, c=1, d=8$이므로

$a+b-c+d=1+2-1+8=10$

09 답 ③

셀파 가장 적합한 인수분해 공식을 찾는다.

$\sqrt{26^2-24^2}=\sqrt{(26+24)(26-24)}$

$=\sqrt{50\times2}$

$=\sqrt{100}=10$

따라서 ③ $a^2-b^2=(a+b)(a-b)$를 이용하는 것이 가장 편리하다.

10 답 4

셀파 수를 문자로 생각하고 인수분해 공식을 이용한다.

$\dfrac{394^2+4\times394-12}{198^2-4}$에서

① 분자 계산하기 [35 %]

$(\text{분자})=394^2+4\times394-2\times6$

$=(394-2)(394+6)$

$=392\times400$

② 분모 계산하기 [35 %]

$(\text{분모})=198^2-2^2=(198+2)(198-2)$

$=200\times196$

③ 주어진 식 계산하기 [30 %]

$\therefore \dfrac{394^2+4\times394-12}{198^2-4}=\dfrac{392\times400}{200\times196}=4$

11 답 $\dfrac{11}{20}$

셀파 인수분해 공식 $a^2-b^2=(a+b)(a-b)$를 이용한다.

$\left(1-\dfrac{1}{2^2}\right)\left(1-\dfrac{1}{3^2}\right)\left(1-\dfrac{1}{4^2}\right)\cdots\left(1-\dfrac{1}{10^2}\right)$

$=\left\{1^2-\left(\dfrac{1}{2}\right)^2\right\}\left\{1^2-\left(\dfrac{1}{3}\right)^2\right\}\left\{1^2-\left(\dfrac{1}{4}\right)^2\right\}\cdots\left\{1^2-\left(\dfrac{1}{10}\right)^2\right\}$

$=\left(1-\dfrac{1}{2}\right)\left(1+\dfrac{1}{2}\right)\left(1-\dfrac{1}{3}\right)\left(1+\dfrac{1}{3}\right)\left(1-\dfrac{1}{4}\right)\left(1+\dfrac{1}{4}\right)$

$\cdots\left(1-\dfrac{1}{10}\right)\left(1+\dfrac{1}{10}\right)$

$=\dfrac{1}{2}\times\dfrac{3}{2}\times\dfrac{2}{3}\times\dfrac{4}{3}\times\dfrac{3}{4}\times\dfrac{5}{4}\times\cdots\times\dfrac{9}{10}\times\dfrac{11}{10}$

$=\dfrac{1}{2}\times\dfrac{11}{10}=\dfrac{11}{20}$

12 답 $\sqrt{3}$

셀파 문자에 값을 바로 대입하지 말고 주어진 식을 변형한다.

$\dfrac{x^2+2xy+y^2}{x^2-y^2}=\dfrac{(x+y)^2}{(x+y)(x-y)}=\dfrac{x+y}{x-y}$

이때 $x+y=\sqrt{6}+\sqrt{2}+\sqrt{6}-\sqrt{2}=2\sqrt{6}$,

$x-y=\sqrt{6}+\sqrt{2}-(\sqrt{6}-\sqrt{2})=2\sqrt{2}$

이므로 $\dfrac{x+y}{x-y}=\dfrac{2\sqrt{6}}{2\sqrt{2}}=\sqrt{3}$

13 답 ①

셀파 주어진 식을 인수분해한 후 $a+b$, $a-b$의 값을 각각 대입한다.

$a^3-b^3+a^2b-ab^2=a^2(a+b)-b^2(a+b)$

$=(a+b)(a^2-b^2)$

$=(a+b)(a+b)(a-b)$

$=(a-b)(a+b)^2$ ← $a+b=3, a-b=7$을 대입한다.

$=7\times3^2$

$=63$

14 답 (1) 5 (2) $x=3, y=1$

셀파 $6x^2-xy-y^2=50$의 좌변을 인수분해하여 $2x-y$의 값을 구한다.

① $2x-y$의 값 구하기 [50 %]

(1) $6x^2-xy-y^2=50$의 좌변을 인수분해하면

$6x^2-xy-y^2=(2x-y)(3x+y)$

$(2x-y)(3x+y)=50$에서

$3x+y=10$이므로 $2x-y=5$

② x, y의 값 구하기 [50 %]

(2) 연립방정식 $\begin{cases} 3x+y=10 & \cdots\cdots ㉠ \\ 2x-y=5 & \cdots\cdots ㉡ \end{cases}$에서

㉠+㉡을 하면 $5x=15$ $\quad\therefore x=3$

$x=3$을 ㉡에 대입하면 $2\times3-y=5$ $\quad\therefore y=1$

15 답 $2x+3$

셀파 도형 A의 넓이와 직사각형 B의 가로의 길이를 이용하여 직사각형 B의 세로의 길이를 구한다.

도형 A의 넓이는

$(3x+5)^2-(x+2)^2$

$=\{(3x+5)+(x+2)\}\{(3x+5)-(x+2)\}$

$=(4x+7)(2x+3)$

이때 도형 A의 넓이와 직사각형 B의 넓이가 같고 직사각형 B의 가로의 길이가 $4x+7$이므로 직사각형 B의 세로의 길이는 $2x+3$이다.

16 답 6

셀파 공통부분이 생기도록 일차식을 두 개씩 묶어 전개한다.

$(x-1)(x+1)(x+3)(x+5)-9$

$=(x-1)(x+5)(x+1)(x+3)-9$

$=(x^2+4x-5)(x^2+4x+3)-9$

$x^2+4x=A$로 놓으면

(주어진 식)$=(A-5)(A+3)-9$

$=A^2-2A-24$

$=(A+4)(A-6)$

$=(x^2+4x+4)(x^2+4x-6)$

$=(x+2)^2(x^2+4x-6)$

따라서 $a=2$, $b=4$이므로 $a+b=6$

17 답 (1) $17\times5\times3$ (2) 17

셀파 $a^2-b^2=(a+b)(a-b)$를 반복적으로 이용한다.

(1) $2^8-1=(2^4)^2-1^2$

$=(2^4+1)(2^4-1)$

$=(2^4+1)\{(2^2)^2-1^2\}$

$=(2^4+1)(2^2+1)(2^2-1)$

$=(2^4+1)(2^2+1)(2+1)(2-1)$

$=17\times5\times3$

(2) (1)에서 2^8-1은 10과 20 사이의 소수인 17로 나누어떨어짐을 알 수 있다.

18 답 $\frac{1}{16}$

셀파 $x^2-2xy+y^2=(x-y)^2$이므로 $ax+bx-ay-by=1$의 좌변을 인수분해하여 $x-y$의 값을 구한다.

$ax+bx-ay-by=1$의 좌변을 인수분해하면

$x(a+b)-y(a+b)=(a+b)(x-y)$

$(a+b)(x-y)=1$에서 $a+b=4$이므로

$4(x-y)=1$ $\quad\therefore x-y=\frac{1}{4}$

$\therefore x^2-2xy+y^2=(x-y)^2=\left(\frac{1}{4}\right)^2=\frac{1}{16}$

19 답 4400π cm^3

셀파 (원기둥의 부피)=(밑넓이)×(높이)임을 이용하여 식을 세우고 인수분해 공식을 이용하여 계산한다.

(구하는 부피)=(바깥쪽 원기둥의 부피)−(안쪽 원기둥의 부피)

$=\pi\times15.5^2\times20-\pi\times4.5^2\times20$

$=\pi\times20\times(15.5^2-4.5^2)$

$=\pi\times20\times(15.5+4.5)(15.5-4.5)$

$=\pi\times20\times20\times11$

$=4400\pi$ (cm^3)

Ⅲ. 이차방정식

9 이차방정식의 풀이

본문 | 133, 135쪽

1-1 답 1. (1) $x^2-x-2=0$, 이차방정식이다.
(2) $-3x+5=0$, 이차방정식이 아니다.
2. $x=1$

1. (1) $x^2-2=x$에서 우변에 있는 x를 이항하면 $\boxed{x^2-x-2}=0$
⇨ 이차방정식 $\boxed{\text{이다}}$.
(2) $5+x^2=x^2+3x$에서 우변에 있는 x^2, $3x$를 이항하면
$5+x^2-x^2-3x=0$
$\therefore \boxed{-3x+5}=0$
⇨ 이차방정식 $\boxed{\text{이 아니다}}$.

2. 이차방정식 $x^2+x-2=0$에
$x=-1$을 대입하면 $(-1)^2+(-1)-2=-2\neq 0$
$x=0$을 대입하면 $0^2+0-2=-2\boxed{\neq}0$
$x=1$을 대입하면 $1^2+1-2\boxed{=}0$
따라서 이차방정식 $x^2+x-2=0$의 해는 $x=\boxed{1}$

1-2 답 ㉠, ㉢
㉠ $x^2-x=-1$에서 $x^2-x+1=0$ ⇨ 이차방정식이다.
㉡ x^2-6x-3 ⇨ 등호가 없으므로 이차방정식이 아니고 이차식이다.
㉢ $x(x-1)=0$에서 $x^2-x=0$ ⇨ 이차방정식이다.
㉣ $-2x^2=x-2x^2$에서 $-x=0$ ⇨ 이차방정식이 아니다.
따라서 x에 대한 이차방정식인 것은 ㉠, ㉢이다.

1-3 답 (1) ○ (2) × (3) ○
(1) $(x-1)(x+2)=0$에 $x=-2$를 대입하면
$(-2-1)\times(-2+2)=-3\times 0=0$
이므로 $x=-2$는 해이다.
(2) $x^2-4x-12=0$에 $x=2$를 대입하면
$2^2-4\times 2-12=-16\neq 0$
이므로 $x=2$는 해가 아니다.
(3) $2x^2+x-1=0$에 $x=-1$을 대입하면
$2\times(-1)^2+(-1)-1=0$
이므로 $x=-1$은 해이다.

2-1 답 (1) $x=-1$ 또는 $x=7$ (2) $x=-2$ 또는 $x=3$
(1) $(x+1)(x-7)=0$에서 $x+1=0$ 또는 $\boxed{x-7}=0$
$\therefore x=-1$ 또는 $x=\boxed{7}$
(2) $x^2-x=6$을 정리하면 $x^2-x-6=0$
좌변을 인수분해하면 $(x+\boxed{2})(x-3)=0$
따라서 $x+\boxed{2}=0$ 또는 $x-3=0$이므로
$x=\boxed{-2}$ 또는 $x=3$

2-2 답 (1) $x=0$ 또는 $x=4$ (2) $x=-\frac{2}{3}$ 또는 $x=\frac{5}{2}$
(3) $x=-1$ 또는 $x=4$ (4) $x=3$ 또는 $x=-\frac{4}{3}$
(1) $2x(x-4)=0$에서 $x=0$ 또는 $x-4=0$
$\therefore x=0$ 또는 $x=4$
(2) $(3x+2)(2x-5)=0$에서 $3x+2=0$ 또는 $2x-5=0$
$\therefore x=-\frac{2}{3}$ 또는 $x=\frac{5}{2}$
(3) $x^2-3x-4=0$의 좌변을 인수분해하면
$(x+1)(x-4)=0$
따라서 $x+1=0$ 또는 $x-4=0$이므로
$x=-1$ 또는 $x=4$
(4) $3x^2-5x-12=0$의 좌변을 인수분해하면
$(x-3)(3x+4)=0$
따라서 $x-3=0$ 또는 $3x+4=0$이므로
$x=3$ 또는 $x=-\frac{4}{3}$

3-1 답 (1) $x=-4$ (2) $x=5$ (3) $x=\frac{1}{7}$
(1) $2(x+4)^2=0$에서 $x+4=0$
$\therefore x=\boxed{-4}$
(2) $x^2-10x+25=0$에서 $(x-\boxed{5})^2=0$
$x-5=0$ $\therefore x=\boxed{5}$
(3) $49x^2+1=14x$에서 $49x^2-14x+1=0$
$(\boxed{7}x-1)^2=0$, $7x-1=0$
$\therefore x=\boxed{\frac{1}{7}}$

3-2 답 (1) × (2) ○
(1) $(x-2)^2=4$에서 $x^2-4x=0$
$x(x-4)=0$ $\therefore x=0$ 또는 $x=4$
따라서 중근을 갖지 않는다.
(2) $x(x-2)=-1$에서 $x^2-2x+1=0$
$(x-1)^2=0$ $\therefore x=1$

3-3 답 (1) $x=-3$ (2) $x=\frac{5}{2}$ (3) $x=6$ (4) $x=-\frac{1}{4}$

(1) $(x+3)^2=0$에서 $x+3=0$ $\quad\therefore x=-3$

(2) $3(2x-5)^2=0$에서 $2x-5=0$ $\quad\therefore x=\frac{5}{2}$

(3) $x^2-12x+36=0$에서 $(x-6)^2=0$

$x-6=0$ $\quad\therefore x=6$

(4) $16x^2+8x+1=0$에서 $(4x+1)^2=0$

$4x+1=0$ $\quad\therefore x=-\frac{1}{4}$

4-1 답 **1.** (1) $x=\pm2$ (2) $x=\frac{1\pm\sqrt{5}}{3}$ **2.** $x=4\pm\sqrt{19}$

1. (1) $x^2=4$에서 $x=\pm\sqrt{4}=\boxed{\pm2}$

(2) $(3x-1)^2=5$에서 $3x-1=\pm\boxed{\sqrt{5}}$

$3x=1\pm\boxed{\sqrt{5}}$ $\quad\therefore x=\boxed{\frac{1\pm\sqrt{5}}{3}}$

2. [1] 상수항을 우변으로 이항한다. ⇨ $x^2-8x=3$

[2] 양변에 $\left\{\frac{(x\text{의 계수})}{2}\right\}^2$, 즉 $\left(\frac{-8}{2}\right)^2=16$을 더한다.

⇨ $x^2-8x+\boxed{16}=3+\boxed{16}$

[3] (완전제곱식)=(상수) 꼴로 고친다. ⇨ $(x-4)^2=\boxed{19}$

[4] 제곱근을 이용하여 해를 구한다.

⇨ $x-4=\pm\sqrt{19}$ $\quad\therefore x=\boxed{4\pm\sqrt{19}}$

4-2 답 (1) $x=\pm\sqrt{10}$ (2) $x=\pm\sqrt{5}$ (3) $x=3\pm\sqrt{5}$ (4) $x=\frac{3\pm\sqrt{7}}{2}$

(1) $x^2=10$에서 $x=\pm\sqrt{10}$

(2) $3x^2-15=0$에서 $3x^2=15$

$x^2=5$ $\quad\therefore x=\pm\sqrt{5}$

(3) $(x-3)^2=5$에서 $x-3=\pm\sqrt{5}$ $\quad\therefore x=3\pm\sqrt{5}$

(4) $(2x-3)^2-7=0$에서 $(2x-3)^2=7$

$2x-3=\pm\sqrt{7}$, $2x=3\pm\sqrt{7}$

$\therefore x=\frac{3\pm\sqrt{7}}{2}$

4-3 답 (1) $x=1\pm\sqrt{5}$ (2) $x=5\pm3\sqrt{2}$ (3) $x=-4\pm\sqrt{19}$ (4) $x=-2\pm\sqrt{5}$

(1) $x^2-2x-4=0$에서 $x^2-2x=4$

양변에 $\left(\frac{-2}{2}\right)^2=1$을 더하면 $x^2-2x+1=4+1$

$(x-1)^2=5$, $x-1=\pm\sqrt{5}$

$\therefore x=1\pm\sqrt{5}$

(2) $x^2-10x+7=0$에서 $x^2-10x=-7$

양변에 $\left(\frac{-10}{2}\right)^2=25$를 더하면 $x^2-10x+25=-7+25$

$(x-5)^2=18$, $x-5=\pm\sqrt{18}$

$\therefore x=5\pm\sqrt{18}=5\pm3\sqrt{2}$

(3) $-x^2-8x+3=0$의 양변을 -1로 나누면 $x^2+8x-3=0$

$x^2+8x=3$

양변에 $\left(\frac{8}{2}\right)^2=16$을 더하면 $x^2+8x+16=3+16$

$(x+4)^2=19$, $x+4=\pm\sqrt{19}$

$\therefore x=-4\pm\sqrt{19}$

(4) $3x^2+12x-3=0$의 양변을 3으로 나누면 $x^2+4x-1=0$

$x^2+4x=1$

양변에 $\left(\frac{4}{2}\right)^2=4$를 더하면 $x^2+4x+4=1+4$

$(x+2)^2=5$, $x+2=\pm\sqrt{5}$

$\therefore x=-2\pm\sqrt{5}$

풀고 또 풀고 집중 연습 이차방정식의 풀이

본문 | 136 쪽

1 답 (1) $x=-5$ 또는 $x=5$ (2) $x=-2$ 또는 $x=4$ (3) $x=-5$ 또는 $x=-6$ (4) $x=-2$ 또는 $x=\frac{1}{3}$ (5) $x=-\frac{1}{2}$ 또는 $x=\frac{1}{3}$ (6) $x=\frac{3}{2}$ (7) $x=-\frac{4}{3}$

(1) $x^2-25=0$에서 $(x+5)(x-5)=0$

$x+5=0$ 또는 $x-5=0$ $\quad\therefore x=-5$ 또는 $x=5$

(2) $x^2-2x-8=0$에서 $(x+2)(x-4)=0$

$x+2=0$ 또는 $x-4=0$ $\quad\therefore x=-2$ 또는 $x=4$

(3) $x^2+11x+30=0$에서 $(x+5)(x+6)=0$

$x+5=0$ 또는 $x+6=0$ $\quad\therefore x=-5$ 또는 $x=-6$

(4) $3x^2+5x-2=0$에서 $(x+2)(3x-1)=0$

$x+2=0$ 또는 $3x-1=0$ $\quad\therefore x=-2$ 또는 $x=\frac{1}{3}$

(5) $6x^2+x-1=0$에서 $(2x+1)(3x-1)=0$

$2x+1=0$ 또는 $3x-1=0$ $\quad\therefore x=-\frac{1}{2}$ 또는 $x=\frac{1}{3}$

(6) $4x^2-12x+9=0$에서 $(2x-3)^2=0$

$2x-3=0$ $\quad\therefore x=\frac{3}{2}$

(7) $9x^2+24x+16=0$에서 $(3x+4)^2=0$

$3x+4=0$ $\quad\therefore x=-\frac{4}{3}$

2 답 (1) $x=\pm2\sqrt{3}$ (2) $x=\pm2\sqrt{5}$
(3) $x=2\pm\sqrt{10}$ (4) $x=5\pm\frac{\sqrt{2}}{2}$

(1) $x^2-12=0$에서 $x^2=12$ $\therefore x=\pm\sqrt{12}=\pm2\sqrt{3}$

(2) $\frac{1}{2}x^2-10=0$에서 $\frac{1}{2}x^2=10$
$x^2=20$ $\therefore x=\pm\sqrt{20}=\pm2\sqrt{5}$

(3) $(x-2)^2=10$에서 $x-2=\pm\sqrt{10}$ $\therefore x=2\pm\sqrt{10}$

(4) $2(x-5)^2=1$에서 $(x-5)^2=\frac{1}{2}$
$x-5=\pm\sqrt{\frac{1}{2}}=\pm\frac{\sqrt{2}}{2}$ $\therefore x=5\pm\frac{\sqrt{2}}{2}$
분모의 유리화: $\sqrt{\frac{1}{2}}=\frac{1}{\sqrt{2}}=\frac{1\times\sqrt{2}}{\sqrt{2}\times\sqrt{2}}=\frac{\sqrt{2}}{2}$

3 답 (1) ① $(x+1)^2=2$ ② $x=-1\pm\sqrt{2}$
(2) ① $(x-2)^2=3$ ② $x=2\pm\sqrt{3}$
(3) ① $(x+3)^2=13$ ② $x=-3\pm\sqrt{13}$
(4) ① $(x-2)^2=\frac{3}{2}$ ② $x=2\pm\frac{\sqrt{6}}{2}$
(5) ① $(x-1)^2=\frac{3}{5}$ ② $x=1\pm\frac{\sqrt{15}}{5}$

(1) ① $x^2+2x-1=0$에서 $x^2+2x=1$
양변에 $\left(\frac{2}{2}\right)^2=1$을 더하면 $x^2+2x+1=1+1$
$(x+1)^2=2$
② $(x+1)^2=2$에서 $x+1=\pm\sqrt{2}$ $\therefore x=-1\pm\sqrt{2}$

(2) ① $x^2-4x+1=0$에서 $x^2-4x=-1$
양변에 $\left(\frac{-4}{2}\right)^2=4$를 더하면 $x^2-4x+4=-1+4$
$(x-2)^2=3$
② $(x-2)^2=3$에서 $x-2=\pm\sqrt{3}$ $\therefore x=2\pm\sqrt{3}$

(3) ① $x^2+6x-4=0$에서 $x^2+6x=4$
양변에 $\left(\frac{6}{2}\right)^2=9$를 더하면 $x^2+6x+9=4+9$
$(x+3)^2=13$
② $(x+3)^2=13$에서 $x+3=\pm\sqrt{13}$ $\therefore x=-3\pm\sqrt{13}$

(4) ① $2x^2-8x+5=0$의 양변을 2로 나누면 $x^2-4x+\frac{5}{2}=0$
$x^2-4x=-\frac{5}{2}$
양변에 $\left(\frac{-4}{2}\right)^2=4$를 더하면 $x^2-4x+4=-\frac{5}{2}+4$
$(x-2)^2=\frac{3}{2}$
② $(x-2)^2=\frac{3}{2}$에서 $x-2=\pm\sqrt{\frac{3}{2}}=\pm\frac{\sqrt{6}}{2}$
$\therefore x=2\pm\frac{\sqrt{6}}{2}$
분모의 유리화: $\sqrt{\frac{3}{2}}=\frac{\sqrt{3}}{\sqrt{2}}=\frac{\sqrt{3}\times\sqrt{2}}{\sqrt{2}\times\sqrt{2}}=\frac{\sqrt{6}}{2}$

(5) ① $5x^2-10x+2=0$의 양변을 5로 나누면 $x^2-2x+\frac{2}{5}=0$
$x^2-2x=-\frac{2}{5}$
양변에 $\left(\frac{-2}{2}\right)^2=1$을 더하면 $x^2-2x+1=-\frac{2}{5}+1$
$(x-1)^2=\frac{3}{5}$
② $(x-1)^2=\frac{3}{5}$에서 $x-1=\pm\sqrt{\frac{3}{5}}=\pm\frac{\sqrt{15}}{5}$
$\therefore x=1\pm\frac{\sqrt{15}}{5}$

보고 또 보고 유형 익히기 – 확인 문제

본문 | 137~144 쪽

01 답 ④

셀파 먼저 등식인지 확인하고, $ax^2+bx+c=0$에서 $a\neq0$인지 확인한다.

① x^2-2x-5는 등식이 아니므로 방정식이 아니다.
② $2x^2=2x^2+2$에서 $-2=0$
⇨ 미지수가 없으므로 방정식이 아니다.
③ $3x^2+4x-1=x+3x^2$에서 $3x-1=0$
⇨ x에 대한 일차방정식이다.
④ $\frac{1}{2}x^2=5x-6$에서 $\frac{1}{2}x^2-5x+6=0$
⇨ x에 대한 이차방정식이다.
⑤ $x^2-3x=(x+2)(x-1)$에서 $x^2-3x=x^2+x-2$
$\therefore -4x+2=0$
⇨ x에 대한 일차방정식이다.
따라서 x에 대한 이차방정식인 것은 ④이다.

02 답 $a\neq2$

셀파 $ax^2+bx+c=0$이 x에 대한 이차방정식이려면 $a\neq0$이어야 한다.

$(a+1)x^2-2x=3x^2+x-1$에서 $(a-2)x^2-3x+1=0$
이 방정식이 x에 대한 이차방정식이 되려면 x^2의 계수가 0이 아니어야 하므로 $a-2\neq0$ $\therefore a\neq2$

03 답 ③

셀파 [ ] 안의 수를 각 방정식의 x에 대입하여 등식이 성립하면 해이다.

① $x^2+x-1=0$에 $x=1$을 대입하면
$1^2+1-1=1\neq0$
② $x^2-4x-12=0$에 $x=2$를 대입하면
$2^2-4\times2-12=-16\neq0$

③ $2x^2+x-1=0$에 $x=-1$을 대입하면
$2\times(-1)^2+(-1)-1=0$
④ $2x^2+8x+6=0$에 $x=-2$를 대입하면
$2\times(-2)^2+8\times(-2)+6=-2\neq0$
⑤ $x(x-1)=3$에 $x=1$을 대입하면 $1\times(1-1)=0\neq3$
따라서 [ ] 안의 수가 주어진 이차방정식의 해인 것은 ③이다.

04 답 (1) 2 (2) 1

셀파 $x=p$가 이차방정식의 해이다.
⇨ $x=p$를 이차방정식에 대입하면 등식이 성립한다.

(1) 이차방정식 $ax^2-7x+3=0$의 한 근이 $x=3$이므로
$ax^2-7x+3=0$에 $x=3$을 대입하면 $a\times3^2-7\times3+3=0$
$9a-18=0$ $\therefore a=2$
(2) 이차방정식 $2x^2+(a+2)x-2a=0$의 한 근이 $x=-2$이므로
$2x^2+(a+2)x-2a=0$에 $x=-2$를 대입하면
$2\times(-2)^2+(a+2)\times(-2)-2a=0$
$8-2(a+2)-2a=0$
$-4a+4=0$ $\therefore a=1$

05 답 33

셀파 $AB=0$이면 $A=0$ 또는 $B=0$임을 이용한다.

$(x-7)(x+4)=0$에서 $x-7=0$ 또는 $x+4=0$
$\therefore x=7$ 또는 $x=-4$
따라서 $a=7$, $b=-4$이므로 $a^2-b^2=49-16=33$

06 답 (1) $x=-1$ 또는 $x=-4$ (2) $x=2$ 또는 $x=-\frac{3}{2}$

셀파 주어진 이차방정식을 $ax^2+bx+c=0\ (a\neq0)$ 꼴로 정리한다.

(1) $x^2+5x+3=-1$에서 $x^2+5x+4=0$
$(x+1)(x+4)=0$, $x+1=0$ 또는 $x+4=0$
$\therefore x=-1$ 또는 $x=-4$
(2) $x(2x-1)=6$에서 $2x^2-x=6$
$2x^2-x-6=0$, $(x-2)(2x+3)=0$
$x-2=0$ 또는 $2x+3=0$
$\therefore x=2$ 또는 $x=-\frac{3}{2}$

07 답 $a=1$, $x=0$

셀파 $x^2+ax+2a-2=0$에 $x=-1$을 대입한다.

이차방정식 $x^2+ax+2a-2=0$에 $x=-1$을 대입하면
$(-1)^2+a\times(-1)+2a-2=0$
$a-1=0$ $\therefore a=1$
$x^2+ax+2a-2=0$에 $a=1$을 대입하면
주어진 이차방정식은 $x^2+x=0$이므로 $x(x+1)=0$
$x=0$ 또는 $x+1=0$
$\therefore x=0$ 또는 $x=-1$
따라서 다른 한 근은 $x=0$이다.

08 답 -8

셀파 먼저 이차방정식 $x^2-3x-10=0$의 해를 구한다.

이차방정식 $x^2-3x-10=0$에서 $(x+2)(x-5)=0$
$x+2=0$ 또는 $x-5=0$
$\therefore x=-2$ 또는 $x=5$ → $-2<5$이므로 두 근 중 작은 근은 $x=-2$이다.
따라서 이차방정식 $x^2-2x+a=0$의 한 근이 $x=-2$이므로
$(-2)^2-2\times(-2)+a=0$
$8+a=0$ $\therefore a=-8$

09 답 ⑤

셀파 이차방정식을 풀어 중근을 갖는 것을 찾는다.

① $(x+4)(x-4)=0$에서 $x+4=0$ 또는 $x-4=0$
$\therefore x=-4$ 또는 $x=4$
② $x^2-4x+3=0$에서 $(x-1)(x-3)=0$
$x-1=0$ 또는 $x-3=0$ $\therefore x=1$ 또는 $x=3$
③ $x^2-49=0$에서 $(x+7)(x-7)=0$
$x+7=0$ 또는 $x-7=0$ $\therefore x=-7$ 또는 $x=7$
④ $x^2=4x$에서 $x^2-4x=0$, $x(x-4)=0$
$x=0$ 또는 $x-4=0$ $\therefore x=0$ 또는 $x=4$
⑤ $x^2-10x+25=0$에서 $(x-5)^2=0$
$x-5=0$ $\therefore x=5$
따라서 중근을 갖는 이차방정식은 ⑤이다.

참고 (이차식)$=0$ 꼴로 정리하였을 때 이차식이 완전제곱식인 것은 ⑤뿐이다.

10 답 $-\frac{3}{4}$, 1

셀파 이차방정식이 중근을 가지면 ⇨ (완전제곱식)$=0$ 꼴이다.

이차방정식 $x^2-4kx+k+3=0$이 중근을 가지려면
$\left(\frac{-4k}{2}\right)^2=k+3$이어야 하므로 $4k^2=k+3$
$4k^2-k-3=0$, $(k-1)(4k+3)=0$
$\therefore k=1$ 또는 $k=-\frac{3}{4}$

11 답 -5

셀파 $x=-1$을 두 이차방정식에 각각 대입한다.

$x^2+ax-3=0$에 $x=-1$을 대입하면

$(-1)^2+a\times(-1)-3=0$

$-a-2=0 \quad \therefore a=-2$

$2x^2-x+b=0$에 $x=-1$을 대입하면

$2\times(-1)^2-(-1)+b=0$

$3+b=0 \quad \therefore b=-3$

$\therefore a+b=-2+(-3)=-5$

12 답 (1) $x=\frac{3\pm2\sqrt{3}}{4}$ (2) $x=-3\pm\frac{3\sqrt{2}}{2}$

셀파 $(x+p)^2=q\ (q>0)$에서 $x=-p\pm\sqrt{q}$

(1) $(4x-3)^2=12$에서 $4x-3=\pm\sqrt{12}=\pm2\sqrt{3}$

$4x=3\pm2\sqrt{3} \quad \therefore x=\frac{3\pm2\sqrt{3}}{4}$

(2) $2(x+3)^2-9=0$에서 $2(x+3)^2=9$

$(x+3)^2=\frac{9}{2}$, $x+3=\pm\sqrt{\frac{9}{2}}=\pm\frac{3\sqrt{2}}{2}$

$\therefore x=-3\pm\frac{3\sqrt{2}}{2}$

$\sqrt{\frac{9}{2}}=\frac{3}{\sqrt{2}}=\frac{3\times\sqrt{2}}{\sqrt{2}\times\sqrt{2}}=\frac{3\sqrt{2}}{2}$

13 답 ①, ②

셀파 $(x+p)^2=q$가 서로 다른 두 근을 가질 조건은 $q>0$이다.

$2(x+2)^2=k+3$이 서로 다른 두 근을 가질 조건은

$k+3>0 \quad \therefore k>-3$

따라서 조건을 만족하는 상수 k의 값으로 옳지 않은 것은

① -5, ② -3이다.

14 답 13

셀파 먼저 x^2의 계수를 1로 만든 후 (완전제곱식)=(상수) 꼴로 나타낸다.

$3x^2-12x+1=0$의 양변을 3으로 나누면 $x^2-4x+\frac{1}{3}=0$

$x^2-4x=-\frac{1}{3}$

양변에 $\left(\frac{-4}{2}\right)^2=4$를 더하면 $x^2-4x+4=-\frac{1}{3}+4$

$\therefore (x-2)^2=\frac{11}{3}$

따라서 $p=2$, $q=\frac{11}{3}$이므로 $p+3q=2+3\times\frac{11}{3}=13$

15 답 (1) $x=\frac{-1\pm\sqrt{33}}{4}$ (2) $x=-1\pm\sqrt{11}$

셀파 (1) 이차방정식의 좌변을 완전제곱식으로 고친다.
(2) 이차방정식의 양변에 2를 곱한다.

(1) $x^2+\frac{1}{2}x-2=0$에서 $x^2+\frac{1}{2}x=2$

양변에 $\left(\frac{\frac{1}{2}}{2}\right)^2=\left(\frac{1}{4}\right)^2$, 즉 $\frac{1}{16}$을 더하면

$\frac{1}{2}\div2=\frac{1}{2}\times\frac{1}{2}=\frac{1}{4}$

$x^2+\frac{1}{2}x+\frac{1}{16}=2+\frac{1}{16}$, $\left(x+\frac{1}{4}\right)^2=\frac{33}{16}$

$x+\frac{1}{4}=\pm\sqrt{\frac{33}{16}}=\pm\frac{\sqrt{33}}{4}$

$\therefore x=-\frac{1}{4}\pm\frac{\sqrt{33}}{4}=\frac{-1\pm\sqrt{33}}{4}$

(2) $\frac{1}{2}x^2+x-5=0$의 양변에 2를 곱하면 $x^2+2x-10=0$

$x^2+2x=10$

양변에 $\left(\frac{2}{2}\right)^2=1$을 더하면 $x^2+2x+1=10+1$

$(x+1)^2=11$, $x+1=\pm\sqrt{11}$

$\therefore x=-1\pm\sqrt{11}$

16 답 ②, ④

셀파 $x^2-5x+3=0$에 $x=\alpha$를 대입한다.

① $x^2-5x+3=0$에 $x=\alpha$를 대입하면 등식이 성립하므로
$\alpha^2-5\alpha+3=0$

② $\alpha^2-5\alpha=-3$이므로 $5\alpha-\alpha^2=3 \quad \therefore 4+5\alpha-\alpha^2=7$

③ $\alpha^2-5\alpha=-3$이므로 양변에 2를 곱하면 $2\alpha^2-10\alpha=-6$

④ $\alpha^2-5\alpha=-3$이므로 양변에 3을 곱하면 $3\alpha^2-15\alpha=-9$
$\therefore 3\alpha^2-15\alpha+10=1$

⑤ $\alpha^2-5\alpha+3=0$에서 $\alpha\neq0$이므로 양변을 α로 나누면
$\alpha-5+\frac{3}{\alpha}=0 \quad \therefore \alpha+\frac{3}{\alpha}=5$

따라서 옳지 않은 것은 ②, ④이다.

실력 키우기

본문 | 145~147쪽

01 답 ④

셀파 등식에서 우변의 모든 항을 좌변으로 이항하여 정리하였을 때, $ax^2+bx+c=0(a\neq0)$ 꼴인 것을 찾는다.

① x^2+2x+3은 등식이 아니므로 방정식이 아니다.

② $4x^2=(2x+1)^2$에서 $4x^2=4x^2+4x+1$
$\therefore -4x-1=0$ ⇨ x에 대한 일차방정식이다.

③ $x^3+2x-3=0$은 좌변에 x^3항이 있으므로 x에 대한 이차방정식이 아니다.

④ $9x^2+x=3(x+1)^2$에서 $9x^2+x=3(x^2+2x+1)$
$9x^2+x=3x^2+6x+3$ $\quad\therefore 6x^2-5x-3=0$
⇨ x에 대한 이차방정식이다.
⑤ $x^2+3x=(x+2)(x-3)$에서 $x^2+3x=x^2-x-6$
$\therefore 4x+6=0$ ⇨ x에 대한 일차방정식이다.
따라서 x에 대한 이차방정식인 것은 ④이다.

02 답 ⑤

셀파 주어진 식을 $ax^2+bx+c=0$ 꼴로 정리한다.

$4x^2-x+5=m(x-2)^2$에서 $4x^2-x+5=m(x^2-4x+4)$
$4x^2-x+5=mx^2-4mx+4m$
$\therefore (4-m)x^2+(4m-1)x+5-4m=0$
이 방정식이 x에 대한 이차방정식이 되려면 x^2의 계수가 0이 아니어야 하므로 $4-m\neq0$ $\quad\therefore m\neq4$
따라서 조건을 만족하는 m의 값이 될 수 없는 것은 ⑤ 4이다.

03 답 ③, ④

셀파 보기의 이차방정식에 $x=-1$을 대입하였을 때, 등식이 성립하면 해이다.

① $x^2=2$에 $x=-1$을 대입하면 $(-1)^2=1\neq2$
② $(x-1)^2=0$에 $x=-1$을 대입하면 $(-1-1)^2=4\neq0$
③ $x^2-2x-3=0$에 $x=-1$을 대입하면
$(-1)^2-2\times(-1)-3=0$
④ $(x+1)(x-1)=0$에 $x=-1$을 대입하면
$(-1+1)\times(-1-1)=0$
⑤ $x^2-8x-7=0$에 $x=-1$을 대입하면
$(-1)^2-8\times(-1)-7=2\neq0$
따라서 $x=-1$을 해로 갖는 이차방정식은 ③, ④이다.

04 답 (1) $\begin{cases}a-b=-3\\3a-b=-1\end{cases}$ (2) $a=1, b=4$ (3) 0

셀파 $x=-1$과 $x=-3$을 각각 대입하면 등식이 성립한다.

1 a, b에 대한 연립방정식 세우기 [50 %]
(1) 이차방정식 $ax^2+bx+3=0$의 해가 $x=-1$ 또는 $x=-3$이므로 $ax^2+bx+3=0$에 $x=-1$을 대입하면
$a\times(-1)^2+b\times(-1)+3=0$
$a-b+3=0$, 즉 $a-b=-3$
$ax^2+bx+3=0$에 $x=-3$을 대입하면
$a\times(-3)^2+b\times(-3)+3=0$
$9a-3b+3=0$, 즉 $3a-b=-1$
$\therefore \begin{cases}a-b=-3\\3a-b=-1\end{cases}$

2 a, b의 값 각각 구하기 [30 %]
(2) $\begin{cases}a-b=-3 & \cdots\cdots ㉠\\3a-b=-1 & \cdots\cdots ㉡\end{cases}$
㉠−㉡을 하면 $-2a=-2$ $\quad\therefore a=1$
$a=1$을 ㉠에 대입하면 $1-b=-3$ $\quad\therefore b=4$

3 $4a-b$의 값 구하기 [20 %]
(3) $4a-b=4\times1-4=0$

05 답 ④

셀파 $AB=0$이면 $A=0$ 또는 $B=0$임을 이용하여 해를 구한다.

① $(2x-1)(3x+2)=0$에서 $2x-1=0$ 또는 $3x+2=0$
$\therefore x=\frac{1}{2}$ 또는 $x=-\frac{2}{3}$
② $(1-2x)(2+3x)=0$에서 $1-2x=0$ 또는 $2+3x=0$
$\therefore x=\frac{1}{2}$ 또는 $x=-\frac{2}{3}$
③ $(2-4x)\left(\frac{2}{3}+x\right)=0$에서 $2-4x=0$ 또는 $\frac{2}{3}+x=0$
$\therefore x=\frac{1}{2}$ 또는 $x=-\frac{2}{3}$
④ $(4x-2)(6x-4)=0$에서 $4x-2=0$ 또는 $6x-4=0$
$\therefore x=\frac{1}{2}$ 또는 $x=\frac{2}{3}$
⑤ $\left(x-\frac{1}{2}\right)\left(x+\frac{2}{3}\right)=0$에서 $x-\frac{1}{2}=0$ 또는 $x+\frac{2}{3}=0$
$\therefore x=\frac{1}{2}$ 또는 $x=-\frac{2}{3}$
따라서 해가 나머지 넷과 다른 하나는 ④이다.

06 답 ④

셀파 주어진 이차방정식을 $ax^2+bx+c=0$ 꼴로 만든 후 인수분해를 이용하여 푼다.

$(x+6)(x-2)=7x-8$에서 $x^2+4x-12=7x-8$
$x^2-3x-4=0$, $(x+1)(x-4)=0$
$\therefore x=-1$ 또는 $x=4$

07 답 6

셀파 먼저 이차방정식 $x^2+4x-12=0$을 풀어 조건을 만족하는 해를 찾는다.

$x^2+4x-12=0$에서 $(x-2)(x+6)=0$
$\therefore x=2$ 또는 $x=-6$ ⟶ 두 근 중 음수인 근은 $x=-6$이다.
따라서 이차방정식 $x^2+ax+a-6=0$의 한 근이 $x=-6$이므로
$(-6)^2+a\times(-6)+a-6=0$
$-5a+30=0$ $\quad\therefore a=6$

08 답 2개

셀파 각 이차방정식을 푼다.

㉠ $x^2-9=0$에서 $(x+3)(x-3)=0$

$\therefore x=-3$ 또는 $x=3$

㉡ $4x^2+4x+1=0$에서 $(2x+1)^2=0$ $\quad\therefore x=-\frac{1}{2}$

㉢ $x^2=-x$에서 $x^2+x=0$, $x(x+1)=0$

$\therefore x=0$ 또는 $x=-1$

㉣ $2x^2+2=4x$에서 $2x^2-4x+2=0$, $x^2-2x+1=0$

$(x-1)^2=0$ $\quad\therefore x=1$

㉤ $x^2-25=10x$에서 $x^2-10x-25=0$

즉 (완전제곱식)$=0$ 꼴로 나타낼 수 없으므로 중근을 갖지 않는다.

㉥ $2(x-3)^2=5$에서 $(x-3)^2=\frac{5}{2}$

$x-3=\pm\sqrt{\frac{5}{2}}=\pm\frac{\sqrt{10}}{2}$ $\quad\therefore x=3\pm\frac{\sqrt{10}}{2}$

따라서 중근을 갖는 이차방정식은 ㉡, ㉣의 2개이다.

09 답 9

셀파 이차방정식 $x^2-6x+2k+1=0$이 중근을 가질 조건을 이용한다.

① k의 값 구하기 [40 %]

이차방정식 $x^2-6x+2k+1=0$이 중근을 가지므로

$\left(\frac{-6}{2}\right)^2=2k+1$, $9=2k+1$

$2k=8$ $\quad\therefore k=4$

② 이차방정식 $(k-3)x^2+(k-1)x-18=0$의 해 구하기 [40 %]

$(k-3)x^2+(k-1)x-18=0$에 $k=4$를 대입하면

$x^2+3x-18=0$, $(x+6)(x-3)=0$

$\therefore x=-6$ 또는 $x=3$

③ 두 근의 차 구하기 [20 %]

따라서 두 근의 차는 $3-(-6)=9$

참고 두 수의 차는 양수이므로 (큰 수)$-$(작은 수)를 계산한다.

10 답 10

셀파 인수분해를 이용하여 두 이차방정식의 해를 각각 구한다.

$x^2+3x-4=0$에서 $(x-1)(x+4)=0$

$\therefore x=1$ 또는 $x=-4$

$3x^2+14x+8=0$에서 $(x+4)(3x+2)=0$

$\therefore x=-4$ 또는 $x=-\frac{2}{3}$

따라서 두 이차방정식을 동시에 만족하는 x의 값이 $x=-4$이므로

$2x^2+ax-2+a=0$의 한 근은 $x=-4$이다.

$2x^2+ax-2+a=0$에 $x=-4$를 대입하면

$2\times(-4)^2+a\times(-4)-2+a=0$

$-3a=-30$ $\quad\therefore a=10$

11 답 ①

셀파 제곱근을 이용하여 이차방정식의 해를 구한다.

$(x+a)^2=b$에서 $x+a=\pm\sqrt{b}$ $\quad\therefore x=-a\pm\sqrt{b}$

이때 $x=2\pm\sqrt{3}$이므로 $-a=2$, $b=3$

따라서 $a=-2$, $b=3$이므로 $a+b=1$

12 답 3

셀파 $(x+p)^2=q$가 해를 가질 조건을 이용한다.

① k의 값 구하기 [40 %]

$3(x-5)^2=k-2$에서 $(x-5)^2=\frac{k-2}{3}$

이 이차방정식이 중근을 가지려면 $\frac{k-2}{3}=0$

$k-2=0$ $\quad\therefore k=2$

② a의 값 구하기 [40 %]

$(x-5)^2=\frac{k-2}{3}$에 $k=2$를 대입하면 $(x-5)^2=0$이므로

$x=5$ $\quad\therefore a=5$

③ $a-k$의 값 구하기 [20 %]

$\therefore a-k=5-2=3$

13 답 -3

셀파 먼저 주어진 이차방정식의 x^2의 계수를 1로 만든다.

$4x^2-8x+1=0$의 양변을 4로 나누면 $x^2-2x+\frac{1}{4}=0$

$x^2-2x=-\frac{1}{4}$

양변에 $\left(\frac{-2}{2}\right)^2=1$을 더하면 $x^2-2x+1=-\frac{1}{4}+1$

$\therefore (x-1)^2=\frac{3}{4}$

따라서 $p=-1$, $q=\frac{3}{4}$이므로

$4pq=4\times(-1)\times\frac{3}{4}=-3$

14 답 ③

셀파 완전제곱식을 이용하여 이차방정식을 푼다.

$3x^2-15x+6=0$의 양변을 3으로 나누면 $x^2-5x+2=0$

$x^2-5x=-2$

양변에 $\left(\frac{-5}{2}\right)^2=\frac{25}{4}$를 더하면 $x^2-5x+\frac{25}{4}=-2+\frac{25}{4}$

$\left(x-\frac{5}{2}\right)^2=\frac{17}{4}$, $x-\frac{5}{2}=\pm\frac{\sqrt{17}}{2}$

$\therefore x=\frac{5}{2}\pm\frac{\sqrt{17}}{2}=\frac{5\pm\sqrt{17}}{2}$

15 답 −3

셀파 이차방정식에 근을 대입하여 a의 값을 먼저 구한다.

① a의 값 구하기 [30 %]

$x^2+ax-2=0$에 $x=2$를 대입하면 $2^2+2a-2=0$

$2+2a=0 \qquad \therefore a=-1$

② 다른 한 근과 b의 값 구하기 [50 %]

즉 $x^2-x-2=0$에서 $(x+1)(x-2)=0$이므로

$x=-1$ 또는 $x=2$

따라서 $x^2-x-2=0$의 다른 한 근은 $x=-1$이다.

$x^2+bx-3=0$에 $x=-1$을 대입하면

$(-1)^2+b\times(-1)-3=0$

$-2-b=0 \qquad \therefore b=-2$

③ $a+b$의 값 구하기 [20 %]

$\therefore a+b=(-1)+(-2)=-3$

16 답 $\frac{1}{18}$

셀파 중근을 가질 조건을 이용하여 a, b 사이의 관계식을 구한다.

모든 경우의 수는 $6\times6=36$

$x^2+2ax+b=0$이 중근을 가지려면 $b=\left(\frac{2a}{2}\right)^2=a^2$

$b=a^2$을 만족하는 a, b의 순서쌍 (a, b)는 $(1, 1)$, $(2, 4)$의 2가지

따라서 구하는 확률은 $\frac{2}{36}=\frac{1}{18}$

17 답 1

셀파 일차방정식이 지나는 점의 좌표를 일차방정식에 대입하여 m의 값을 구한 후 그래프를 그려 본다.

일차방정식 $2x+my-2=0$의 그래프가 점 $(m^2, m-1)$을 지나므로 $2m^2+m(m-1)-2=0$

$3m^2-m-2=0$, $(m-1)(3m+2)=0$

$\therefore m=1$ 또는 $m=-\frac{2}{3}$

(i) $m=1$일 때

$2x+y-2=0$, 즉 $y=-2x+2$

이 직선은 오른쪽 그림과 같이 제3사분면을 지나지 않는다.

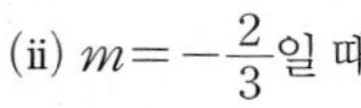

(ii) $m=-\frac{2}{3}$일 때

$2x-\frac{2}{3}y-2=0$, 즉 $y=3x-3$

이 직선은 오른쪽 그림과 같이 제3사분면을 지난다.

따라서 조건을 만족하는 상수 m의 값은 1이다.

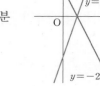

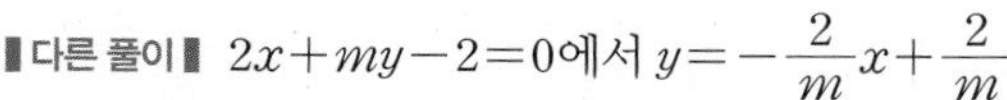

다른 풀이 $2x+my-2=0$에서 $y=-\frac{2}{m}x+\frac{2}{m}$

이때 원점을 지나지 않는 일차방정식의 그래프가 오른쪽 그림과 같이 제3사분면을 지나지 않으려면

(기울기)<0, (y절편)>0이므로

$-\frac{2}{m}<0$, $\frac{2}{m}>0 \qquad \therefore m>0$

$2x+my-2=0$에 $x=m^2$, $y=m-1$을 대입하면

$2m^2+m(m-1)-2=0$, $3m^2-m-2=0$

$(m-1)(3m+2)=0 \qquad \therefore m=1$ 또는 $m=-\frac{2}{3}$

그런데 $m>0$이므로 $m=1$

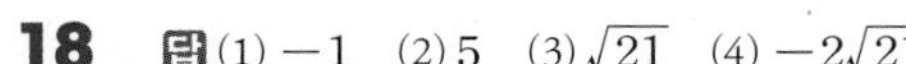

18 답 (1) -1 (2) 5 (3) $\sqrt{21}$ (4) $-2\sqrt{21}$

셀파 $\alpha^2-5\alpha+1=0$을 변형한다.

이차방정식 $x^2-5x+1=0$의 한 근이 $x=\alpha$이므로

$\alpha^2-5\alpha+1=0$

(1) $\alpha^2-5\alpha+1=0$에서 $\alpha^2-5\alpha=-1$

(2) $\alpha\neq0$이므로 $\alpha^2-5\alpha+1=0$의 양변을 α로 나누면

$\alpha-5+\frac{1}{\alpha}=0 \qquad \therefore \alpha+\frac{1}{\alpha}=5$

(3) $\left(\alpha-\frac{1}{\alpha}\right)^2=\left(\alpha+\frac{1}{\alpha}\right)^2-4=5^2-4=25-4=21$

이때 $\alpha>\frac{1}{\alpha}$이므로 $\alpha-\frac{1}{\alpha}=\sqrt{21}$

→ $\alpha>1$이므로 $\frac{1}{\alpha}<1 \qquad \therefore \alpha>\frac{1}{\alpha}$

(4) $\alpha^2-5\alpha=-1$, $\alpha-\frac{1}{\alpha}=\sqrt{21}$이므로

$(\alpha^2-5\alpha-1)\left(\alpha-\frac{1}{\alpha}\right)=(-1-1)\times\sqrt{21}=-2\sqrt{21}$

10 이차방정식의 근의 공식과 활용

1. 이차방정식의 근의 공식

본문 | 151, 153 쪽

1-1 답 $x=\frac{3\pm\sqrt{17}}{4}$

$2x^2-3x-1=0$에서 $a=2$, $b=-3$, $c=-1$이므로 근의 공식에 각각 대입하면

$$x=\frac{-(\boxed{-3})\pm\sqrt{(\boxed{-3})^2-4\times2\times(-1)}}{2\times2}=\boxed{\frac{3\pm\sqrt{17}}{4}}$$

1-2 답 (1) $x=\frac{1\pm\sqrt{21}}{2}$ (2) $x=\frac{-5\pm\sqrt{17}}{4}$ (3) $x=1\pm\sqrt{6}$ (4) $x=\frac{-2\pm\sqrt{7}}{3}$

(1) $x^2-x-5=0$에서 $a=1$, $b=-1$, $c=-5$이므로 근의 공식에 각각 대입하면

$$x=\frac{-(-1)\pm\sqrt{(-1)^2-4\times1\times(-5)}}{2\times1}=\frac{1\pm\sqrt{21}}{2}$$

(2) $2x^2+5x+1=0$에서 $a=2$, $b=5$, $c=1$이므로 근의 공식에 각각 대입하면

$$x=\frac{-5\pm\sqrt{5^2-4\times2\times1}}{2\times2}=\frac{-5\pm\sqrt{17}}{4}$$

(3) $x^2-2x-5=0$에서 $a=1$, $b=-2$, $c=-5$이므로 근의 공식에 각각 대입하면

$$x=\frac{-(-2)\pm\sqrt{(-2)^2-4\times1\times(-5)}}{2\times1}=\frac{2\pm\sqrt{24}}{2}$$
$$=\frac{2\pm2\sqrt{6}}{2}=1\pm\sqrt{6}$$

(4) $3x^2+4x-1=0$에서 $a=3$, $b=4$, $c=-1$이므로 근의 공식에 각각 대입하면

$$x=\frac{-4\pm\sqrt{4^2-4\times3\times(-1)}}{2\times3}=\frac{-4\pm\sqrt{28}}{6}$$
$$=\frac{-4\pm2\sqrt{7}}{6}=\frac{-2\pm\sqrt{7}}{3}$$

다른 풀이 x의 계수가 짝수일 때의 근의 공식 이용

(3) $x^2-2x-5=0$에서 $a=1$, $b'=-1$, $c=-5$이므로 근의 공식에 각각 대입하면

$$x=-(-1)\pm\sqrt{(-1)^2-1\times(-5)}=1\pm\sqrt{6}$$

(4) $3x^2+4x-1=0$에서 $a=3$, $b'=2$, $c=-1$이므로 근의 공식에 각각 대입하면

$$x=\frac{-2\pm\sqrt{2^2-3\times(-1)}}{3}=\frac{-2\pm\sqrt{7}}{3}$$

참고 x의 계수가 짝수일 때의 근의 공식을 이용하면 분모, 분자를 약분하는 과정이 생략되어 계산이 간단해진다.

2-1 답 (1) $x=\frac{-3\pm\sqrt{13}}{2}$ (2) $x=-3$ 또는 $x=5$ (3) $x=\frac{4\pm\sqrt{10}}{2}$

(1) $(x+2)^2=x+5$에서 괄호를 풀면 $x^2+4x+4=x+5$

$\boxed{x^2+3x-1}=0$

$$\therefore x=\frac{-3\pm\sqrt{3^2-4\times1\times(-1)}}{2\times1}=\boxed{\frac{-3\pm\sqrt{13}}{2}}$$

(2) $0.1x^2-0.2x-1.5=0$의 양변에 $\boxed{10}$을 곱하면

$\boxed{x^2-2x-15}=0$

$(x+3)(x-5)=0$ $\therefore x=-3$ 또는 $x=\boxed{5}$

(3) $\frac{1}{6}x^2-\frac{2}{3}x+\frac{1}{4}=0$의 양변에 분모의 최소공배수 $\boxed{12}$를 곱하면

$\boxed{2x^2-8x+3}=0$

$$\therefore x=\frac{-(-4)\pm\sqrt{(-4)^2-2\times3}}{2}=\boxed{\frac{4\pm\sqrt{10}}{2}}$$

2-2 답 (1) $x=\pm2\sqrt{6}$ (2) $x=-3\pm\sqrt{15}$ (3) $x=\frac{-3\pm\sqrt{29}}{2}$ (4) $x=\frac{-2\pm\sqrt{19}}{3}$ (5) $x=-1$ 또는 $x=-\frac{2}{3}$ (6) $x=\frac{2\pm3\sqrt{6}}{5}$

(1) $(x+2)(x-2)=20$에서 괄호를 풀면 $x^2-4=20$

$x^2=24$ $\therefore x=\pm\sqrt{24}=\pm2\sqrt{6}$

(2) $x^2+18=6(4-x)$에서 괄호를 풀면 $x^2+18=24-6x$

$x^2+6x-6=0$

$$\therefore x=\frac{-3\pm\sqrt{3^2-1\times(-6)}}{1}=-3\pm\sqrt{15}$$

(3) $0.2x^2+0.6x-1=0$의 양변에 10을 곱하면

$2x^2+6x-10=0$

$$\therefore x=\frac{-3\pm\sqrt{3^2-2\times(-10)}}{2}=\frac{-3\pm\sqrt{29}}{2}$$

(4) $0.3x^2+0.4x=0.5$의 양변에 10을 곱하면 $3x^2+4x=5$

$3x^2+4x-5=0$

$$\therefore x=\frac{-2\pm\sqrt{2^2-3\times(-5)}}{3}=\frac{-2\pm\sqrt{19}}{3}$$

(5) $\frac{1}{2}x^2+\frac{5}{6}x+\frac{1}{3}=0$의 양변에 분모의 최소공배수 6을 곱하면
$3x^2+5x+2=0$
$(x+1)(3x+2)=0 \qquad \therefore x=-1$ 또는 $x=-\frac{2}{3}$

(6) $\frac{1}{2}x^2-\frac{2}{5}x-1=0$의 양변에 분모의 최소공배수 10을 곱하면
$5x^2-4x-10=0$
$\therefore x=\frac{-(-2)\pm\sqrt{(-2)^2-5\times(-10)}}{5}$
$=\frac{2\pm\sqrt{54}}{5}=\frac{2\pm3\sqrt{6}}{5}$

3-1 답 (1) 2 (2) 0

(1) $x^2-2x-5=0$에서 $a=1, b=-2, c=-5$이므로
$b^2-4ac=(-2)^2-4\times1\times(-5)=24>0$
따라서 근의 개수는 $\boxed{2}$이다.

(2) $2x^2+x+5=0$에서 $a=2, b=1, c=5$이므로
$b^2-4ac=1^2-4\times2\times5=-39\boxed{<}0$
따라서 근의 개수는 $\boxed{0}$이다.

3-2 답 (1) 13, 2 (2) 0, 1 (3) −4, 0 (4) 73, 2

(1) $x^2-5x+3=0$에서 $a=1, b=-5, c=3$이므로
$b^2-4ac=(-5)^2-4\times1\times3=13>0$
따라서 이차방정식 $x^2-5x+3=0$의 근의 개수는 2이다.

(2) $x^2+6x+9=0$에서 $a=1, b=6, c=9$이므로
$b^2-4ac=6^2-4\times1\times9=0$
따라서 이차방정식 $x^2+6x+9=0$의 근의 개수는 1이다.

(3) $x^2+2x+2=0$에서 $a=1, b=2, c=2$이므로
$b^2-4ac=2^2-4\times1\times2=-4<0$
따라서 이차방정식 $x^2+2x+2=0$의 근의 개수는 0이다.

(4) $x(3x-5)=4$에서 $3x^2-5x-4=0$
$3x^2-5x-4=0$에서 $a=3, b=-5, c=-4$이므로
$b^2-4ac=(-5)^2-4\times3\times(-4)=73>0$
따라서 이차방정식 $x(3x-5)=4$의 근의 개수는 2이다.

4-1 답 (1) $4x^2-8x-12=0$ (2) $\frac{1}{2}x^2-6x+18=0$

(1) 두 근이 -1, 3이고 x^2의 계수가 4인 이차방정식은
$4\{x-(-1)\}(x-3)=0$, 즉 $4(x+1)(\boxed{x-3})=0$이므로
$4(x^2-2x-\boxed{3})=0 \qquad \therefore 4x^2-8x-\boxed{12}=0$

(2) 6을 중근으로 갖고 x^2의 계수가 $\frac{1}{2}$인 이차방정식은
$\frac{1}{2}(x-\boxed{6})^2=0$이므로 $\frac{1}{2}x^2-\boxed{6}x+18=0$

4-2 답 (1) 2, 5 / $2x^2-14x+20=0$
(2) 1, 6 / $x^2+5x-6=0$
(3) 3, 2 / $3x^2+12x+12=0$

(1) 두 근이 2, 5이고 x^2의 계수가 2인 이차방정식은
$\boxed{2}(x-2)(x-\boxed{5})=0$이므로 $2(x^2-7x+10)=0$
$\therefore 2x^2-14x+20=0$

(2) 두 근이 1, -6이고 x^2의 계수가 1인 이차방정식은
$(x-1)\{x-(-6)\}=0$, 즉 $(x-\boxed{1})(x+\boxed{6})=0$이므로
$x^2+5x-6=0$

(3) -2를 중근으로 갖고 x^2의 계수가 3인 이차방정식은
$3\{x-(-2)\}^2=0$, 즉 $\boxed{3}(x+\boxed{2})^2=0$이므로
$3(x^2+4x+4)=0 \qquad \therefore 3x^2+12x+12=0$

보고 또 보고 유형 익히기 – 확인 문제

본문 | 154~159 쪽

01 답 1. 6 2. 7

셀파 근의 공식을 이용하여 해를 구한 후 주어진 근과 비교한다.

1. $3x^2+7x+3=0$에서 $a=3, b=7, c=3$이므로 근의 공식에 각각 대입하면
$x=\frac{-7\pm\sqrt{7^2-4\times3\times3}}{2\times3}=\frac{-7\pm\sqrt{13}}{6}$
$A=-7, B=13$이므로 $A+B=-7+13=6$

2. $x^2+8x+k+1=0$에서 $a=1, b'=4, c=k+1$이므로 근의 공식에 각각 대입하면
$x=\frac{-4\pm\sqrt{4^2-1\times(k+1)}}{1}=-4\pm\sqrt{15-k}$
이때 $x=-4\pm2\sqrt{2}$이므로 $\sqrt{15-k}=2\sqrt{2}=\sqrt{8}$
$15-k=8 \qquad \therefore k=7$

▮다른 풀이▮ $x=-4\pm2\sqrt{2}$에서 $x+4=\pm2\sqrt{2}$
양변을 제곱하면 $(x+4)^2=(\pm2\sqrt{2})^2$
$x^2+8x+16=8 \qquad \therefore x^2+8x+8=0$
$k+1=8$에서 $k=7$

02 답 $-\frac{1}{2}$

셀파 곱셈 공식을 이용하여 괄호를 풀고 $ax^2+bx+c=0$ 꼴로 정리한 후 푼다.

$(3x-2)(3x+2)=(x-2)^2$에서 괄호를 풀면

$9x^2-4=x^2-4x+4$

$8x^2+4x-8=0$, $2x^2+x-2=0$

$\therefore x=\frac{-1\pm\sqrt{1^2-4\times2\times(-2)}}{2\times2}=\frac{-1\pm\sqrt{17}}{4}$

따라서 두 근의 합은 $\frac{-1+\sqrt{17}}{4}+\frac{-1-\sqrt{17}}{4}=-\frac{2}{4}=-\frac{1}{2}$

03 답 (1) $x=\frac{-13\pm\sqrt{61}}{6}$ (2) $x=\frac{3\pm\sqrt{57}}{12}$

셀파 양변에 같은 수를 곱하여 계수를 정수로 바꾼다.

(1) $0.15x^2+0.65x+0.45=0$의 양변에 100을 곱하면

$15x^2+65x+45=0$이고 양변을 5로 나누면

$3x^2+13x+9=0$

$\therefore x=\frac{-13\pm\sqrt{13^2-4\times3\times9}}{2\times3}=\frac{-13\pm\sqrt{61}}{6}$

(2) $\frac{3}{2}x^2-\frac{3}{4}x-\frac{1}{2}=0$의 양변에 4를 곱하면

$6x^2-3x-2=0$

$\therefore x=\frac{-(-3)\pm\sqrt{(-3)^2-4\times6\times(-2)}}{2\times6}=\frac{3\pm\sqrt{57}}{12}$

04 답 (1) $x=-4$ 또는 $x=4$ (2) $x=0$ 또는 $x=1$

셀파 (1) $x+1=A$로 놓는다. (2) $2x+1=A$로 놓는다.

(1) $(x+1)^2-2(x+1)-15=0$에서 $x+1=A$로 놓으면

$A^2-2A-15=0$

$(A+3)(A-5)=0$ $\therefore A=-3$ 또는 $A=5$

$x+1=-3$ 또는 $x+1=5$

$\therefore x=-4$ 또는 $x=4$

오답 피하기

$A=-3$ 또는 $A=5$를 구하고, $x=-3$ 또는 $x=5$라고 답하지 않는다. 치환을 이용하여 문제를 풀었을 때는 원래 구하고자 한 값을 다시 구해야 한다.

(2) $(2x+1)^2-4(2x+1)+3=0$에서 $2x+1=A$로 놓으면

$A^2-4A+3=0$

$(A-1)(A-3)=0$ $\therefore A=1$ 또는 $A=3$

$2x+1=1$ 또는 $2x+1=3$ ($2x=0$, $2x=2$)

$\therefore x=0$ 또는 $x=1$

집중 연습 복잡한 이차방정식의 풀이 본문 | 156 쪽

1 답 (1) $x=8$ 또는 $x=-3$ (2) $x=-3\pm2\sqrt{3}$

(3) $x=\frac{1\pm\sqrt{41}}{4}$ (4) $x=\frac{-1\pm\sqrt{7}}{2}$

(5) $x=\frac{-5\pm\sqrt{13}}{6}$ (6) $x=\frac{1}{5}$ 또는 $x=-1$

(1) $x^2-5x-24=0$에서 $a=1$, $b=-5$, $c=-24$이므로

$x=\frac{-(-5)\pm\sqrt{(-5)^2-4\times1\times(-24)}}{2\times1}$

$=\frac{-(-5)\pm\sqrt{121}}{2}=\frac{5\pm11}{2}$

$\therefore x=\frac{16}{2}$ 또는 $x=\frac{-6}{2}$, 즉 $x=8$ 또는 $x=-3$

(2) $x^2+6x-3=0$에서 $a=1$, $b'=\frac{6}{2}=3$, $c=-3$이므로

$x=-3\pm\sqrt{3^2-1\times(-3)}=-3\pm\sqrt{12}=-3\pm2\sqrt{3}$

(3) $2x^2-x-5=0$에서 $a=2$, $b=-1$, $c=-5$이므로

$x=\frac{-(-1)\pm\sqrt{(-1)^2-4\times2\times(-5)}}{2\times2}=\frac{1\pm\sqrt{41}}{4}$

(4) $2x^2+2x-3=0$에서 $a=2$, $b'=\frac{2}{2}=1$, $c=-3$이므로

$x=\frac{-1\pm\sqrt{1^2-2\times(-3)}}{2}=\frac{-1\pm\sqrt{7}}{2}$

(5) $3x^2+5x=-1$에서 $3x^2+5x+1=0$

$3x^2+5x+1=0$에서 $a=3$, $b=5$, $c=1$이므로

$x=\frac{-5\pm\sqrt{5^2-4\times3\times1}}{2\times3}=\frac{-5\pm\sqrt{13}}{6}$

(6) $5x^2=1-4x$에서 $5x^2+4x-1=0$

$5x^2+4x-1=0$에서 $a=5$, $b'=\frac{4}{2}=2$, $c=-1$이므로

$x=\frac{-2\pm\sqrt{2^2-5\times(-1)}}{5}=\frac{-2\pm\sqrt{9}}{5}=\frac{-2\pm3}{5}$

$\therefore x=\frac{1}{5}$ 또는 $x=-1$

2 답 (1) $x=2\pm\sqrt{7}$ (2) $x=\frac{-1\pm\sqrt{22}}{3}$

(3) $x=\frac{-5\pm\sqrt{10}}{3}$ (4) $x=5$

(5) $x=\frac{-4\pm\sqrt{26}}{2}$ (6) $x=\frac{4\pm\sqrt{37}}{3}$

(7) $x=\frac{-1\pm\sqrt{41}}{4}$ (8) $x=\frac{-9\pm3\sqrt{13}}{2}$

(9) $x=5$ 또는 $x=-\frac{2}{3}$ (10) $x=3$ 또는 $x=-\frac{1}{2}$

(1) $(x-1)^2=2x+4$에서 괄호를 풀면 $x^2-2x+1=2x+4$

$x^2-4x-3=0$

$\therefore x=\frac{-(-2)\pm\sqrt{(-2)^2-1\times(-3)}}{1}=2\pm\sqrt{7}$

(2) $(x+3)(x-1)=4-2x^2$에서 괄호를 풀면

$x^2+2x-3=4-2x^2$, $3x^2+2x-7=0$

$\therefore x=\dfrac{-1\pm\sqrt{1^2-3\times(-7)}}{3}=\dfrac{-1\pm\sqrt{22}}{3}$

(3) $0.3x^2+x+0.5=0$의 양변에 10을 곱하면

$3x^2+10x+5=0$

$\therefore x=\dfrac{-5\pm\sqrt{5^2-3\times5}}{3}=\dfrac{-5\pm\sqrt{10}}{3}$

(4) $0.01x^2-0.1x+0.25=0$의 양변에 100을 곱하면

$x^2-10x+25=0$

$(x-5)^2=0$ $\quad\therefore x=5$

(5) $\dfrac{1}{4}x^2+x-\dfrac{5}{8}=0$의 양변에 분모의 최소공배수 8을 곱하면

$2x^2+8x-5=0$

$\therefore x=\dfrac{-4\pm\sqrt{4^2-2\times(-5)}}{2}=\dfrac{-4\pm\sqrt{26}}{2}$

(6) $\dfrac{1}{2}x^2-\dfrac{4}{3}x-\dfrac{7}{6}=0$의 양변에 분모의 최소공배수 6을 곱하면

$3x^2-8x-7=0$

$\therefore x=\dfrac{-(-4)\pm\sqrt{(-4)^2-3\times(-7)}}{3}=\dfrac{4\pm\sqrt{37}}{3}$

(7) $0.6x^2-\dfrac{x^2-x}{5}=1$의 양변에 5를 곱하면

$3x^2-(x^2-x)=5$

$2x^2+x-5=0$

$\therefore x=\dfrac{-1\pm\sqrt{1^2-4\times2\times(-5)}}{2\times2}=\dfrac{-1\pm\sqrt{41}}{4}$

(8) $\dfrac{1}{6}x^2+\dfrac{3}{2}x=1.5$의 양변에 6을 곱하면 $x^2+9x=9$

$x^2+9x-9=0$

$\therefore x=\dfrac{-9\pm\sqrt{9^2-4\times1\times(-9)}}{2\times1}$

$=\dfrac{-9\pm\sqrt{117}}{2}=\dfrac{-9\pm3\sqrt{13}}{2}$

(9) $\dfrac{(x+2)(x+5)}{4}=\dfrac{x(2x-3)}{2}$의 양변에 4를 곱하면

$(x+2)(x+5)=2x(2x-3)$

$x^2+7x+10=4x^2-6x$, $3x^2-13x-10=0$

$(x-5)(3x+2)=0$ $\quad\therefore x=5$ 또는 $x=-\dfrac{2}{3}$

(10) $\dfrac{x(x+1)}{5}+\dfrac{7-x}{4}=0.3(x^2-x)+1.6$의 양변에 20을 곱하면

$4x(x+1)+5(7-x)=6(x^2-x)+32$

$4x^2+4x+35-5x=6x^2-6x+32$

$2x^2-5x-3=0$, $(x-3)(2x+1)=0$

$\therefore x=3$ 또는 $x=-\dfrac{1}{2}$

3 답 (1) $x=-3$ (2) $x=-5$ 또는 $x=-\dfrac{5}{3}$

(3) $x=7$ 또는 $x=\dfrac{16}{5}$ (4) $x=\dfrac{4}{3}$ 또는 $x=\dfrac{1}{6}$

(1) $(x+5)^2-4(x+5)+4=0$에서 $x+5=A$로 놓으면

$A^2-4A+4=0$, $(A-2)^2=0$

$\therefore A=2$

$x+5=2$이므로 $x=-3$

(2) $3(x+2)^2+8(x+2)-3=0$에서 $x+2=A$로 놓으면

$3A^2+8A-3=0$, $(A+3)(3A-1)=0$

$\therefore A=-3$ 또는 $A=\dfrac{1}{3}$

$x+2=-3$ 또는 $x+2=\dfrac{1}{3}$이므로 $x=-5$ 또는 $x=-\dfrac{5}{3}$

(3) $5(x-3)^2-21(x-3)+4=0$에서 $x-3=A$로 놓으면

$5A^2-21A+4=0$, $(A-4)(5A-1)=0$

$\therefore A=4$ 또는 $A=\dfrac{1}{5}$

$x-3=4$ 또는 $x-3=\dfrac{1}{5}$이므로 $x=7$ 또는 $x=\dfrac{16}{5}$

(4) $\dfrac{(3x-2)^2}{3}-\dfrac{3x-2}{6}-1=0$에서 $3x-2=A$로 놓으면

$\dfrac{A^2}{3}-\dfrac{A}{6}-1=0$

양변에 분모의 최소공배수 6을 곱하면

$2A^2-A-6=0$, $(A-2)(2A+3)=0$

$\therefore A=2$ 또는 $A=-\dfrac{3}{2}$

$3x-2=2$ 또는 $3x-2=-\dfrac{3}{2}$이므로 $3x=4$ 또는 $3x=\dfrac{1}{2}$

$\therefore x=\dfrac{4}{3}$ 또는 $x=\dfrac{1}{6}$

05 답 ①, ⑤

셀파 이차방정식 $ax^2+bx+c=0$에서 $b^2-4ac<0$이면 근이 없다.

① $x^2+1=0$에서 $0^2-4\times1\times1=-4<0$이므로 근이 없다.

② $x^2-8x=0$에서 $(-8)^2-4\times1\times0=64>0$이므로 서로 다른 두 근을 가진다.

③ $x^2-4x+4=0$에서 $(-4)^2-4\times1\times4=0$이므로 중근을 가진다.

④ $2x^2-4x-2=0$에서 $(-4)^2-4\times2\times(-2)=32>0$이므로 서로 다른 두 근을 가진다.

⑤ $x^2+2x+3=0$에서 $2^2-4\times1\times3=-8<0$이므로 근이 없다.

따라서 근이 없는 이차방정식은 ①, ⑤이다.

06 답 6

셀파 이차방정식 $ax^2+bx+c=0$이 중근을 가질 조건 $b^2-4ac=0$을 이용한다.

이차방정식 $x^2-(k+1)x+2k-1=0$이 중근을 가지려면
$\{-(k+1)\}^2-4\times1\times(2k-1)=0$
$k^2+2k+1-8k+4=0$, $k^2-6k+5=0$
$(k-1)(k-5)=0$ $\therefore k=1$ 또는 $k=5$
따라서 모든 상수 k의 값의 합은 $1+5=6$

07 답 1. $k>12$ 2. $-2\le k<2$ 또는 $k>2$

셀파 이차방정식 $ax^2+bx+c=0$이
- 서로 다른 두 근을 가지면 $b^2-4ac>0$
- 중근을 가지면 $b^2-4ac=0$
- 근이 없으면 $b^2-4ac<0$

1. 이차방정식 $x^2-6x-3+k=0$의 근이 없으려면
$(-6)^2-4\times1\times(-3+k)<0$
$36+12-4k<0$, $-4k<-48$
$\therefore k>12$

2. 이차방정식 $(k-2)x^2+4x-1=0$이 근을 가지려면
$4^2-4\times(k-2)\times(-1)\ge0$
$16+4k-8\ge0$, $4k\ge-8$
$\therefore k\ge-2$
그런데 $k\ne2$이므로 $-2\le k<2$ 또는 $k>2$
→ (x^2의 계수)$\ne0$

08 답 1. $a=-2$, $b=-1$ 2. 16

셀파 x^2의 계수가 a이고 두 근이 α, β인 이차방정식은 $a(x-\alpha)(x-\beta)=0$

1. x^2의 계수가 3이고 두 근이 $1, -\frac{1}{3}$인 이차방정식은
$3(x-1)\left(x+\frac{1}{3}\right)=0$, $3\left(x^2-\frac{2}{3}x-\frac{1}{3}\right)=0$
$\therefore 3x^2-2x-1=0$
$\therefore a=-2, b=-1$

2. x^2의 계수가 9이고 중근이 $x=-\frac{2}{3}$인 이차방정식은
$9\left\{x-\left(-\frac{2}{3}\right)\right\}^2=0$, 즉 $9\left(x+\frac{2}{3}\right)^2=0$
$9\left(x^2+\frac{4}{3}x+\frac{4}{9}\right)=0$ $\therefore 9x^2+12x+4=0$
따라서 $a=12$, $b=4$이므로 $a+b=16$

09 답 (1) $4-\sqrt{2}$ (2) $a=-8$, $b=14$

셀파 계수가 유리수인 이차방정식에서 한 근이 $p+q\sqrt{m}$이면 다른 한 근은 $p-q\sqrt{m}$이다. (단, p, q는 유리수, $\sqrt{m}$은 무리수)

(1) 이차방정식 $x^2+ax+b=0$은 계수가 모두 유리수이고, 한 근이 $4+\sqrt{2}$이므로 다른 한 근은 $4-\sqrt{2}$이다.
(2) 두 근이 $4+\sqrt{2}$, $4-\sqrt{2}$이고 x^2의 계수가 1인 이차방정식은
$\{x-(4+\sqrt{2})\}\{x-(4-\sqrt{2})\}=0$, $x^2-8x+14=0$
$\therefore a=-8, b=14$

다른 풀이 (2) 이차방정식 $x^2+ax+b=0$의 한 근이 $4+\sqrt{2}$이므로
$x=4+\sqrt{2}$
$x-4=\sqrt{2}$이므로 양변을 제곱하면 $(x-4)^2=(\sqrt{2})^2$
$x^2-8x+16=2$, $x^2-8x+14=0$
$\therefore a=-8, b=14$

10 답 $x=-6$ 또는 $x=2$

셀파 두 근 $-3, 4$를 이용하여 상수항을, 두 근 $-7, 3$을 이용하여 x의 계수를 구한다.

$-3, 4$를 두 근으로 하고 x^2의 계수가 1인 이차방정식은
$(x+3)(x-4)=0$ $\therefore x^2-x-12=0$
이때 용민이는 상수항은 제대로 보았으므로 처음 이차방정식의 상수항은 -12이다.
$-7, 3$을 두 근으로 하고 x^2의 계수가 1인 이차방정식은
$(x+7)(x-3)=0$ $\therefore x^2+4x-21=0$
이때 희진이는 x의 계수는 제대로 보았으므로 처음 이차방정식의 x의 계수는 4이다.
따라서 처음 이차방정식은 $x^2+4x-12=0$이므로
$(x+6)(x-2)=0$에서 $x=-6$ 또는 $x=2$

2. 이차방정식의 활용

본문 | 161 쪽

1-1 답 6, 7

연속하는 두 자연수 중 작은 수를 x라 하면 큰 수는 $\boxed{x+1}$이다.

3×(작은 수의 제곱)=2×(큰 수의 제곱)+10이므로

$3x^2=2(\boxed{x+1})^2+10$

괄호를 풀고 정리하면 $x^2-4x-\boxed{12}=0$

$(x+\boxed{2})(x-6)=0$ $\therefore x=\boxed{-2}$ 또는 $x=6$

그런데 x는 자연수이므로 $x=6$

따라서 두 자연수는 6, 7이다.

1-2 답 (1) $x^2+(x+1)^2=145$ (2) $x=-9$ 또는 $x=8$ (3) 8, 9

(1) 연속하는 두 자연수 중 작은 수가 x이므로 큰 수는 $x+1$이다.
연속하는 두 자연수를 각각 제곱한 합이 145이므로
$x^2+(x+1)^2=145$

(2) $x^2+(x+1)^2=145$에서 $x^2+x^2+2x+1=145$
$2x^2+2x-144=0$, $x^2+x-72=0$
$(x+9)(x-8)=0$ $\therefore x=-9$ 또는 $x=8$

(3) x는 자연수이므로 $x=8$
따라서 구하는 두 자연수는 8, 9이다.

2-1 답 6 cm

직사각형의 가로의 길이를 x cm라 하면

(직사각형의 둘레의 길이)=2×{(가로의 길이)+(세로의 길이)}

이므로 20=2×{x+(세로의 길이)}

x+(세로의 길이)=10 ∴ (세로의 길이)=($\boxed{10-x}$) cm

이때 직사각형의 넓이가 24 cm²이므로 $x(\boxed{10-x})=24$

$x^2-\boxed{10}x+24=0$, $(x-\boxed{4})(x-6)=0$

$\therefore x=\boxed{4}$ 또는 $x=6$

따라서 가로의 길이가 세로의 길이보다 더 길다고 했으므로 직사각형의 가로의 길이는 6 cm이다.

2-2 답 (1) $x(x+5)=84$ (2) $x=-12$ 또는 $x=7$ (3) 12

(1) 가로의 길이가 x이면 세로의 길이는 $x+5$이고
직사각형의 넓이가 84이므로 $x(x+5)=84$

(2) $x(x+5)=84$에서 $x^2+5x=84$
$x^2+5x-84=0$, $(x+12)(x-7)=0$
$\therefore x=-12$ 또는 $x=7$

(3) x는 양수이므로 $x=7$
따라서 직사각형의 세로의 길이는 $7+5=12$

본문 | 162~164 쪽

01 답 10, 12, 14

셀파 연속하는 세 짝수를 $x-2$, x, $x+2$로 놓고, 방정식을 세운다.

연속하는 세 짝수를 $x-2$, x, $x+2$라 하면 (단, $x-2>0$) ($\to x>2$)

(가장 큰 짝수의 제곱)=(나머지 두 짝수의 제곱의 합)−48이므로

$(x+2)^2=(x-2)^2+x^2-48$

$x^2+4x+4=x^2-4x+4+x^2-48$

$x^2-8x-48=0$, $(x+4)(x-12)=0$

$\therefore x=-4$ 또는 $x=12$

그런데 x는 $x>2$인 자연수이므로 $x=12$

따라서 조건을 만족하는 세 짝수는 10, 12, 14이다.

02 답 십삼각형

셀파 이차방정식 $\frac{n(n-3)}{2}=65$를 푼다.

$\frac{n(n-3)}{2}=65$에서 $n^2-3n-130=0$

$(n+10)(n-13)=0$

$\therefore n=-10$ 또는 $n=13$

그런데 n은 자연수이므로 $n=13$

따라서 구하는 다각형은 십삼각형이다.

03 답 14권

셀파 반 학생 수를 x명이라 하고, 전체 공책 수는 일정하다는 것을 이용하여 방정식을 세운다.

반 학생 수를 x명이라 하면 한 학생이 받는 공책은 $(x-3)$권이다.

이때 (학생 수)×(한 학생이 받는 공책 수)=(전체 공책 수)이므로

$x(x-3)=238$

$x^2-3x-238=0$, $(x+14)(x-17)=0$

$\therefore x=-14$ 또는 $x=17$

그런데 학생 수는 자연수이므로 $x=17$

따라서 한 학생이 받는 공책 수는

$x-3=17-3=14$(권)

04 답 8초 후

셀파 지면에 떨어졌을 때 물 로켓의 높이는 0 m이다.

물 로켓이 지면에 떨어졌을 때 물 로켓의 높이는 0 m이므로

$80+30t-5t^2=0$

$t^2-6t-16=0$, $(t+2)(t-8)=0$

$\therefore t=-2$ 또는 $t=8$

그런데 $t>0$이므로 $t=8$

따라서 물 로켓이 지면에 떨어지는 것은 쏘아 올린 지 8초 후이다.

05 답 9 cm

셀파 처음 직사각형의 가로의 길이를 x cm라 하면 세로의 길이는 $(x-6)$ cm 이다.

처음 직사각형의 가로의 길이를 x cm라 하면
세로의 길이는 $(x-6)$ cm이다.
→ $x-6>0$이므로 $x>6$
이때 변화된 직사각형의 가로의 길이는 $(x-4)$ cm,
세로의 길이는 $2(x-6)$ cm이고
변화된 직사각형의 넓이가 처음 직사각형의 넓이보다 3 cm^2만큼 늘어났으므로
$(x-4)\times 2(x-6)=x(x-6)+3$
$2(x^2-10x+24)=x^2-6x+3$, $x^2-14x+45=0$
$(x-5)(x-9)=0$ $\quad\therefore x=5$ 또는 $x=9$
그런데 $x>6$이므로 $x=9$
따라서 처음 직사각형의 가로의 길이는 9 cm이다.

06 답 10 m

셀파 꽃밭의 세로의 길이를 x m, 가로의 길이를 $2x$ m로 놓을 수 있다.

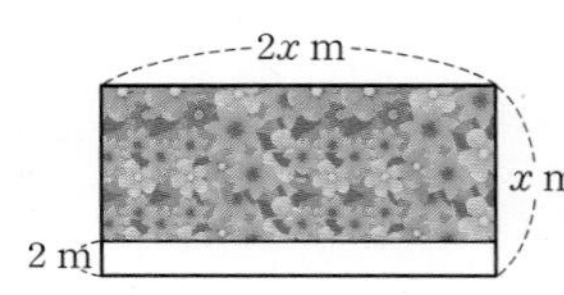

꽃밭의 가로의 길이와 세로의 길이의 비가 2 : 1이므로 꽃밭의 세로의 길이를 x m, 가로의 길이를 $2x$ m라 하자.
길을 제외한 꽃밭의 넓이는 가로의 길이가 $2x$ m, 세로의 길이가 $(x-2)$ m인 직사각형의 넓이와 같으므로 $2x(x-2)=30$
$x(x-2)=15$, $x^2-2x-15=0$
$(x+3)(x-5)=0$ $\quad\therefore x=-3$ 또는 $x=5$
그런데 $x>0$, $x-2>0$에서 $x>2$이므로 $x=5$
따라서 꽃밭의 가로의 길이는 10 m이다.

LECTURE 도로를 제외한 땅의 넓이

다음 도형에서 색칠한 부분의 넓이는 서로 같다.

①

②

실력 키우기

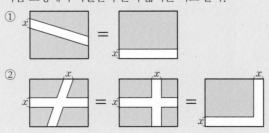

본문 | 165~167 쪽

01 답 ④

셀파 완전제곱식을 이용한 이차방정식의 풀이 방법으로 이차방정식의 근의 공식을 유도한다.

이차방정식 $ax^2+bx+c=0$의 양변을 a로 나누면
$x^2+\frac{b}{a}x+\frac{c}{a}=0$
상수항을 우변으로 이항하면 $x^2+\frac{b}{a}x=-\frac{c}{a}$
좌변을 완전제곱식으로 고치면
$x^2+\frac{b}{a}x+\left(\frac{b}{2a}\right)^2=-\frac{c}{a}+\left(\frac{b}{2a}\right)^2$
$\left(x+\frac{b}{2a}\right)^2=\frac{b^2-4ac}{4a^2}$
$x+\frac{b}{2a}=\pm\frac{1}{2a}\times\sqrt{b^2-4ac}$ (단, $b^2-4ac\geq 0$)
$\therefore x=\frac{-b\pm\sqrt{b^2-4ac}}{2a}$
따라서 알맞지 않은 것은 ④이다.

02 답 ②

셀파 x의 계수가 짝수인 근의 공식을 이용하여 주어진 이차방정식의 해를 구하여 비교한다.

$3x^2-4x+a=0$에서
$x=\frac{-(-2)\pm\sqrt{(-2)^2-3\times a}}{3}=\frac{2\pm\sqrt{4-3a}}{3}$
이때 $x=\frac{b\pm\sqrt{19}}{3}$이므로 $b=2$, $4-3a=19$
$4-3a=19$에서 $-3a=15$ $\quad\therefore a=-5$
$\therefore a+b=-5+2=-3$

03 답 $\sqrt{14}$

셀파 곱셈 공식을 이용하여 괄호를 풀고 $ax^2+bx+c=0$ 꼴로 정리한 후 푼다.

$6x^2-3+4x=8(x-1)(x+1)$에서 $6x^2-3+4x=8(x^2-1)$
$6x^2-3+4x=8x^2-8$, $2x^2-4x-5=0$
$\therefore x=\frac{-(-2)\pm\sqrt{(-2)^2-2\times(-5)}}{2}=\frac{2\pm\sqrt{14}}{2}$
따라서 $\alpha=\frac{2+\sqrt{14}}{2}$이므로
$2\alpha-2=2\times\frac{2+\sqrt{14}}{2}-2=2+\sqrt{14}-2=\sqrt{14}$

04 답 $A=1,\ B=7$

셀파 이차방정식의 계수를 정수로 만든다.

이차방정식 $\frac{x^2}{5}-\frac{x^2-x-2}{2}=\frac{3}{10}x+0.8$의 양변에 10을 곱하면

$2x^2-5(x^2-x-2)=3x+8$

$2x^2-5x^2+5x+10=3x+8$

$3x^2-2x-2=0$

$\therefore x=\frac{-(-1)\pm\sqrt{(-1)^2-3\times(-2)}}{3}=\frac{1\pm\sqrt{7}}{3}$

이때 $x=\frac{A\pm\sqrt{B}}{3}$이므로 $A=1,\ B=7$

05 답 $\frac{7}{2}$

셀파 $x+\frac{1}{2}=A$로 놓고, 이차방정식을 푼다.

1 공통부분을 A로 놓고, A의 값 구하기 [50 %]

이차방정식 $2\left(x+\frac{1}{2}\right)^2-5\left(x+\frac{1}{2}\right)-3=0$에서

$x+\frac{1}{2}=A$로 놓으면 $2A^2-5A-3=0$

$(A-3)(2A+1)=0 \qquad \therefore A=3$ 또는 $A=-\frac{1}{2}$

2 x의 값 구하기 [30 %]

즉 $x+\frac{1}{2}=3$ 또는 $x+\frac{1}{2}=-\frac{1}{2}$

$\therefore x=\frac{5}{2}$ 또는 $x=-1$

3 $\alpha-\beta$의 값 구하기 [20 %]

이때 $\alpha>\beta$이므로 $\alpha=\frac{5}{2},\ \beta=-1$

$\therefore \alpha-\beta=\frac{5}{2}-(-1)=\frac{7}{2}$

06 답 4

셀파 $x-y=A$로 놓고, 이차방정식을 푼다.

$(x-y)(x-y-1)=12$에서 $x-y=A$로 놓으면

$A(A-1)=12,\ A^2-A-12=0$

$(A+3)(A-4)=0 \qquad \therefore A=-3$ 또는 $A=4$

즉 $x-y=-3$ 또는 $x-y=4$

그런데 $x>y$이므로 $x-y>0$

$\therefore x-y=4$

07 답 ⑤

셀파 이차방정식 $ax^2+bx+c=0$에서 b^2-4ac의 부호를 조사한다.

① $2x^2-1=0$에서 $0^2-4\times2\times(-1)=8>0$이므로
근의 개수는 2이다.

② $2x^2-5x+1=0$에서 $(-5)^2-4\times2\times1=17>0$이므로
근의 개수는 2이다.

③ $x^2-4x-1=0$에서 $(-4)^2-4\times1\times(-1)=20>0$이므로
근의 개수는 2이다.

④ $x^2+6x+5=0$에서 $6^2-4\times1\times5=16>0$이므로
근의 개수는 2이다.

⑤ $9x^2-6x+1=0$에서 $(-6)^2-4\times9\times1=0$이므로
근의 개수는 1이다.

따라서 근의 개수가 나머지 넷과 다른 하나는 ⑤이다.

08 답 $x=1$ 또는 $x=-\frac{5}{7}$

셀파 이차방정식 $ax^2+bx+c=0$에서 $b^2-4ac=0$이면 중근을 가진다.

이차방정식 $x^2-8x+k=0$이 중근을 가지므로

$(-8)^2-4\times1\times k=0$

$64-4k=0 \qquad \therefore k=16$

이차방정식 $(16-9)x^2-2x=16-11$, 즉 $7x^2-2x-5=0$을 풀면 $(x-1)(7x+5)=0$

$\therefore x=1$ 또는 $x=-\frac{5}{7}$

09 답 $k\le-1$

셀파 이차방정식 $ax^2+bx+c=0$이 근을 가질 조건은 $b^2-4ac\ge0$

이차방정식 $x^2-2x+2+k=0$이 근을 가지려면

$(-2)^2-4\times1\times(2+k)\ge0$

$-4-4k\ge0,\ -4k\ge4$

$\therefore k\le-1$

10 답 $3x^2+21x+30=0$

셀파 이차방정식 $x^2+5x+4=0$의 두 근 $\alpha,\ \beta$를 먼저 구한다.

1 $\alpha,\ \beta$의 값 각각 구하기 [50 %]

$x^2+5x+4=0$에서 $(x+1)(x+4)=0$이므로

$x=-1$ 또는 $x=-4$

$\therefore \alpha=-4,\ \beta=-1\ (\because \alpha<\beta)$

2 $\alpha-1,\ \beta-1$을 두 근으로 하고 x^2의 계수가 3인 이차방정식 구하기 [50 %]

따라서 $\alpha-1=-5,\ \beta-1=-2$이므로 $-5,\ -2$를 두 근으로 하고 x^2의 계수가 3인 이차방정식은

$3(x+5)(x+2)=0,\ 3(x^2+7x+10)=0$

$\therefore 3x^2+21x+30=0$

11 답 $3-2\sqrt{2}$

셀파 $\frac{1}{3-2\sqrt{2}}$의 분모를 유리화한다.

$$\frac{1}{3-2\sqrt{2}}=\frac{3+2\sqrt{2}}{(3-2\sqrt{2})(3+2\sqrt{2})}=\frac{3+2\sqrt{2}}{9-8}=3+2\sqrt{2}$$

즉 이차방정식 $x^2+mx+n=0$의 계수가 모두 유리수이고,
한 근이 $3+2\sqrt{2}$이므로 다른 한 근은 $3-2\sqrt{2}$이다.

12 답 $x=-4$ 또는 $x=2$

셀파 잘못 본 이차방정식을 각각 구하여 x의 계수와 상수항을 구한다.

① a의 값 구하기 [35 %]
-3, 1을 두 근으로 하고 x^2의 계수가 1인 이차방정식은
$(x+3)(x-1)=0$ $\therefore x^2+2x-3=0$
이때 지훈이는 x의 계수는 제대로 보았으므로 처음 이차방정식의 x의 계수는 2이다. $\therefore a=2$

② b의 값 구하기 [35 %]
-2, 4를 두 근으로 하고 x^2의 계수가 1인 이차방정식은
$(x+2)(x-4)=0$ $\therefore x^2-2x-8=0$
이때 유리는 상수항은 제대로 보았으므로 처음 이차방정식의 상수항은 -8이다. $\therefore b=-8$

③ $x^2+ax+b=0$의 해 구하기 [30 %]
따라서 처음 이차방정식은 $x^2+2x-8=0$
$(x+4)(x-2)=0$ $\therefore x=-4$ 또는 $x=2$

13 답 3

셀파 기호의 뜻에 맞게 이차방정식을 세운다.

$a\bigstar b=ab+a+b$이므로
$$\begin{aligned}(x-2)\bigstar(x+1)&=(x-2)(x+1)+x-2+x+1\\&=x^2-x-2+x-2+x+1\\&=x^2+x-3\end{aligned}$$
$\therefore x^2+x-3=4x+1$, 즉 $x^2-3x-4=0$
$(x+1)(x-4)=0$ $\therefore x=-1$ 또는 $x=4$
따라서 모든 실수 x의 값의 합은 $-1+4=3$

14 답 28

셀파 연속하는 두 홀수를 x, $x+2$로 놓는다.

연속하는 두 홀수를 x, $x+2$라 하면 (단, $x>0$)
두 홀수의 제곱의 합이 394이므로 $x^2+(x+2)^2=394$
$x^2+x^2+4x+4=394$, $2x^2+4x-390=0$
$x^2+2x-195=0$, $(x-13)(x+15)=0$
$\therefore x=13$ 또는 $x=-15$
이때 $x>0$이므로 $x=13$
따라서 연속하는 두 홀수는 13, 15이므로 그 합은 28이다.

15 답 10세

셀파 동생의 나이를 x세라 하면 형의 나이는 $(x+4)$세이다.

형과 동생의 나이의 차가 4세이므로 동생의 나이를 x세라 하면 형의 나이는 $(x+4)$세이다.
동생의 나이의 제곱의 2배는 형의 나이의 제곱보다 4세만큼 더 많으므로 $2x^2=(x+4)^2+4$
$2x^2=x^2+8x+20$, $x^2-8x-20=0$
$(x+2)(x-10)=0$ $\therefore x=-2$ 또는 $x=10$
그런데 $x>0$이므로 $x=10$
따라서 동생의 나이는 10세이다.

16 답 4초

셀파 물체의 높이가 160 m가 되는 것은 몇 초 후인지 구한다.

쏘아 올린 물체의 t초 후의 높이가 $(60t-5t^2)$ m이므로
물체의 높이가 160 m일 때, t의 값을 구하면
$60t-5t^2=160$
$t^2-12t+32=0$
$(t-4)(t-8)=0$
$\therefore t=4$ 또는 $t=8$

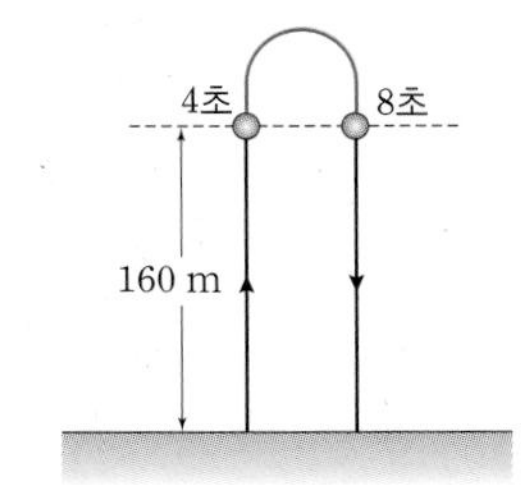

즉 이 물체가 지면으로부터 높이가 160 m인 지점을 지날 때는 쏘아 올린 지 4초 후 또는 8초 후이다.
따라서 물체가 지면으로부터 높이가 160 m 이상인 지점을 지나는 것은 $8-4=4$(초) 동안이다.

17 답 (1) $-2x^2+40x$ (2) 8 cm 또는 12 cm

셀파 빗금 친 부분이 직사각형임을 이용하여 이차방정식을 세운다.

① 빗금 친 부분의 넓이를 x에 대한 이차식으로 나타내기 [40 %]
(1) 물받이의 높이를 x cm$(x>0)$라 하면 빗금 친 부분의 가로의 길이는 $(40-2x)$ cm, 세로의 길이는 x cm이므로 넓이는
$(40-2x)\times x=-2x^2+40x$

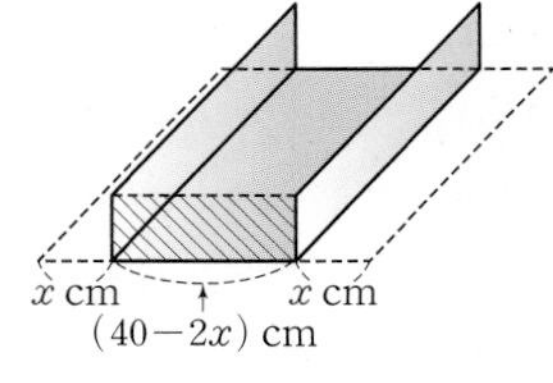

② 물받이의 높이 구하기 [60 %]
(2) $-2x^2+40x=192$에서 $2x^2-40x+192=0$
$x^2-20x+96=0$, $(x-8)(x-12)=0$
$\therefore x=8$ 또는 $x=12$
이때 $40-2x>0$에서 $x<20$이므로 $0<x<20$
따라서 물받이의 높이는 8 cm 또는 12 cm이다.

18 답 $x=1$, $a=7$

셀파 세로에 있는 세 식의 합과 대각선에 있는 세 식의 합이 같음을 이용하여 x의 값을 먼저 구한다.

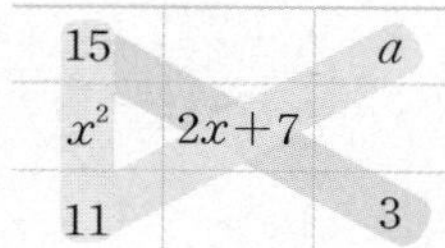

오른쪽 표에서 가로, 세로, 대각선에 있는 세 수의 합이 모두 같으므로

$15+x^2+11=15+(2x+7)+3$

$x^2+26=2x+25$, $x^2-2x+1=0$

$(x-1)^2=0 \qquad \therefore x=1$

따라서 세로에 있는 세 수의 합은 $15+1^2+11=27$이므로

대각선에 있는 세 수의 합은 $a+(2\times1+7)+11=27$

즉 $a+9+11=27 \qquad \therefore a=7$

19 답 4초 후 또는 6초 후

셀파 x초 동안 점 P는 $3x$ cm 움직이고 점 Q는 $2x$ cm 움직인다.

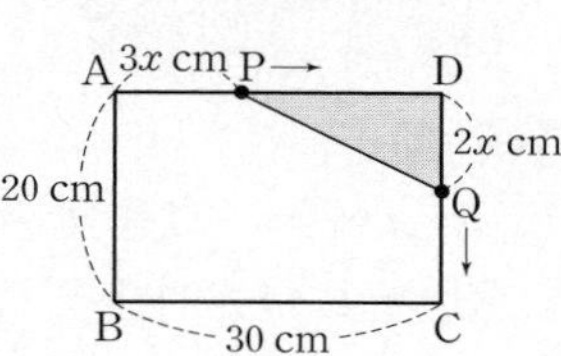

점 P가 1초에 3 cm씩 이동하므로 x초 동안 이동한 거리는 $3x$ cm이다. 즉 $\overline{AP}=3x$ cm

또 점 Q가 1초에 2 cm씩 이동하므로 x초 동안 이동한 거리는 $2x$ cm이다. 즉 $\overline{DQ}=2x$ cm

이때 $\triangle PQD=\frac{1}{2}\times\overline{PD}\times\overline{DQ}$이고

x초 후에 $\triangle PQD$의 넓이가 72 cm^{2}가 되므로

$72=\frac{1}{2}\times(30-3x)\times2x$

$3x^2-30x+72=0$, $x^2-10x+24=0$

$(x-4)(x-6)=0 \qquad \therefore x=4$ 또는 $x=6$

따라서 두 점 P, Q가 동시에 출발한 지 4초 후 또는 6초 후에 삼각형 PQD의 넓이가 72 cm^{2}가 된다.

20 답 (1) $(x-6)$자

(2) 큰 정사각형: 18자, 작은 정사각형: 12자

셀파 작은 정사각형의 한 변의 길이는 $(x-6)$자이다.

(1) 큰 정사각형의 한 변의 길이가 x자이면
큰 정사각형의 한 변의 길이는 작은 정사각형의 한 변의 길이보다 6자만큼 길므로 작은 정사각형의 한 변의 길이는 $(x-6)$자이다.

(2) 두 정사각형의 넓이의 합이 468평방자이므로
$x^2+(x-6)^2=468$, $x^2-6x-216=0$
$(x+12)(x-18)=0 \qquad \therefore x=-12$ 또는 $x=18$
그런데 $x>0$이므로 $x=18$
따라서 큰 정사각형의 한 변의 길이는 18자이고, 작은 정사각형의 한 변의 길이는 $18-6=12$(자)이다.

IV. 이차함수

11 이차함수 $y=ax^2$의 그래프

1. 이차함수

본문 | 171 쪽

1-1 답 (2), (4)

(1) $y=(x$에 대한 일차식)이므로 y는 x에 대한 일차함수이다.

(2) $y=(x$에 대한 $\boxed{\text{이차식}}$)이므로 y는 x에 대한 이차함수이다.

(3) $y=x^2-(x+x^2)=x^2-x-x^2=-x$, 즉 $y=\boxed{-x}$
⇨ y는 x에 대한 $\boxed{\text{일차함수}}$이다.

(4) $y=(x+1)(x+2)=x^2+3x+2$, 즉 $y=\boxed{x^2+3x+2}$
⇨ y는 x에 대한 $\boxed{\text{이차함수}}$이다.

1-2 답 (1) ○ (2) × (3) × (4) ×

(1) $y=-\frac{x^2}{3}+5=-\frac{1}{3}x^2+5$ ⇨ y는 x에 대한 이차함수이다.

(2) $y=\frac{1}{x^2}+2$에서 x^2이 분모에 있으므로 이차함수가 아니다.

(3) $y=x(x-2)-x^2=x^2-2x-x^2=-2x$, 즉 $y=-2x$
⇨ y는 x에 대한 일차함수이다.

(4) $y=-2x^3-3$에서 우변의 최고차항이 x^3항이므로 이차함수가 아니다.

2-1 답 (1) 2 (2) 17

(1) $f(1)=3\times\boxed{1}^2-2\times\boxed{1}+1=3-2+1=\boxed{2}$

(2) $f(-2)=3\times(\boxed{-2})^2-2\times(\boxed{-2})+1=12+4+1=\boxed{17}$

2-2 답 (1) 7 (2) 12 (3) 19

(1) $f(2)=2\times2^2+2-3=8+2-3=7$

(2) $f(-3)=2\times(-3)^2+(-3)-3=18-3-3=12$

(3) $f(2)+f(-3)=7+12=19$

본문 | 172~173 쪽

01 답 1. ③, ⑤ 2. ④

셀파 x와 y 사이의 관계식이 $y=ax^2+bx+c(a\neq0)$ 꼴이면 y는 x에 대한 이차함수이다.

1. ① $y=\frac{1}{x^2}$ ⇨ x^2이 분모에 있으므로 이차함수가 아니다.
② $y=x(x+1)-x^2=x$ ⇨ y는 x에 대한 일차함수이다.
③ $y=-\frac{(x-1)^2}{4}=-\frac{1}{4}x^2+\frac{1}{2}x-\frac{1}{4}$
⇨ y는 x에 대한 이차함수이다.
④ $y=2(x+2)^2-x^3=-x^3+2x^2+8x+8$
⇨ 우변의 최고차항이 x^3항이므로 이차함수가 아니다.
⑤ $y=-\left(x-\frac{1}{2}\right)^2-1=-x^2+x-\frac{5}{4}$
⇨ y는 x에 대한 이차함수이다.
따라서 y가 x에 대한 이차함수인 것은 ③, ⑤이다.

2. ① $y=300x$ ⇨ y는 x에 대한 일차함수이다.
② (원의 둘레의 길이)$=2\pi\times$(반지름의 길이)이므로
$y=2\pi x$ ⇨ y는 x에 대한 일차함수이다.
③ (직사각형의 둘레의 길이)
$=2\times\{$(가로의 길이)+(세로의 길이)$\}$이므로
$y=2\{x+(x+1)\}=4x+2$
⇨ y는 x에 대한 일차함수이다.
④ (삼각형의 넓이)$=\frac{1}{2}\times$(밑변의 길이)$\times$(높이)이므로
$y=\frac{1}{2}\times x\times 2x=x^2$ ⇨ y는 x에 대한 이차함수이다.
⑤ (시간)$=\frac{(거리)}{(속력)}$이므로 $y=\frac{700}{x}$
⇨ y는 x에 대한 이차함수가 아니다.
따라서 y가 x에 대한 이차함수인 것은 ④이다.

02 답 ⑤

셀파 $y=ax^2+bx+c$ 꼴로 정리한 후 $a\neq0$일 조건을 구한다.

$y=3x^2-kx(x-1)+2=(3-k)x^2+kx+2$
이 식이 x에 대한 이차함수가 되려면 $3-k\neq0$ $\quad\therefore k\neq3$

03 답 1. 4 2. (1) -3 (2) 0

셀파 1. $f(x)=-x^2+4x+6$에 x 대신 2, 0을 각각 대입한다.
2. $f(3)=-12$를 이용하여 상수 k의 값을 먼저 구한다.

1. $f(2)=-2^2+4\times2+6=10$
$f(0)=-0^2+4\times0+6=6$
$\therefore f(2)-f(0)=10-6=4$

2. (1) $f(x)=-2x^2+x-k$에서 $f(3)=-12$이므로
$f(3)=-2\times3^2+3-k=-12$
$-15-k=-12$ $\quad\therefore k=-3$
(2) $f(x)=-2x^2+x+3$이므로
$f(-1)=-2\times(-1)^2+(-1)+3=0$

2. 이차함수 $y=ax^2$의 그래프

본문 | 175, 177 쪽

1-1 답 ㉠, ㉢

㉠ $y=x^2$에 $x=-1$을 대입하면 $y=(-1)^2=\boxed{1}$이므로 점 $(-1, 1)$을 지난다.
㉡ 원점을 지나고 $\boxed{\text{아래}}$로 볼록한 곡선이므로 제1사분면, 제$\boxed{2}$사분면을 지난다.
실제로 이차함수 $y=x^2$의 그래프를 그려 보면 오른쪽 그림과 같이 제1사분면, 2사분면을 지나고 제3사분면, 제4사분면은 지나지 않는다.

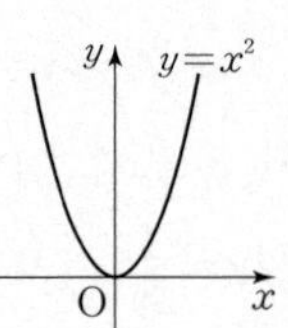

㉢ x의 값이 1에서 3까지 증가할 때, y의 값은 1에서 $\boxed{9}$까지 $\boxed{\text{증가}}$한다.
따라서 옳은 것은 ㉠, ㉢이다.

1-2 답 (1) 아래 (2) y축 (3) 감소 (4) 증가

이차함수 $y=x^2$의 그래프는
(1) 원점을 지나고 아래로 볼록한 곡선이다.
(2) y축에 대칭이다.
(3) $x<0$일 때, x의 값이 증가하면 y의 값은 감소한다.
(4) $x>0$일 때, x의 값이 증가하면 y의 값은 증가한다.

2-1 답 풀이 참조

x의 값이 $-3, -2, -1, 0, 1, 2, 3$일 때, y의 값을 구하면 다음 표와 같다.

x	-3	-2	-1	0	1	2	3
y	-9	$\boxed{-4}$	-1	0	-1	-4	$\boxed{-9}$

위의 표에서 얻어지는 순서쌍 (x, y)를 좌표로 하는 점을 좌표평면 위에 나타내면 오른쪽 그림과 같다.
따라서 x의 값이 실수일 때, 이차함수 $y=-x^2$의 그래프는 오른쪽 그림과 같이 이 점들을 모두 지나는 곡선이다.

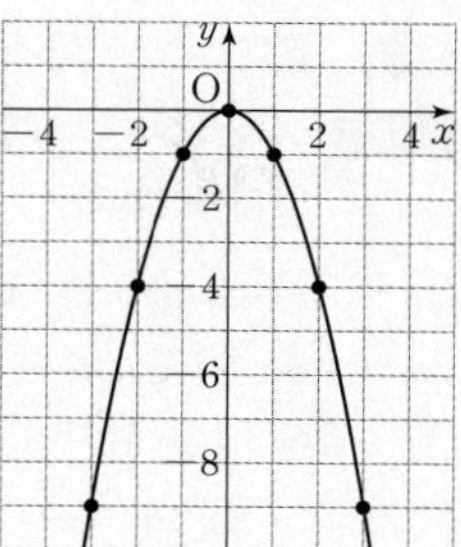

2-2 답 (1) 위 (2) y축 (3) 증가 (4) 감소

이차함수 $y=-x^2$의 그래프는
(1) 원점을 지나고 위로 볼록한 곡선이다.
(2) y축에 대칭이다.
(3) $x<0$일 때, x의 값이 증가하면 y의 값은 증가한다.
(4) $x>0$일 때, x의 값이 증가하면 y의 값은 감소한다.

3-1 답 풀이 참조

이차함수 $y=\frac{1}{2}x^2$의 그래프는 $y=x^2$의 그래프 위의 각 점에 대하여 y좌표를 $\frac{1}{2}$배로 하는 점을 지나는 곡선이다.
따라서 이차함수 $y=\frac{1}{2}x^2$의 그래프는 오른쪽 그림과 같다.

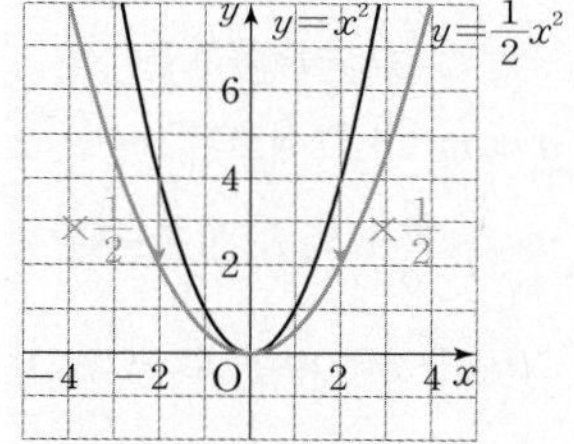

3-2 답 (1) 풀이 참조 (2) 풀이 참조

(1) 이차함수 $y=4x^2$의 그래프는 $y=2x^2$의 그래프 위의 각 점에 대하여 y좌표를 2배로 하는 점을 지나는 곡선이다.
따라서 이차함수 $y=4x^2$의 그래프는 오른쪽 그림과 같다.
(2) 이차함수 $y=-2x^2$의 그래프는 $y=2x^2$의 그래프 위의 각 점에 대하여 x축에 대칭인 점을 지나는 곡선이다.
따라서 이차함수 $y=-2x^2$의 그래프는 오른쪽 그림과 같다.

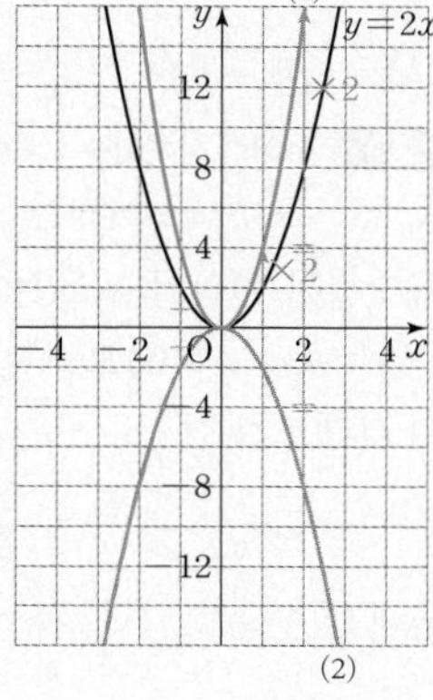

4-1 답 (1) ㉠, ㉣, ㉥ (2) ㉥ (3) ㉠, ㉤

$y=ax^2$에서
(1) 아래로 볼록한 그래프는 a > 0이므로 아래로 볼록한 그래프는
㉠ $y=\frac{1}{2}x^2$, ㉣ $y=3x^2$, ㉥ $y=4x^2$
(2) a의 절댓값이 클수록 그래프의 폭이 좁아진다.
이때 $\left|\frac{1}{2}\right|=\left|-\frac{1}{2}\right|<\left|-\frac{2}{3}\right|<|-2|<|3|<|4|$이므로 그래프의 폭이 가장 좁은 그래프는 ㉥ $y=4x^2$이다.
(3) x축에 서로 대칭인 두 그래프는 a의 절댓값이 같고 부호가 서로 반대이므로
㉠ $y=\frac{1}{2}x^2$, ㉤ $y=-\frac{1}{2}x^2$

4-2 답 (1) 0, 0 (2) $x=0$ (3) 위 (4) 증가 (5) 감소

(1) 꼭짓점의 좌표는 $(0, 0)$이다.
(2) 축은 y축이므로 축의 방정식은 $x=0$이다.
(3) $y=ax^2$에서 $a=-\frac{2}{3}<0$이므로 그래프는 위로 볼록하다.
(4) $y=ax^2$에서 $a<0$이므로
$x<0$일 때, x의 값이 증가하면 y의 값은 증가한다.
(5) $y=ax^2$에서 $a<0$이므로
$x>0$일 때, x의 값이 증가하면 y의 값은 감소한다.

집중 연습 이차함수 $y=ax^2$의 그래프 그리기

본문 | 178 쪽

1 답 풀이 참조

(1) $y=\frac{1}{4}x^2$에서 x^2의 계수가 $\frac{1}{4}$로 양수이므로 그래프는 아래로 볼록한 모양이다.
또 $x=2$일 때, $y=\frac{1}{4}\times2^2=1$이므로 점 $(2, 1)$과 꼭짓점 $(0, 0)$을 지나는 곡선을 y축에 대칭이 되도록 그린다.

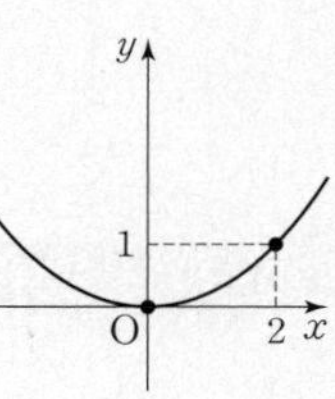

(2) $y=-\frac{1}{4}x^2$에서 x^2의 계수가 $-\frac{1}{4}$로 음수이므로 그래프는 위로 볼록한 모양이다.
또 $x=2$일 때, $y=-\frac{1}{4}\times2^2=-1$이므로 점 $(2, -1)$과 꼭짓점 $(0, 0)$을 지나는 곡선을 y축에 대칭이 되도록 그린다.

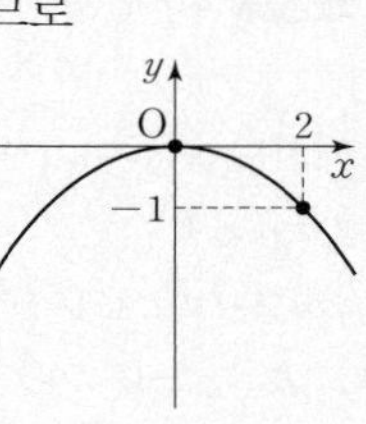

(3) $y=\frac{2}{3}x^2$에서 x^2의 계수가 $\frac{2}{3}$로 양수이므로 그래프는 아래로 볼록한 모양이다.
또 $x=3$일 때, $y=\frac{2}{3}\times3^2=6$이므로 점 $(3, 6)$과 꼭짓점 $(0, 0)$을 지나는 곡선을 y축에 대칭이 되도록 그린다.

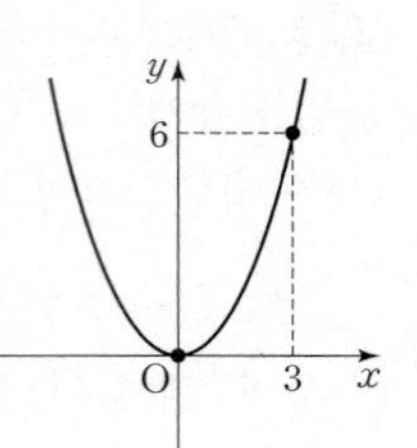

(4) $y=-\frac{1}{3}x^2$에서 x^2의 계수가 $-\frac{1}{3}$로 음수이므로 그래프는 위로 볼록한 모양이다.
또 $x=3$일 때, $y=-\frac{1}{3}\times3^2=-3$이므로 점 $(3, -3)$과 꼭짓점 $(0, 0)$을 지나는 곡선을 y축에 대칭이 되도록 그린다.

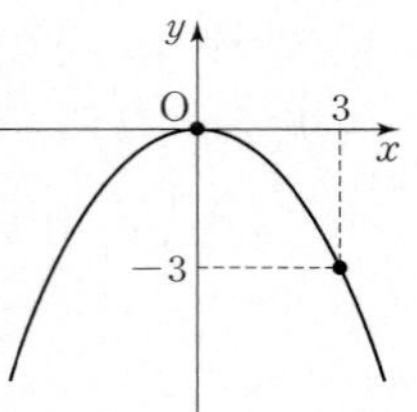

(5) $y=3x^2$에서 x^2의 계수가 3으로 양수이므로 그래프는 아래로 볼록한 모양이다.
또 $x=1$일 때, $y=3\times1^2=3$이므로 점 $(1, 3)$과 꼭짓점 $(0, 0)$을 지나는 곡선을 y축에 대칭이 되도록 그린다.

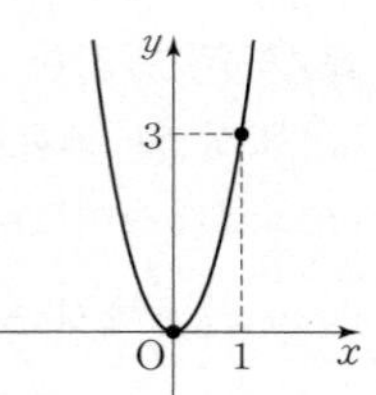

(6) $y=-\frac{3}{2}x^2$에서 x^2의 계수가 $-\frac{3}{2}$으로 음수이므로 그래프는 위로 볼록한 모양이다.
또 $x=2$일 때, $y=-\frac{3}{2}\times2^2=-6$이므로 점 $(2, -6)$과 꼭짓점 $(0, 0)$을 지나는 곡선을 y축에 대칭이 되도록 그린다.

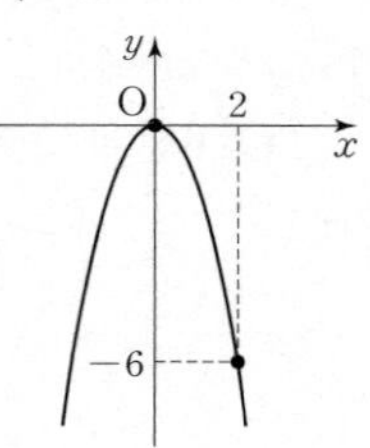

참고 지나는 점을 구할 때, x좌표와 y좌표가 정수가 되는 점을 찾는다.

유형 익히기 – 확인 문제

본문 | 179~180 쪽

01 답 6

셀파 이차함수 $y=ax^2$의 그래프가 점 (p, q)를 지난다.
⇨ $y=ax^2$에 $x=p$, $y=q$를 대입하면 등식이 성립한다.

이차함수 $y=ax^2$의 그래프가 점 $(1, 2)$를 지나므로
$2=a\times1^2$ $\therefore a=2$
$y=2x^2$의 그래프가 점 $(2, b)$를 지나므로 $b=2\times2^2=8$
$\therefore b-a=8-2=6$

02 답 ⑤

셀파 $y=ax^2$에서 $a<0$인 경우이므로 그래프는 꼭짓점이 원점이고 위로 볼록한 포물선이다.

① 꼭짓점의 좌표는 $(0, 0)$이다.
② $y=ax^2$에서 $a=-3<0$이므로 위로 볼록한 포물선이다.
③ y축에 대칭이다.
④ $y=-3x^2$의 그래프는 오른쪽 그림과 같이 원점을 지나고 위로 볼록한 포물선이므로 제3, 4사분면을 지난다.
⑤ $x>0$일 때, x의 값이 증가하면 y의 값은 감소한다.

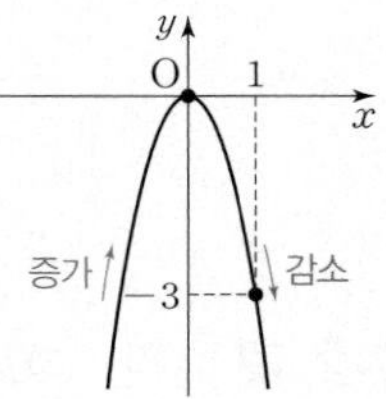

따라서 $y=-3x^2$의 그래프에 대한 설명으로 옳은 것은 ⑤이다.

03 답 ③

셀파 $y=ax^2$의 그래프는 $y=-2x^2$의 그래프보다 폭이 넓고, $y=-\frac{2}{3}x^2$의 그래프보다 폭이 좁다.

$y=ax^2$의 그래프는 $y=-2x^2$의 그래프보다 폭이 넓고,
$y=-\frac{2}{3}x^2$의 그래프보다 폭이 좁으므로 $\left|-\frac{2}{3}\right|<|a|<|-2|$
그런데 $a<0$이므로 $-2<a<-\frac{2}{3}$

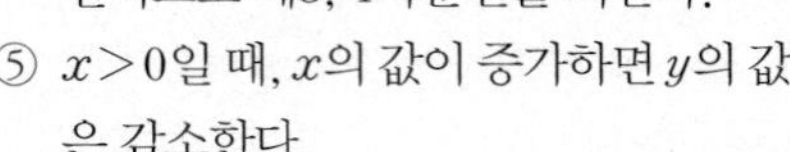

따라서 상수 a의 값이 될 수 있는 것은 ③ -1이다.

04 답 -12

셀파 주어진 이차함수 $y=f(x)$의 그래프는 꼭짓점이 원점이고 점 $(3, -3)$을 지나는 포물선이다.

꼭짓점이 원점인 포물선이므로 그래프를 나타내는 이차함수의 식을 $y=ax^2(a\neq0)$으로 놓자.
이 그래프가 점 $(3, -3)$을 지나므로 $-3=a\times3^2$
$9a=-3$ $\therefore a=-\frac{1}{3}$
따라서 $f(x)=-\frac{1}{3}x^2$이므로
$f(6)=-\frac{1}{3}\times6^2=-12$

실력 키우기

본문 | 181~183쪽

01 답 ②, ④

셀파 우변의 괄호를 풀어 정리하였을 때, $y=$(x에 대한 이차식)이면 y는 x에 대한 이차함수이다.

① $y=2x-1$ ⇨ y는 x에 대한 일차함수이다.

② $y=-\frac{x^2}{4}+3=-\frac{1}{4}x^2+3$ ⇨ y는 x에 대한 이차함수이다.

③ $y=\frac{3}{x^2}$ ⇨ x^2이 분모에 있으므로 이차함수가 아니다.

④ $y=x(x-1)=x^2-x$ ⇨ y는 x에 대한 이차함수이다.

⑤ $y=2x^2-2x(x+1)=2x^2-2x^2-2x=-2x$
⇨ y는 x에 대한 일차함수이다.

따라서 y가 x에 대한 이차함수인 것은 ②, ④이다.

02 답 ②

셀파 x와 y 사이의 관계식을 구한다.

① $y=5x$ ⇨ y는 x에 대한 일차함수이다.

② (정사각형의 둘레의 길이)$=4\times$(한 변의 길이)이므로
$x=4\times$(한 변의 길이) ∴ (한 변의 길이)$=\frac{x}{4}$
따라서 정사각형의 넓이는 $y=\left(\frac{x}{4}\right)^2=\frac{x^2}{16}$
⇨ y는 x에 대한 이차함수이다.

③ (정육면체의 부피)=(한 모서리의 길이)^{3}이므로
$y=x^3$ ⇨ y는 x에 대한 이차함수가 아니다.

④ $y=4x$ ⇨ y는 x에 대한 일차함수이다.

⑤ (사다리꼴의 넓이)$=\frac{1}{2}\times$ {(윗변의 길이)+(아랫변의 길이)} $\times$(높이)
이므로 $y=\frac{1}{2}\times\{x+(x+2)\}\times4=4x+4$
⇨ y는 x에 대한 일차함수이다.

따라서 y가 x에 대한 이차함수인 것은 ②이다.

03 답 $k\neq-1$, $k\neq2$

셀파 $y=ax^2+bx+c$ 꼴로 정리한 후 $a\neq0$임을 이용한다.

1 $y=ax^2+bx+c$ 꼴로 나타내기 [50 %]

$y=k(k-1)x^2+3x-2x^2$
$=(k^2-k)x^2+3x-2x^2$
$=(k^2-k-2)x^2+3x$

2 상수 k의 조건 구하기 [50 %]

이때 $y=(k^2-k-2)x^2+3x$가 x에 대한 이차함수가 되려면 $k^2-k-2\neq0$이어야 한다.
$(k+1)(k-2)\neq0$ ∴ $k\neq-1$, $k\neq2$

오답 피하기

답은 반드시 $k\neq-1$, $k\neq2$를 모두 써 주어야 한다.
만약 $k\neq-1$, $k\neq2$ 중 어느 하나만 답으로 한다면 그것은 틀린 답이 된다.
예를 들어 $k\neq-1$만을 답으로 할 경우, $k=2$인 경우 주어진 함수는 $y=3x$이므로 일차함수가 된다.

04 답 3

셀파 $y=6$일 때, x의 값을 구한다.

$y=x^2-x$에 $y=6$을 대입하면 $6=x^2-x$
$x^2-x-6=0$, $(x+2)(x-3)=0$
∴ $x=-2$ 또는 $x=3$
그런데 $x>0$이므로 입력한 x의 값은 3이다.

05 답 -9

셀파 $f(1)=3$을 이용하여 상수 a의 값을 먼저 구한다.

$f(x)=-x^2+3x+a$에서 $f(1)=3$이므로
$f(1)=-1^2+3\times1+a=3$
$2+a=3$ ∴ $a=1$
따라서 $f(x)=-x^2+3x+1$이므로
$f(-2)=-(-2)^2+3\times(-2)+1=-9$

06 답 4

셀파 $y=ax^2$의 그래프가 점 (2, 2)를 지남을 이용하여 상수 a의 값을 먼저 구한다.

이차함수 $y=ax^2$의 그래프가 점 (2, 2)를 지나므로
$2=a\times2^2$ ∴ $a=\frac{1}{2}$
$y=\frac{1}{2}x^2$의 그래프가 점 $(-4, b)$를 지나므로
$b=\frac{1}{2}\times(-4)^2=8$
∴ $ab=\frac{1}{2}\times8=4$

07 답 ④

셀파 a의 부호에 따라 그래프의 볼록한 방향이 다르다.

① y축에 대칭인 포물선이다.
② 꼭짓점의 좌표는 $(0, 0)$이다.
③ $a>0$이면 아래로 볼록하다.
④ $|a|<|2a|$이므로 $y=2ax^2$의 그래프보다 폭이 넓다.

⑤ $a<0$이면 그래프의 원점을 제외한 부분은 모두 x축보다 아래쪽에 그려진다.

따라서 이차함수 $y=ax^2$의 그래프에 대한 설명으로 옳은 것은 ④이다.

08 답 ⑤

셀파 $y=ax^2$에서 a의 부호와 절댓값을 비교한다.

① $y=ax^2$에서 아래로 볼록한 포물선은 $a>0$이므로 ㉠, ㉢이다.
② $y=ax^2$에서 $|a|$의 값이 같으면 그래프의 폭이 같으므로 ㉡과 ㉢은 폭이 같다.
③ $|a|$의 값이 작을수록 그래프의 폭이 넓어진다.
이때 $\left|-\frac{1}{5}\right|<\left|\frac{1}{3}\right|<|-4|=|4|$이므로 폭이 가장 넓은 그래프는 ㉣이다.
④ $y=ax^2$에서 a의 절댓값이 같고 부호가 서로 반대이면 x축에 서로 대칭이므로 ㉡과 ㉢은 x축에 서로 대칭이다.
⑤ $y=ax^2$에서 제1사분면과 제2사분면을 지나는 그래프는 $a>0$이므로 ㉠과 ㉢이다.

따라서 옳지 않은 것은 ⑤이다.

09 답 ㉡과 ㉥, ㉢과 ㉣

셀파 $y=ax^2$에서 a의 절댓값이 같고 부호가 서로 반대이면 x축에 서로 대칭이다.

그래프가 x축에 서로 대칭이면 x^2의 계수의 절댓값이 같고 부호가 반대이므로 ㉡과 ㉥, ㉢과 ㉣의 그래프가 각각 x축에 서로 대칭이다.

10 답 $\frac{5}{3}$

셀파 이차항의 계수의 절댓값이 같고, 부호가 서로 반대이면 두 이차함수의 그래프는 x축에 서로 대칭이다.

1 x축에 서로 대칭인 그래프가 나타내는 식 구하기 [40 %]

$y=-3x^2$의 그래프와 x축에 서로 대칭인 그래프가 나타내는 식은 $y=3x^2$이다.

2 a의 값 구하기 [40 %]

이 그래프가 점 $(a-1,\ -a+1)$을 지나므로

$-a+1=3(a-1)^2$, $3a^2-5a+2=0$

$(a-1)(3a-2)=0 \qquad \therefore a=1$ 또는 $a=\frac{2}{3}$

3 모든 a의 값의 합 구하기 [20 %]

따라서 모든 a의 값의 합은 $1+\frac{2}{3}=\frac{5}{3}$

11 답 ③

셀파 그래프가 아래로 볼록하므로 $y=ax^2$에서 $a>0$이다.

$y=ax^2$에서 그래프가 아래로 볼록하므로 $a>0$

$a>0$인 것 중 $\frac{3}{4}<1<2$이므로 그래프의 폭이 가장 넓은 것은 ③ $y=\frac{3}{4}x^2$이다.

12 답 ⑤

셀파 $y=ax^2$에서 a의 부호는 그래프의 모양을 결정하고, a의 절댓값은 그래프의 폭을 결정한다.

$y=4ax^2$의 그래프는 아래로 볼록하므로 $4a>0$

또 $y=2x^2$의 그래프보다 폭이 넓으므로 $4a<2$

즉 $0<4a<2$이므로 $0<a<\frac{1}{2}$

따라서 상수 a의 값이 될 수 있는 것은 ⑤ $\frac{1}{4}$이다.

LECTURE 이차함수 $y=ax^2$의 그래프에서 a의 의미

a의 부호 ⇩ 그래프의 모양 결정	a의 절댓값 ⇩ 그래프의 폭 결정
$a>0$: 아래로 볼록 (∪) $a<0$: 위로 볼록 (∩)	a의 절댓값이 클수록 그래프의 폭이 좁아진다.

13 답 12

셀파 이차함수의 그래프가 원점을 꼭짓점으로 하므로 식을 $y=ax^2(a\neq0)$으로 놓는다.

이차함수의 그래프를 나타내는 식을 $y=ax^2(a\neq0)$으로 놓으면 이 그래프가 점 $(3,\ 3)$을 지나므로 $3=a\times3^2$

$9a=3 \qquad \therefore a=\frac{1}{3}$

$y=\frac{1}{3}x^2$의 그래프가 점 $(-6,\ k)$를 지나므로

$k=\frac{1}{3}\times(-6)^2=12$

14 답 $y=-4x^2$

셀파 주어진 이차함수의 그래프는 꼭짓점이 원점이고 점 $\left(\frac{1}{2},\ 1\right)$을 지난다.

주어진 그래프를 나타내는 이차함수의 식을 $y=ax^2(a\neq0)$으로 놓으면 $y=ax^2$의 그래프가 점 $\left(\frac{1}{2},\ 1\right)$을 지나므로 $1=a\times\left(\frac{1}{2}\right)^2$

$\frac{1}{4}a=1 \qquad \therefore a=4$

즉 주어진 그래프를 나타내는 이차함수의 식은 $y=4x^2$이다.
따라서 $y=4x^2$의 그래프와 x축에 서로 대칭인 그래프를 나타내는 이차함수의 식은 $y=-4x^2$이다.

15 답 2

셀파 그래프가 볼록한 방향으로 x^2의 계수의 부호, 그래프의 폭으로 x^2의 계수의 절댓값을 결정한다.

1 포물선 ㉠을 나타내는 이차함수의 식 구하기 [50 %]

포물선 ㉠은 아래로 볼록하므로 x^2의 계수가 양수이다. 즉 포물선 ㉠의 식은 $y=\frac{1}{2}x^2$, $y=2x^2$ 중 하나이다.
이때 아래로 볼록한 두 포물선 중 포물선 ㉠의 폭이 더 넓으므로 포물선 ㉠의 식은 x^2의 계수의 절댓값이 더 작은 $y=\frac{1}{2}x^2$이다.

2 a의 값 구하기 [50 %]

따라서 포물선 $y=\frac{1}{2}x^2$이 점 $(a, 2)$를 지나므로

$2=\frac{1}{2}a^2$, $a^2=4$ $\quad\therefore a=2\ (\because a>0)$

16 답 (1) Q(4, 16) (2) R(8, 16) (3) $\frac{1}{4}$

셀파 점 $\mathrm{Q}(k, 16)$이면 점 $\mathrm{R}(2k, 16)$이다.

1 점 Q의 좌표 구하기 [40 %]

(1) 점 Q의 x좌표를 k라 하면 이차함수 $y=x^2$의 그래프 위의 점 Q의 y좌표가 16이므로
Q$(k, 16)$
이때 이차함수 $y=x^2$의 그래프가 점 Q$(k, 16)$을 지나므로
$16=k^2$ $\quad\therefore k=4\ (\because k>0)$
$\therefore$ Q$(4, 16)$

2 점 R의 좌표 구하기 [40 %]

(2) $\overline{\mathrm{PQ}}=\overline{\mathrm{QR}}$이므로
$\overline{\mathrm{PR}}=2\overline{\mathrm{PQ}}=2\times4=8$
즉 점 R의 x좌표는 8이므로
R$(8, 16)$

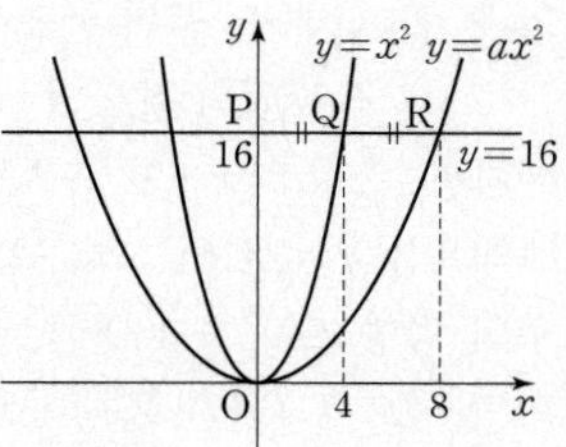

3 a의 값 구하기 [20 %]

(3) 이차함수 $y=ax^2$의 그래프가 점 R$(8, 16)$을 지나므로
$16=a\times8^2$, $64a=16$ $\quad\therefore a=\frac{1}{4}$

17 답 (1) $\mathrm{A}\left(-a, \frac{1}{2}a^2\right)$, $\mathrm{B}(-a, -a^2)$, $\mathrm{C}(a, -a^2)$, $\mathrm{D}\left(a, \frac{1}{2}a^2\right)$

(2) $\frac{4}{3}$

셀파 점 D의 좌표를 이용하여 나머지 세 점 A, B, C의 좌표를 각각 구한다.

(1) 점 D의 x좌표를 a라 하면 $\mathrm{D}\left(a, \frac{1}{2}a^2\right)$
이차함수 $y=\frac{1}{2}x^2$의 그래프는 y축에 대칭이므로
$\mathrm{A}\left(-a, \frac{1}{2}a^2\right)$
또 $y=-x^2$에 $x=a$를 대입하면 $y=-a^2$
$\therefore \mathrm{C}(a, -a^2)$
이차함수 $y=-x^2$의 그래프는 y축에 대칭이므로
$\mathrm{B}(-a, -a^2)$

(2) □ABCD가 정사각형이므로 $\overline{\mathrm{AD}}=\overline{\mathrm{CD}}$에서
$a-(-a)=\frac{1}{2}a^2-(-a^2)$
$2a=\frac{3}{2}a^2$, $3a^2-4a=0$
$a(3a-4)=0$ $\quad\therefore a=0$ 또는 $a=\frac{4}{3}$
그런데 $a>0$이므로 $a=\frac{4}{3}$
따라서 점 D의 x좌표는 $\frac{4}{3}$이다.

12 이차함수 $y=a(x-p)^2+q$의 그래프

개념 익히기 본문 | 187, 189쪽

1-1 답 그래프: 풀이 참조

꼭짓점의 좌표: $(0, -1)$, 축의 방정식: $x=0$

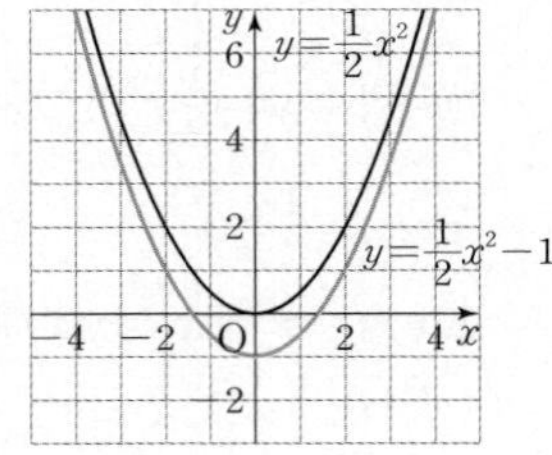

이차함수 $y=\frac{1}{2}x^2-1$의 그래프는 이차함수 $y=\frac{1}{2}x^2$의 그래프를 y축의 방향으로 $\boxed{-1}$만큼 평행이동한 것이므로 오른쪽 그림과 같다.
이때 꼭짓점의 좌표는 $(0, -1)$,
축의 방정식은 $x=\boxed{0}$

1-2 답 (1) $y=\frac{1}{3}x^2+1$ (2) $y=-4x^2-2$

(1) 이차함수 $y=\frac{1}{3}x^2$의 그래프를 y축의 방향으로 1만큼 평행이동한 그래프를 나타내는 이차함수의 식은 $y=\frac{1}{3}x^2+1$

(2) 이차함수 $y=-4x^2$의 그래프를 y축의 방향으로 -2만큼 평행이동한 그래프를 나타내는 이차함수의 식은 $y=-4x^2-2$

1-3 답 (1) 그래프: 풀이 참조

꼭짓점의 좌표: $(0, 2)$, 축의 방정식: $x=0$

(2) 그래프: 풀이 참조

꼭짓점의 좌표: $(0, -3)$, 축의 방정식: $x=0$

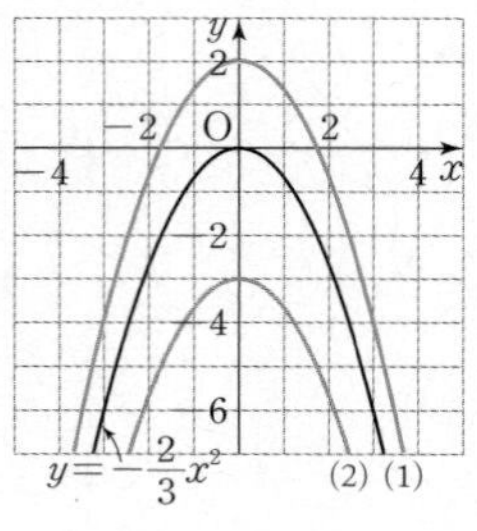

(1) 이차함수 $y=-\frac{2}{3}x^2+2$의 그래프는 이차함수 $y=-\frac{2}{3}x^2$의 그래프를 y축의 방향으로 2만큼 평행이동한 것이므로 오른쪽 그림과 같다.
이때 꼭짓점의 좌표는 $(0, 2)$,
축의 방정식은 $x=0$

(2) 이차함수 $y=-\frac{2}{3}x^2-3$의 그래프는 이차함수 $y=-\frac{2}{3}x^2$의 그래프를 y축의 방향으로 -3만큼 평행이동한 것이므로 위의 그림과 같다.
이때 꼭짓점의 좌표는 $(0, -3)$, 축의 방정식은 $x=0$

2-1 답 그래프: 풀이 참조

꼭짓점의 좌표: $(1, 0)$, 축의 방정식: $x=1$

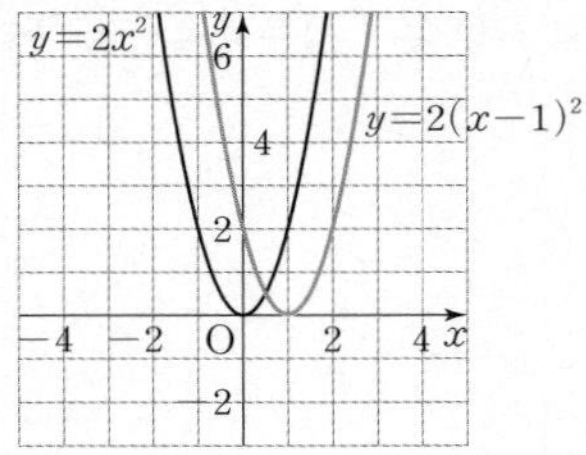

이차함수 $y=2(x-1)^2$의 그래프는 이차함수 $y=2x^2$의 그래프를 $\boxed{x}$축의 방향으로 1만큼 평행이동한 것이므로 오른쪽 그림과 같다. 이때 꼭짓점의 좌표는 $(1, 0)$,
축의 방정식은 $x=\boxed{1}$

2-2 답 (1) $y=\frac{1}{2}(x-5)^2$ (2) $y=-3(x+4)^2$

(1) 이차함수 $y=\frac{1}{2}x^2$의 그래프를 x축의 방향으로 5만큼 평행이동한 그래프를 나타내는 이차함수의 식은 $y=\frac{1}{2}(x-5)^2$

(2) 이차함수 $y=-3x^2$의 그래프를 x축의 방향으로 -4만큼 평행이동한 그래프를 나타내는 이차함수의 식은
$y=-3\{x-(-4)\}^2=-3(x+4)^2$

2-3 답 (1) 그래프: 풀이 참조

꼭짓점의 좌표: $(-3, 0)$, 축의 방정식: $x=-3$

(2) 그래프: 풀이 참조

꼭짓점의 좌표: $(2, 0)$, 축의 방정식: $x=2$

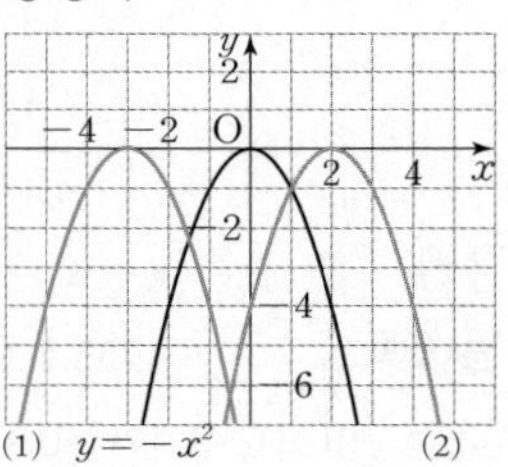

(1) 이차함수 $y=-(x+3)^2$의 그래프는 이차함수 $y=-x^2$의 그래프를 x축의 방향으로 -3만큼 평행이동한 것이므로 오른쪽 그림과 같다.
이때 꼭짓점의 좌표는 $(-3, 0)$,
축의 방정식은 $x=-3$

(2) 이차함수 $y=-(x-2)^2$의 그래프는 이차함수 $y=-x^2$의 그래프를 x축의 방향으로 2만큼 평행이동한 것이므로 위의 그림과 같다. 이때 꼭짓점의 좌표는 $(2, 0)$, 축의 방정식은 $x=2$

3-1 답 그래프: 풀이 참조

꼭짓점의 좌표: $(-1, 1)$, 축의 방정식: $x=-1$

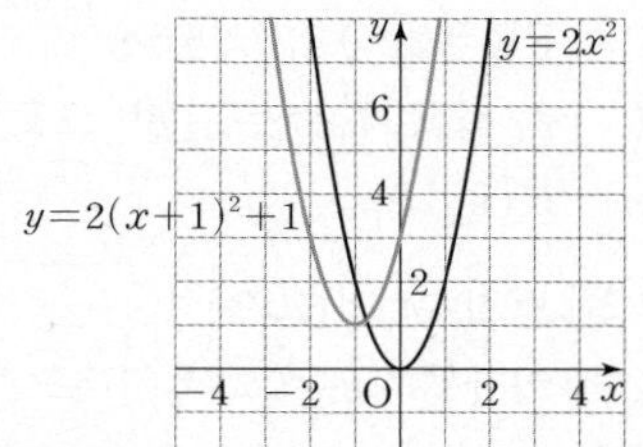

이차함수 $y=2(x+1)^2+1$의 그래프는 $y=2x^2$의 그래프를 x축의 방향으로 $\boxed{-1}$만큼, y축의 방향으로 1만큼 평행이동한 것이므로 오른쪽 그림과 같다.
이때 꼭짓점의 좌표는 $\boxed{(-1, 1)}$,
축은 방정식은 $x=\boxed{-1}$

3-2 답 (1) $y=\frac{2}{3}(x+3)^2-5$ (2) $y=-4(x+1)^2+2$

(1) 이차함수 $y=\frac{2}{3}x^2$의 그래프를 x축의 방향으로 -3만큼, y축의 방향으로 -5만큼 평행이동한 그래프를 나타내는 이차함수의 식은 $y=\frac{2}{3}\{x-(-3)\}^2-5=\frac{2}{3}(x+3)^2-5$

(2) 이차함수 $y=-4x^2$의 그래프를 x축의 방향으로 -1만큼, y축의 방향으로 2만큼 평행이동한 그래프를 나타내는 이차함수의 식은 $y=-4\{x-(-1)\}^2+2=-4(x+1)^2+2$

3-3 답 (1) 그래프: 풀이 참조
꼭짓점의 좌표: $(2, 1)$, 축의 방정식: $x=2$
(2) 그래프: 풀이 참조
꼭짓점의 좌표: $(-1, -3)$, 축의 방정식: $x=-1$

(1) 이차함수 $y=-2(x-2)^2+1$의 그래프는 이차함수 $y=-2x^2$의 그래프를 x축의 방향으로 2만큼, y축의 방향으로 1만큼 평행이동한 것이므로 오른쪽 그림과 같다.
이때 꼭짓점의 좌표는 $(2, 1)$, 축의 방정식은 $x=2$

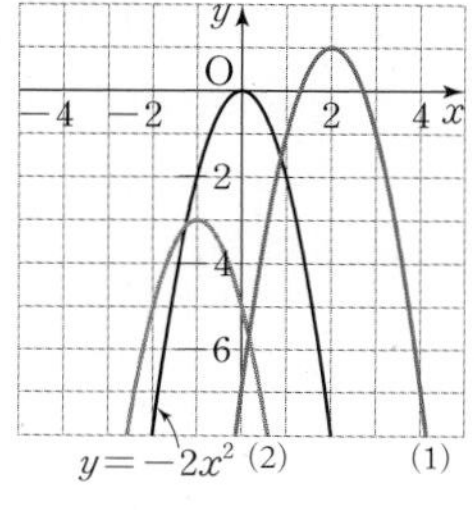

(2) 이차함수 $y=-2(x+1)^2-3$의 그래프는 이차함수 $y=-2x^2$의 그래프를 x축의 방향으로 -1만큼, y축의 방향으로 -3만큼 평행이동한 것이므로 위의 그림과 같다.
이때 꼭짓점의 좌표는 $(-1, -3)$, 축의 방정식은 $x=-1$

4-1 답 $a<0$, $p<0$, $q>0$

$y=a(x-p)^2+q$에서
그래프의 모양이 위로 볼록하므로 $a<0$
꼭짓점 (p, q)가 제2사분면 위에 있으므로 $p<0$, $q>0$

4-2 답 (1) $>$, $>$, $<$ (2) $<$, $>$, $>$

$y=a(x-p)^2+q$의 그래프에서

(1) 그래프의 모양이 아래로 볼록하므로 $a>0$
꼭짓점 (p, q)가 제4사분면 위에 있으므로 $p>0$, $q<0$

(2) 그래프의 모양이 위로 볼록하므로 $a<0$
꼭짓점 (p, q)가 제1사분면 위에 있으므로 $p>0$, $q>0$

LECTURE $a>0$일 때, p, q의 부호에 따른 이차함수 $y=a(x-p)^2+q$의 그래프의 개형

① $a>0$, $p>0$, $q>0$

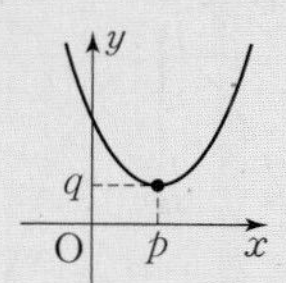

② $a>0$, $p<0$, $q>0$

③ $a>0$, $p<0$, $q<0$

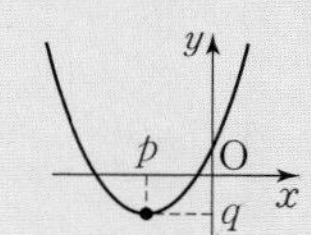

④ $a>0$, $p>0$, $q<0$

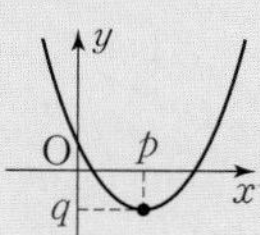

집중 연습

이차함수 $y=a(x-p)^2+q$의 그래프 그리기

본문 | 191쪽

1 답 (1) 풀이 참조 (2) 풀이 참조 (3) 풀이 참조 (4) 풀이 참조

(1) $y=\frac{1}{3}x^2-5$에서 x^2의 계수가 $\frac{1}{3}>0$이므로 그래프는 아래로 볼록한 포물선이다.
또 $x=3$일 때, $y=\frac{1}{3}\times3^2-5=-2$이므로 점 $(3, -2)$와 꼭짓점 $(0, -5)$를 지나는 곡선을 축 $x=0$에 대칭이 되도록 그리면 오른쪽 그림과 같다.

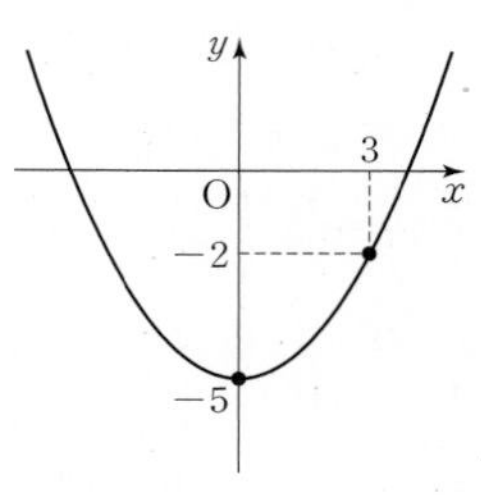

(2) $y=-3x^2+2$에서 x^2의 계수가 $-3<0$이므로 그래프는 위로 볼록한 포물선이다.
또 $x=1$일 때, $y=-3\times1^2+2=-1$이므로 점 $(1, -1)$과 꼭짓점 $(0, 2)$를 지나는 곡선을 축 $x=0$에 대칭이 되도록 그리면 오른쪽 그림과 같다.

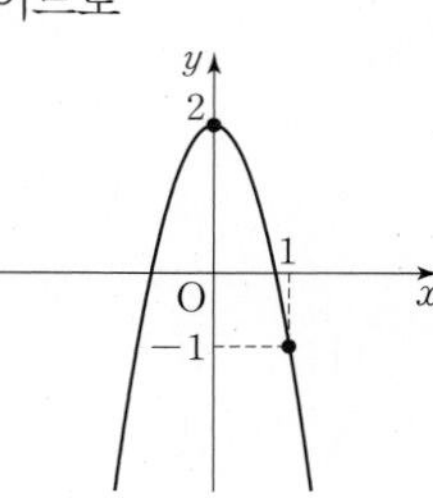

(3) $y=\frac{1}{2}(x-3)^2$에서 x^2의 계수가 $\frac{1}{2}>0$이므로 그래프는 아래로 볼록한 포물선이다.
또 $x=5$일 때, $y=\frac{1}{2}\times(5-3)^2=2$이므로 점 $(5, 2)$와 꼭짓점 $(3, 0)$을 지나는 곡선을 축 $x=3$에 대칭이 되도록 그리면 오른쪽 그림과 같다.

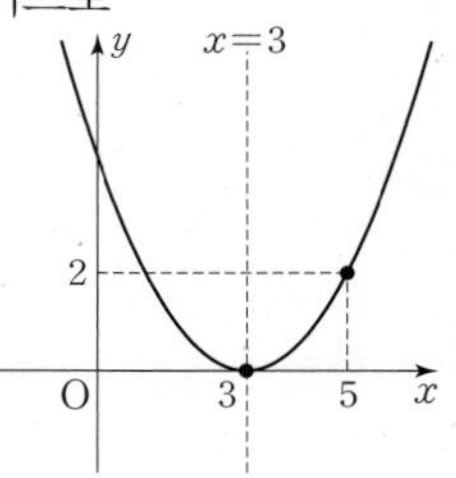

(4) $y=-\frac{3}{4}(x+1)^2$에서 x^2의 계수가 $-\frac{3}{4}<0$이므로 그래프는 위로 볼록한 포물선이다.
또 $x=1$일 때,
$y=-\frac{3}{4}\times(1+1)^2=-3$이므로
점 $(1,\ -3)$과 꼭짓점 $(-1,\ 0)$을 지나는 곡선을 축 $x=-1$에 대칭이 되도록 그리면 오른쪽 그림과 같다.

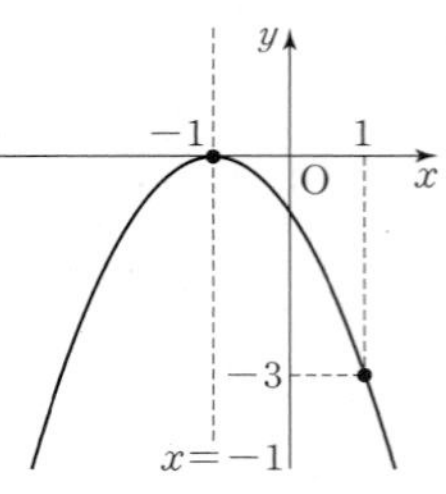

2 답 (1) 풀이 참조 (2) 풀이 참조 (3) 풀이 참조 (4) 풀이 참조

(1) $y=\frac{1}{2}(x+2)^2-1$에서 x^2의 계수가 $\frac{1}{2}>0$이므로
그래프는 아래로 볼록한 포물선이다.
또 $x=0$일 때,
$y=\frac{1}{2}\times(0+2)^2-1=1$이므로 점 $(0, 1)$과 꼭짓점 $(-2, -1)$을 지나는 곡선을 축 $x=-2$에 대칭이 되도록 그리면 오른쪽 그림과 같다.

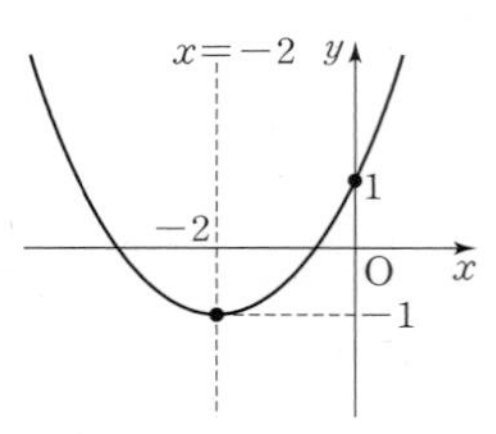

(2) $y=-\frac{1}{4}(x-2)^2-1$에서 x^2의 계수가 $-\frac{1}{4}<0$이므로
그래프는 위로 볼록한 포물선이다.
또 $x=0$일 때,
$y=-\frac{1}{4}\times(0-2)^2-1=-2$이므로 점 $(0,\ -2)$와 꼭짓점 $(2,\ -1)$을 지나는 곡선을 축 $x=2$에 대칭이 되도록 그리면 오른쪽 그림과 같다.

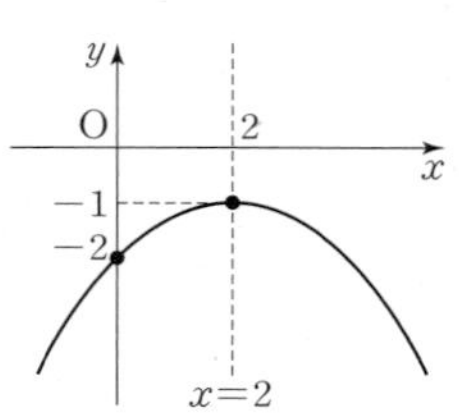

(3) $y=(x-1)^2+2$에서 x^2의 계수가 $1>0$이므로
그래프는 아래로 볼록한 포물선이다.
또 $x=0$일 때, $y=(0-1)^2+2=3$이므로 점 $(0,\ 3)$과 꼭짓점 $(1,\ 2)$를 지나는 곡선을 축 $x=1$에 대칭이 되도록 그리면 오른쪽 그림과 같다.

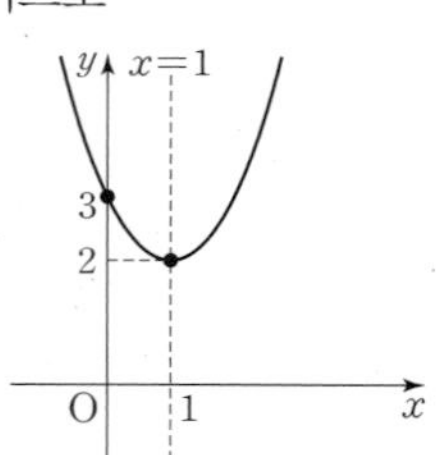

(4) $y=-(x+1)^2+2$에서 x^2의 계수가 $-1<0$이므로
그래프는 위로 볼록한 포물선이다.
또 $x=0$일 때, $y=-(0+1)^2+2=1$이므로 점 $(0, 1)$과 꼭짓점 $(-1, 2)$를 지나는 곡선을 축 $x=-1$에 대칭이 되도록 그리면 오른쪽 그림과 같다.

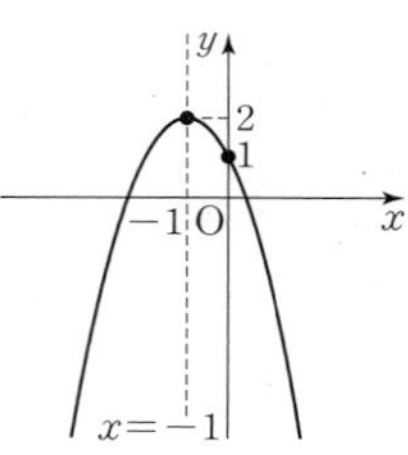

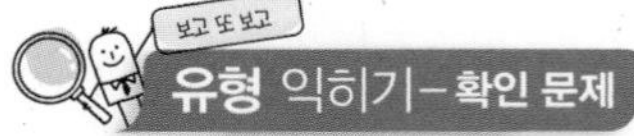

본문 | 192~197쪽

01 답 ㉠, ㉢

셀파 이차함수의 그래프를 평행이동하여 완전히 포갤 수 있으려면 x^2의 계수가 같아야 한다.

$y=\frac{2}{3}x^2$의 그래프를 평행이동하여 완전히 포개지려면 x^2의 계수가 $\frac{2}{3}$이어야 하므로 ㉠, ㉢이다.

02 답 (1) 없다. (2) 제3, 4사분면 (3) 제3사분면

셀파 그래프를 그려 본다.

(1) $y=-x^2+3$에서 x^2의 계수가 $-1<0$이므로
그래프는 위로 볼록한 포물선이다.
또 $x=2$일 때, $y=-2^2+3=-1$이므로 점 $(2,\ -1)$과 꼭짓점 $(0,\ 3)$을 지나는 곡선을 축 $x=0$에 대칭이 되도록 그리면 오른쪽 그림과 같다. 따라서 지나지 않는 사분면은 없다.

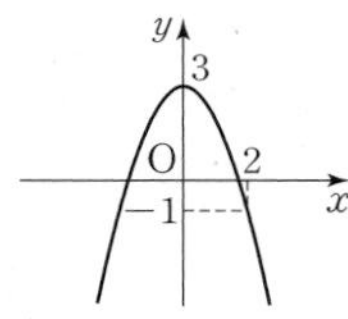

(2) $y=2(x-1)^2$에서 x^2의 계수가 $2>0$이므로
그래프는 아래로 볼록한 포물선이다.
또 $x=0$일 때, $y=2\times(0-1)^2=2$이므로 점 $(0,\ 2)$와 꼭짓점 $(1,\ 0)$을 지나는 곡선을 축 $x=1$에 대칭이 되도록 그리면 오른쪽 그림과 같다. 따라서 제3, 4사분면을 지나지 않는다.

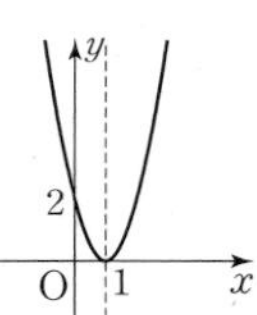

(3) $y=3(x-1)^2-2$에서 x^2의 계수가 $3>0$이므로
그래프는 아래로 볼록한 포물선이다.
또 $x=0$일 때, $y=3\times(0-1)^2-2=1$이므로 점 $(0, 1)$과 꼭짓점 $(1, -2)$를 지나는 곡선을 축 $x=1$에 대칭이 되도록 그리면 오른쪽 그림과 같다. 따라서 제3사분면을 지나지 않는다.

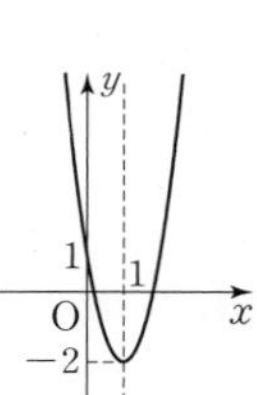

03 답 ②

셀파 이차함수 $y=ax^2+q$의 그래프의 성질을 이용한다.

$y=2x^2-3$에서
① x^2의 계수가 $2>0$이므로 아래로 볼록한 포물선이다.
② 축의 방정식은 $x=0$이다.
④ $y=2x^2-3$의 그래프는 오른쪽 그림과 같으므로 제1, 2, 3, 4사분면을 모두 지난다.
따라서 옳지 않은 것은 ②이다.

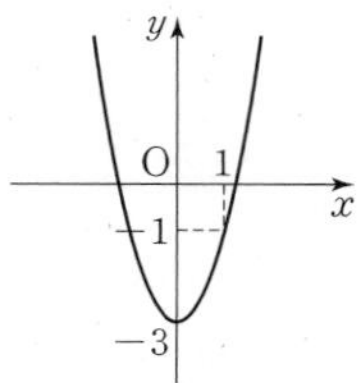

04 답 -2

셀파 평행이동한 그래프의 식을 구한 후, 그래프가 지나는 점의 좌표를 대입한다.

$y=-\frac{1}{3}x^2$의 그래프를 y축의 방향으로 q만큼 평행이동한 그래프의 식은 $y=-\frac{1}{3}x^2+q$

이 그래프가 점 $(3, -5)$를 지나므로 $x=3$, $y=-5$를 대입하면

$-5=-\frac{1}{3}\times3^2+q$, $-5=-3+q$

$\therefore q=-2$

05 답 ④

셀파 이차함수 $y=a(x-p)^2$의 그래프의 성질을 이용한다.

$y=-3(x+1)^2$에서

① x^2의 계수가 $-3<0$이므로 위로 볼록한 포물선이다.

② 축의 방정식은 $x=-1$이다.

③ 꼭짓점의 좌표는 $(-1, 0)$이다.

④ $y=-3(x+1)^2$과 $y=3x^2$에서 x^2의 계수의 절댓값이 $|-3|=|3|$이므로 두 그래프의 폭은 서로 같다.

⑤ $y=-3(x+1)^2$의 그래프는 오른쪽 그림과 같으므로 $x>-1$일 때, x의 값이 증가하면 y의 값은 감소한다.

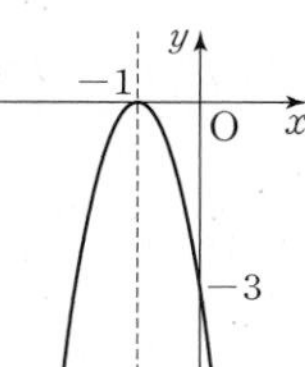

따라서 옳은 것은 ④이다.

06 답 -27

셀파 포물선의 축의 방정식 ⇨ $x=$(꼭짓점의 x좌표)

$y=-3x^2$의 그래프를 x축의 방향으로 p만큼 평행이동한 그래프의 식은 $y=-3(x-p)^2$ → 축의 방정식: $x=p$

이 이차함수의 그래프의 축의 방정식이 $x=-4$이므로 $p=-4$

즉 $y=-3(x+4)^2$의 그래프가 점 $(-1, k)$를 지나므로

$x=-1$, $y=k$를 대입하면

$k=-3\times(-1+4)^2=-3\times9=-27$

07 답 ③, ⑤

셀파 이차함수 $y=a(x-p)^2+q$의 그래프의 성질을 이용한다.

$y=-\frac{1}{2}(x-4)^2-1$에서

① x^2의 계수가 $-\frac{1}{2}<0$이므로 위로 볼록한 포물선이다.

② 축의 방정식은 $x=4$이다.

④ $y=-\frac{1}{2}(x-4)^2-1$의 그래프는 오른쪽 그림과 같으므로 제3, 4사분면을 지난다.

⑤ $x>4$일 때, x의 값이 증가하면 y의 값은 감소한다.

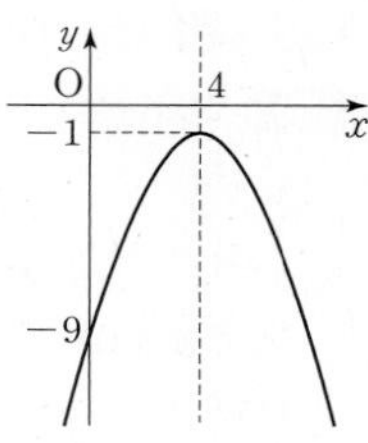

따라서 옳은 것은 ③, ⑤이다.

08 답 -4

셀파 평행이동한 그래프의 식을 구한 후, 그래프가 지나는 점의 좌표를 대입한다.

$y=-2x^2$의 그래프를 x축의 방향으로 1만큼, y축의 방향으로 -2만큼 평행이동한 그래프의 식은 $y=-2(x-1)^2-2$

이 그래프가 점 $(2, k)$를 지나므로 $x=2$, $y=k$를 대입하면

$k=-2\times(2-1)^2-2=-2\times1-2=-4$

09 답 $a=5$, $b=-4$, $c=5$

셀파 x 대신 $x-1$, y 대신 $y+3$을 대입하여 평행이동한 그래프의 식을 구한다.

$y=-2(x-4)^2-1$의 그래프를 x축의 방향으로 1만큼, y축의 방향으로 -3만큼 평행이동한 그래프의 식은

$y=-2(x-1-4)^2-1-3$, 즉 $y=-2(x-5)^2-4$

이때 꼭짓점의 좌표는 $(5, -4)$이므로 $a=5$, $b=-4$

축의 방정식은 $x=5$이므로 $c=5$

10 답 $a=-2$, $b=-3$

셀파 이차함수 $y=a(x+b)^2+1$의 그래프에서 축의 방정식은 $x=-b$이다.

$y=a(x+b)^2+1$의 그래프에서 축의 방정식이 $x=-b$이므로

$-b=3$ $\quad\therefore b=-3$

$y=a(x-3)^2+1$의 그래프가 점 $(4, -1)$을 지나므로

$x=4$, $y=-1$을 대입하면 $-1=a\times(4-3)^2+1$

$-1=a+1$ $\quad\therefore a=-2$

11 답 $x<3$

셀파 축 $x=p$를 기준으로 증가, 감소가 바뀐다.

$y=-\frac{3}{2}x^2$의 그래프를 x축의 방향으로 3만큼, y축의 방향으로 -1만큼 평행이동한 그래프의 식은 $y=-\frac{3}{2}(x-3)^2-1$

이때 x^2의 계수가 음수이므로 그래프는 위로 볼록하고 축의 방정식은 $x=3$이다. 따라서 그래프가 오른쪽 그림과 같으므로 x의 값이 증가할 때, y의 값도 증가하는 x의 값의 범위는 $x<3$이다.

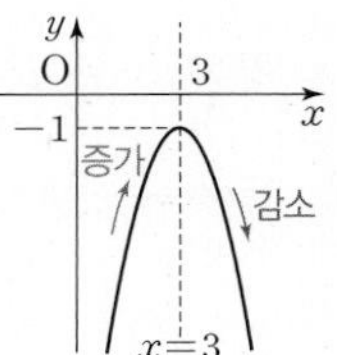

12 답 (1) $a>0, p>0, q<0$ (2) 제3, 4사분면

셀파 이차함수 $y=a(x+p)^2+q$의 그래프에서 꼭짓점의 좌표는 $(-p, q)$이다.

(1) 주어진 이차함수 $y=a(x+p)^2+q$의 그래프가 아래로 볼록하므로 $a>0$

꼭짓점 $(-p, q)$가 제3사분면 위에 있으므로 (제3사분면 → $(-, -)$)

$-p<0, q<0$ $\therefore p>0, q<0$

(2) 이차함수 $y=q(x+a)^2-p$의 그래프는 x^2의 계수 q가 음수이므로 위로 볼록하다.

또 $-a<0, -p<0$이므로 꼭짓점 $(-a, -p)$가 제3사분면 위에 있다. ($(-, -)$) 따라서 $y=q(x+a)^2-p$의 그래프는 오른쪽 그림과 같으므로 제3, 4사분면을 지난다.

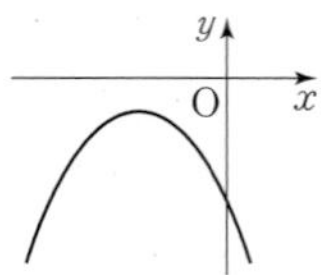

실력 키우기

본문 | 199~201 쪽

01 답 ③, ⑤

셀파 이차함수의 그래프를 평행이동하여 완전히 포갤 수 있으려면 x^2의 계수가 같아야 한다.

$y=3(x-2)^2-5$의 그래프를 평행이동하여 완전히 포개지려면 x^2의 계수가 3이어야 한다.

따라서 그래프를 평행이동하여 포갤 수 없는 것은 x^2의 계수가 3이 아닌 ③, ⑤이다.

02 답 -2

셀파 평행이동한 그래프의 식을 구하여 비교한다.

이차함수 $y=-\frac{1}{2}x^2$의 그래프를 x축의 방향으로 p만큼, y축의 방향으로 3만큼 평행이동한 그래프를 나타내는 이차함수의 식은

$y=-\frac{1}{2}(x-p)^2+3$

이것이 $y=a(x+2)^2-q$와 같으므로 $a=-\frac{1}{2}, -p=2, -q=3$

$\therefore a=-\frac{1}{2}, p=-2, q=-3$

$\therefore ap+q=-\frac{1}{2}\times(-2)+(-3)=-2$

03 답 ④

셀파 이차함수의 그래프를 그려 본다.

①

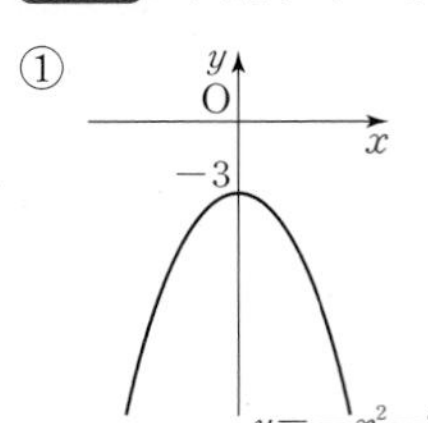

②

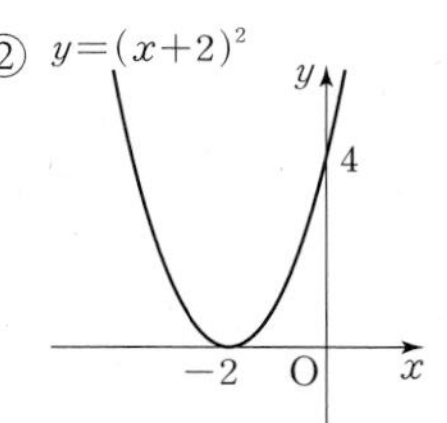

③

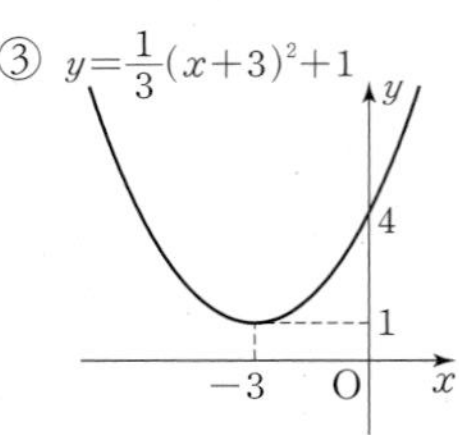

④

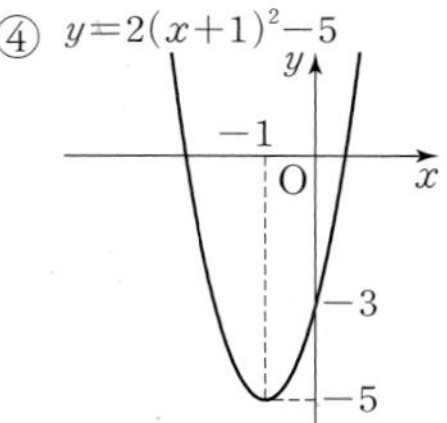

⑤

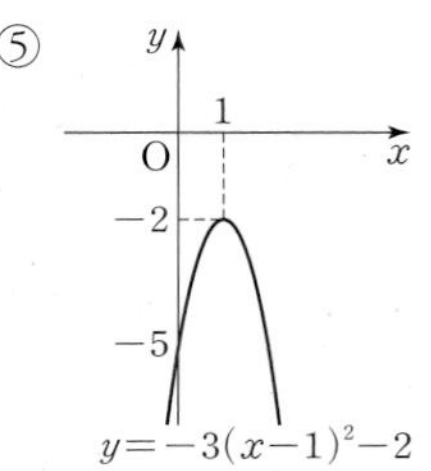

따라서 이차함수의 그래프 중 모든 사분면을 지나는 것은 ④이다.

04 답 3

셀파 꼭짓점의 좌표가 $(0, 4)$임을 이용한다.

꼭짓점의 좌표가 $(0, 4)$이므로 주어진 그래프는 $y=-x^2$의 그래프를 y축의 방향으로 4만큼 평행이동한 것이다.

즉 $y=-x^2+4$의 그래프가 점 $(-1, k)$를 지나므로

$k=-(-1)^2+4=3$

05 답 $\frac{1}{3}$

셀파 이차함수 $y=ax^2$의 그래프를 x축의 방향으로 p만큼 평행이동한 그래프의 꼭짓점의 좌표는 $(p, 0)$이다.

1 꼭짓점의 좌표를 이용하여 p의 값 구하기 [40 %]

이차함수 $y=ax^2$의 그래프를 x축의 방향으로 p만큼 평행이동한 그래프의 식은 $y=a(x-p)^2$이고 꼭짓점의 좌표가 $(p, 0)$이므로 $p=-2$

2 점 $(1, 3)$을 지남을 이용하여 a의 값 구하기 [60 %]

이때 $y=a(x+2)^2$의 그래프가 점 $(1, 3)$을 지나므로

$3=a\times(1+2)^2, 9a=3$ $\therefore a=\frac{1}{3}$

06 답 ㉠, ㉣

셀파 $a>0$일 때와 $a<0$일 때로 구분하여 생각한다.

㉠ 이차함수 $y=a(x-3)^2$의 그래프는 이차함수 $y=ax^2$의 그래프를 x축의 방향으로 3만큼 평행이동한 그래프이다.

㉡ $a=2$이면 이차항의 계수가 양수이므로 아래로 볼록한 포물선이다.

㉢ 꼭짓점의 좌표는 $(3, 0)$이다.

㉣ $a<0$이면 위로 볼록한 포물선이고 축의 방정식이 $x=3$이므로 $x>3$일 때, x의 값이 증가하면 y의 값은 감소한다.

따라서 옳은 것은 ㉠, ㉣이다.

07 답 $a=2$, $p=-4$, $q=-5$

셀파 축의 방정식이 $x=-4$이므로 꼭짓점의 x좌표가 -4이다.

$y=a(x-p)^2+q$의 그래프에서 꼭짓점의 좌표는 (p, q)이다.

이때 축의 방정식이 $x=-4$이고, 꼭짓점의 y좌표가 -5이므로

$p=-4$, $q=-5$ → 꼭짓점의 좌표: $(-4, -5)$

즉 $y=a(x+4)^2-5$의 그래프가 점 $(-2, 3)$을 지나므로

$3=a\times(-2+4)^2-5$, $4a-5=3$

$4a=8$ $\quad\therefore a=2$

08 답 1

셀파 이차함수의 그래프의 꼭짓점의 좌표를 직선의 방정식에 대입한다.

1 주어진 이차함수의 그래프의 꼭짓점의 좌표 구하기 [40 %]

$y=-\frac{3}{4}(x-p)^2+3p$의 그래프의 꼭짓점의 좌표는 $(p, 3p)$

2 p의 값 구하기 [60 %]

점 $(p, 3p)$가 직선 $y=-x+4$ 위에 있으므로

$3p=-p+4$, $4p=4$

$\therefore p=1$

09 답 ④

셀파 이차함수 $y=a(x-p)^2+q$의 그래프의 성질을 이용한다.

① x^2의 계수가 -5로 음수이므로 위로 볼록한 포물선이다.

② 꼭짓점의 좌표는 $(4, 2)$이다.

③ $x=0$을 $y=-5(x-4)^2+2$에 대입하면

$y=-5\times(0-4)^2+2=-78$

즉 y축과 만나는 점의 좌표는 $(0, -78)$이다.

⑤ $y=-5x^2$의 그래프를 x축의 방향으로 4만큼, y축의 방향으로 2만큼 평행이동한 그래프이다.

따라서 옳은 것은 ④이다.

10 답 0

셀파 평행이동한 그래프의 식을 구하여 비교한다.

이차함수 $y=a(x-2)^2+b$의 그래프를 x축의 방향으로 3만큼, y축의 방향으로 -1만큼 평행이동한 그래프를 나타내는 이차함수의 식은 $y=a(x-3-2)^2+b-1$, 즉 $y=a(x-5)^2+b-1$

이것이 $y=-(x+c)^2+3$과 같으므로

$a=-1$, $c=-5$, $b-1=3$

$\therefore a=-1$, $b=4$, $c=-5$

$\therefore a-b-c=-1-4-(-5)=0$

11 답 -2

셀파 꼭짓점의 좌표와 그래프가 지나는 한 점의 좌표를 이용한다.

1 p, q의 값 각각 구하기 [40 %]

이차함수 $y=a(x-p)^2+q$의 그래프의 꼭짓점의 좌표는 (p, q)이고, 주어진 그래프의 꼭짓점의 좌표가 $(2, -3)$이므로

$p=2$, $q=-3$

2 a의 값 구하기 [40 %]

$y=a(x-2)^2-3$의 그래프가 점 $(-1, 0)$을 지나므로

$0=a\times(-1-2)^2-3$

$9a=3$ $\quad\therefore a=\frac{1}{3}$

3 apq의 값 구하기 [20 %]

$\therefore apq=\frac{1}{3}\times2\times(-3)=-2$

12 답 ③

셀파 이차함수의 그래프를 그려 본다.

①

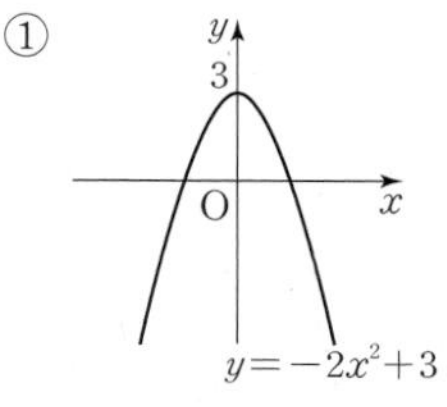

②

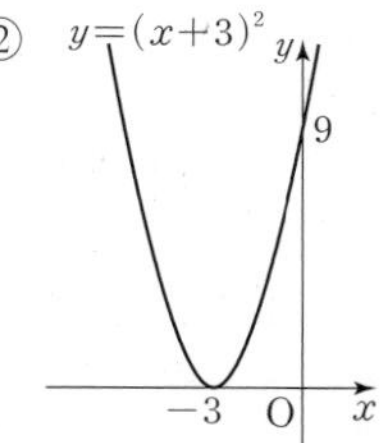

③

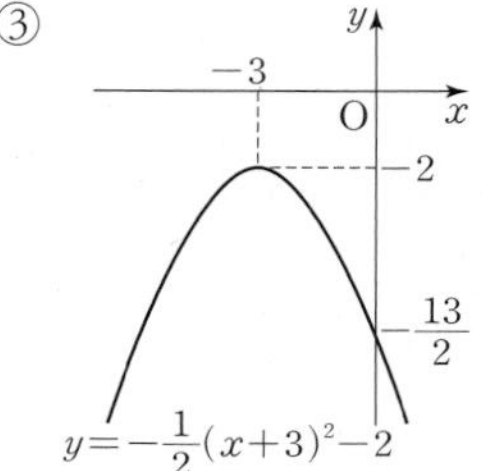

④

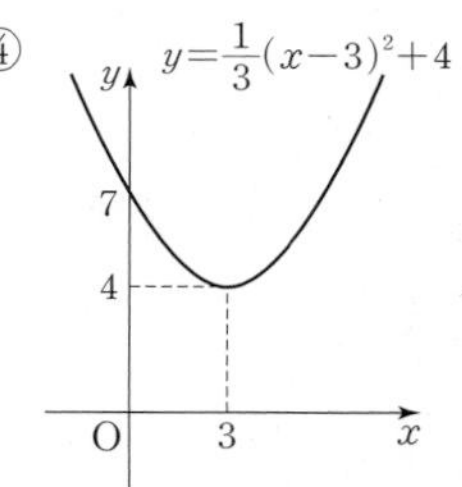

⑤

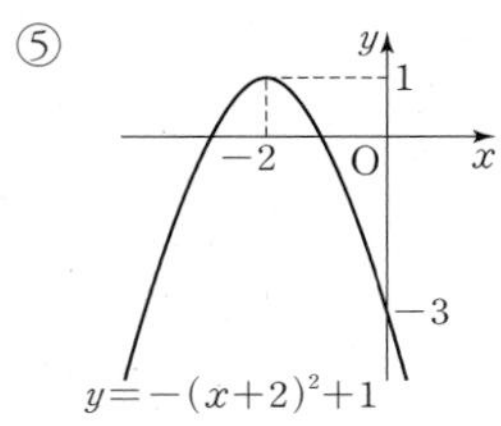

따라서 $x>-3$일 때, x의 값이 증가하면 y의 값은 감소하는 것은 ③이다.

13 답 ①

셀파 주어진 그래프의 모양과 꼭짓점의 위치를 생각한다.

이차함수 $y=a(x-p)^2+q$의 그래프가 위로 볼록한 포물선이므로
$a<0$
꼭짓점 (p, q)가 제1사분면 위에 있으므로 $p>0$, $q>0$

14 답 ①

셀파 주어진 일차함수의 그래프에서 a, b의 부호를 각각 구한다.

주어진 일차함수 $y=ax+b$의 그래프가 오른쪽 위로 향하므로
$a>0$
또 y축과 x축 아래쪽에서 만나므로 $b<0$
이차함수 $y=a(x-b)^2$의 그래프에서
(ⅰ) $a>0$이므로 아래로 볼록하고
(ⅱ) 꼭짓점의 좌표가 $(b, 0)$이고 $b<0$이므로 꼭짓점은 x축의 음의 부분 위에 있다.
따라서 이차함수 $y=a(x-b)^2$의 그래프의 개형으로 알맞은 것은 ①이다.

LECTURE 일차함수 $y=ax+b$의 그래프와 a, b의 부호

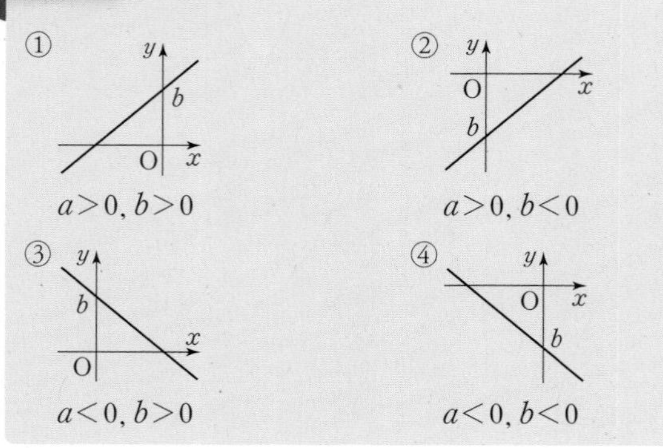

15 답 1

셀파 삼각형에서 세 꼭짓점의 좌표를 구한다.

1 꼭짓점 C의 좌표 구하기 [30 %]

$y=-(x-2)^2+1$의 그래프에서 꼭짓점의 좌표가 $(2, 1)$이므로 $C(2, 1)$

2 이차함수의 그래프와 x축이 만나는 두 점 A, B의 좌표 구하기 [30 %]

$y=-(x-2)^2+1$에 $y=0$을 대입하면 $0=-(x-2)^2+1$
$x^2-4x+3=0$, $(x-1)(x-3)=0$
$\therefore x=1$ 또는 $x=3$
$\therefore A(1, 0)$, $B(3, 0)$

3 △ABC의 넓이 구하기 [40 %]

$\therefore \triangle ABC=\frac{1}{2}\times\overline{AB}\times|(\text{점 C의 }y\text{좌표})|=\frac{1}{2}\times(3-1)\times1=1$

16 답 5

셀파 $y=a(x-p)^2$의 그래프를 x축의 방향으로 m만큼 평행이동하면
⇨ $y=a(x-m-p)^2$

$y=\frac{1}{2}(x-2)^2$의 그래프는 $y=\frac{1}{2}(x+3)^2$의 그래프를 x축의 방향으로 5만큼 평행이동한 것이므로 $\overline{AB}=5$

17 답 16

셀파 점 A의 x좌표를 $a(a>0)$로 놓고, 두 점 B, D의 좌표를 a에 대한 식으로 나타낸다.

점 A의 좌표를 $A(a, -a^2+6)$ $(a>0)$이라 하면 두 점 B, D의 좌표는
$B(-a, -a^2+6)$, $D(a, a^2-6)$
이때 □ABCD가 정사각형이므로
$\overline{AB}=\overline{AD}$에서
$a-(-a)=-a^2+6-(a^2-6)$
$2a=-2a^2+12$, $a^2+a-6=0$
$(a+3)(a-2)=0$ $\therefore a=-3$ 또는 $a=2$
그런데 $a>0$이므로 $a=2$
$\therefore A(2, 2)$, $B(-2, 2)$, $D(2, -2)$
따라서 $\overline{AB}=4$, $\overline{AD}=4$이므로
$\square ABCD=\overline{AB}\times\overline{AD}=4\times4=16$

▌참고▐ 정사각형의 네 변의 길이는 모두 같으므로 $\overline{AB}=\overline{BC}$를 이용하여 식을 세워 넓이를 구해도 된다.

13 이차함수 $y=ax^2+bx+c$의 그래프

1. 이차함수 $y=ax^2+bx+c$의 그래프

본문 | 205 쪽

1-1 답 $y=2(x-1)^2+1$, 그래프: 풀이 참조

$y=2x^2-4x+3$
$=2(x^2-2x)+3$
$=2(x^2-2x+1-1)+3$
$=2(x-1)^2+\boxed{1}$

⇨ 꼭짓점의 좌표는 $(1, \boxed{1})$
축의 방정식은 $x=\boxed{1}$
y축과의 교점의 좌표는 $(0, \boxed{3})$

따라서 이차함수 $y=2x^2-4x+3$의 그래프는 오른쪽 그림과 같다.

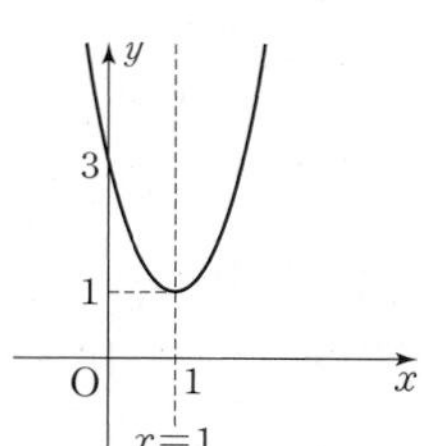

1-2 답 (1) $y=\frac{1}{3}(x-3)^2-4$, 그래프: 풀이 참조
(2) $y=-2(x+2)^2+2$, 그래프: 풀이 참조

(1) $y=\frac{1}{3}x^2-2x-1$
$=\frac{1}{3}(x^2-6x)-1$
$=\frac{1}{3}(x^2-6x+9-9)-1$
$=\frac{1}{3}(x-3)^2-4$

⇨ 꼭짓점의 좌표는 $(3, -4)$
축의 방정식은 $x=3$
y축과의 교점의 좌표는 $(0, -1)$

따라서 이차함수 $y=\frac{1}{3}x^2-2x-1$의 그래프는 오른쪽 그림과 같다.

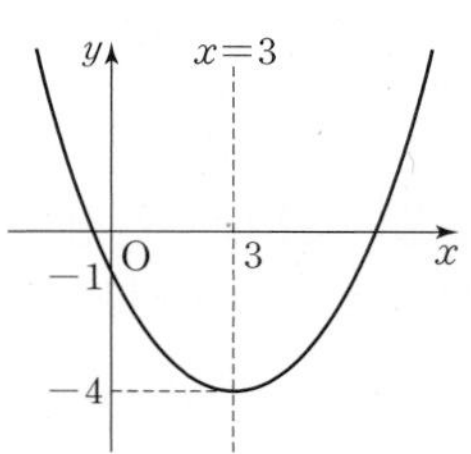

(2) $y=-2x^2-8x-6$
$=-2(x^2+4x)-6$
$=-2(x^2+4x+4-4)-6$
$=-2(x+2)^2+2$

⇨ 꼭짓점의 좌표는 $(-2, 2)$
축의 방정식은 $x=-2$
y축과의 교점의 좌표는 $(0, -6)$

따라서 이차함수 $y=-2x^2-8x-6$의 그래프는 오른쪽 그림과 같다.

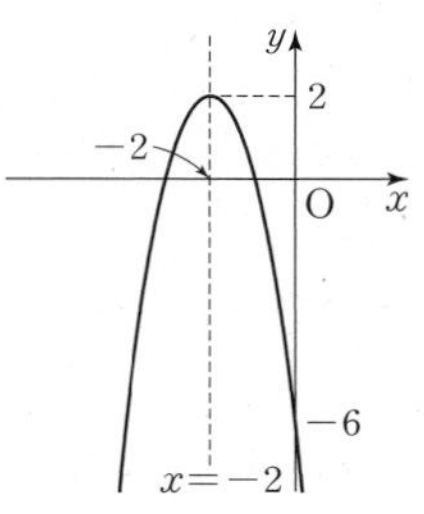

2-1 답 $a>0, b<0, c>0$

그래프가 아래로 볼록하므로 $a\boxed{>}0$
축이 y축의 오른쪽에 있으므로 $ab\boxed{<}0$ $\therefore b\boxed{<}0$
y축과의 교점이 원점보다 위쪽에 있으므로 $c\boxed{>}0$

2-2 답 (1) $>, >, >$ (2) $<, >, =$

(1) 그래프가 아래로 볼록하므로 $a>0$
축이 y축의 왼쪽에 있으므로 $ab>0$ $\therefore b>0$
y축과의 교점이 원점보다 위쪽에 있으므로 $c>0$

(2) 그래프가 위로 볼록하므로 $a<0$
축이 y축의 오른쪽에 있으므로 $ab<0$ $\therefore b>0$
y축과의 교점이 원점이므로 $c=0$

풀고 또 풀고 **집중 연습** 이차함수 $y=ax^2+bx+c$의 그래프 그리기

본문 | 206 쪽

1 답 (1) 풀이 참조 (2) 풀이 참조 (3) 풀이 참조
(4) 풀이 참조 (5) 풀이 참조 (6) 풀이 참조

(1) $y=x^2+2x+3=(x^2+2x+1-1)+3=(x+1)^2+2$
① 꼭짓점의 좌표: $(-1, 2)$
② 축의 방정식: $x=-1$
③ y축과의 교점의 좌표: $(0, 3)$
④ 그래프

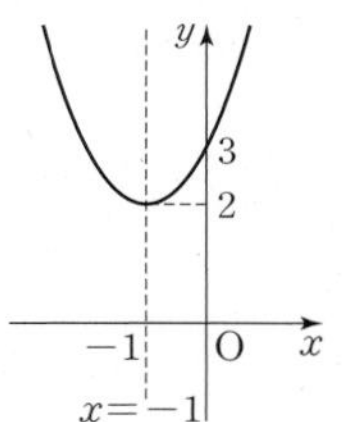

(2) $y=2x^2-8x+6=2(x^2-4x+4-4)+6=2(x-2)^2-2$
① 꼭짓점의 좌표: $(2, -2)$
② 축의 방정식: $x=2$
③ y축과의 교점의 좌표: $(0, 6)$
④ 그래프

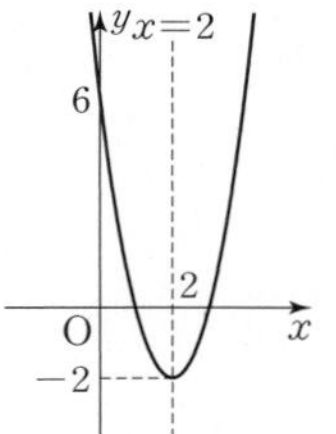

(3) $y=\frac{1}{2}x^2-x+1=\frac{1}{2}(x^2-2x+1-1)+1=\frac{1}{2}(x-1)^2+\frac{1}{2}$

① 꼭짓점의 좌표: $\left(1, \frac{1}{2}\right)$

② 축의 방정식: $x=1$

③ y축과의 교점의 좌표: $(0, 1)$

④ 그래프

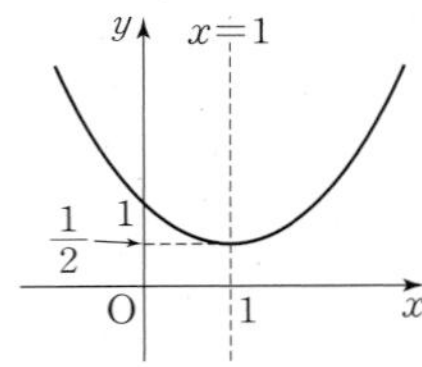

(4) $y=-x^2-4x-5=-(x^2+4x+4-4)-5=-(x+2)^2-1$

① 꼭짓점의 좌표: $(-2, -1)$

② 축의 방정식: $x=-2$

③ y축과의 교점의 좌표: $(0, -5)$

④ 그래프

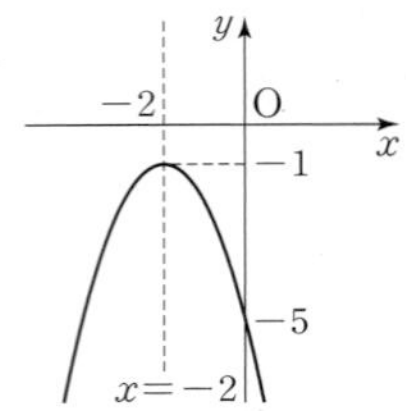

(5) $y=-2x^2+6x=-2\left(x^2-3x+\frac{9}{4}-\frac{9}{4}\right)=-2\left(x-\frac{3}{2}\right)^2+\frac{9}{2}$

① 꼭짓점의 좌표: $\left(\frac{3}{2}, \frac{9}{2}\right)$

② 축의 방정식: $x=\frac{3}{2}$

③ y축과의 교점의 좌표: $(0, 0)$

④ 그래프

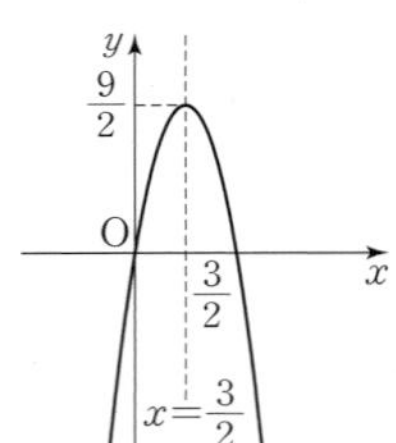

(6) $y=-\frac{1}{3}x^2+2x+2=-\frac{1}{3}(x^2-6x+9-9)+2=-\frac{1}{3}(x-3)^2+5$

① 꼭짓점의 좌표: $(3, 5)$

② 축의 방정식: $x=3$

③ y축과의 교점의 좌표: $(0, 2)$

④ 그래프

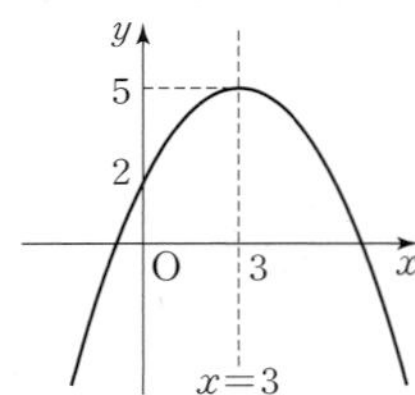

본문 | 207~210 쪽

01 답 -3

셀파 주어진 식을 $y=a(x-m)^2+n$ 꼴로 고쳤을 때, 축의 방정식은 $x=m$이다.

$y=\frac{1}{2}x^2+2px+10=\frac{1}{2}(x^2+4px+4p^2-4p^2)+10$

$=\frac{1}{2}(x+2p)^2-2p^2+10$

이 그래프의 축의 방정식은 $x=-2p$이고

이것이 $x=6$과 같으므로 $-2p=6$ $\therefore p=-3$

02 답 6

셀파 x축과 만나는 점의 x좌표는 $y=0$을 대입하여 구한다.

$y=-\frac{1}{2}x^2-x+4$에 $y=0$을 대입하면 $-\frac{1}{2}x^2-x+4=0$

$\frac{1}{2}x^2+x-4=0$, $x^2+2x-8=0$

$(x+4)(x-2)=0$ $\therefore x=-4$ 또는 $x=2$

따라서 그래프와 x축이 만나는 두 점 A, B의 좌표는

A$(-4, 0)$, B$(2, 0)$ 또는 A$(2, 0)$, B$(-4, 0)$이므로

$\overline{AB}=2-(-4)=6$

LECTURE 두 점 $(a, 0)$, $(b, 0)$ 사이의 거리

두 점 $(a, 0)$, $(b, 0)$ 사이의 거리를 구할 때는 두 점의 y좌표가 같으므로 두 점의 x좌표, 즉 a, b의 차를 구하면 된다.
이때 x축을 수직선으로 생각하면 a, b 중에서 오른쪽에 있는 수가 큰 수이고 왼쪽에 있는 수가 작은 수이므로
(오른쪽에 있는 수) $-$ (왼쪽에 있는 수)
가 두 점 $(a, 0)$, $(b, 0)$ 사이의 거리가 된다.

03 답 제2사분면

셀파 그래프의 모양, 꼭짓점의 좌표, y축과의 교점의 좌표를 확인한다.

$y=-2x^2+8x-4$에서 x^2의 계수가 -2로 음수이므로 그래프는 위로 볼록한 포물선이다.

또 $y=-2x^2+8x-4=-2(x^2-4x+4-4)-4$

$=-2(x-2)^2+4$

이므로 꼭짓점의 좌표는 $(2, 4)$이고,

$y=-2x^2+8x-4$에 $x=0$을 대입하면

$y=-4$이므로 y축과의 교점의 좌표는 $(0, -4)$이다.

따라서 $y=-2x^2+8x-4$의 그래프는 오른쪽 그림과 같으므로 이 그래프가 지나지 않는 사분면은 제2사분면이다.

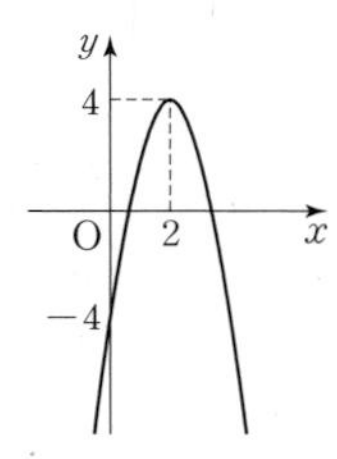

04 답 -1

셀파 그래프가 증가, 감소하는 범위는 축을 기준으로 나누어진다.

$y=\frac{1}{4}x^2+2kx+1=\frac{1}{4}(x^2+8kx+16k^2-16k^2)+1$

$=\frac{1}{4}(x+4k)^2-4k^2+1$

이 그래프의 축의 방정식은 $x=-4k$이다.

$x=4$를 기준으로 y의 값의 증가, 감소가 바뀌므로 주어진 이차함수의 그래프의 축의 방정식은 $x=4$이다.

따라서 $-4k=4$이므로 $k=-1$

05 답 ㉠, ㉢

셀파 이차함수의 그래프를 그려 본다.

$y=x^2-3x+1=\left(x^2-3x+\frac{9}{4}-\frac{9}{4}\right)+1$

$=\left(x-\frac{3}{2}\right)^2-\frac{5}{4}$

이므로 그래프는 오른쪽 그림과 같다.

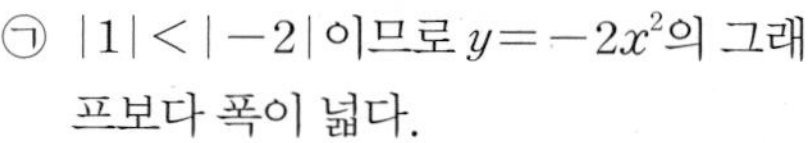

㉠ $|1|<|-2|$이므로 $y=-2x^2$의 그래프보다 폭이 넓다.

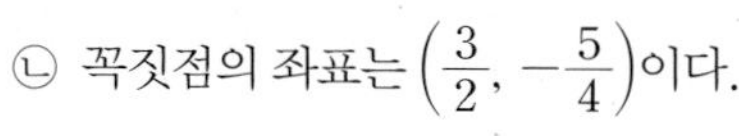

㉡ 꼭짓점의 좌표는 $\left(\frac{3}{2}, -\frac{5}{4}\right)$이다.

따라서 옳은 것은 ㉠, ㉢이다.

06 답 $m=3, n=3$

셀파 주어진 두 이차함수의 식을 각각 $y=a(x-p)^2+q$ 꼴로 고친다.

$y=-3x^2-6x-1=-3(x+1)^2+2$의 그래프를 x축의 방향으로 m만큼, y축의 방향으로 n만큼 평행이동하면

$y=-3(x-m+1)^2+2+n$

이 그래프가 $y=-3x^2+12x-7=-3(x-2)^2+5$의 그래프와 일치하므로 $-m+1=-2$, $2+n=5$

$\therefore m=3, n=3$

07 답 24

셀파 주어진 이차함수의 식에 $y=0$을 대입하여 두 점 A, B의 x좌표를 구하고, $x=0$을 대입하여 점 C의 y좌표를 구한다.

$y=x^2+2x-8$에 $x=0$을 대입하면

$y=-8$ $\quad\therefore$ C$(0, -8)$

$y=x^2+2x-8$에 $y=0$을 대입하면

$x^2+2x-8=0$, $(x+4)(x-2)=0$

$\therefore x=-4$ 또는 $x=2$

즉 A$(-4, 0)$, B$(2, 0)$이므로

$\overline{AB}=2-(-4)=6$

$\therefore \triangle ACB=\frac{1}{2}\times\overline{AB}\times\overline{OC}=\frac{1}{2}\times6\times8=24$

08 답 제2사분면

셀파 주어진 이차함수의 그래프를 보고 a, b, c의 부호를 구한다.

이차함수 $y=ax^2+bx+c$의 그래프가 위로 볼록하므로 $a<0$

축이 y축의 왼쪽에 있으므로 $ab>0$

이때 $a<0$이므로 $b<0$

y축과의 교점이 원점보다 위쪽에 있으므로 $c>0$

$\therefore \frac{b}{a}>0$, $-c<0$

즉 $y=\frac{b}{a}x-c$의 그래프는 기울기가 양수이고 y절편이 음수이므로 오른쪽 그림과 같이 오른쪽 위로 향하는 직선이고, y절편이 원점보다 아래쪽에 있다.

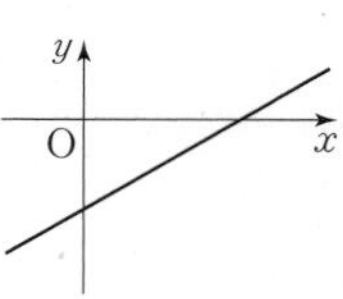

따라서 일차함수 $y=\frac{b}{a}x-c$의 그래프가 지나지 않는 사분면은 제2사분면이다.

2. 이차함수의 식 구하기

개념 익히기 본문 | 213쪽

1-1 답 (1) $y=-x^2+4x-1$ (2) $y=2x^2-12x+17$ (3) $y=2x^2-4x+5$ (4) $y=-x^2-x+2$

(1) [1] 이차함수의 식을 $y=a(x-2)^2+\boxed{3}$으로 놓는다.

[2] [1]의 식에 $x=1$, $y=2$를 대입하면

$2=a+\boxed{3}$ $\quad\therefore a=\boxed{-1}$

$\therefore y=-(x-2)^2+3=-x^2+4x-1$

(2) [1] 이차함수의 식을 $y=a(x-\boxed{3})^2+q$로 놓는다.

[2] [1]의 식에 두 점 $(1, 7)$, $(2, 1)$의 좌표를 각각 대입하면

$7=4a+q$ ...... ㉠, $\boxed{1}=a+q$ ...... ㉡

㉠$-$㉡을 하면 $3a=6$ $\quad\therefore a=\boxed{2}$

$a=2$를 ㉡에 대입하면 $1=2+q$ $\quad\therefore q=-1$

$\therefore y=2(x-3)^2-1=2x^2-12x+17$

(3) [1] 이차함수의 식을 $y=ax^2+bx+\boxed{5}$로 놓는다.

[2] [1]의 식에 두 점 $(-1, 11)$, $(4, 21)$의 좌표를 각각 대입하면

$11=a-b+5$, 즉 $a-b=\boxed{6}$ ...... ㉠

$21=16a+4b+5$, 즉 $4a+b=4$ ...... ㉡

㉠$+$㉡을 하면 $5a=10$ $\quad\therefore a=2$

$a=2$를 ㉠에 대입하면 $2-b=6$ $\quad\therefore b=\boxed{-4}$

$\therefore y=2x^2-4x+5$

(4) [1] 이차함수의 식을 $y=a(x-1)(x+\boxed{2})$로 놓는다.
[2] [1]의 식에 $x=2$, $y=-4$를 대입하면
$-4=\boxed{4}a$ $\quad\therefore a=\boxed{-1}$
$\therefore y=-(x-1)(x+2)=-x^2-x+2$

1-2 답 (1) $y=2x^2-4x+6$ (2) $y=x^2+4x+5$
(3) $y=-x^2+4x-1$ (4) $y=\frac{1}{3}x^2+2x+\frac{14}{3}$

(1) 구하는 이차함수의 식을 $y=a(x-1)^2+4$로 놓고
이 식에 $x=2$, $y=6$을 대입하면
$6=a+4$ $\quad\therefore a=2$
$\therefore y=2(x-1)^2+4=2x^2-4x+6$

(2) 구하는 이차함수의 식을 $y=a(x+2)^2+1$로 놓고
이 식에 $x=0$, $y=5$를 대입하면
$5=4a+1$ $\quad\therefore a=1$
$\therefore y=(x+2)^2+1=x^2+4x+5$

(3) 구하는 이차함수의 식을 $y=a(x-2)^2+q$로 놓고
이 식에 두 점 $(0, -1)$, $(3, 2)$의 좌표를 각각 대입하면
$-1=4a+q$ ⋯⋯ ㉠, $\quad 2=a+q$ ⋯⋯ ㉡
㉠$-$㉡을 하면 $3a=-3$ $\quad\therefore a=-1$
$a=-1$을 ㉡에 대입하면 $2=-1+q$ $\quad\therefore q=3$
$\therefore y=-(x-2)^2+3=-x^2+4x-1$

(4) 구하는 이차함수의 식을 $y=a(x+3)^2+q$로 놓고
이 식에 두 점 $(-1, 3)$, $(1, 7)$의 좌표를 각각 대입하면
$3=4a+q$ ⋯⋯ ㉠, $\quad 7=16a+q$ ⋯⋯ ㉡
㉠$-$㉡을 하면 $-12a=-4$ $\quad\therefore a=\frac{1}{3}$
$a=\frac{1}{3}$을 ㉠에 대입하면 $3=\frac{4}{3}+q$ $\quad\therefore q=\frac{5}{3}$
$\therefore y=\frac{1}{3}(x+3)^2+\frac{5}{3}=\frac{1}{3}x^2+2x+\frac{14}{3}$

1-3 답 (1) $y=-x^2+6x-5$ (2) $y=2x^2-3x+1$
(3) $y=2x^2+4x-6$ (4) $y=3x^2-15x+18$

(1) 구하는 이차함수의 식을 $y=ax^2+bx-5$로 놓고
이 식에 두 점 $(5, 0)$, $(2, 3)$의 좌표를 각각 대입하면
$0=25a+5b-5$, 즉 $5a+b=1$ ⋯⋯ ㉠
$3=4a+2b-5$, 즉 $2a+b=4$ ⋯⋯ ㉡
㉠$-$㉡을 하면 $3a=-3$ $\quad\therefore a=-1$
$a=-1$을 ㉡에 대입하면
$-2+b=4$ $\quad\therefore b=6$
$\therefore y=-x^2+6x-5$

(2) 이차함수의 그래프가 점 $(0, 1)$을 지나므로 구하는 이차함수의 식을 $y=ax^2+bx+1$로 놓고 이 식에 두 점 $(-1, 6)$, $(3, 10)$의 좌표를 각각 대입하면
$6=a-b+1$, 즉 $a-b=5$ ⋯⋯ ㉠
$10=9a+3b+1$, 즉 $3a+b=3$ ⋯⋯ ㉡
㉠$+$㉡을 하면 $4a=8$ $\quad\therefore a=2$
$a=2$를 ㉠에 대입하면 $2-b=5$ $\quad\therefore b=-3$
$\therefore y=2x^2-3x+1$

(3) 구하는 이차함수의 식을 $y=a(x+3)(x-1)$로 놓고
이 식에 $x=0$, $y=-6$을 대입하면
$-6=-3a$ $\quad\therefore a=2$
$\therefore y=2(x+3)(x-1)=2x^2+4x-6$

(4) 구하는 이차함수의 식을 $y=a(x-2)(x-3)$으로 놓고
이 식에 $x=4$, $y=6$을 대입하면
$6=2a$ $\quad\therefore a=3$
$\therefore y=3(x-2)(x-3)=3x^2-15x+18$

본문 | 214~215쪽

01 답 2

셀파 꼭짓점의 좌표가 $(-3, -2)$ ⇨ 이차함수의 식을 $y=a(x+3)^2-2$로 놓는다.

꼭짓점의 좌표가 $(-3, -2)$이므로 이차함수의 식을
$y=a(x+3)^2-2$로 놓자.
이 이차함수의 그래프가 점 $(0, 1)$을 지나므로
$1=a\times(0+3)^2-2$, $9a-2=1$
$9a=3$ $\quad\therefore a=\frac{1}{3}$
따라서 구하는 이차함수의 식은
$y=\frac{1}{3}(x+3)^2-2$, 즉 $y=\frac{1}{3}x^2+2x+1$
따라서 $a=\frac{1}{3}$, $b=2$, $c=1$이므로
$3a+b-c=3\times\frac{1}{3}+2-1=2$

02 답 $a=-1$, $b=2$, $c=3$

셀파 축의 방정식이 $x=1$ ⇨ 이차함수의 식을 $y=a(x-1)^2+q$로 놓는다.

축의 방정식이 $x=1$이므로 이차함수의 식을 $y=a(x-1)^2+q$로 놓자. 이 이차함수의 그래프가 점 $(3, 0)$을 지나므로
$0=a\times(3-1)^2+q$ $\quad\therefore 4a+q=0$ ⋯⋯ ㉠

또 점 $(0, 3)$을 지나므로

$3=a\times(0-1)^2+q$ $\quad\therefore a+q=3$ $\quad\cdots\cdots$ ㉡

㉠$-$㉡을 하면 $3a=-3$ $\quad\therefore a=-1$

$a=-1$을 ㉡에 대입하면 $-1+q=3$ $\quad\therefore q=4$

따라서 구하는 이차함수의 식은

$y=-(x-1)^2+4$, 즉 $y=-x^2+2x+3$

$\therefore a=-1, b=2, c=3$

참고 x축과 만나는 두 점은 축에 서로 대칭이므로 x축과 만나는 두 점 중 한 점의 좌표와 축이 주어지면 다른 한 점의 좌표를 구할 수 있다.
이 문제에서 축은 $x=1$이고 x축과 만나는 한 점의 x좌표가 3이므로 x축과 만나는 다른 한 점의 x좌표를 m이라 하면

$1-m=3-1$ $\quad\therefore m=-1$

03 답 1

셀파 이차함수 $y=ax^2+bx+c$의 그래프가 점 $\left(0, -\frac{1}{3}\right)$을 지남을 이용하여 c의 값을 먼저 구한다.

이차함수 $y=ax^2+bx+c$의 그래프가 점 $\left(0, -\frac{1}{3}\right)$을 지나므로

$c=-\frac{1}{3}$

즉 $y=ax^2+bx-\frac{1}{3}$의 그래프가 점 $(-1, -3)$을 지나므로

$-3=a-b-\frac{1}{3}$, 즉 $a-b=-\frac{8}{3}$ $\quad\cdots\cdots$ ㉠

또 점 $(2, 1)$을 지나므로

$1=4a+2b-\frac{1}{3}$, 즉 $4a+2b=\frac{4}{3}$ $\quad\cdots\cdots$ ㉡

㉠$\times2+$㉡을 하면 $6a=-4$ $\quad\therefore a=-\frac{2}{3}$

$a=-\frac{2}{3}$를 ㉠에 대입하면 $-\frac{2}{3}-b=-\frac{8}{3}$ $\quad\therefore b=2$

$\therefore a+b+c=-\frac{2}{3}+2+\left(-\frac{1}{3}\right)=1$

04 답 $(4, -2)$

셀파 그래프가 x축과 두 점 $(2, 0)$, $(6, 0)$에서 만난다.
⇨ 이차함수의 식을 $y=a(x-2)(x-6)$으로 놓는다.

x축과 두 점 $(2, 0)$, $(6, 0)$에서 만나므로 이차함수의 식을 $y=a(x-2)(x-6)$으로 놓자.

이 이차함수의 그래프가 점 $(0, 6)$을 지나므로

$6=12a$ $\quad\therefore a=\frac{1}{2}$

따라서 구하는 이차함수의 식은

$y=\frac{1}{2}(x-2)(x-6)$, 즉 $y=\frac{1}{2}x^2-4x+6$

이 식을 표준형으로 고치면 $y=\frac{1}{2}(x-4)^2-2$

따라서 구하는 꼭짓점의 좌표는 $(4, -2)$이다.

실력 키우기

본문 | 216~218쪽

01 답 ④

셀파 $y=ax^2+bx+c$를 $y=a(x-p)^2+q$ 꼴로 변형한다.

$y=-2x^2+12x-5=-2(x-3)^2+13$

이므로 그래프의 꼭짓점의 좌표는 $(3, 13)$, 축의 방정식은 $x=3$이다.

따라서 $p=3$, $q=13$, $r=3$이므로 $p+q+r=19$

02 답 $\frac{1}{5}$

셀파 꼭짓점의 좌표를 구하여 $y=2x+1$에 대입한다.

$y=x^2-4kx+4k^2-k+2=(x-2k)^2-k+2$

이므로 꼭짓점의 좌표는 $(2k, -k+2)$

이때 이 꼭짓점이 직선 $y=2x+1$ 위에 있으므로

$x=2k$, $y=-k+2$를 $y=2x+1$에 대입하면

$-k+2=2\times2k+1$

$-5k=-1$ $\quad\therefore k=\frac{1}{5}$

03 답 -4

셀파 $y=0$일 때의 x의 값, $x=0$일 때의 y의 값을 구한다.

$y=4x^2+4x-3$에 $y=0$을 대입하면 $4x^2+4x-3=0$

$(2x-1)(2x+3)=0$ $\quad\therefore x=\frac{1}{2}$ 또는 $x=-\frac{3}{2}$

$y=4x^2+4x-3$에 $x=0$을 대입하면 $y=-3$

따라서 $p=\frac{1}{2}$, $q=-\frac{3}{2}$, $r=-3$ 또는 $p=-\frac{3}{2}$, $q=\frac{1}{2}$, $r=-3$이므로 $p+q+r=-4$

04 답 ⑤

셀파 그래프의 모양, 꼭짓점의 위치, y축과의 교점의 위치를 확인한다.

① $y=-x^2+10x-15=-(x-5)^2+10$
의 그래프는 위로 볼록하고, 꼭짓점의 좌표는 $(5, 10)$, y축과의 교점의 y좌표는 -15이다. 따라서 그래프는 오른쪽 그림과 같으므로 제1, 3, 4사분면을 지난다.

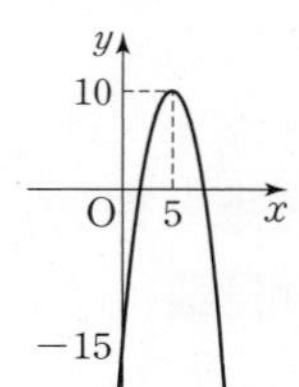

② $y=-x^2+4x-3=-(x-2)^2+1$
의 그래프는 위로 볼록하고, 꼭짓점의 좌표는 $(2, 1)$, y축과의 교점의 y좌표는 -3이다. 따라서 그래프는 오른쪽 그림과 같으므로 제1, 3, 4사분면을 지난다.

③ $y=\frac{1}{2}x^2-2x+1=\frac{1}{2}(x-2)^2-1$
의 그래프는 아래로 볼록하고, 꼭짓점의 좌표는 $(2,\ -1)$, y축과의 교점의 y좌표는 1이다. 따라서 그래프는 오른쪽 그림과 같으므로 제1, 2, 4사분면을 지난다.

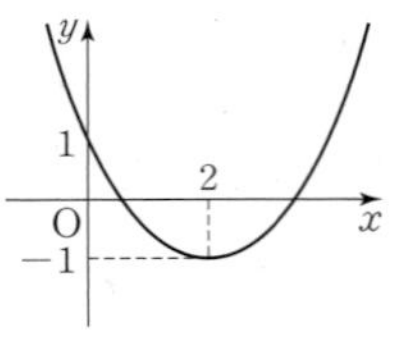

④ $y=2x^2+4x=2(x+1)^2-2$
의 그래프는 아래로 볼록하고, 꼭짓점의 좌표는 $(-1,\ -2)$, y축과의 교점의 y좌표는 0이다. 따라서 그래프는 오른쪽 그림과 같으므로 제1, 2, 3사분면을 지난다.

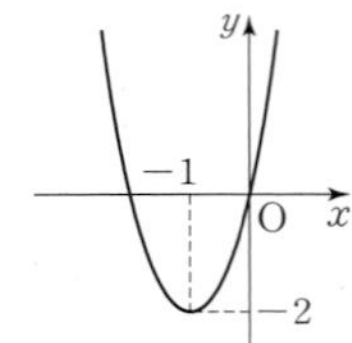

⑤ $y=3x^2-6x-1=3(x-1)^2-4$
의 그래프는 아래로 볼록하고, 꼭짓점의 좌표는 $(1,\ -4)$, y축과의 교점의 y좌표는 -1이다. 따라서 그래프는 오른쪽 그림과 같으므로 모든 사분면을 지난다.

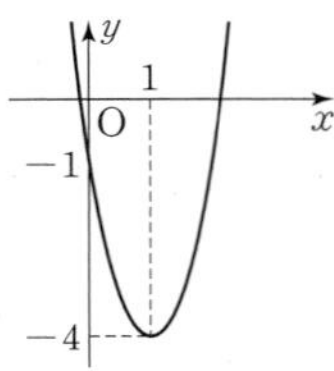

따라서 이차함수의 그래프 중 모든 사분면을 지나는 것은 ⑤이다.

05 답 ②

셀파 $y=a(x-p)^2+q$ 꼴로 변형하여 그래프를 그려 본다.

$y=\frac{1}{3}x^2+2x+1$

$=\frac{1}{3}(x+3)^2-2$

이므로 그래프는 오른쪽 그림과 같다.
따라서 $x<-3$일 때, x의 값이 증가하면 y의 값은 감소한다.

06 답 ②, ④

셀파 $y=a(x-p)^2+q$ 꼴로 변형하여 그래프를 그려 본다.

$y=\frac{1}{4}x^2+x-1$

$=\frac{1}{4}(x+2)^2-2$

이므로 그래프는 오른쪽 그림과 같다.

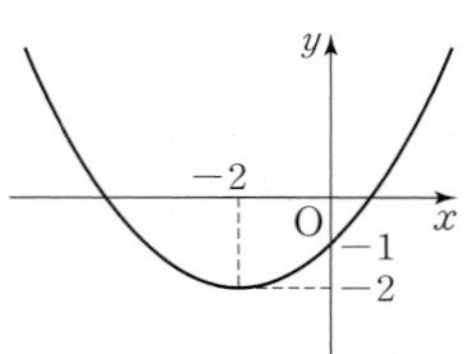

② x축과 두 점에서 만난다.
④ 모든 사분면을 지난다.
따라서 옳지 않은 것은 ②, ④이다.

07 답 5

셀파 주어진 식을 $y=a(x-p)^2+q$ 꼴로 고친 후 평행이동을 생각한다.

① 평행이동한 그래프의 식 구하기 [50 %]
$y=-x^2+6x-9=-(x-3)^2$
이 그래프를 x축의 방향으로 -2만큼, y축의 방향으로 3만큼 평행이동하면 $y=-(x+2-3)^2+3$ $\quad\therefore y=-(x-1)^2+3$

② 평행이동한 그래프의 꼭짓점의 좌표와 축의 방정식 구하기 [30 %]
따라서 평행이동한 그래프의 꼭짓점의 좌표는 $(1, 3)$, 축의 방정식은 $x=1$이므로

③ $a+b+c$의 값 구하기 [20 %]
$a=1, b=3, c=1$ $\quad\therefore a+b+c=5$

08 답 3

셀파 축의 방정식, x축, y축과 만나는 점의 좌표를 각각 구한다.

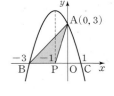

$y=-x^2-2x+3=-(x+1)^2+4$
이므로 점 P의 좌표는 $\mathrm{P}(-1, 0)$
$y=-x^2-2x+3$에 $x=0$을 대입하면
$y=3$ $\quad\therefore \mathrm{A}(0, 3)$
$y=-x^2-2x+3$에 $y=0$을 대입하면
$0=-x^2-2x+3$, $x^2+2x-3=0$
$(x+3)(x-1)=0$ $\quad\therefore x=-3$ 또는 $x=1$
$\therefore \mathrm{B}(-3, 0), \mathrm{C}(1, 0)$
따라서 삼각형 ABP의 넓이는
$\frac{1}{2}\times\overline{\mathrm{BP}}\times\overline{\mathrm{OA}}=\frac{1}{2}\times\{-1-(-3)\}\times3=3$

참고 이차함수의 그래프는 축에 대칭이므로 x축과 만나는 두 점은 축으로부터 같은 거리에 있다.
① x축과 만나는 두 점이 $\mathrm{B}(-3, 0)$, $\mathrm{C}(1, 0)$일 때 축의 방정식은 $x=\frac{-3+1}{2}$, 즉 $x=-1$이므로 축과 x축이 만나는 점 P의 좌표는 $\mathrm{P}(-1, 0)$이 된다.
② $\overline{\mathrm{BP}}=\overline{\mathrm{PC}}=\frac{1}{2}\overline{\mathrm{BC}}$이므로 △ABP의 넓이는 △ABC의 넓이의 $\frac{1}{2}$임을 이용해도 된다.

09 답 ④

셀파 주어진 이차함수의 그래프를 이용하여 a, b, c의 부호를 구한다.

$y=ax^2+bx+c$의 그래프가 아래로 볼록하므로 $a>0$
축이 y축의 오른쪽에 있으므로 $ab<0$ $\quad\therefore b<0$
또 y축과의 교점이 원점보다 아래쪽에 있으므로 $c<0$
따라서 $y=cx^2+bx+a$에서 $c<0$이므로 그래프는 위로 볼록하고 $cb>0$이므로 축이 y축의 왼쪽에 있다.
또 $a>0$이므로 y축과의 교점이 원점보다 위쪽에 있다.
따라서 $y=cx^2+bx+a$의 그래프의 개형으로 알맞은 것은 ④이다.

10 답 $a=1,\ b=6,\ c=11$

셀파 $y=2x^2+12x+20$에서 꼭짓점의 좌표를 먼저 구한다.

$y=2x^2+12x+20=2(x+3)^2+2$이므로
구하는 이차함수의 그래프의 꼭짓점의 좌표는 $(-3,\ 2)$이다.
즉 구하는 이차함수의 식을 $y=a(x+3)^2+2$로 놓을 수 있다.
또 이 이차함수의 그래프가 점 $(-2,\ 3)$을 지나므로
$3=a+2 \qquad \therefore a=1$
따라서 구하는 이차함수의 식은
$y=(x+3)^2+2$, 즉 $y=x^2+6x+11$
$\therefore b=6,\ c=11$

11 답 $(3,\ 2)$

셀파 조건 (가), (다)에서 이차함수의 식을 세운다.

조건 (가), (다)에 의하여 이차함수의 식을 $y=-(x-3)^2+q$로 놓을 수 있다.
조건 (나)에 의하여 이 그래프가 점 $(1,\ -2)$를 지나므로
$-2=-4+q \qquad \therefore q=2$
즉 구하는 이차함수의 그래프의 식이 $y=-(x-3)^2+2$이므로 꼭짓점의 좌표는 $(3,\ 2)$이다.

12 답 1

셀파 세 점의 좌표가 주어졌으므로 이차함수의 식을 $y=ax^2+bx+c$에서 생각한다.

1 주어진 세 점을 지나는 이차함수의 그래프의 식 구하기 [60 %]
이차함수의 그래프가 점 $(0,\ 5)$를 지나므로 구하는 이차함수의 식을 $y=ax^2+bx+5$로 놓을 수 있다.
이때 이차함수의 그래프가 점 $(-1,\ 8)$을 지나므로
$8=a-b+5 \qquad \therefore a-b=3$ ...... ㉠
또 점 $(2,\ -19)$를 지나므로
$-19=4a+2b+5 \qquad \therefore 2a+b=-12$ ...... ㉡
㉠+㉡을 하면 $3a=-9 \qquad \therefore a=-3$
$a=-3$을 ㉠에 대입하면 $-3-b=3 \qquad \therefore b=-6$

2 k의 값 구하기 [40 %]
따라서 세 점 $(-1,\ 8)$, $(0,\ 5)$, $(2,\ -19)$를 지나는 이차함수의 그래프의 식은 $y=-3x^2-6x+5$이고
이 그래프가 점 $(k,\ -4)$를 지나므로 $-4=-3k^2-6k+5$
$k^2+2k-3=0$, $(k-1)(k+3)=0$
$\therefore k=1$ 또는 $k=-3$
그런데 k는 양수이므로 $k=1$이다.

13 답 $k\ge -2$

셀파 그래프가 x축과 만난다.
⇨ 그래프와 x축이 만나는 점은 1개 또는 2개이다.

$y=-2x^2+4x+k=-2(x-1)^2+2+k$
이므로 꼭짓점의 좌표는 $(1,\ 2+k)$
이때 $y=-2(x-1)^2+2+k$의 그래프는 위로 볼록하므로 x축과 만나려면 꼭짓점이 x축 위에 있거나 x축보다 위쪽에 있어야 한다.
따라서 꼭짓점의 y좌표가 0 이상이어야 하므로
$2+k\ge 0$에서 $k\ge -2$

LECTURE 이차함수의 그래프의 위치와 x축과 만나는 점의 개수

이차함수 $y=ax^2+bx+c$의 그래프의 위치에 따라 x축과 만나는 점이 몇 개인지 정해진다. 이 개수는 꼭짓점의 y좌표의 부호를 이용하여 구한다.
$a>0$일 때, 이차함수 $y=ax^2+bx+c$의 그래프가
① x축과 만나지 않으려면
(꼭짓점의 y좌표)>0
② x축과 한 점에서 만나려면
(꼭짓점의 y좌표)$=0$
③ x축과 서로 다른 두 점에서 만나려면
(꼭짓점의 y좌표)<0

$a>0$일 때

14 답 -6

셀파 x축과 만나는 두 점은 축에 서로 대칭임을 이용한다.

$y=x^2-5x+k=\left(x-\frac{5}{2}\right)^2-\frac{25}{4}+k$
이므로 축의 방정식은 $x=\frac{5}{2}$
이때 $\overline{AB}=7$이므로
x축과 축이 만나는 점을 M이라 하면
$\overline{AM}=\frac{7}{2}$, $\overline{BM}=\frac{7}{2}$
따라서 점 A의 x좌표는 $\frac{5}{2}-\frac{7}{2}=-1$,
점 B의 x좌표는 $\frac{5}{2}+\frac{7}{2}=6$
$\therefore$ A$(-1,\ 0)$, B$(6,\ 0)$
$y=x^2-5x+k$의 그래프가 점 A$(-1,\ 0)$을 지나므로
$0=(-1)^2-5\times(-1)+k$
$6+k=0 \qquad \therefore k=-6$

15 답 $2a$

셀파 주어진 그래프에서 a, b, c의 부호를 확인한다.

① a, b, c의 부호 구하기 [30 %]

$y=ax^2+bx+c$의 그래프가 아래로 볼록하므로 $a>0$

축이 y축의 오른쪽에 있으므로 $ab<0$ $\quad \therefore b<0$

또 y축과의 교점이 원점보다 아래쪽에 있으므로 $c<0$

② $a-b, b+c, c-a$의 부호 구하기 [30 %]

$a>0, b<0, c<0$에서 $a-b>0, b+c<0, c-a<0$

③ 제곱근의 성질을 이용하여 $\sqrt{(a-b)^2}-\sqrt{(b+c)^2}+\sqrt{(c-a)^2}$을 간단히 하기 [40 %]

$\therefore \sqrt{(a-b)^2}-\sqrt{(b+c)^2}+\sqrt{(c-a)^2}$

$=(a-b)-\{-(b+c)\}-(c-a)$

$=a-b+b+c-c+a=2a$

개념 다시 보기

$\sqrt{a^2}$의 성질

① $a\geq 0$일 때, $\sqrt{a^2}=a$

② $a<0$일 때, $\sqrt{a^2}=-a$

→ a의 부호에 관계없이 $\sqrt{a^2}$은 항상 음이 아닌 값을 가져야 한다.

16 답 ①, ④

셀파 x에 적당한 값을 대입하여 부호를 확인한다.

이차함수의 그래프는 축을 중심으로 대칭이다.

이때 축의 방정식은 $x=\frac{1}{2}$이고

그래프가 x축과 만나는 한 점의 x좌표가 -1이므로 다른 한 점의 x좌표는 2이다.

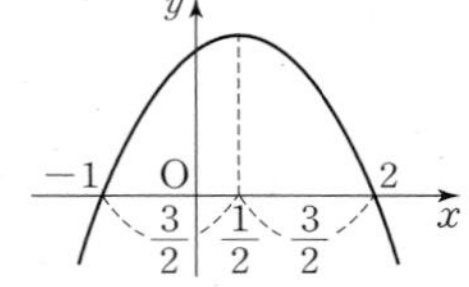

① $y=ax^2+bx+c$의 그래프가 위로 볼록하므로 $a<0$

축이 y축의 오른쪽에 있으므로 $ab<0$ $\quad \therefore b>0$

또 y축과의 교점이 원점보다 위쪽에 있으므로 $c>0$

즉 $a<0, b>0, c>0$이므로 $abc<0$

② $y=ax^2+bx+c$에 $x=-1$을 대입하면 $y=a-b+c$

이때 $x=-1$일 때의 y의 값은 0이므로 $a-b+c=0$

③ $y=ax^2+bx+c$에 $x=1$을 대입하면

$y=a+b+c$

이때 $x=1$일 때의 y의 값은 양수이므로 $a+b+c>0$

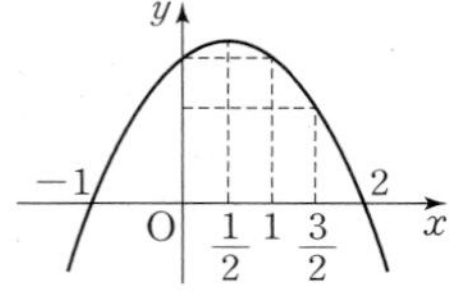

④ $y=ax^2+bx+c$에 $x=2$를 대입하면

$y=4a+2b+c$

이때 $x=2$일 때의 y의 값은 0이므로 $4a+2b+c=0$

⑤ $y=ax^2+bx+c$에 $x=\frac{3}{2}$을 대입하면 $y=\frac{9}{4}a+\frac{3}{2}b+c$

이때 $x=\frac{3}{2}$일 때의 y의 값은 양수이므로 $\frac{9}{4}a+\frac{3}{2}b+c>0$

따라서 옳지 않은 것은 ①, ④이다.

17 답 (1) $y=-3x^2+24x+60$ (2) 10초 후

셀파 y를 x에 대한 식으로 나타낸 후 $y=0$일 때의 $x(x>0)$의 값을 구한다.

(1) 꼭짓점의 좌표가 $(4, 108)$이므로 $y=a(x-4)^2+108$로 놓을 수 있다.

이 그래프가 점 $(0, 60)$을 지나므로 $60=16a+108$

$16a=-48$ $\quad \therefore a=-3$

$\therefore y=-3(x-4)^2+108=-3x^2+24x+60$

(2) 물 로켓이 지면에 떨어질 때 $y=0$이므로

$0=-3x^2+24x+60$, 즉 $x^2-8x-20=0$

$(x+2)(x-10)=0$ $\quad \therefore x=-2$ 또는 $x=10$

그런데 $x>0$이므로 $x=10$

따라서 물 로켓을 쏜 지 10초 후에 지면에 떨어진다.

18 답 30

셀파 각 점의 좌표를 구한 후 □ACDB를 적당한 부분으로 나누어 넓이를 구한다.

① 네 점 A, B, C, D의 좌표 구하기 [60 %]

$y=x^2-4x-5=(x-2)^2-9$에서 꼭짓점 D의 좌표는 $\mathrm{D}(2, -9)$

$y=x^2-4x-5$에 $x=0$을 대입하면 $y=-5$ $\quad \therefore \mathrm{C}(0, -5)$

$y=x^2-4x-5$에 $y=0$을 대입하면 $x^2-4x-5=0$

$(x+1)(x-5)=0$ $\quad \therefore x=-1$ 또는 $x=5$

$\therefore \mathrm{A}(-1, 0), \mathrm{B}(5, 0)$

② □ACDB의 넓이 구하기 [40 %]

이때 꼭짓점 D에서 x축에 내린 수선의 발을 E라 하면 $\mathrm{E}(2, 0)$

$\therefore$ □ACDB

$=\triangle\mathrm{ACO}+$□OCDB

$=\triangle\mathrm{ACO}+($□OCDE$+\triangle\mathrm{EDB})$

$=\frac{1}{2}\times1\times5+\frac{1}{2}\times(5+9)\times2+\frac{1}{2}\times3\times9$

$=\frac{5}{2}+14+\frac{27}{2}=30$

19 답 4

셀파 두 그래프는 평행이동한 관계임을 이용한다.

$y=2x^2+12x+18=2(x+3)^2$, $y=2x^2+4x+2=2(x+1)^2$에서 $y=2x^2+4x+2$의 그래프는 $y=2x^2+12x+18$의 그래프를 x축의 방향으로 2만큼 평행이동한 것이다. 따라서 아래의 그림에서 빗금 친 두 부분의 넓이가 같으므로 색칠한 부분의 넓이는 직사각형 ACOB의 넓이와 같다.

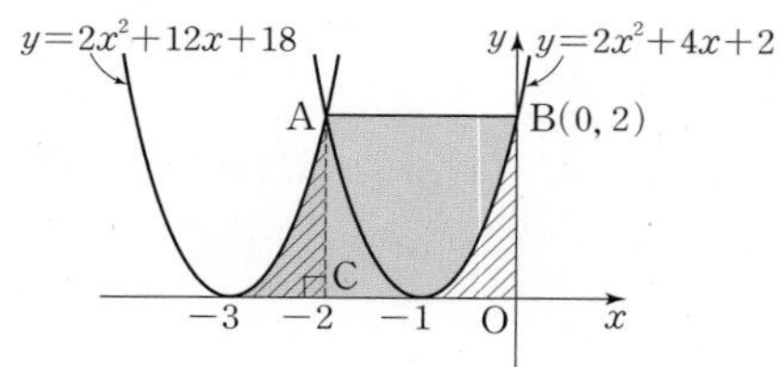

$y=2x^2+4x+2$에 $x=0$을 대입하면 $y=2$이므로 $\mathrm{B}(0, 2)$

$y=2x^2+4x+2$에 $y=2$를 대입하면 $2=2x^2+4x+2$

$2x^2+4x=0$, $2x(x+2)=0$

$\therefore x=0$ 또는 $x=-2$

$\therefore \mathrm{A}(-2, 2)$, $\mathrm{C}(-2, 0)$

이때 $\overline{\mathrm{CO}}=2$, $\overline{\mathrm{BO}}=2$이므로 구하는 넓이는

$\square\mathrm{ACOB}=2\times2=4$

Memo